Le Routard

Londres

Cofondateurs : Philippe GLOAGUEN et Michel DUVAL

Directeur de collection et auteur
Philippe GLOAGUEN

Rédacteurs en chef adjoints
Amanda KERAVEL
et Benoît LUCCHINI

Directrice de la coordination
Florence CHARMETANT

Directrice administrative
Bénédicte GLOAGUEN

Directeur du développement
Gavin's CLEMENTE-RUÏZ

Direction éditoriale
Catherine JULHE

Rédaction
Isabelle AL SUBAIHI
Mathilde de BOISGROLLIER
Thierry BROUARD
Marie BURIN des ROZIERS
Véronique de CHARDON
Fiona DEBRABANDER
Anne-Caroline DUMAS
Géraldine LEMAUF-BEAUVOIS
Olivier PAGE
Alain PALLIER
Anne POINSOT
André PONCELET

Conseiller à la rédaction
Pierre JOSSE

Administration
Carole BORDES
Éléonore FRIESS

2017

hachette

TABLE DES MATIÈRES

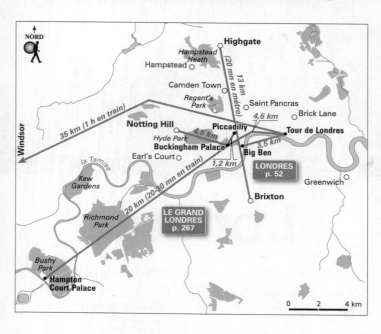

LA RÉDACTION DU ROUTARD

(sans oublier nos 50 enquêteurs, aussi sur le terrain)

© R. Delalande et E. Dessons

Thierry, Anne-Caroline, Éléonore, Olivier, Pierre, Benoît, Alain, Fiona, Gavin's, André, Véronique, Bénédicte, Jean-Sébastien, Mathilde, Amanda, Isabelle, Géraldine, Marie, Carole, Philippe, Florence, Anne.

La saga du *Routard* : en 1971, deux étudiants, Philippe et Michel, avaient une furieuse envie de découvrir le monde. De retour du Népal germe l'idée d'un guide différent qui regrouperait tuyaux malins et itinéraires sympas, destiné aux jeunes fauchés en quête de liberté. 1973. Après 19 refus d'éditeurs et la faillite de leur première maison d'édition, l'aventure commence vraiment avec Hachette. Aujourd'hui, *Le Routard*, c'est plus d'une cinquantaine d'enquêteurs impliqués et sincères. Ils parcourent le monde toute l'année dans l'anonymat et s'acharnent à restituer leurs coups de cœur avec passion.

Merci à tous les Routards qui partagent nos convictions : liberté et indépendance d'esprit ; découverte et partage ; sincérité, tolérance et respect des autres.

NOS SPÉCIALISTES LONDRES

Gavin's Clemente Ruiz : né en 1978, belgo-hispano-normand, il vadrouille pour le *Routard* depuis 1999. Logique avec un tel pedigree ! Son plaisir : l'adresse introuvable dénichée en fin de journée. Et garder le contact avec les personnes croisées. Son défaut : ne quitte jamais son téléphone portable (« Bon, c'est pour le Facebook et l'Instagram du *Routard* » !).

Fiona Debrabander : franco-britannique, passionnée d'histoire, de musique et de cinéma, elle apprécie autant prendre le thé après un trek qu'un café au comptoir, les bains de foule sur les marchés que les bains de minuit en bord de mer. Avide de rencontres et de nature, au coin de la rue ou au bout du monde, elle sillonne la planète avec l'envie de partager ses découvertes.

Thomas Rivallain : transbahuté dès l'enfance dans le combi familial, les sens affûtés en tournée musicale ou louvoyant sur les itinéraires bis. Tout est prétexte aux carnets de route pour cet admirateur de fleuves. Souvent parti là où on ne l'attend pas, il travaille ses guides en Anjou, auprès de l'indomptable Loire. En bon apôtre du voyage, Thomas ne croit que ce qu'il voit.

UN GRAND MERCI À NOS AMI(E)S SUR PLACE ET EN FRANCE

Pour cette nouvelle édition, nous remercions particulièrement :

- **John Sansom et Mike Newman.**
- **Emily Barnes,** à la Tate Modern.
- **Annie Duffield et Jezreel James,** au Museum of London.
- **Matthew Taylor,** à St Paul's Cathedral.
- **Rachel Collins,** à la Wellcome Collection.
- **Cindy Landlust et Lauren Symons.**

Pictogrammes du Routard

Établissements

- 🏠 Hôtel, auberge, chambre d'hôtes
- ⛺ Camping
- 🍴 Restaurant
- 🥖 Boulangerie, sandwicherie
- 🍦 Glacier
- ☕ Café, salon de thé
- 🍷 Café, bar
- 🎷 Bar musical
- 🎸 Pèlerinage rock
- 🎵 Club, boîte de nuit
- 🎭 Salle de spectacle
- 🛈 Office de tourisme
- ✉ Poste
- 🛍 Boutique, magasin, marché
- @ Accès Internet
- ➕ Hôpital, urgences

Sites

- 🏖 Plage
- 🤿 Site de plongée
- 🚲 Piste cyclable, parcours à vélo

Transports

- ✈ Aéroport
- 🚆 Gare ferroviaire
- 🚌 Gare routière, arrêt de bus
- Ⓜ Station de métro
- Ⓣ Station de tramway
- 🅿 Parking
- 🚕 Taxi
- 🚐 Taxi collectif
- 🚤 Bateau
- ⛴ Bateau fluvial

Attraits et équipements

- 🏛 Présente un intérêt touristique
- 🚶 Recommandé pour les enfants
- ♿ Adapté aux personnes handicapées
- 💻 Ordinateur à disposition
- 📶 Connexion wifi
- Ⓤ Inscrit au Patrimoine mondial de l'Unesco

Tout au long de ce guide, découvrez toutes les photos de la destination sur • *routard.com* • Attention au coût de connexion à l'étranger, assurez-vous d'être en wifi !
© HACHETTE LIVRE (Hachette Tourisme), 2017
Le *Routard* est imprimé sur un papier issu de forêts gérées.

I.S.B.N. 978-2-01-323691-1

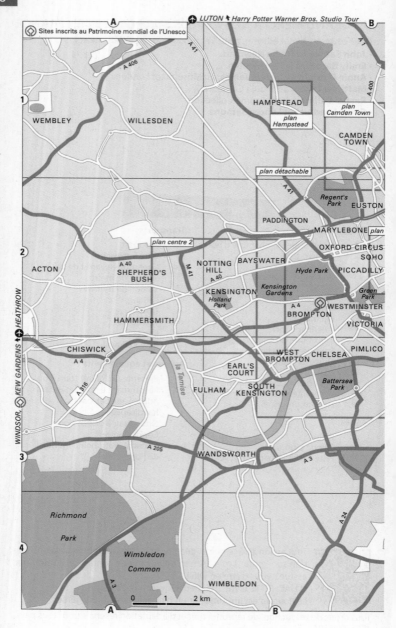

8

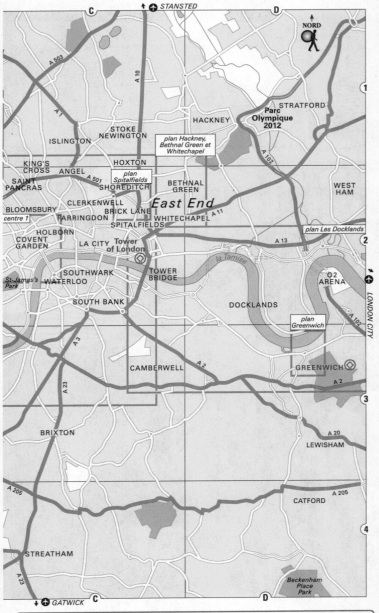

L'AGGLOMÉRATION DE LONDRES

Le marché aux fleurs de Columbia Road, dans l'East End

> *« Celui qui est lassé de Londres, l'est de la vie, car Londres a tout ce que la vie peut offrir. »*
> Samuel Johnson

Londres a franchi le millénaire en s'offrant une cure de jouvence comme elle n'en connaît que tous les 30 ou 40 ans. Dans les années 1960, sa jeunesse avait secoué les oripeaux de la vieille Angleterre et imposé à la planète de nouveaux codes et références culturels. En 2000, dopée par la croissance économique, elle s'est offert un lifting architectural spectaculaire, affirmant ainsi son rôle de **mégalopole multiculturelle.** Le cosmopolitisme et la tolérance, l'esprit d'entreprise, les hauts salaires et le (presque) plein-emploi ont attiré une nouvelle vague d'immigration sans précédent jusqu'à l'automne 2008.

Même si la crise a quelque peu changé la donne, Londres a toujours la cote, et les jeunes *Frenchies* sont près de 300 000 à avoir franchi le *Channel* pour tenter leur chance dans cet eldorado européen, devenu la capitale économique et culturelle du Vieux Continent. De fait, le prix de l'immobilier dépasse celui de New York ou de Tokyo et chasse de nombreux Londoniens en banlieue lointaine. Quant au coût de la vie…

Question intégration, Londres aurait de quoi donner des leçons à n'importe quelle société contemporaine : la proportion de mariages mixtes est supérieure à toutes celles constatées en Europe et dans le monde (et surtout aux États-Unis). Pas moins de 50 nationalités se côtoient, parlant, en tout, plus de 300 langues ! L'élection à la mairie de Londres de Sadiq Khan, avocat travailliste fils d'un chauffeur de bus immigré du Pakistan, en est le parfait symbole. Mais tout n'est pas rose non plus pour les autochtones, les contrastes sont parfois criants : le taux de chômage atteint presque 15 % dans certains quartiers, alors qu'il avoisine 6 % pour la moyenne nationale.

À 2h15 de trajet de la gare du Nord, le choc est réel : comment peut-on être si proche de Paris et pourtant si différent ? La capitale française semble bien calme comparée à Londres, cette ville-monde, métropole énorme, grouillante, éclatée, moderne, vibrante et qui n'est plus seulement anglaise, mais réellement cosmopolite. Avec des musées et des galeries par centaines, des pubs par milliers et plus de 10 000 restos, il y en a vraiment pour tout le monde ! Sans oublier les taxis qui semblent, comme les escargots, sortir avec la pluie. Et comme il pleut assez souvent…

Ici, vous êtes sûr de trouver chaussure à votre pied : un concert rock ou électro, un pub irlandais, de la porcelaine chinoise, de la cuisine indienne, un immeuble au design futuriste, des vêtements vintage ou excentriques, le thé le plus raffiné, un disque introuvable, des tableaux impressionnistes, de l'art étrusque, des parcs immenses, des activités à foison pour les enfants…

NOS COUPS DE CŒUR

♡ 1 **Tenter de** mettre un nom sur les chefs-d'œuvre de la National Gallery. C'est l'un des trois plus beaux musées de peinture au monde, avec plus de 2 300 toiles représentant toutes les grandes écoles occidentales. Une foule de maîtres (Vinci, Raphaël, Botticelli, Rembrandt, Rubens, Turner, Van Gogh, Cézanne…) et de chefs-d'œuvre (*Vénus et Mars* de Botticelli, *Vierge aux rochers* de Vinci, *Les Tournesols* de Van Gogh…) sont réunis ici ! N'hésitez pas à y consacrer une journée entière, mais le mieux est de s'y rendre en plusieurs fois. *p. 79*
Bon à savoir : accès gratuit. Infos : • nationalgallery.org.uk •

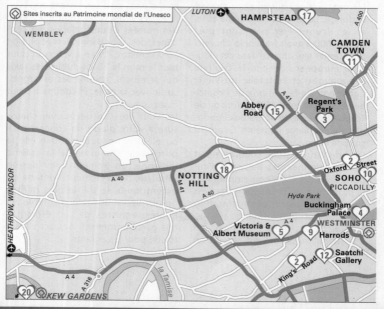

© Stephane France/fotoworld.net

♡ **2** S'adonner à une session shopping **dans les grandes enseignes d'Oxford Street ou les boutiques branchées de King's Road.**

Oxford Street est le temple de la consommation de Londres, avec plus de 300 boutiques. C'est ici que l'on trouve les grands magasins comme *Selfridge, Marks & Spencer, HMV…* ainsi que la plupart des grandes enseignes. Par exemple *Primark (499-517 Oxford Street)*, pour des fringues et accessoires à des prix défiant toute concurrence. Dans un genre nettement plus chic, visez les boutiques de King's Road, épicentre de la branchitude *made in Chelsea* : un quartier plus calme où le shopping est aussi plus onéreux. *p. 88, 135*

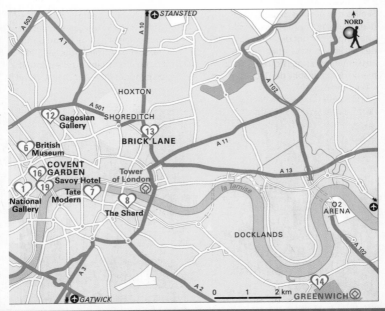

③ **Au printemps, se balader au milieu des jonquilles de Regent's Park, en été profiter des spectacles à l'Open Air Theatre.**

Avec Hyde Park, c'est l'un des lieux rêvés à Londres pour une sieste ou un pique-nique, taquinés par les écureuils gris qui gambadent joyeusement dans l'herbe. On résistera à la tentation de leur donner à manger… officiellement, cela n'est pas autorisé ! De mi-mai à mi-septembre, de nombreux festivals se tiennent dans le kiosque de plein air. On y joue du Shakespeare et autres classiques du théâtre anglais, des spectacles musicaux, de l'opéra… Concerts gratuits parfois. *p. 164*

Bon à savoir : programme sur • openairtheatre.org •

© Image Source/hemis.fr

④ **Prendre un thé à Buckingham Palace avec la reine ou, mieux, avec Kate !**

Si elles ne sont pas dispo, il est toujours possible de visiter cet édifice du XVIIIe s, mais seulement en août-septembre. Pas question de voir les 600 pièces, seulement une vingtaine sont ouvertes au public (les *State rooms*), ainsi qu'une petite partie des jardins. Si vous étiez amené à croiser la reine, sachez qu'on s'adresse à elle aussi bien en anglais qu'en français : elle est bilingue à tel point qu'elle connaît même des chansons de Tino Rossi ! En revanche, on évitera « Majesté », elle préfère « Madame ». *p. 107*

Bon à savoir : • royalcollection.org.uk •

© Sonnet Sylvain/hemis.fr

© Mattes René/hemis.fr

⑤ ♡ **Refaire le monde au Victoria & Albert Museum, le V & A pour les intimes.**

C'est l'un des plus beaux musées au monde consacré aux Arts décoratifs. On vient pour les pièces uniques de sa collection (la nef de Burghley du XVIe s, le tapis d'Arbidil, les bijoux….) mais aussi pour le cadre superbe et les activités ludiques. Les collections se sont enrichies depuis sa création au XIXe s et comptent aujourd'hui 4 millions d'objets, répartis sur un immense espace d'environ 50 000 m². *p. 119*
Bon à savoir : le V & A étant l'un des plus grands musées de Londres et d'accès gratuit, profitez-en pour revenir ! Infos : • vam.ac.uk •

© Mattes René/hemis.fr

⑥ ♡ **Jouer les explorateurs au British Museum, l'un des plus grands musées d'antiquités au monde.**

Il couvre l'histoire de l'humanité, depuis ses origines jusqu'à nos jours. Accès par la sublime Great Court, large atrium recouvert d'un toit translucide, résille de verre et d'acier. Entre autres merveilles : la fameuse pierre de Rosette, des momies et sarcophages, une frise du Parthénon, un buste de Ramsès II, un élément du temple d'Artémis à Éphèse… impossible de tout voir en une seule visite. Opter pour quelques sections et revenir pour explorer la suite, le « British » est totalement gratuit ! *p. 176*
Bon à savoir : se munir du plan du musée – un vrai labyrinthe… Infos : • britishmuseum.org •

♡ Découvrir la Tate Modern, **magnifique musée d'art moderne.**

Installé dans une ancienne centrale électrique, c'est un hall d'exposition de 34 000 m² et de 35 m de haut, couplé à un tout nouveau bâtiment, ultra-contemporain. On peut y admirer des à-plats de Rothko, des sculptures d'Henry Moore ou Giacometti, des peintures de Mondrian, Miró, Picasso, Klein, et on en passe. Les accrochages changent régulièrement, les réserves sont inépuisables et d'une rare richesse ! *p. 263*

Bon à savoir : accès gratuit sf pour les expos temporaires. Sur place, plusieurs cafétérias et restos avec vue imprenable sur les quais de la Tamise et St Paul's Cathedral. Infos :
• tate.org.uk •

© Iain Masterton/Alamy/Hemis

© Renzo Piano Building Workshop © Gardel Bertrand/hemis.fr

8 Atteindre le sommet du Shard, le plus grand immeuble d'Europe !
La silhouette de cette spectaculaire flèche de verre de 310 m de haut s'élance à proximité du London Bridge, sur la rive sud. C'est l'œuvre de Renzo Piano, à qui l'on doit le centre Georges-Pompidou à Paris ou le bâtiment futuriste de la Lloyd's dans la City, toute proche. Des ascenseurs ultrarapides (6 m/s), des télescopes interactifs et un grand moment d'émotion vous attendent sur la terrasse du 72e étage, entre le sifflement du vent et la vue à 60 km à la ronde… La nuit, c'est carrément magique ! *p. 265*
Bon à savoir : l'accès est cher… Résa : • *theviewfromtheshard.com* •

9 Déambuler dans les rayons du très célèbre *Harrods*, **l'un des plus sompteux magasins du monde.**

Devenu monument à part entière, *Harrods* est un véritable chef-d'œuvre de décoration et de bon goût. L'Egyptian Hall, qui occupe plusieurs étages, constitue un parfait exemple de l'Art nouveau, chargé certes, mais unique. L'escalator (électrique) fut le premier installé en Europe. Ne pas manquer les Food Halls (rayons alimentaires), célèbres pour leurs sompteuses céramiques, où l'on peut aussi se restaurer. Un temple du shopping à fréquenter ne serait-ce que par curiosité, ou pour y faire quelques achats... Mais les prix sont à l'avenant ! *p. 118*

Bon à savoir : infos sur • harrods.com •

10 Assister à une comédie musicale **dans un des théâtres du quartier de Soho.**

Avec New York, Londres est « *the place to be* » pour les amateurs de comédies musicales. À peine arrivé, partout des affiches vous vantent les mérites des succès du moment. Il y en a pour tous les goûts. Laissez-vous tenter par *The Lion King, Billy Elliot, Singin'In the Rain, Charlie et la Chocolaterie, Matilda* ou bien *Les Misérables*, les « Miz » comme on dit là-bas, à l'affiche depuis plus de 25 ans ! *p. 357*

Bon à savoir : programmes sur • londontheatre.co.uk • et billets à tarifs réduits sur place à Leicester Square, au kiosque TKTS (lun-sam 10h-19h, dim 11h-16h30 ; • tkts.co.uk •)

⑪ **Se perdre dans le marché aux puces de Camden Town le dimanche matin.**

Haut lieu de la culture alternative, le plus grand marché aux puces de Londres rassemble touristes et adeptes de l'underground (punks, gothiques, hippies…). Dans ce fabuleux bric-à-brac, ode à la fantaisie, on trouve évidemment de tout. Un incontournable : le *Cyberdog,* espace futuriste où se procurer de superbes tenues de l'espace pour frimer dans les raves les plus déjantées ! Hors de prix, mais même les vendeurs, les danseuses (si, si !) et le DJ derrière ses platines valent le coup d'œil. *p. 274*

Bon à savoir : infos sur • camdenlock.net •

© Giuseppe Masci/AGF Foto/Photononstop

⑫ **Découvrir de nouveaux artistes à la Saatchi Gallery ou chez le célèbre marchand Gagosian.**

Charles Saatchi est un grand mécène de l'art contemporain britannique et il le prouve à chaque nouvelle exposition, dans sa galerie de Chelsea. Autre « faiseur d'artistes » mondialement connu, l'Américain Larry Gagosian, qui représente des pointures de l'art contemporain (Jeff Koons, Richard Wright…). Immanquables pour les amateurs. Et si ça ne vous suffit pas, cap sur le quartier de l'East End, où l'on trouve pas mal de galeries d'art contemporain. *p. 128*

Bon à savoir : pour connaître les expos du moment, consulter • saatchi-gallery.co.uk • et • gagosian.com •

SCHATZ SILKE, Mothership, 2003
© Adagp, Paris, 2016 © René Mattes

(13) **Faire du shopping à Brick Lane, puis** se plonger dans l'ambiance de la nuit londonienne dans l'East End.

Avant d'écumer les boutiques vintage de Brick Lane (et son génial marché aux puces le dimanche), faire un tour au Spitalfields Market. Dans la foulée, découvrir Shoreditch, Hoxton, Hackney... Admirer le festival de fresques murales et autres œuvres de *street art*, innombrables. Ces quartiers branchés et bohèmes font aussi partie des incontournables des soirées londoniennes. Tous les oiseaux de nuit qui se respectent viennent ici en fin de semaine ! *p. 220, 230*

Bon à savoir : prendre un verre au Callooh Callay, *LE bar à cocktails de Shoreditch* (• *calloohcallaybar.com* •).

© Stephane Frances/Onlyworld.net

© Jeff Gilbert/Alamy/Hemis

⑭ Franchir le méridien à Greenwich et grimper à bord du Cutty Sark, l'un des emblèmes maritimes britanniques.
C'est dans le parc de Greenwich que passe le fameux méridien zéro ! À découvrir au Royal Observatory, un site ravissant qui offre un superbe panorama sur les Docklands. Puis visiter le *Cutty Sark,* un fier clipper, ces trois-mâts du XIXᵉ s destinés à sillonner les routes commerciales du globe. Il fallut plusieurs années de restauration pour que l'on puisse admirer sa splendeur, grimper à bord et explorer ses entrailles. *p. 284, 288*
Bon à savoir : pour ceux qui ne souhaitent pas payer le billet d'entrée, assez dissuasif, on voit bien le méridien à travers la grille.

© Degas Jean-Pierre/hemis.fr

⑮ Marcher dans les pas des Beatles sur Abbey Road et refaire la célèbre photo sur le passage clouté.
Les fameux studios sont classés « Monument historique ». En 1969, le tout dernier concert des Beatles eut lieu sur le toit, mais fut interrompu… pour tapage ! Quant au passage clouté *(crosswalk)* qui illustre le dernier disque des Fab Four, c'est le seul classé au Patrimoine national. Suivre aussi notre « pèlerinage rock » (voir « Hommes, culture, environnement ») pour découvrir les lieux phares par les stars de la musique anglaise. *p. 165*
Bon à savoir : la bonne station de métro est St John's Wood et non pas Abbey Road, située, elle, à… 9 miles du célèbre passage piéton !

© Maisant Ludovic/hemis.fr

(16) Déguster un vieux cheddar ou un stilton bien crémeux.

Non, la France n'est pas le seul pays du fromage ! On conseille aux sceptiques de pousser la porte du 17 Short's Gardens, à Covent Garden, pour pénétrer chez *Neal's Yard Dairy*, magnifique boutique où les vieux cheddars s'affinent aux côtés de stiltons onctueux... Les fromagers prennent volontiers le temps de vous expliquer les caractéristiques de leurs protégés et, surtout, de vous les faire goûter ! C'est LE fromager de Londres pour découvrir le meilleur des îles Britanniques. Autre adresse au Borough Market, dans South Bank. *p. 76*

Bon à savoir : tlj sf dim 10h-19h ; • nealsyarddairy.co.uk •

**⑰ Flâner dans les ruelles bucoliques de Hampstead par une belle
journée ensoleillée.**

À quelques kilomètres du centre, Hampstead est un ancien village que l'urbanisation a englobé au début du XXᵉ s dans le « Grand Londres ». Il a conservé beaucoup
de verdure et son caractère villageois, facilité par la configuration des ruelles, qui
épousent les reliefs de la colline. Après la balade, déjeuner dans un pub historique
avant de s'autoriser une petite sieste au parc Hampstead Heath, un véritable coin
de campagne en pleine ville. Dépaysant au possible ! *p. 275*

Bon à savoir : venir le dimanche pour goûter au traditionnel Sunday roast lunch, *servi
dans les pubs.*

© Roberto Herrett/Loop Images/Photononstop

(18) **Participer au carnaval de Notting Hill, le dernier week-end d'août.**

Créé à la suite des émeutes raciales qui ont secoué Londres dans les années 1950, c'est l'un des rassemblements de rue les plus importants et aussi le plus grand carnaval jamaïcain d'Europe. *Steel bands* et DJs envahissent Portobello pendant 2 jours et l'on y danse sur les rythmes des Caraïbes. Ce carnaval, c'est aussi un défilé de toute beauté à ne pas manquer. Le dimanche est généralement considéré comme « le jour des enfants », alors que le lundi, dernier jour de la fête, rassemble environ 1 million de personnes. *p. 154*

Bon à savoir : • *carnaval-de-londres.com* •

© Miles Davies/Alamy/Hemis

© Jon Arnold Images/hemis.fr ©The Savoy

19 **Pousser le tambour de la porte du mythique *Savoy Hotel*, rien que pour le plaisir des yeux !**

Rénové par le designer Pierre-Yves Rochon, ce temple du style édouardien et Art déco a retrouvé son lustre d'antan. Construit en 1889 pour loger les stars de la scène, ce palace a été le témoin d'instants de vie culturelle. Monet y a peint de sa chambre certaines vues sur la Tamise, Oscar Wilde y retrouvait son amant Alfred Douglas, Marlène Dietrich exigeait d'être accueillie avec 12 roses, Lady Di venait y prendre le thé... Y fut aussi inventé le dry martini à l'*American Bar,* où venait jouer Frank Sinatra. *p. 90*

Bon à savoir : • fairmont.fr/savoy-london •

© Jon Arnold Images/hemis.fr

20 **Visiter les Kew Gardens et se prendre pour un botaniste de l'époque victorienne.**

Superbe parc botanique d'une extraordinaire variété : 90 000 végétaux sur pas moins de 120 ha ! La période idéale est bien sûr le printemps, lorsque les rosiers et les rhododendrons sont en fleurs, mais le bel aménagement permet de se promener toute l'année, sans jamais se lasser. Jardin japonais avec pagode, pinède, bambouseraie, roseraie... rien ne manque. Autre fleuron des Kew Gardens, les élégantes serres dessinent des courbes de verre soulignées par des lignes de fer forgé. À ne pas manquer ! *p. 296*

Bon à savoir : • kew.org •

© Gardel Bertrand/hemis.fr

21 **Suivre notre pèlerinage rock.**

Aller sur les traces des Beatles, de Jimmy Hendrix ou d'Amy Winehouse, c'est possible ! Reportez-vous à notre pèlerinage rock dans « Hommes, culture, environnement » en fin de guide. *p. 350*

Lu sur routard.com

Sur les traces de James Bond
(tiré du carnet de voyage d'Anne-Laure Murier)

Peut-on faire plus *British* que James Bond ? Fidélité à Sa Majesté oblige, l'agent 007 est un mythe de création britannique, depuis son inspiration littéraire jusqu'à sa production cinématographique. Voici quelques pistes pour partir outre-Manche sur les traces de Mister Bond, James Bond…

Mission n° 1 : rendez-vous au London Film Museum. Depuis 2015, c'est en effet à Covent Garden que s'est garée la plus grande collection de bolides originaux de James Bond. Et, bien qu'annoncée pour un an seulement, l'exposition n'est pas près d'en décoller. De *Dr. No* à *Skyfall,* les engins motorisés opèrent un *rewind* à grands renforts d'extraits filmés. Comme dans les romans de Ian Fleming, c'est une Bentley qui met sur la route du grand écran l'agent secret, première d'une série de belles carrossées dont l'Aston Martin DB5 reste l'emblème. Parmi ses rivales, l'imposante Rolls Royce Phantom III rutile dès l'entrée. D'écran pare-balles en siège éjectable, de lance-roquettes en pneus-glace, l'arsenal se démultiplie à la vitesse de ses gadgets, sur tous terrains.

Mission n° 2 : un jeu de pistes dans Londres. L'entrée du MI6, relocalisé dans *Skyfall,* se cache dans celle d'un parking près du marché de Smithfield. Moins occultes, Camden et ses écluses, Westminster Bridge, City Hall ou encore la grande roue du London Eye font leur apparition dans *Spectre* et donnent envie de s'éjecter outre-Manche. Spécialisée dans le tourisme cinématographique, *BritMovie Tours* propose de jouer les éclaireurs, jalonnant d'anecdotes le parcours à pied comme en bus.

C'est aussi un sésame pour pénétrer les studios de Pinewood, près de l'aéroport de Heathrow, où ont été tournés quasiment tous les films. Quand il n'est pas en mission, Bond habite à Kings Road, dans le quartier de Chelsea. Plus sûrement le trouverez-vous au musée Madame Tussauds. Les six comédiens ayant interprété l'agent 007 s'y côtoient en chair et… en cire.

Mission n° 3 : prenez-vous pour James Bond ! S'il n'a pas pris une ride, c'est que l'espion en smoking sait vivre. Comme lui, allez-vous faire (r)habiller chez *Turnbull & Asser,* dans le quartier des tailleurs sur Jermyn Street. L'honorable maison a coupé quelques costumes des interprètes de 007 et des chemises pour tous. Autre institution pour les fans, le *Dukes Bar* est à un jet de pierre, protégé du tumulte de St James Street au fond d'une cour. Ian Fleming était un habitué de ce bar d'hôtel et y a concocté la célèbre formule du vodka-martini, cocktail fétiche de Bond. Dîner chez *Rules,* le plus ancien restaurant de Londres qui figure dans le dernier opus de la saga, est abordable, décor d'époque en prime. Et, cerise sur le gâteau, on peut retourner aux sources sans débourser un penny à la British Library, qui expose des pages de Fleming. Autant vous dire que James Bond a encore des secrets…

Retrouvez l'intégralité de cet article sur

Et découvrez plein d'autres récits et infos

ITINÉRAIRES CONSEILLÉS

En 1 jour

Pour commencer, *Houses of Parliament (1)* avec *Big Ben (2)*. Puis *Buckingham Palace (3,* se visite en été) pour la relève de la garde à 11h30. Pause dans *Hyde Park (4)* pour voir le fameux *corner*. Pas mal de marchands ambulants. Filons vers le *British Museum (5)*. Momies et pierre de Rosette. À la *National Gallery (6),* rien que des chefs-d'œuvre de peinture ! On redescend vers *Covent Garden (7)* et ses animations ou vers *Oxford Street (8)* pour le shopping. Petite croisière sur la Tamise. Prendre une navette fluviale au départ d'*Embankment (9)* ou de *Westminster (10)* pour rejoindre la *Tower of London (11)* et apercevoir au passage le *London Eye (12)*, la *Tate Modern (13)*, *St Paul's Cathedral (14)*, le *Globe Theatre (15)*, où jouait Shakespeare, et le *Shard (16)*, le plus haut immeuble d'Europe. On finit la journée – sur les rotules – dans *Soho (17)*, *Leicester Square (18)* et les nombreux restos de *Chinatown (19)*.

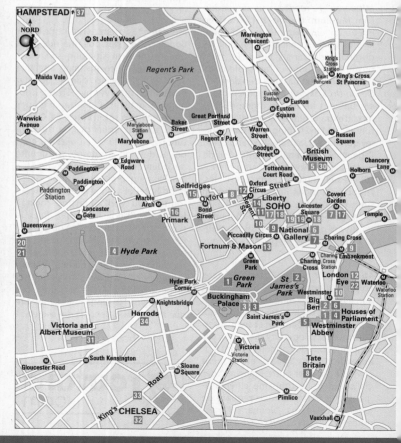

En 3 jours

– Petit déj bucolique vers *Green Park (1)* et *Saint James's Park (2)*. *Buckingham Palace (3)* pour la relève de la garde à 11h30. On n'oublie pas, en route, les *Houses of Parliament (4)*, l'*abbaye de Westminster (5)* et *Big Ben (6)*, bien sûr. Arrêt à la *National Gallery (7*, attention chefs-d'œuvre) ou à la *Tate Britain (8*, peinture anglaise). C'est gratuit ! *Piccadilly Circus (9)*, *Regent Street (10)*, *Carnaby Street (11)* et *Oxford Circus (12)*. Tous les grands magasins sont concentrés dans cette zone :

Étapes

1 En 1 jour

1 En 3 jours

Fortnum & Mason (13), *Liberty (14)*, *Selfridges (15)*, *Primark (16)*... Virée à *Covent Garden (17)* avec ses animations de rue et son ancien marché. Soirée dans *Soho (18)*. Bars branchés, théâtre, opéra, comédie musicale... Sur place, billets pas trop chers quelques minutes avant la représentation au kiosque *TKTS* (voir rubrique « Sports » dans « Hommes, culture, environnement »). Après le spectacle, dîner à *Chinatown (19)*.

– Départ de *Notting Hill (20)* pour les *puces de Portobello (21)*, le samedi matin. Puis Southwark et les bords de la Tamise ! Un peu de hauteur avec le *London Eye (22*, réservez à l'avance), grande roue avec vue sublime. Culture à la *Tate Modern (23)*. Compléter par la *Tate Britain (8)* ; navette fluviale (payante) entre les deux musées. Découverte des *bords de la Tamise (24)*. Vos pas vous guideront jusqu'au *Tower Bridge (25)* voire la *Tour de Londres (26)*. Plein de restos à côté du *Shakespeare Globe Theatre (27)*, avant de monter au sommet du *Shard (28)*. Pour finir (ou vous achever), tournée des bars et boîtes de *Hoxton, Shoreditch (29)* ou encore *Dalston,* plus au nord, vers Hackney.

– Petit tour par le *British Museum (30)*, l'un des plus beaux musées d'antiquités du monde. Ou bien le *Victoria and Albert Museum (31)*, passage obligé pour tous les fans d'*art & craft*. Pour les accros au shopping, après-midi à *Chelsea (32)*, vers *King's Road (33)* et *Harrods (34)*. Pour changer, escapade à *Greenwich (35)* où l'on peut aller en *Docklands Light Railway* ou en bateau. « Village » incroyablement préservé, avec le magnifique *Maritime Museum (36)*. Jouer les funambules sur le célèbre méridien. Autre possibilité, *Hampstead (37)* ! L'ancien village surplombe la mégapole londonienne et on vient y respirer l'air pur. Intellectuel et bohème.

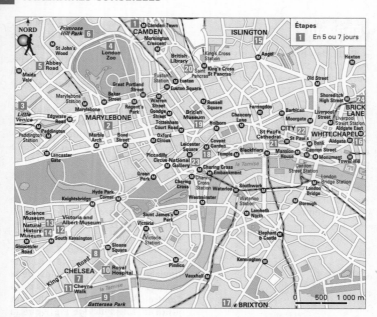

En 5 ou 7 jours

Dites-vous bien qu'en une semaine, vous n'aurez toujours pas le temps de tout faire. Néanmoins, vous aurez tout loisir de composer, de broder autour de quelques incontournables. L'idée est donc de reprendre l'itinéraire proposé en 3 jours et de l'enrichir en fonction de vos goûts, de vos envies et... de la météo ! Les parcs anglais, c'est bien beau, mais en plein hiver et sous la pluie, c'est tout de suite moins bucolique.

Vous aurez, enfin, du temps à consacrer à des quartiers un peu éloignés qui témoignent d'un autre visage de Londres, souvent insolite, parfois excentrique.

– Au nord par exemple, *Camden Town (1),* berceau de la culture punk, bien assagi aujourd'hui, mais dont les puces constituent l'un des incontournables des dimanches londoniens. Installé dans un ancien hôpital pour chevaux, le site ne manque ni de charme ni de cachet. Sur place, toutes sortes de stands proposent des spécialités du monde entier. De là, on

rejoint sans problème (et pourquoi pas en bateau ?) l'ouest et *Marylebone (2),* pour découvrir *Little Venice (3)* et ses canaux. Inattendu et délicieux. Visite éventuelle du *London Zoo (4),* l'un des plus grands et des plus vieux du monde. Pas loin, *Abbey Road (5),* la célèbre rue où enregistraient quatre garçons dans le vent. Un peu plus loin encore, *Primrose Hill Park (6),* que les « Beatles-maniaques » ne louperont pas.

– Autre jour, autre quartier : *Chelsea (7),* le Londres des artistes. *King's Road (8), Battersea (9), Royal Hospital (10)...* Il réserve bien des surprises, à commencer par *Cheyne Walk (11),* aux délicieuses et multiples ruelles. Si vous êtes déjà allé au *Victoria and Albert Museum (12),* vous visiterez les autres musées de South Kensington, comme le *Science Museum (13)* ou le *Natural History Museum (14)* qui, eux aussi, valent le détour. Vous finirez la journée par une balade dans le Londres résidentiel, à l'architecture victorienne, aux demeures cossues.

– Le Nord et l'Est sont deux quartiers populaires qui ne séduisent pas d'emblée pour leur architecture mais montrent une autre façon de vivre. Bien qu'ils soient de plus en plus branchés, de plus en plus bobos, peu de touristes s'y aventurent encore. Les fêtards partiront à la recherche du dernier bar à la mode et les fans d'ambiance et de sociologie urbaines apprécieront la mixité culturelle qui caractérise le quartier. Rendez-vous donc à *Islington (15)* ou *Whitechapel (16).* Balade nocturne sur les traces de Jack l'Éventreur au départ du métro Aldgate (voir « Patrimoine culturel. Monuments et balades » dans « Hommes, culture, environnement »).

– Même genre d'ambiance plus au sud, à *Brixton (17),* l'ancien quartier des Clash et de la communauté jamaïcaine. Vous pourrez également approfondir les quartiers du centre, tenter de sortir des sentiers battus. Prenez quelques heures pour flâner dans *Covent Garden (18)* et, pourquoi pas, visiter ses musées. Celui des Transports, par exemple, est en tout point exceptionnel. À l'occasion de la visite du *British Museum (19),* vous découvrirez le quartier de Virginia Woolf, Bloomsbury l'intellectuel. Ne pas louper la *British Library (20),* vaste bloc de brique.

– Toujours au cœur de la ville, *Saint Paul's Cathedral (21)* et la *City (22).*

Si vous voulez croiser de beaux businessmen cravatés, évitez de vous y rendre le week-end : vous n'y croiserez alors rien, ni personne, car cette ruche ne bourdonne qu'en semaine.

– Ça paraît idiot comme ça, mais passer plusieurs jours à Londres permet aussi d'étaler ses visites dans les musées gratuits. Par exemple, en consacrant 1h chaque soir, entre 17h et 18h (nocturne le vendredi), à la visite d'une aile de la *National Gallery (23),* qui présente l'avantage de se situer à Trafalgar Square, en plein centre donc. Si vous n'êtes pas un rat de musée ou si, au contraire, vous en avez déjà exploré un ou deux à fond dans la journée, cela vous permettra de mieux en apprécier les innombrables chefs-d'œuvre : Botticelli, Vinci, Raphaël, Holbein, Titien, Van Gogh…

– En une semaine, vous pourrez découvrir (sans pour autant faire le tour de la question) l'incroyable palette de cuisines étrangères qu'offre Londres. Après Chinatown, pourquoi ne pas aller manger indien, bengla ou pakistanais dans l'*East End,* du côté de *Brick Lane (24)* ? Vous pourrez aussi vous initier aux cuisines japonaise, vietnamienne, thaïe, coréenne, turque, africaine… et britannique ! Car il serait vraiment dommage de ne pas goûter ces spécialités, certes roboratives, mais souvent savoureuses. Et faire les fantastiques boutiques de fripes après ! Que d'aventures !

Hyde Park

SI VOUS ÊTES

En famille : les grands musées de l'ouest londonien (vers Kensington), mais aussi les boutiques comme Hamley's et le Museum of London (voir aussi notre rubrique « Enfants » dans « Londres utile »).

Fêtard : Hoxton, Shoreditch, Dalston, Bricklane, Brixton, Camden, Soho (pour commencer ou pour finir la soirée).

En amoureux : les parcs, une balade sur la Tamise, un verre sur le toit du Shard, un hôtel à Notting Hill ou vers Holborn, et une visite soit de la Courtauld Gallery, soit de la National Portrait Gallery.

Plutôt quartiers populaires et fan de fresques murales : l'East End, Brick Lane, Hoxton, Shoreditch. Pour retrouver aussi l'architecture ouvrière du XIXᵉ s et des bribes d'atmosphère.

Plutôt nature : Hampstead, Kew Gardens, Greenwich et tous les parcs du centre (notre préféré, c'est Green Park !).

Plutôt shopping : tout le centre touristique (King's Rd, Oxford St, Regent St), mais aussi vers Brick Lane, Whitechapel et Spitalfields, ou encore Camden, pour les fripes. Pour rêver devant les boutiques chic, vers Brompton, Chelsea et South Kensington.

Plutôt rock : ne pas manquer notre itinéraire sur les pas de groupes mythiques et autres chanteurs qui ont fait la gloire de Londres (voir la rubrique « Pèlerinage rock » dans « Hommes, culture, environnement »).

Fan de la famille royale : Pimlico, Westminster, Chelsea, South Kensington, Greenwich.

Tower Bridge

© Gardel Bertrand/hemis.fr

LES QUESTIONS QU'ON SE POSE AVANT LE DÉPART

ABC de Londres

- ❏ **Superficie :** 1 572 km².
- ❏ **Population :** 8,40 millions d'hab. (estimation 2014).
- ❏ *Le Grand Londres est composé de 32 **boroughs**, circonscriptions administratives, dont 12 forment Londres intra-muros :* Camden, Greenwich, Hackney, Hammersmith & Fulham, Islington, Kensington & Chelsea, Lambeth, Lewisham, Southwark, Tower Hamlets, Wandsworth et Westminster.
- ❏ **Densité :** 5 343 hab./km² (plus de 21 000 à Paris !).
- ❏ **Monnaie :** la livre sterling (£). En 2016, avant le Brexit, 1 £ = env 1,30 €.
- ❏ **Maire :** Sadiq Khan, membre du parti travailliste, élu en 2016.
- ❏ **Taux de chômage :** environ 5,8 % en 2015.
- ❏ **Signe particulier :** plus de 300 langues parlées dans la capitale !
- ❏ **Culture :** 22 musées nationaux (gratuits !) et plus de 200 musées en tout, plus de 900 librairies (2 fois plus qu'à New York) et près de 200 festivals au cours de l'année.

➢ **Quels sont les papiers nécessaires pour aller à Londres ?**

Pour les **ressortissants de l'Union européenne : passeport** ou **carte nationale d'identité** (un permis de séjour en France ou un permis de conduire ne suffisent pas), valable au minimum 3 mois après le retour. Pour les mineurs, accompagnés ou pas de leurs parents, une carte nationale d'identité (ou un passeport) et une lettre manuscrite signée des parents autorisant le mineur sont nécessaires. Attention cependant à un projet de loi visant à rétablir la sortie du territoire. Si vous voyagez avec un enfant ne portant pas votre nom de famille, mieux vaut vous renseigner avant ! La Grande-Bretagne ne faisant pas partie de l'*espace Schengen,* ni de l'Union européenne depuis 2016 suite au référendum sur le Brexit, des changements sont certainement à prévoir aux frontières.

● *visitbritain.com/fr/Travel-tips/Customs-and-immigration* ● *service-public.fr* ●

➢ **Comment contacter l'office de tourisme de Grande-Bretagne ?**

Pas d'accueil du public, infos sur Internet uniquement. ● *visitbritain. com* ●

➢ **Quelles sont les coordonnées du consulat de Grande-Bretagne en France ?**

– **À Paris :** *16, rue d'Anjou, 75008.* ☎ *01-44-51-31-00.* ● *ukinfrance. fco.gov.uk/fr* ● Ⓜ *Madeleine. Lun-ven 9h30-13h.*

➢ **À quel numéro appeler les ambassades de Grande-Bretagne dans les pays francophones et au Canada ?**

– **En Belgique (Bruxelles) :** ☎ *02-287-62-11.*
– **En Suisse (Berne) :** ☎ *(4131) 359-77-00.*

– Au Canada (Montréal) : ☎ *(514) 866-5863.*

➤ **Puis-je utiliser ma carte européenne d'assurance maladie à Londres ?**

Oui. Elle permet de bénéficier de la prise en charge des soins médicalement nécessaires par les services publics. Pour l'obtenir, contacter votre centre de Sécurité sociale, qui vous enverra sous 15 jours votre carte plastifiée bleue, valable 2 ans, gratuite et personnelle (chaque membre de la famille doit avoir la sienne). Elle fonctionne avec tous les pays membres de l'UE ainsi qu'en Islande, au Liechtenstein, en Norvège et en Suisse. Pour la Grande-Bretagne, mieux vaut se renseigner suite aux conséquences éventuelles du Brexit voté en 2016. En revanche, mieux vaut le savoir, les hôpitaux sont bondés, et il faudra attendre en cas de bobo.

➤ **Pour une assurance voyages, qui contacter ?**

■ *Routard Assurance :* c/o AVI International, 40-44, rue Washington, 75008 Paris. ☎ 01-44-63-51-00. ● avi-international.com ● Ⓜ George-V.

■ *AVA :* 25, rue de Maubeuge, 75009 Paris. ☎ 01-53-20-44-20. ● ava.fr ● Ⓜ Cadet.

■ *Pixel Assur :* 18, rue des Plantes, BP 35, 78601 Maisons-Laffitte. ☎ 01-39-62-28-63. ● pixel-assur.com ● RER A : Maisons-Laffitte.

➤ **La carte internationale d'étudiant (ISIC) fonctionne-t-elle ?**

Oui, elle prouve le statut d'étudiant dans le monde entier et permet de bénéficier de tous les avantages, services et réductions dans les domaines du transport, de l'hébergement, de la culture, des loisirs, du shopping...
La carte ISIC permet aussi d'accéder à des avantages exclusifs (billets d'avion spécial étudiants, hôtels et auberges de jeunesse, assurances, cartes SIM internationales, location de voitures...).
Renseignements et inscriptions
– En France : ● isic.fr ●
– En Belgique : ● isic.be ●

– En Suisse : ● isic.ch ●
– Au Canada : ● isiccanada.com ●

➤ **Puis-je utiliser ma carte d'adhésion internationale aux auberges de jeunesse (FUAJ) ?**

Carrément ! Cette carte vous ouvre les portes des 4 000 auberges de jeunesse du réseau *HI-Hostelling International* en France et dans le monde. Vous pouvez ainsi parcourir 90 pays à des prix avantageux et bénéficier de tarifs préférentiels avec les partenaires des auberges de jeunesse *HI*. Enfin, vous intégrez une communauté mondiale de voyageurs partageant les mêmes valeurs : plaisir de la rencontre, respect des différences et échange dans un esprit convivial. Il n'y a pas de limite d'âge pour séjourner en auberge de jeunesse. Il faut simplement être adhérent.
Renseignements et inscriptions
– En France : ● hifrance.org ●
– En Belgique : ● lesaubergesdejeunesse.be ●
– En Suisse : ● youthhostel.ch ●
– Au Canada : ● hihostels.ca ●
Si vous prévoyez un séjour itinérant, vous pouvez réserver plusieurs auberges en une seule fois en France et dans le monde : ● hihostels.com ●

➤ **Quelle est la meilleure période pour y aller ?**

Le printemps est idéal : peu de gens dans les musées, le beau temps est souvent de la partie, et les tarifs d'hébergement n'ont pas encore atteint les sommets de la période estivale. Ne pas oublier non plus les soldes d'hiver et du début de l'été, très avantageux.

➤ **Quel est le meilleur moyen pour circuler ?**

Rien de tel que la marche pour découvrir une ville ! Mais Londres est gigantesque. Prendre le bus (économie d'énergie et très pratique) ou le métro, propre et sûr, pour aller plus vite. Le taxi reste une solution plus onéreuse, naturellement. Sinon, les

Boris Bikes (vélos à louer à l'heure ou à la journée, sorte de Vélib') fleurissent à tous les coins de rue, même si ça reste encore dangereux, car le trafic est dense.

➢ Quels types d'hébergement y trouve-t-on ?

Très mauvais rapport qualité-prix à Londres ! On peut dormir en AJ ou *hostels* marrants mais pas toujours très propres. Les pensions et *B & B* sont vétustes et pas donnés, mais quelques pépites dans ce guide. Bizarrement, préférez les hôtels de chaînes : résas et prix moins chers sur Internet, et propreté presque garantie. Autre bon plan : les résidences hôtelières *(serviced apartments).* Sinon, logement chez l'habitant possible aussi. Voir la rubrique « Hébergement ».

➢ La vie est-elle chère ?

Oui, assurément ! Londres est la capitale la plus chère d'Europe. Prévoir un bon budget, car les prix sont de 40 à 50 % plus élevés qu'en France.
Côté hôtels
– *Très bon marché (auberges de jeunesse) :* moins de 35 £ (env 45,50 €)/pers. Voire moins de 20 £ (26 €) dans certaines AJ.
– *Bon marché :* moins de 50 £ (env 65 €).
– *Prix moyens :* de 50 à 90 £ (env 65 à 117 €).
– *Plus chic :* de 90 à 120 £ (env 117 à 156 €).
– *Très chic :* plus de 120 £ (env 156 €).
– *Spécial coup de folie :* là, ça peut monter très haut !
Côté restos
– *Très bon marché (ou sur le pouce) :* moins de 10 £ (env 13 €).
– *Bon marché :* de 10 à 20 £ (env 13 à 26 €).
– *Prix moyens :* de 20 à 30 £ (env 26 à 39 €).
– *Chic :* 30 à 40 £ (env 39 à 52 €).
– *Très chic :* plus de 40 £ (env 52 €).
En revanche, bonne nouvelle, tous les musées nationaux sont gratuits (sauf ceux dirigés par le royaume).

➢ Partir un week-end, n'est-ce pas trop court ?

Non ! En 2h15 au départ de Paris et avec l'Eurostar, vous êtes au cœur de Londres, à la gare de Saint Pancras.

➢ Peut-on y aller avec des enfants ?

Bien sûr ! Londres plaira aux petits (à partir de 5-6 ans) comme aux ados. On a indiqué les sites qu'ils apprécieront par le picto 🧍. Plein d'endroits propres pour changer bébé.

➢ Peut-on partir avec des animaux ?

La quarantaine est officiellement levée. Mais officieusement, Médor doit montrer patte blanche, avec puce électronique et carnet de santé conforme aux règles britanniques.

➢ Ai-je besoin d'un adaptateur électrique ?

Oui. Le courant est de 240 V. Les prises sont plus grosses et toutes munies de fusibles. N'oubliez pas votre adaptateur (en vente dans toutes les bonnes quincailleries en France et en Grande-Bretagne).

➢ Les Anglais acceptent-ils l'euro ?

Dans les grands magasins, comme *Harrods* ou *Fortnum & Mason,* ainsi que dans certains grands hôtels, la devise européenne est acceptée. En revanche, les petits commerces n'acceptent que la livre sterling.

➢ Y a-t-il un décalage horaire ?

Quand il est 10h en France, il est 9h à Londres. La Grande-Bretagne est à l'heure du méridien de Greenwich (quoi de plus normal ?) de fin octobre à fin mars, puis GMT + 1. Pendant ce temps, en France il est GMT + 1, puis GMT + 2. En clair, on a toujours 1h d'avance sur eux. Ce n'est pas qu'ils veulent nous embêter à tout prix, mais leur ouest est vraiment plus à l'ouest.

➤ Pour appeler depuis/vers Londres, comment faire ?

– *Grande-Bretagne* ➜ *France :* 00 + 33 + numéro du correspondant (à 9 chiffres, sans le 0 initial).
– *France* ➜ *Grande-Bretagne :* 00 (tonalité) + 44 + indicatif de la ville (mais sans le 0, qui n'est utilisé que pour les liaisons à l'intérieur de la Grande-Bretagne) + numéro du correspondant.

➤ Quels sont les numéros d'urgence ?

Santé
– *Urgences :* ☎ 112.
– *Services de secours :* ☎ 999 (appel gratuit).
– *NHS :* ☎ 111 ou 0845-46-47 (appel gratuit). Pour obtenir 24h/24 des infos médicales urgentes, comme connaître l'adresse de l'hôpital ou du service de santé le plus proche de chez soi et le plus adapté au problème.
Cartes de paiement
– *Carte Visa :* numéro d'urgence (Europe Assistance), ☎ (00-33) 1-41-85-85-85 (24h/24). ● *visa.fr* ●
– *Carte MasterCard :* numéro d'urgence, ☎ (00-33) 1-45-16-65-65. ● *mastercardfrance.com* ●
– *Carte American Express :* numéro d'urgence, ☎ (00-33) 1-47-77-72-00. ● *americanexpress.fr* ●
Téléphones
Avant de partir, notez (ailleurs que dans votre téléphone portable !) votre numéro IMEI, utile pour bloquer à distance l'accès à votre téléphone en cas de perte ou de vol. Comment avoir ce numéro ? Taper *#06# sur votre clavier, puis reportez-vous au site ● *mobilevole-mobilebloque.fr* ●

Vous pouvez aussi suspendre aussitôt votre ligne pour éviter de douloureuses surprises au retour du voyage ! Voici les numéros des quatre opérateurs français, accessibles depuis la France et l'étranger.
– *Orange :* depuis la France comme depuis l'étranger, ▤ + 33-6-07-62-64-64.
– *Free :* depuis la France, ☎ 3244 ; depuis l'étranger, ☎ + 33-1-78-56-95-60.
– *SFR :* depuis la France, ☎ 1023 ; depuis l'étranger, ▤ + 33-6-1000-1023.
– *Bouygues Télécom :* depuis la France comme depuis l'étranger, ☎ + 33-800-29-1000.

➤ La reine est-elle souvent à Londres ?

Le plus simple pour le savoir : regarder le drapeau au-dessus de Buckingham Palace. S'il flotte au vent, la reine est là. S'il est descendu, elle est en vadrouille.

➤ Peut-on encore voir des punks à Londres ?

De moins en moins. Mais en vous promenant du côté de Camden et dans l'East End, vous apercevrez encore quelques crêtes ébouriffantes.

➤ Jack l'Éventreur a-t-il vraiment existé ?

Oui, le tueur en série sévissait dans le quartier de Whitechapel en 1888. Aujourd'hui, des balades sont même organisées sur les traces de ses crimes, et Patricia Cornwell nous fait revivre l'enquête. Terrifiant !

Avant de partir, pensez à scanner passeport, visa, carte de paiement, billet d'avion et vouchers d'hôtel. Ensuite, adressez-les vous par mail, en pièces jointes. En cas de perte ou vol, rien de plus facile pour les récupérer. Les démarches administratives seront bien plus rapides.

IMPORTANT : DERNIÈRE MINUTE

Sauf rares exceptions, le *Routard* bénéficie d'une parution annuelle à date fixe. Entre deux dates, des événements fortuits (formalités, taux de change, catastrophes naturelles, conditions d'accès aux sites, fermetures inopinées, etc.) peuvent intervenir et modifier vos projets de voyage. Pour éviter les déconvenues, nous vous recommandons de consulter la rubrique « Guide » par pays de notre site ● **routard.com** ● et plus particulièrement les dernières *Actus voyageurs.*

INFOS PRATIQUES SUR PLACE

● Pour se repérer, voir le plan d'ensemble et le plan du métro détachables, en fin de guide.

ARRIVÉE EN EUROSTAR

L'Eurostar vous amène directement dans le centre de Londres, dans l'impressionnante gare de Saint Pancras *(plan d'ensemble F1),* avec sa jolie structure métallique ouverte sur le ciel.
– Service de réservations d'hôtels (payant) à l'arrivée, au rez-de-chaussée, à côté des départs, ouvert de 7h à 23h (22h30 le dimanche).
– Comptoir d'infos touristiques, ouvert en principe tous les jours de 7h15 à 20h (ferme plus tôt les dimanche et jours fériés).
– Services de change, distributeurs de billets également.
– Service de consigne *(Left Luggage),* ouvert de 6h à 22h ; de 7h à 22h le dimanche. Assez cher : 8 £ par objet pour 24h !
– Plein de boutiques : *Marks and Spencer* ou *Fortnum & Masson* pour acheter des victuailles *typically British* avant de repartir, le pâtissier *Peyton & Byrne,* le marchand de jouets *Hamleys,* une boutique *Cath Kidston...*
– Pour gagner le centre de Londres : bah, vous y êtes ! Très facile de vous connecter au reste de la ville, en taxi ou, plus économique, en métro. Vous êtes à la station King's Cross Saint Pancras, en liaison avec les lignes Victoria, Piccadilly, Northern, Circle, Metropolitan, et Hammersmith & City. Possibilité d'acheter sur place votre titre de transport pour votre séjour (voir « Transports » pour les différentes cartes et tarifs).

ARRIVÉE AUX AÉROPORTS

Comment rejoindre le centre de Londres ?

De l'aéroport de London City (à 9 km du centre)

– ***Informations :*** ☎ 020-7646-0088. ● *londoncityairport.com* ●
Sa piste n'est accessible qu'aux appareils de gabarit moyen et se situe au bord de la Tamise, à 4,5 km de Canary Wharf, le centre d'affaires implanté dans le quartier des Docklands.

➤ **En DLR puis métro :** avec le *Docklands Light Railway (DLR)* jusqu'à Bank (ttes les 8-15 mn ; trajet en 22 mn), puis liaisons en métro. Prix : env 3 £ (zone 3).

De l'aéroport de Heathrow (à l'ouest, à 24 km du centre)

– **Informations :** ☎ 0844-335-1801. ● *heathrowairport.com* ●
Avant de choisir le métro ou le bus, sachez exactement où vous allez. Donc, un conseil : si vous n'avez pas réservé de chambre, passez vos coups de fil de l'aéroport. Le bureau *Underground-Airbus* vend tous les titres de transport ainsi que des *phone cards* (cartes téléphoniques).
➤ **En métro :** de loin la solution la plus pratique. Métro direct pour le centre de Londres par la Piccadilly Line (zone 6). 3 stations desservent l'aéroport : la 1re pour les terminaux 1 et 3 ; la 2e pour le terminal 4 ; et, enfin, la 3e pour le terminal 5. Départs ttes les 5-10 mn, env 5h (6h dim)-23h30/minuit depuis les terminaux 1 et 3 (quelques minutes avant pour le terminal 4 et le terminal 5). Durée : env 50 mn pour Piccadilly Circus. Achat du billet soit dans le terminal d'arrivée, soit dans le hall du métro. Prix : env 3,10 £. De nuit, prendre le bus N9 pour rejoindre le centreville (ttes les 30 mn).
➤ **En train :** *Heathrow Express* (☎ 0845-600-1515 ; ● *heathrowexpress.com* ●), env 5h-minuit ; dans l'autre sens, 5h-23h40 ; 1 rame ttes les 15 mn. Plus rapide que le métro (15 mn de trajet depuis les terminaux 1 et 3, et moins de 25 mn depuis le terminal 5, le plus éloigné), mais plus cher. Prix : 22 £, 36 £ l'A/R, payable sur Internet, au guichet, voire dans la rame (pratique quand on est à la bourre, mais plus cher !). Arrivée à la gare de Paddington. Sinon, le *National Rail* (☎ 0845-748-4950 ; ● *heathrowconnect.com* ●) a également mis en place une liaison entre Heathrow et Paddington, ttes les 30 mn, env 5h-23h30. Plus lent (nombreux arrêts, env 25 mn des terminaux 1 et 3), mais meilleur marché : 10,20 £ (réduc moins de 15 ans).
➤ **En bus :** avec la compagnie *National Express* (☎ 08717-818-178 ; ● *nationalexpress.com* ●). Liaisons ttes les 30 mn entre la gare de Victoria et Heathrow, 7h-23h env. À partir de 6 £. Liaisons également pour Gatwick. Compter 25 £. Env 1h15 de trajet.
➤ **En minibus :** avec *Heathrowshuttle* (☎ 0845-257-8068 ; ● *heathrowshuttle.com* ●). Le minibus vous conduit à votre hôtel ou auberge de jeunesse et vient vous y chercher pour le retour. Départ ttes les 30 mn. Résa sur Internet pour bénéficier des meilleurs tarifs (28 £/pers, à partir de 19 £/pers à 2, tarifs dégressifs).
➤ **En taxi :** env 70 £. Compter 35-40 mn pour rejoindre le centre.

Services

– **Information Centre :** terminaux 1, 2 et 3.
– **Change :** dans tous les terminaux. Ce ne sont pas des banques, ils pratiquent donc des taux frisant l'escroquerie.
– **Consigne (Left Baggage) :** ☎ 020-8759-3344. *Terminaux 1-2, 6h-23h ; terminaux 3-4, 5h30-23h. Assez cher (6 £ par bagage et pour 24h).*
– **Objets trouvés (Lost Property) :** consulter tout d'abord le site ● *missingx.com* ●, puis téléphoner (☎ *844-824-3115, tlj 7h-19h*) ou se rendre aux bureaux d'accueil des terminaux 3 et 5. Service payant et cher.
– **Où dormir dans une capsule ?** *Terminal 4, au Yotel.* ● *yotel.com* ● Un concept original pour se reposer le temps d'une escale, à partir de 1h : des cabines mini avec wifi et de quoi faire une collation, à des tarifs avantageux.

De l'aéroport de Gatwick (au sud-ouest, à 45 km du centre)

– **Informations :** ☎ 0844-892-0322. ● *gatwickairport.com* ●

➤ **En train :** le *Gatwick Express* (☎ 0345-850-1530). Trains à 3h30 et 4h30, puis ttes les 15 mn, tlj 5h-0h30. Durée du trajet : 30 mn. Prix : env 19,90 £. Un poil moins cher en prenant l'A/R (34,90 £). On peut acheter ses billets à l'avance sur Internet (petite réduc). Terminus à Victoria Station. On peut aussi prendre le train « normal » avec *South West Train,* pour faire Gatwick-Victoria Station, parfois moins cher. En moyenne, liaisons ttes les 10 mn (ttes les 30 mn le w-e). Vérifier tarifs et horaires avt le départ sur ● *nationalrail.co.uk* ● Un autre train « normal » vous conduit à London Bridge en 30 mn. Mêmes fréquences.

➤ **En bus :** un bus *National Express* (☎ 08717-818-178, ● *nationalexpress. com* ●), jusqu'à Victoria Station. Tarif : 10 £, moins cher en prenant l'A/R. 1 bus/h le mat pour un trajet de 1h30-2h. Guérite derrière la gare de Victoria pour l'achat des billets. Autre possibilité, l'*Easybus* (● *easybus.co.uk* ●) relie Gatwick à Earls Court/West Brompton en 1h env, mais aussi Victoria Station ou Waterloo. Tlj, 1 bus ttes les 20-40mn. Résas à faire sur Internet ; plus c'est tôt, moins c'est cher.

➤ **En taxi :** compter 130 £ au moins.

Services

– **Consigne (Luggage storage) :** ☎ 012-9356-9900, à l'étage des arrivées. Compter 6 £/bagage et pour 24h.

– **Objets trouvés (Lost Property) :** ☎ 012-9322-6720. Au terminal sud. Tlj 10h-16h. Payant !

– **Où dormir dans une capsule ?** Terminal sud, au **Yotel.** ● *yotel.com* ●

De l'aéroport de Stansted
(au nord-est, à 60 km du centre)

– **Informations :** ☎ 0844-335-1803. ● *stanstedairport.com* ●

➤ **En train :** *Stansted Express* (☎ 0845-850-0150 ; ● *stanstedexpress.com* ●). Liaison directe en 35 mn avec la station de métro Tottenham Hale (sur la Victoria Lane) et en 45 mn avec la gare de Liverpool Street Station (à l'est du centre, près de la City). 1ers trains à 5h30, puis 1 train ttes les 15-30 mn jusqu'à 0h30. Horaires légèrement différents le w-e. Prendre un A/R valable 1 mois (31 £), plus économique que 2 allers simples (19 £). Réduc sur Internet. Gratuit moins de 5 ans.

➤ **En bus :** service régulier pour Victoria Coach Station avec le *National Express A6* via Baker St et Hyde Park (☎ 08717-818-178 ; ● *nationalexpress. com* ●). Différents arrêts en ville. Ttes les 15-20 mn, 24h/24. Attention, pas toujours à l'heure. Durée du trajet : 1h50. Billet valable 3 mois. Autre solution : *Easybus* (● *easybus.co.uk* ●). Plus vous réservez tôt, moins c'est cher ! Mise à prix 2 £. Départs de Baker St ttes les 15 mn, tlj 24h/24.

➤ **En taxi :** beaucoup plus cher que les solutions précédentes, évidemment. Compter 175 £ pour 1-4 pers et 1h15 de trajet.

Services

– **Consigne (Left Luggage) :** en zone G. ☎ 0330-223-0893. Tlj 24h/24. Compter 10 £/bagage et pour 24h.

– **Objets trouvés (Lost Property) :** consulter tout d'abord le site (● *missingx.com* ●), puis téléphoner (☎ 844-824-3109, tlj 13h-17h) ou se rendre au bureau d'accueil en zone G. Service payant et cher.

De l'aéroport de Luton
(au nord-ouest, à 53 km du centre)

– **Informations :** ☎ 015-8240-5100. ● *london-luton.co.uk* ●

➤ **En bus :** le bus n° 757 de *Greenline* s'arrête à Oxford St, Hyde Park et Victoria Station. Résas et achats sur le site internet de l'aéroport (attention, souvent plein au retour, et les chauffeurs sont intraitables ; réserver, c'est plus sûr !). Autre solution : avec *Easybus* (bays 10 et 11). ● *easybus.co.uk* ● Plus vous réservez tôt,

moins c'est cher ! Passe par Baker St, Marble Arch (Oxford St), Victoria Station. Départs ttes les 20 mn, tlj 24h/24. Enfin, *National Express* assure le service 24h/24 également (*bays* 4, 5 et 6). ☎ *08717-818-178.* ● *nationalexpress.com* ●
➤ **En train :** *First Capital Connect* (☎ *0845-026-4700*) et *East Midlands Trains* (☎ *0845-712-5678*) vont jusqu'à Saint Pancras. Départ ttes les 20 mn. Durée : 40 mn. Attention, à l'aller comme au retour, prévoir la navette (payante, 10 mn) entre le métro et l'aéroport ! Et les billets de train vendus à bord d'*Easy-Jet* ne sont pas d'un très bon rapport qualité-prix.
➤ **En taxi :** compter 150 £ et 60 mn de trajet.

Services

– **Consigne (Left Luggage) :** ☎ *015-8239-4063.* 5 £/bagage pour 24h.

– **Objets trouvés (Lost Property) :** ☎ *015-8280-9174.*

De l'aéroport de Southend (à l'est, à 67 km du centre)

– **Informations :** ☎ *017-0253-8500.* ● *southendairport.com* ●
➤ **En taxi :** compter environ 1h sans embouteillage.
➤ **En train depuis Liverpool Station :** 55 mn (Greater Anglia). Attention, ne pas confondre avec Stansted dans la précipitation.

Liaisons entre les aéroports

Des services d'autocars desservent les différents aéroports entre eux :
➤ **Heathrow-Gatwick :** 1h20 de trajet.
➤ **Heathrow-Stansted :** 1h30 de trajet.
➤ **Gatwick-Stansted :** 2h15 de trajet (ou 2 j. de cheval...).

S'ORIENTER DANS LONDRES

Le découpage par quartiers que vous trouverez dans le guide procède à la fois d'une cohérence géographique et d'une homogénéité sociale. Mais, comme tout découpage, il est arbitraire, et certains coins auraient pu tout aussi bien glisser dans un autre ensemble de quartiers que ceux que nous avons choisis.
Partant du centre touristique, notre petit tour de Londres se poursuit par l'ouest et les quartiers chic du sud de Hyde Park, puis remonte vers le nord et progressivement se dirige vers l'est, pour finir avec la rive sud puis les villages un peu éloignés du centre, comme Greenwich et Hampstead.

Orientation et mode d'emploi de la ville

Attention, la ville est énorme, bien plus vaste qu'une capitale comme Paris, même si cela ne se voit pas sur une carte. Question d'échelle ! Les quartiers sont éclatés, les centres d'intérêt éloignés les uns des autres. L'agglomération s'étale sur quelque 1 200 km², contre 120 pour Paris. Quelques conseils :
– quand vous avez choisi de *visiter un quartier,* exploitez-en toutes les richesses dans la même journée plutôt que d'y revenir trois fois dans la semaine. Chaque coin possède ses particularités. Par exemple, Brick Lane et Petticoat Lane Mark se visitent le dimanche, le jour du marché, avant d'aller se « culturer » un peu à la Whitechapel Art Gallery ! Et ainsi de suite. ***Pour préparer votre visite, pensez à relever les jours et horaires de fermeture des musées et des lieux publics.***
– Pour les *restos,* allez de préférence au plus près, car les distances sont longues. De même pour les pubs. Tous les quartiers en abritent de formidables.
– Vous aurez remarqué que toutes les adresses à Londres sont suivies de lettres et de chiffres (exemple : SW1, N10, etc.). Ces indications renseignent sur la position

géographique du district dans lequel se trouve la rue. SW : South West ; N : North ; WC : West Central ; et ainsi de suite. Tout cela serait idéal si les chiffres avaient la même logique. Il n'en est rien. En gros, plus le chiffre accompagnant la lettre est important, plus on est loin du centre ! Il est donc indispensable de vous procurer une carte de Londres, la bible des Anglais étant le *London A-Z* qui décline toute une gamme de plans de Londres et de sa périphérie. Existe en version mini. Vraiment très pratique. Sachez que la plupart des stations de métro éditent de petits plans du quartier (très clairs et gratuits !). Il suffit de demander « *a street map* » au guichet.

INFOS TOURISTIQUES

Centres d'information

🔢 *City of London Tourist Information Centre* (plan d'ensemble H3) : *St Paul's Churchyard, EC4M 8BX.* ☎ *020-7606-3030.* • *visitlondon.com* • Ⓜ *St Paul's. Tte l'année, lun-sam 9h30-17h30, dim 10h-16h. Fermé 25-26 déc et ouv slt 11h-17h 1er janv.* Vente de billets de spectacles et de certains sites ou attractions touristiques, documentation générale gratuite, comme le très pratique *London Planner,* ainsi que quelques documents payants. Achats du *London Pass* également pour des réductions sur les sites à voir. Demander le plan des bus de la ville *(London buses),* indispensable.

🔢 *Tourist Information Centres :* ☎ *0870-156-6366.* • *visitlondon. com* • Ils ne s'occupent que de Londres. Le principal est cité plus haut, mais on en trouve un peu partout à Londres, notamment à la gare de King's Cross Saint Pancras, à l'aéroport de Heathrow, dans les stations de métro de Piccadilly Circus et Liverpool St, à Holborn, etc. Tous les *TIC* possèdent un service payant de réservation d'hôtels, *B & B* et auberges de jeunesse (AJ). Commission assez faible pour les AJ, plus élevée pour les *B & B.* En haute saison, ça vaut la peine.

■ *Centre français Charles-Péguy* (zoom Shoreditch Hoxton I2) : *28 Brunswick Pl, N1 6DZ.* ☎ *0207-014-5230.* • *cei-london.com* • Ⓜ *Old St. Lun 14h-16h30, mar-jeu 10h-12h30 et 14h-16h30, ven 10h-12h30* (au tél, *lun-ven 9h-18h).* Dans les locaux du Centre d'échanges internationaux, un endroit sympa où l'on aide les jeunes expatriés à Londres à trouver un job, un séjour au pair, un hébergement. Donne aussi des renseignements sur la Sécu, les contrats de travail, les modalités pour ouvrir un compte bancaire, les cours de langue... Fournit des listes d'appartements à partager, de *B & B* et toutes sortes d'infos pratiques. Borne internet, photocopieuses, fax, etc. Pour obtenir tout cela, il faut prendre la carte du centre *(60 £, valable 1 an),* avoir entre 18 et 30 ans et le projet de résider au moins 2 mois à Londres.

Ambassades et consulat

■ *Consulat de France* (plan d'ensemble A6, **4**) : *21 Cromwell Rd, SW7 2EN. En face du Natural History Museum. Service des visas : 6 À Cromwell Pl, dans la rue perpendiculaire à Cromwell Rd sur le côté du bâtiment.* ☎ *020-7073-1200 ou 1250.* • *ambafrance-uk. org* • Ⓜ *South Kensington. Lun-jeu 8h45-17h, ven 8h45-15h ; sur rdv, accueil jusqu'à 16h. Service culturel : 23 Cromwell Rd.* Le consulat peut vous assister juridiquement en cas de problème. C'est là notamment qu'il faut se rendre en cas de perte de papiers d'identité.

■ *Ambassade de France* (plan d'ensemble C5, **3**) : *58 Knightsbridge, SW1X 7JT.* ☎ *020-7073-1000.* • *ambafrance-uk.org* • Ⓜ *Knightsbridge.*

■ *Ambassade de Belgique* (plan d'ensemble C5, **5**) : *17 Grosvenor Crescent, SW1X 7EE.* ☎ *020-7470-3700. En cas d'urgence slt :* 🖀 *077-1070-3639.* • *diplomatie.be/londonfr* • Ⓜ *Hyde Park Corner. Lun-ven 14h-16h30 pour les visas.*

■ *Ambassade de Suisse* (plan

d'ensemble C3, 6) : 16-18 Montagu Pl,
W1H 2BQ. ☎ 020-7616-6000. ● eda.
admin.ch/london ● Ⓜ Baker St.
Lun-ven 9h-12h.

Santé

Voir les rubriques « Santé » et « Urgences » plus loin.

SE DÉPLACER

Depuis 2015, certaines rames fonctionnent 24h/24 le week-end. Sinon, elles ouvrent vers 5h le matin, et ferment entre 23h et 1h.

Le bus et le métro restent les moyens idéaux pour se déplacer à Londres. Le trajet unique est toutefois hors de prix, en particulier le métro ; il est donc vivement conseillé de faire l'acquisition d'une carte avec un forfait que l'on recharge à volonté. Réduction pour les enfants de moins de 16 ans, et transports gratuits pour les moins de 11 ans. Enfin, réductions conséquentes avec l'indispensable *Visitor Oyster Card*.

Procurez-vous dès votre arrivée le plan du métro (Tube Map) **et celui des lignes de bus** (London buses).

Attention : il n'y a pas de tarif unique pour le métro : le prix du ticket varie en fonction de votre point de départ et de votre point d'arrivée. Ils sont aussi variables selon les heures pleines ou creuses. Les tarifs indiqués ci-dessous sont ceux en vigueur en 2016. Et ça augmente chaque année !

Visitor Oyster Card

Mais qu'est-ce que c'est, cette « carte-huître » ? En fait, il s'agit simplement d'une carte à puce prépayée de la somme souhaitée pour les transports urbains (métro, bus, *DLR* et tram), qu'il faut passer devant un lecteur de carte jaune à chaque trajet.

Attention, il faut **valider la carte à l'entrée du métro ET à la sortie** ! Le prix des trajets de métro varie en fonction des horaires (*off peak/peak* ; heures creuses, heures de pointe). C'est très fluctuant. Vous serez débité du montant au prix de la période (en gros, en journée, c'est le plus cher ; la nuit, moins cher) et de la zone où vous vous déplacez (en gros, le plus souvent, dans le centre historique, zones 1-2). Si vous oubliez de faire valider votre carte à la sortie, le tarif maximum sera appliqué. Dans les bus, en revanche, on ne valide qu'à l'entrée. Un tuyau : les heures de pointe s'appliquent du lundi au vendredi de 6h30 à 9h30 et de 16h à 19h. Durant ces heures, soit vous acceptez de payer plus cher, soit vous devez attendre !

Comment se la procurer ?

D'abord, on se procure cette carte en échange d'un *deposit* de 5 £, puis on la crédite tant qu'on veut. Par exemple, pour un adulte, un billet simple zones 1-2 coûte 4,80 £ sans carte *Oyster,* mais seulement 2,30 £ avec ! De plus, un plafond journalier en fonction du nombre de trajets ne dépasse jamais le billet *One-Day Travelcard* et on voyage tant qu'on veut, gratuitement, même si le plafond est atteint. Pas mal ! Et dès que votre carte est vide, vous la recréditez d'autant que vous voulez, soit sur Internet, soit dans certains points presse, soit encore directement au guichet. Enfin, s'il vous reste du crédit à la fin de votre séjour, vous pouvez le récupérer en espèces dans les 48h après la dernière utilisation.

Pour **se procurer la carte avant de partir** : ● visitbritainshop.com ● ou ● tfl.gov.uk ● Autrement, disponible dans le métro, dans les gares, aux aéroports et même à bord de l'Eurostar (voiture bar-buffet), dans le Gatwick Express, le Stansted Express.

L'*Oyster Card* est aussi utilisable pour les cartes saisonnières (la **Travelcard** à la semaine, au mois, que vous mettez sur votre *Oyster Card*) et, dans ce cas-là, elle est offerte. Dès que ce laps de temps est imparti, hop ! on recrédite sa carte. Plus pratique, l'*Oyster Card* permet aussi d'obtenir certains avantages (réductions sur certains sites).

En cas de perte ou de vol : ☎ *0343-222-1234*. ● *tfl.gov.uk* ● On bloque votre compte et on vous le recrédite sur une autre carte *Oyster*.

Billets spéciaux

Ce sont des titres de transport cartonnés, à l'ancienne. Peu pratiques, ils tendent à disparaître surtout depuis que l'*Oyster Card* est acceptée sur le *National Rail*.
– *One-Day Travelcard :* à partir de 12 £.
– *7-Day Travelcard : Travelcard* valable à partir de la date d'émission. De 32,10 £ pour les zones 1-2 à 58,60 £ pour 6 zones.
– Si vous avez besoin d'un ticket particulier pour vous éloigner du centre de Londres, pensez à préciser au guichetier le titre de transport dont vous disposez déjà, car vous ne paierez que le complément.

Le métro (underground ou Tube)

Il existe depuis 1863, c'est **le plus vieux du monde** (150 ans en 2013), et il compte 270 stations, 11 lignes et 6 zones concentriques. Le métro de Londres est très cher comparativement à celui des autres capitales européennes. Il y a des chances pour que la grande majorité de vos déplacements se fasse dans la zone 1, zone 2 à la rigueur. Vérifiez sur le plan dans quelle zone et dans quelle direction cardinale se trouve votre station d'arrivée. Dans les couloirs, les destinations sont regroupées selon la direction à prendre : *northbound* pour le nord, *southbound* pour le sud, etc.

Le métro démarre à 5h du lundi au vendredi. Les lignes Central, Victoria, Jubilee, Northern et Piccadilly sont ouvertes toute la nuit les vendredi et samedi soir. Les dernières rames passent entre 23h et 1h. L'heure du dernier métro est affichée aux guichets de vente des billets. Attention : les dernières rames du dimanche soir circulent plus tôt qu'en semaine.

Le métro londonien a la réputation d'être un peu plus difficile à utiliser, car d'un même quai partent des métros allant dans diverses directions. Pas de panique, il suffit d'être attentif et de bien vérifier la destination de la rame et le temps d'attente sur les panneaux indicateurs suspendus au-dessus du quai. De plus, dans les stations, il y a de nombreux employés pour renseigner. En outre, dans les rames, une voix annonce la station suivante et les connexions.
– Noter que le plan du métro indique les stations aménagées pour les **personnes à mobilité réduite.**
– **Objets trouvés (Lost Property) :** rens au ☎ *0343-222-1234* ou au Lost Property Office, 200 Baker St, NW1 5RZ. Lun-ven 8h30-16h.
– **Pour plus d'infos :** ● *tfl.gov.uk/tube* ●

The Docklands Light Railway (DLR) et Overground

Ce sont les trains aériens de banlieue. Ils circulent à partir de Bank ou Tower Gateway (près de la station Tower Hill). Mêmes prix que pour le métro. Des billets *DLR* + bateau **Rail River Rover** permettent de profiter en même temps des joies de la Tamise (pour retourner dans le centre-ville, par exemple). L'**Overground,** en orange sur les plans, ligne à ciel ouvert et quasi suspendue, dessert l'Est londonien, l'extrême Nord et court vers l'est.

Le bus

Le bus est meilleur marché et bien plus sympa que le métro. Si vous voulez admirer au mieux le paysage, montez au 1er étage.

Demander dans n'importe quel métro ou à l'office de tourisme un plan du réseau de bus *(London buses)*. Achat des billets et cartes dans les stations de métro ou dans un *ticket stop* (ces derniers sont pointés sur les *street maps*). Le tarif du ticket de bus (aller simple) est de 2,40 £ et de 1,50 £ avec la carte *Oyster*.

Bon à savoir, si, en montant dans le bus, vous découvrez que votre *Oyster* n'est plus créditée, vous avez droit à un dernier trajet gratis... afin de rejoindre un point de vente ! *No stress.*

– **Bus rouges :** pour Londres seulement.
– **Bus verts :** pour Londres et la banlieue.

Les bus les plus intéressants pour découvrir le Londres touristique sont ceux des lignes n°s *11, 15 et 38.* Quelques grandes lignes de bus desservant la ville et la banlieue fonctionnent toute la nuit. Ils fonctionnent de minuit à 6h, partent tous de Trafalgar Square et arborent un « N » (pour *Night*) devant le numéro. Environ un bus par heure. Même prix qu'en journée.

Le bateau

On peut prendre le bateau comme on prend le bus... En réalité, le principe existait depuis longtemps, puisque plusieurs compagnies se proposaient (et proposent toujours) de vous emmener sur la Tamise, tout en vous déposant au pied de chaque monument ou site. Ce qui change un peu aujourd'hui, c'est que plusieurs d'entre elles se sont rapprochées des transports londoniens et proposent des tarifs assez attractifs. En ce qui concerne *The Thames Clippers,* le ticket à la journée *(roamer)* permet de naviguer à volonté à partir de 9h. Compter 17,35 £ par adulte (réduc enfants et forfait famille) ; réduc avec la *Travelcard* ou en réservant en ligne. Il existe aussi un ticket pour qui veut effectuer un trajet unique (pour rejoindre, par exemple, la Tour de Londres depuis le London Eye). Ce ticket coûte 7,50 £ et seulement 4,80 £ sur présentation d'une *Travelcard.* Ceux qui possèdent l'*Oyster Card* ont également droit à une ristourne (10 %). Départ toutes les 15 mn environ. Plus d'infos sur ● thamesclippers.com ● tfl.gov.uk ●

Le taxi (taxi ou cab) et les VTC

Aussi chers qu'en France mais bien plus pratiques, car on en trouve partout (pas de borne de taxi, ils se prennent partout) et ils acceptent jusqu'à cinq personnes ! Incontournables aussi quand vous sortez de boîte et qu'il n'y a plus que quelques bus de nuit et aucun métro avant l'aurore. Les contacts avec le chauffeur sont limités, une vitre souvent aux trois quarts fermée le séparant des passagers. On communique par un système d'hygiaphone. Les taxis sont libres quand le signal jaune « *For hire* » est allumé. Habituellement, on laisse 10 % de pourboire. La plupart des taxis sont équipés de rampe d'accès pour chaises roulantes ou poussettes.

Vous pouvez également utiliser les *minicabs,* mais on vous le déconseille. Ce sont des taxis travaillant avec des agences privées, assez rudimentaires, localisés généralement près des *Tube stations* (stations de métro). Assez mal organisés mais intéressants dans certains endroits. Prix de la course à négocier. On peut les prendre pour l'aéroport (moins cher qu'un taxi classique si l'on sait négocier). Mais attention, arnaques fréquentes, ces taxis semi-clandestins baladent facilement le touriste qui ne connaît pas bien la ville. Autre arnaque possible, le taxi commandé auprès de l'hôtel qui s'avère être, à l'arrivée, un chauffeur privé « qu'il connaît bien » : bien se mettre d'accord sur le montant du trajet, soi-disant « forfaitaire ».

– **Appel de taxi :** Dial a Cab, ☎ 020-7253-5000. ● dialacab.co.uk ● **Radio Taxis,** ☎ 020-7272-0272. ● radiotaxis.co.uk ● **Computer Cabs,** ☎ 020-7908-0207. ● computercab.co.uk ● Pour les minicabs, une des compagnies les plus sérieuses est **Addison Lee,** ☎ 0844-800-6677. ● addisonlee.com ● **Lady Cabs,** qui n'emploie que des chauffeurs femmes, ☎ 020-7272-3300. ● ladyminicabs.co.uk ●

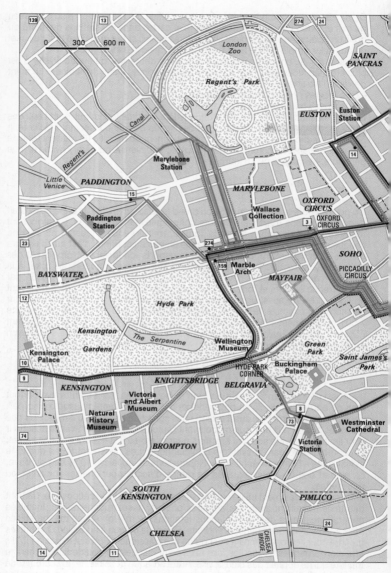

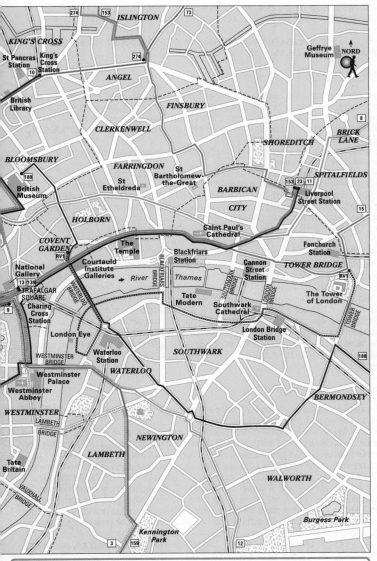

PLAN DES BUS

– *Si vous avez perdu quelque chose dans un taxi :* appelez **Lost Property,** ☎ 0845-330-9882, ou allez au **Lost Property Office,** 200 Baker St, NW1 5RZ. Lun-ven 8h30-16h.

– Enfin, n'oubliez pas **Uber.** Si vous avez l'appli téléchargée sur votre smartphone, hyper facile de se déplacer par ce moyen.

Bicyclettes et scooters

Le *Visitor Centre* édite des brochures (gratuites) proposant des circuits pour la balade, mais aussi la liste des pistes cyclables protégées. Elles sont encore peu nombreuses et circuler à vélo dans Londres relève toujours du parcours du combattant, mais le réseau s'étend de plus en plus, avec 30 km de routes protégées ouvertes en 2016 !

Si vous venez avec votre scooter, les formalités d'entrée sont les mêmes que pour un véhicule, c'est-à-dire :
– un permis de conduire national, international ou britannique ;
– une carte verte d'assurance que votre compagnie peut vous délivrer ;
– une immatriculation, même pour les moins de 50 cm^3. Des pneus de première qualité sont indispensables et la loi exige des freins en parfait état. Les règlements concernant l'éclairage sont également stricts. Pour les scooters, le port du casque est OBLIGATOIRE.

Location de vélos

Depuis 2008, 400 points de retour et 6 000 Barclays Bikes bleu et argent, vite surnommés les « Boris Bikes » en raison de l'enthousiasme du précédent maire de Londres, Boris Johnson, sont à disposition. On peut aujourd'hui louer son vélo à chaque coin de rue ou presque. Il suffit de payer un droit d'accès à la location (2 £ pour 24h, 10 £ pour 7 jours et 90 £ pour 1 an), puis la location elle-même. En deçà de 30 mn, c'est gratuit ; ensuite, c'est 2 £ pour 30 mn, 4 £ pour 1h, etc. Toutes les transactions peuvent se faire aux bornes près des points de retour, via votre carte de paiement. La mairie entend donc miser sur le vélo et espère une augmentation de 400 % d'ici à 2025 ! À suivre... Pour plus d'infos : ☎ 0845-026-3630. ● *tfl.gov. uk/roadusers/cycling/14808.aspx* ●

Si vous êtes en voiture

À moins de vouloir visiter le reste du pays, on vous déconseille fortement de venir à Londres en voiture !
– Vous devez être en possession de votre permis de conduire national, de la carte grise, de la carte verte d'assurance. Si vous louez une voiture (21 ans minimum, en général), il vous faudra la plupart du temps un permis international.
– *Taxe* depuis février 2003 pour les véhicules circulant dans le centre-ville entre 7h et 18h sauf le week-end, les jours entre Noël et le Jour de l'an et les vacances anglaises : 11,50 £ à verser par jour (14 £ le lendemain, à partir de minuit). Système de « scannérisation » de vos plaques minéralogiques par caméra (plus de 700 dans le centre) dans toutes les zones marquées d'un grand « C » comme *Congestion charge* ». Des zones de plus en plus nombreuses chaque année ! Paiement sur Internet ● *tfl.gov.uk/roadusers/congestioncharging/default.aspx* ● , sur les bornes bleues avec un « C » rouge (dans les stations-service, par exemple), dans certains points presse avec le même logo, par courrier, par téléphone (☎ 0845-900-1234 depuis l'Angleterre, ou ☎ 00-44-207-649-9122 depuis la France).
– Attention, on roule à gauche (fallait-il le rappeler ?), et la priorité à droite n'existe pas : donc, à chaque carrefour, un stop ou des lignes peintes sur la chaussée indiquent qui a la priorité.
– Aux ronds-points *(roundabouts),* à prendre dans le sens des aiguilles d'une montre, les automobilistes déjà engagés sont prioritaires.

– Les piétons engagés sont toujours prioritaires. Faites-y particulièrement attention, ainsi qu'aux **pelican crossings,** visuels et sonores, et aux **zebra crossings,** signalés par des boules jaunes lumineuses.

– Pour les véhicules équipés de GPL, dur, dur de trouver des stations équipées (uniquement en dehors du centre). Et les systèmes de remplissage sont incompatibles ! À éviter. De manière générale, il n'y a que deux types de pompes, essence ou diesel.

– On ne badine pas avec les limitations de vitesse :

➢ en ville : 30 miles (48 km/h) ;

➢ sur la route : 60 miles (97 km/h) ;

➢ sur les autoroutes *(motorways)* et routes à deux voies séparées *(dual carriageways)* : 70 miles (113 km/h).

– Le port de la ceinture de sécurité est obligatoire à l'avant et à l'arrière.

– ATTENTION AUX *CLAMPS* : ce sont ces mâchoires jaune vif que l'on referme sur vos roues si vous êtes mal garé. On voudrait bien vous expliquer comment les éviter à coup sûr, mais même les Anglais ne s'y retrouvent pas. En gros, deux lignes jaunes le long d'un trottoir veulent dire : « Interdiction formelle de stationner ». Une seule ligne jaune permet de stationner à certaines heures (en règle générale, le soir et le dimanche, parfois le samedi). Gare aux *resident permits,* places en apparence autorisées et gratuites mais réservées aux résidents du quartier (et qui ont l'autocollant ad hoc sur le pare-brise ; impossible de s'en procurer, on a essayé). Dans ce dernier cas, des panneaux explicatifs doivent se trouver sur le trottoir. Les *clamps* sont placés par des sociétés privées qui se paient sur les amendes, donc il ne faut même pas essayer de leur inspirer de la pitié. L'adresse et le téléphone des *clampers* sont inscrits sur un autocollant qu'ils collent sur votre pare-brise. Dites-leur que votre voiture est « *ponded* ». Ils vous indiqueront les moyens d'accès pour parvenir jusqu'à la fourrière. Il vous suffira de payer l'amende (souvent chère, plus de 150 £). Vous pourrez hurler aussi fort que vous le voudrez, ils ont l'habitude et sont intraitables. Mais votre problème n'est pas réglé pour autant, car on va vous promettre de « déclamper » dans les 4h, et vous avez intérêt à rester près de votre voiture parce qu'à peine « déclampée », elle peut être à nouveau « reclampée » par une autre patrouille, le circuit recommence et il vous faudra payer à nouveau... *so fun !* Reste que vous pouvez aussi vous retrouver sans véhicule : il sera alors garé dans la même fourrière. Mêmes procédures.

– La meilleure solution pour se garer reste **l'emplacement de parcmètre,** horriblement cher dans le centre mais abordable en périphérie. De plus, c'est gratuit la nuit. Ou encore les parkings payants, pas donnés non plus, surtout ceux situés près des stations de métro (liste sur ● tfl.gov.uk/roadusers/tubestationcarparks ●). En effet, de plus en plus de touristes garent leur voiture en périphérie de la capitale, et prennent un train pour rejoindre le cœur de Londres dans la journée. Par exemple, si vous arrivez de Folkestone ou de Dover sur la M 20 (grande autoroute desservant Londres), vous pouvez vous arrêter juste avant, à Greenwich par exemple, et prendre une *Travelcard* vite rentabilisée. Moins d'angoisse et moins de stress !

Location de voitures

■ **BSP Auto :** ☎ 01-43-46-20-74 *(tlj).* ● bsp-auto.com ● Les prix proposés sont attractifs et comprennent le kilométrage illimité et les assurances. *BSP Auto* vous propose exclusivement les grandes compagnies de location sur place, vous assurant un très bon niveau de services. Les plus : vous ne payez votre location que 5 jours avant le départ + réduction spéciale aux lecteurs de ce guide avec le code « routard ». Et aussi :

■ **Hertz :** ☎ 0825-861-861 *(0,35 €/ mn).* ● hertz.com ●

■ **Europcar :** ☎ 0825-358-358 *(0,15 €/mn).* ● europcar.fr ●

■ **Avis :** ☎ 0821-230-760 *(0,08 €/mn).* ● avis.fr ●

Consignes, objets trouvés

– **Consignes (Left Luggage) :** toutes les grandes gares possédaient des consignes automatiques mais, à cause des nouvelles normes de sécurité dues aux éventuelles menaces terroristes, elles sont désormais fermées. Reste la solution des consignes manuelles, où les bagages sont passés aux rayons X. On vous signale aussi que la plupart des musées acceptent les sacs peu volumineux (pas de valise ni de sac à dos encombrant donc). Si vous êtes peu chargé, c'est sans doute la solution la plus économique et la plus pratique.

– **Objets trouvés (Lost Property) :** rens au ☎ 0343-222-1234 ou au Lost Property Office, 200 Baker St, NW1 5RZ. Lun-ven 8h30-16h.

– **Objets trouvés Eurostar :** à Londres, ☎ 00-44 (0)8448-22-44-11, et à Paris, ● http://www.objets-trouves-sncf.com/fr ●

VISITES GUIDÉES

À pied

Plusieurs sociétés proposent des balades (walks) commentées en v.o. dans Londres. Voir leurs coordonnées dans le chapitre « Hommes, culture, environnement », rubrique « Patrimoine culturel. Monuments et balades ».

En bus

■ **Original London Sightseeing Tour :** ☎ 020-8877-2120 ou 1722. ● theori ginaltour.com ● Tlj : départs ttes les 20 mn 8h30-16h30 (Yellow Route), 16h50 (Red Route) et 17h15 (Blue Route). Compter 30 £/pers ; réduc sur Internet. Pour visiter Londres en bus à impériale découvert. Sympa. Plusieurs circuits, dont 2 avec les commentaires français. Durée : 2h15, mais ticket valable 24h. Départs des différents arrêts : Piccadilly Circus, the National Gallery, Trafalgar Square, Buckingham Palace, Westminster Abbey, Saint Paul's Cathedral, Tower Bridge et bien d'autres encore. Offre gratuitement les transports sur la Tamise et des visites guidées.

■ **Big Bus Company :** ☎ 020-7808-6753. ● bigbustours.com ● Départs ttes les 15-30 mn de Green Park et de Victoria. Tlj : en été 8h30-17h/18h ; en hiver 8h30-16h30. Compter 27 £ ; réduc. Sinon, 33 £ et le 2e jour est offert (à certains moments de l'année, vérifier !) ; réduc. Sinon, ticket vendu à bord plein tarif. Il comprend également une croisière sur la Tamise et 3 circuits à pied. Blue Route (commentaires en français), ou Red Route, d'une durée de 1 à 2h. Billets valables 24h, ce qui permet de monter et de descendre du bus quand on veut, et 48h en hiver (pratique !). Propose aussi un parcours nocturne.

À vélo

■ **London Bicycle Tour Co. :** ☎ 020-7928-6838 ou 6898. ● londonbicycle.com ● Départs le w-e à 10h30, 12h et 14h. Rdv au 1 A Gabriel's Wharf, 56, Upper Ground, SE1. Ⓜ Blackfriars. Durée : env 3h. Compter 23,95 £ pour le parcours et 20 £/j. pour la loc du vélo (possibilité de louer à l'heure : 3,50 £). L'Est londonien coûte 27,50 £ et dure 3h30. Le w-e à 14h (hiver 14h). Visites du Centre, de l'Est et de l'Ouest londonien. Se renseigner pour les horaires. Guide français possible, résa obligatoire.

En taxi

■ **Black Taxi Tours of London :** ☎ 020-7935-9363 et 07956-384-124. ● blacktaxitours.co.uk ● Tours de 2h pour 1-5 pers. Visite de jour (8h-18h) : 150 £ par taxi. Visite de nuit (18h-minuit) : 160 £. Heure supplémentaire : 75 £ et 5 £ de plus les w-e et j. fériés. CB refusées. Possibilité de réserver par e-mail.

■ **Karma Kabs :** ☏ 07970-998-248. ● *karmakabs.com* ● « Le voyage est plus important que la destination » : telle est la devise de ces taxis (des *Ambassadors* modèle 1950) roses, jaunes, rouges, décorés façon Bollywood !

En bateau

Une façon originale et rapide pour visiter la ville. Une balade de 2h sur la Tamise permet de découvrir Londres sans se fatiguer. Choisir un jour où il y a du soleil, c'est quand même plus sympa.

■ *Infos sur tous les circuits possibles auprès de London River Services :* ☎ 020-7222-1234. ● *https://tfl. gov.uk/modes/river/* ● *Avr-oct, départs de Westminster Pier 10h-17h, voire 18h (départs supplémentaires à la belle saison et même des croisières de nuit en juil-août ; horaires plus restreints le reste de l'année).* Circuits variés sur la Tamise avec, en principe, arrêts aux principaux points touristiques entre Hampton Court Pier et Thames Barrier. Les départs se font entre autres de Greenwich, Tower Bridge, London Bridge, Embankment, Waterloo ou Westminster (Westminster étant l'embarcadère principal).

Plusieurs compagnies se partagent le gâteau. Toutes ne proposant pas de commentaires à bord, renseignez-vous bien avant. Une seule va jusqu'à Thames Barrier (*Thames River Service* ; voir plus loin dans le chapitre « Les autres quartiers de Londres »). Une des balades les plus appréciées est celle vers Greenwich, même si, honnêtement, la balade en bateau est inégale et ne vaut le coup que si vous avez un but de visite à l'arrivée. Après Tower Bridge, la traversée du quartier des docks est longuette, même en faisant marcher son imagination pour se représenter l'activité intense qui devait régner ici au temps du commerce avec les Indes et de la splendeur de l'Empire britannique. Compter 12,50 £ et 2h pour un aller-retour Westminster-Greenwich (réduction avec l'*Oyster Card* ou la *Freedom Pass*). Sinon, d'autres balades possibles : Saint Katharines-Greenwich et Circular Cruise. Sachez aussi que des billets combinés sont proposés lorsque vous vous rendez aux London Eye, London Dungeon et Madame Tussauds. Plus de renseignements au pied du London Eye, embarcadère pour des balades en bateau, du plus traditionnel au plus sportif (dans une sorte de hors-bord à hélices !).

En voiture amphibie (toujours plus fort !)

■ *London Duck Tours :* juste derrière le London Eye. ☎ 020-7928-3132. ● *londonducktours.co.uk* ● *Durée : 1h15. Prix : 24 £ pour un adulte (26 £ pour le James Bond Tour) ; réduc (heureusement !). Tlj sf 24-26 déc, 31 déc et 1er janv.* Dans un véhicule amphibie, vous parcourez la Tamise et certaines rues de Londres, sur le thème de James Bond ou des pirates. Les enfants adorent !

LE CENTRE TOURISTIQUE
SOHO, PICCADILLY, COVENT GARDEN ET OXFORD CIRCUS

- Pour se repérer, voir le plan d'ensemble et le centre 1 détachables en fin de guide.

 Cœur attractif de la ville, ce grand centre de Londres regroupe en son sein les célèbres quartiers de Soho, Piccadilly, Covent Garden, Oxford Circus... Vos pas vous y mèneront inévitablement, car on y trouve la National Gallery et beaucoup d'autres musées prestigieux. C'est aussi là que se concentrent théâtres, restos, bars, boutiques... Avec le très emblématique mur publicitaire de Piccadilly Circus qui vante, de jour comme de nuit, les mérites de grandes marques mondiales. En constant développement, c'est un véritable miroir aux alouettes qui happe la plupart des appareils photo des touristes. Londres recèle cependant des merveilles et il serait dommage de se cantonner à ce colifichet.

Quoi qu'il en soit, c'est une balade énergisante pour découvrir le Londres *by night* du côté du West End, là où sont joués tous les grands spectacles de la capitale ! Ce quartier fut autrefois le lieu où s'est éveillée l'avant-garde culturelle ; il a évidemment perdu son âme bohème, mais on continue à le fréquenter assidûment pour son animation trépidante, de jour comme de nuit.

Où dormir ?

Le centre touristique n'offre pas de bonnes adresses bon marché et le confort n'est pas toujours au rendez-vous : mieux vaut résider dans les quartiers limitrophes. Voici toutefois notre sélection pour ceux qui tiennent à profiter de l'effervescence de Soho et de Piccadilly.

Studios et appartements

🏠 *Citadines Trafalgar Square (centre 1, F4, 45) :* 18-21 *Northumberland Ave, WC2N 5EA.* ☎ *020-7766-3700 et 800-376-38-98 (n° gratuit).* ● *trafalgar@citadines.com* ● *citadines.com* ● Ⓜ *Charing Cross ou Embankment. Env 145-360 £ pour 2-6 pers. Réduc à la sem et sur Internet.* 🖥 🛜 Situé stratégiquement entre Piccadilly Circus, Covent Garden et Big Ben, cet hôtel-résidence haut de gamme propose près de 200 studios et appartements modernes, nickel et de très bon confort (TV écran plat et chaîne hi-fi dans le salon, cuisine équipée, clim...). Petit déj et service de chambre en supplément à la demande. Pas franchement donné, mais idéal pour les familles.

🛏 **The Nadler Soho** *(centre 1, E3, **70**) :* *10 Carlisle St, W1D 3BR.* ☎ *020-3697-3697.* ● *soho.info@thenadler.com* ● *thenadler.com/soho.shtml* ● *Doubles 230-300 £. Petit déj en chambre pour 1 £ ou chez* Princi *(voir « Où manger ? »).* 🖥 🛜 Ambiance résolument contemporaine pour cet établissement entre hôtel et appartement. Teintes sombres des moquettes, carrelages noirs des salles de bains et mobilier fonctionnel. Chambres pas bien grandes mais tout confort avec plein de petites attentions comme la kitchenette d'appoint (frigo et micro-ondes), une machine *Nespresso* et des réducs dans les restos voisins. Et on est en plein cœur de l'animation. Accueil adorable.

De bon marché à prix moyens (moins de 90 £ / 117 €)

🛏 **Oxford Street Youth Hostel** *(YHA ; centre 1, E3, **50**) :* *14 Noel St, W1F 8GJ.* ☎ *020-7734-1618.* ● *oxfordst@yha.org.uk* ● *yha.org.uk* ● Ⓜ *Oxford Circus. Réception au 3e étage. Compter 15-36 £/pers en dortoir non mixte de 3-4 lits. Doubles ou twin sans sdb 65-85 £. Petit déj en sus ; cuisine à dispo.* 🖥 🛜 Cette AJ en plein centre touristique arbore des couleurs pop et acidulées sur 3 étages (avec ascenseur !). Chambres nickel, moquette épaisse, lits superposés et couettes, placards et point d'eau. Cuisine bien équipée pour vos petits plats. Propose des excursions ou des billets de spectacles (le mercredi seulement) à prix négociés. Personnel jovial et serviable. Un super plan dans le centre !

🛏 **Hub by Premier Inn Covent Garden** *(centre 1, F4, **108**) :* *110 Saint Martin's Lane, WC2N 4BA.* ☎ *033-3321-3104.* ● *hubhotels.co.uk* ● ♿ Ⓜ *Leicester Square ou Charing Cross. Doubles à partir de 69 £.* 🛜 Une chaîne d'établissements ultramodernes et design. Les chambres standard, petites, disposent déjà de tout le confort :

TV écran plat, bureau amovible, rangements sous le lit, salle de bains nickel, variateur de lumière et chauffage, clim, branchements pour vos appareils électroniques... Les autres, un peu plus chères, bénéficient de plus d'espace (certaines accessibles aux fauteuils roulants). Déco contemporaine très réussie et espaces communs lumineux. En prime, une petite épicerie fine et un coin cafétéria pour prendre un bon petit déj ou un snack, à base de produits locaux. Le tout situé juste derrière la National Gallery et au cœur du quartier des théâtres. Un vrai bon plan pour les routards 2.0 !

Plus chic (90-120 £ / 117-156 €)

🛏 **The Z Hotels** *(centre 1, E3, **159**) :* *17 Moor St, W1D 5AP.* ☎ *020-3551-3701.* ● *soho@thezhotels.com* ● *thezhotels.com* ● *Doubles 70-250 £ (le moins cher le dim).* 🛜 On passerait presque devant sans l'apercevoir. Bâtiment tout en hauteur, qui cache bien son jeu à l'intérieur, autour d'une cour et d'escaliers dans tous les sens ! On vient ici surtout pour la position très centrale, au cœur de l'animation de Soho, et pour le rapport qualité-prix. Des chambres riquiqui (on tient à peine à 2 debout !), avec ou sans fenêtre, mais modernes et bien aménagées. En outre, la maison est fière de proposer des matelas faits en Angleterre.

🛏 **Premier Inn Leicester Square** *(centre 1, E4, **151**) :* *1 Leicester Pl, WC2H 7BP.* ☎ *0871-527-9334 (0,13 £/mn + coût de l'opérateur).* ● *premierinn.com* ● *Doubles 96 £ (dim slt)-203 £ pour 1-4 pers, sans petit déj.* 🖥 🛜 On ne peut plus central, au cœur de l'animation non-stop, mais extra calme grâce au quadruple vitrage et au « *quiet time* » imposé de 22h à 7h. D'ailleurs, cet hôtel de chaîne récent rembourse les clients qui ont mal dormi ! Plus de 80 chambres au confort standard, de différentes tailles. Parties communes modernes et chaleureuses, la réception est au 2e étage (avec ascenseur). En réservant tôt, on peut profiter de prix assez avantageux.

Très chic (plus de 120 £ / 156 €)

🛏 *Dean Street Townhouse* (centre 1, E3, **55**) : 69-71 Dean St, W1D 3SE. ☎ 020-7434-1775. ● restaurant@ deanstreettownhouse.com ● deans treettownhouse.com ● Ⓜ Tottenham Court Rd. Doubles 120-450 £, sans petit déj. 📶 En plein cœur de Soho, un boutique-hôtel idéal pour les amoureux (pas de *twin* ou familiale), au style « vintage moderne », tellement anglais ! Toutes les chambres, une quarantaine, ont une déco chaleureuse, des plus petites (les « placards à balais », manquent pas d'humour !) aux plus chères, terriblement décadentes avec baignoire-sabot dans le salon. On adore ! Plein de petites marques d'attention, des biscuits maison aux capotes... anglaises, *of course* ! Resto très couru au rez-de-chaussée. Accueil excellent.

Spécial coup de folie (plus de 250 £ / 325 €)

🛏 *Saint Martin's Lane* (centre 1, F4, **74**) : 45 Saint Martin's Lane, WC2N 4HX. ☎ 020-7300-5500 et 0800-4969-1770 (centrale de résa). ● stmartinslane.com ● Ⓜ Leicester Sq. Juste en face du théâtre Duke of York. Doubles et studios env 340-420 £ (taxes incluses). Réduc sur Internet. 📶 Du grand luxe avec Starck aux manettes, que les fans d'architecture moderne et de design apprécieront.

Quelque 200 chambres et un véritable choc d'influences, entre baroque et esprit futuriste ! Une porte-tambour jaune fluo, un jeu d'échecs détonnant dans le non moins surprenant hall où sièges « molaires » de Starck côtoient sans vergogne bergères Louis XV. Fallait oser ! Chambres ultraconfort naturellement, dans un style minimaliste qui ne laisse pas indifférent. Larges baies vitrées du sol au plafond, certaines avec vue sur un microjardin, d'autres sur Londres, rien de moins ! Bar et resto cosy tout aussi élégants, et salle de sport complète pour qui voudrait garder la ligne. Et pour ceux qui auraient gagné au Loto, il y a même un penthouse de près de 100 m² avec vue panoramique sur la ville... à partir de 1 920 £ la nuit (oui !).

🛏 *Charlotte Street Hotel* (centre 1, E3, **48**) : 15 Charlotte St, W1T IRJ. Ⓜ Goodge St ou Tottenham Court Rd. ☎ 020-7806-2000. ● charlotte@firm dale.com ● charlottestreethotel.com ● Doubles env 265-530 £, sans petit déj. Packages et réduc sur Internet. 📶 Cet hôtel reprend tous les codes de la déco anglaise par Kit Kemp, en les mettant au goût du jour. Déco unique dans chaque chambre, style Bloomsbury, très coloré, à dominante bleutée, avec rayures et fleurs à l'unisson. Certains trouveront cela un peu chargé, d'autres y verront une tradition toute britannique ici perpétuée. Grand confort. Salle de projection privée, œuvres d'art et objets design, bar et restaurant *Oscar* pour prendre l'*afternoon tea* (à partir de 23,50 £). Le bon goût anglais revisité.

Où manger ?

Sur le pouce (moins de 10 £ / 13 €)

Pas mal de petites adresses pour se restaurer sur le pouce et à moindre coût. Un intérêt : dans les boutiques à emporter, les prix sont nets. On économise donc les 12,5 % de service.

🍴 *Leon* (centre 1, F4, **379**) : 73-76 Strand, WC2R 0DE. ☎ 020-7240-3070. Ⓜ Embankment ou Charing Cross. Lun-ven 7h-22h, sam à partir de 9h et dim 11h-19h. Env 4,50-8 £. Un

snack au cadre rétro très coloré, d'un excellent rapport qualité-prix. C'est bon, plutôt original et servi rapidement, avec le sourire. Bons petits déj, salades, *wraps*, burgers (à partir de 17h), etc. Également tout un choix de *lunch box* exotiques (thaï, marocaine, mexicaine...), disponibles en version végétarienne et/ou sans gluten. Idéal pour un repas pré-théâtre bon et rapide, ou pour partir en balade avec sa *box*. Plein d'autres adresses à Londres, notamment au marché de Spitalfields et à l'entrée nord de Carnaby Street.

≈ **Breakfast Club** (centre 1, E3, 176) : 33 D'Arblay St, W1F 8EU. ☎ 020-7434-2571. ● emilio@lovetbc. com ● Ⓜ Oxford Circus ou Tottenham Court Rd. Lun-sam 8h-22h, dim 8h-19h. Plats, petit déj et brunch 5-12 £. 🛜 La déco a beaucoup de légèreté avec sur les murs des polaroïds des habitués et des dessins. Il n'en fallait pas plus pour attirer les étudiants et les joyeux bobos. Et pour les fidéliser, cocktails de fruits délicieux, breakfasts copieux et variés ou gros sandwichs à la commande. Super ambiance, un rien déglinguée.

≈ **Meat Market** (centre 1, F4, 618) : Jubilee Market Hall, Tavistock St, WC2E 8BE. ☎ 020-7240-4852. ● info@themeatmarket.co.uk ● Ⓜ Covent Garden. Tlj 11h30-23h (22h dim). Pas de résa. Env 8-10 £. L'escalier n'est pas très engageant, et la salle en longueur planquée à l'étage du marché fait plus dans le rugueux que dans le glamour... Mais les aficionados sont nombreux à investir les tables hautes en bois pour dévorer à toute heure les célèbres burgers de la maison. Leur spécialité : le Dead Hippie burger, bien épais et juicy à souhait (presque aussi bon qu'à New York !). Hot-dogs pas en reste. Quelques cocktails et alcools détonants pour les amateurs, et des milk-shakes pour les bouches en sucre. Impeccable pour une pause calorique sur fond de rock.

|●| **Princi** (centre 1, E3, 152) : 135 Wardour St, W1F 0UT. ☎ 020-7478-8888. ● info@princi.com ● Ⓜ Tottenham Court Rd. Lun-sam 8h-minuit, dim 8h30-22h. Plats 4-8 £, pizzas 7,50-12,50 £. 🛜 On aime cette grande salle assez classe, à prix mini. D'un côté, le resto, séparé par le four à pizzas où s'activent des pizzaioli attentionnés. De l'autre, de grandes tablées pour partager les merveilles de la vitrine, le long d'un mur de... robinets ouverts. Focaccie au thon, à la tomate, au jambon de parme, à la mortadelle, parts de pizzas, pâtes, salades de légumes, et une série de desserts à se damner (tiramisù, tarte aux fraises, etc.). Un régal, pour les yeux et pour le ventre.

≈ **EAT** (plan d'ensemble, D3, 153) : 319 Regent St, W1B 2HU. ☎ 020-7636-8309. Ⓜ Oxford Circus. Horaires variables selon jours, boutiques et marchandise en stock (ferme vers 18h30-20h). 🛜 Sandwichs, salades et soupes soignés, avec beaucoup de légumes et de couleurs. Beaucoup d'autres adresses dans Londres, mais pas toujours possible de s'asseoir. Et ce qui n'est pas vendu le soir disparaît à jamais du rayon, promesse de la maison !

≈ **Pret A Manger** (centre 1, E3, 150) : 54-56 Oxford St, W1. ☎ 020-7580-9809. Ⓜ Tottenham Court Rd. Lun-ven 6h30-22h, sam 8h-22h, dim 9h-21h. Sandwichs aux recettes originales et exotiques, frais, à partir de produits de qualité et à prix très honnêtes. Également de bonnes soupes, des salades, des porridges pour le petit déj et du café bio. Plus de 100 autres Pret (prononcer « Prèt » à l'anglaise) dans Londres (dont la succursale de Saint Martin's Place, juste derrière Trafalgar Square, qui a l'avantage d'offrir une terrasse ; centre 1, F4).

|●| 🍃 **Whole Foods Market** (centre 1, E4, 163) : 20 Glasshouse St, W1B 5AR. ☎ 020-7406-3100. Ⓜ Piccadilly Circus. Lun-ven 7h30-22h, sam 9h-22h, dim 12h-18h (café ouv à partir de 10h). Compter 4-8 £. 🛜 Grand supermarché bio où tout est vendu au détail. Sandwichs, soupes, burritos, pizzas, sushis... à emporter ou sur place. Jus de fruits accommodés de 1 000 manières, pies, fromages anglais et spécialités de charcuterie. Une vraie caverne d'Ali Baba où l'on resterait des heures !

≈ |●| **Tom's Kitchen Deli** (centre 1, F-G4, 278) : Strand, dans la Somerset House, au fond de la cour. ☎ 020-7845-4646. Ⓜ Temple ou Embankment. Tlj 8h (10h w-e et j. fériés)-18h. Env 4,50-8,50 £. C'est le deli du fameux chef Tom Aikens, qui officie dans le resto chic attenant. La qualité est à la hauteur de sa réputation : sandwichs originaux et savoureux, soupes délicieuses et comptoirs alignant de belles salades à composer soi-même et les propositions du jour. Impeccable pour une petite pause dans la jolie salle de poche (cadre frais, carrelage blanc, parquet et meubles bois clair) ou, mieux, sur la terrasse déployée dans le cadre unique de la cour d'honneur de la Somerset House.

Bon marché
(10-20 £ / 13-26 €)

|●| *Franx Continental Café* (centre 1, F3, *172*) : 192 Shaftesbury Ave, WC2H 8JL. ☎ 020-7836-7989. Ⓜ Tottenham Court Rd. Tlj 7h-18h. Env 3,50-7,50 £. Sorte de petit fast-food au cadre étriqué pas vraiment engageant, mais remarquablement bien approvisionné : salades, sandwichs frais, soupes, lasagnes et pâtes accommodées de diverses sauces... Plats du jour au tableau noir. Sert aussi des petits déj, notamment le classique *full English breakfast,* et un bon café. Une poignée de tables pour consommer sur place (toujours plein de ce fait). Sans prétention, mais correct et à prix riquiqui, avec un bout de terrasse. Accueil souriant.

|●| *Hummus Bros* (centre 1, E3, *195*) : 88 Wardour St, W1F 0TH. ☎ 020-7734-1311. ● info@hbros.co.uk ● Ⓜ Piccadilly Circus. Lun-ven 7h30-22h, sam 12h-22h, dim 12h-21h. Plats 4-7 £. 🛜 Plein d'humour chez ces deux copains de lycée qui rêvaient de partager un plat généreux plein de goût et suffisamment nourrissant. L'idée de l'« hummus bar » était née. Si le cadre est branché à souhait (comprendre une minuscule salle minimaliste avec tables communes), c'est une recette ancestrale qui est servie ici, celle à base de pois chiches *(peas),* qu'accompagnent bœuf, poulet, avocat, etc. Un délice pour les végétariens comme pour les gourmands. *Give peas a chance !*

|●| *Viet Pho* (centre 1, E3, *171*) : 34 Greek St, W1D 5DJ. ☎ 020-7494-9888. Ⓜ Leicester Sq. Lun-jeu 12h-23h, ven-sam 12h-23h30 ; fermé dim. Soupe et plat autour de 8 £. Dans une petite salle proprette, tentez la soupe *phó*, remarquable. Le bouillon n'est pas trop gras et la pâte de riz est parfaitement cuite. La carte propose aussi quelques spécialités thaïlandaises. L'une des bonnes options en lisière de Chinatown. Service très aimable.

|●| *Mother Mash* (centre 1, E3, *228*) : 26 Ganton St, WIF 7QZ. ☎ 020-7494-9644. Ⓜ Oxford Circus. Lun-ven 8h30-22h, sam 10h-22h, dim 12h-19h. Petit déj à partir de 6,50 £ ; formules repas autour de 9 £. À deux pas de Carnaby Street, une petite adresse à garder en tête pour ses horaires non-stop, ses prix doux et ses délicieuses saucisses-purée. Certes, le décor, très fonctionnel, n'incite pas à s'attarder. Mais ici, tout est préparé à la demande puisqu'on choisit sa saucisse (nature ou non...), sa purée (aux oignons, au cheddar...) jusqu'à sa texture, plus ou moins épaisse et, enfin, sa sauce. Simple et savoureux. Bon choix de *pies* également. Miam !

|●| *Govinda's* (Rada Krishna Temple ; centre 1, E3, *155*) : 10 Soho St (à 20 m de l'angle avec Oxford St), W1D 3DL. ☎ 020-7440-5229. ● govindas@iskcon-london.org ● Ⓜ Tottenham Court Rd. Tlj 12h-21h (16h dim). Plats 4-14 £. Un self végétarien très bon marché, tenu par des Hare Krishna. Ambiance un peu *flower power*, ça va de soi. Très bonne cuisine, notamment les fameux *thalis,* ou plus simplement *pies,* salades et *veggie burger.* Bref, une sympathique adresse, simple et sans prétention, au rez-de-chaussée du temple !

|●| *Dishoom* (centre 1, F3-4, *200*) : 12 Upper Saint Martin's Lane, WC2H 9FB. ☎ 020-7420-9320. Ⓜ Leicester Sq ou Covent Garden. Lun-ven 8h-23h (minuit ven), sam 9h-minuit, dim 9h-23h. Plats env 8-12 £. Très apprécié aussi pour ses petits déj, ce *Bombay Café* à l'ambiance bistrot élégant se veut un véritable lieu de vie, où l'on partage tous les repas de la journée. Cadre cosy et cuisine indienne relevée à souhait (*daal, chicken tikka* ou *byriani,* délicieux *naan* cuits au four *tandoor,* entre autres), tellement fameuse qu'il faut prévoir une longue file d'attente (ou réserver sa table longtemps à l'avance) pour avoir la chance d'y goûter ! *Dishoom* a un succès fou, avec désormais 4 adresses à Londres (à Shoreditch, vers King's Cross et près d'Oxford Circus, dans Kingly St), toutes aussi assidûment fréquentées...

|●| 🍽 🍸 *Wahaca* (centre 1, E3, *48*) : 19-23 Charlotte St, W1T 1RL. ☎ 020-7323-2342. ● charlottestreet@wahaca.co.uk ● Tlj 12h-23h (22h dim). Plats 7-11 £, avantageux plats pour 2 pers 22-33 £. 🛜 Une chaîne qui met à l'honneur la cuisine mexicaine.

Burritos, tacos, salades, tapas, faites votre choix, il y en a pour tous les goûts. Un régal ! Déco rafraîchissante et moderne. Au 1er étage, *mezcaleria,* autour d'un bar aux lignes métalliques superbes. Bonne ambiance, copieux et savoureux.

I●I *Café in the Crypt* (centre 1, F4) : dans la crypte de Saint Martin-in-the-Fields ; entrée par l'ascenseur vitré attenant. ☎ 020-7766-1158. ● cafe@ smitf.org ● Ⓜ Charing Cross. Lun-mar 8h-20h, mer 8h-22h30, jeu-sam 8h30-21h, dim 11h-18h. Sandwichs et plats du jour env 8-12 £, afternoon tea 5,95 £. Émouvant de se restaurer sous l'église qui livra l'une des plus belles versions du *Requiem* de Mozart. Sise dans une belle et vaste cave voûtée du XVIIIe s, cette cafétéria délicieusement décalée prend ses aises sur un dallage... de pierres tombales. Ça ne coupe pas l'appétit, car les petits déjeuners complets (jusqu'à 11h) ou bien les sandwichs, soupes, pâtes, salades et autres pâtisseries sont ultrafrais et appétissants (servis en demi-portions pour les enfants). Il faut attendre le printemps pour investir la grande terrasse qui occupe l'espace derrière le chevet de l'église jusqu'à la fin de l'été. Un must.

I●I *Honest* (centre 1, E3, **145**) : 4 Meard St, W1F 0EF. ☎ 020-3609-9524. ● hello@honestburgers.co.uk ● Ⓜ Tottenham Court Rd ou Piccadilly Circus. Lun-sam 12h-23h, dim 12h-22h. Compter 9-15 £. Une petite adresse de poche qui ne désemplit pas. N'ayez pas peur de la file d'attente, turn-over rapide et on vous envoie un texto pour vous prévenir. On vient ici pour le seul plat à la carte : le burger qui se compose comme un Lego. On choisit sa viande ou végétarien, puis son accompagnement (frites maison croustillantes à souhait, stilton, etc.) et... on attend sa belle assiette en métal richement garnie. Cadre simple, du rock à tue-tête, un service adorable... Emballé, c'est pesé ! Pour être « honnête », certainement le meilleur burger de Londres. D'ailleurs d'autres *Honest* ont ouvert en ville.

I●I *The Attendant* (plan d'ensemble, D3, **184**) : 27A Foley St, W1W 6DY. ☎ 020-7637-3794. ● info@ the-attendant.com ● Ⓜ Goodge St. Lun-sam 8h (9h sam)-18h, dim 10h-17h. Snacks et cakes à moins de 10 £. 🛜 Envie d'une pause technique après avoir vidé les boutiques ? Descendez dans ces anciennes toilettes victoriennes qui ont trouvé un nouvel usage postérieur : un café on ne peut plus original où l'on s'attable aux antiques ex-urinoirs et où des serveurs ont piqué la place de la dame pipi. Très bien pour un *tea*, un *cake* ou une délicieuse salade *healthy*. En plus, l'addition ne vous soulagera que de quelques pounds !

De bon marché à prix moyens (moins de 25 £ / 32,50 €)

I●I *Homeslice* (centre 1, F3, **169**) : 13 Neal's Yard, WC2H 9DP. ☎ 020-7836-4604. ● nealsyard@homesli cepizza.co.uk ● Ⓜ Covent Garden. À l'entrée d'une placette accessible par Shorts Gardens ou Monmouth St. Tlj 12h-23h (22h dim). Env 4 £ la part ou 20 £ la pizza. Le four à bois en terre cuite n'a guère le temps de refroidir dans cette petite échoppe toujours bondée, où s'active une équipe dynamique tout sourire. Au coude-à-coude sur de grandes tables communes, la foule partage sans façons d'énormes pizzas dans une ambiance tonitruante. Seulement une dizaine au choix avec des *toppings* goûteux et originaux, comme celle aux oignons caramélisés, anchois et olives de Kalamata. On dévore le tout avec les doigts et on étanche sa soif avec du vin au comptoir. L'une de nos adresses préférées, c'est dit ! D'ailleurs on en trouve deux autres à Fitzrovia (52 Wells St) et Shoreditch (374-378 Old St).

I●I 🧒 *Bill's* (centre 1, E4, **223**) : 36-44 Brewer St, W1F 9TB. Ⓜ Piccadilly Circus. ☎ 020-7287-8712. ● soho@ bills-email.co.uk ● Lun-sam 8h-23h (minuit sam), dim 9h-22h30. Plats 9-19 £ ; menu enfants. 🛜 Ambiance grande maison de famille, avec vieux lustres et bougeoirs, tables dépareillées, canapés Chesterfield bien usés, comme le parquet et les piments oubliés pendus au plafond. Il règne une bonne ambiance derrière les grandes baies vitrées. Une adresse bienvenue pour de petits plats simples, servis généreusement (salades, burgers, moules-frites, *pies*). Service simple et efficace.

Carluccio's *(centre 1, F4, 111)* : 2 Garrick St, WC2E 9BH. ☎ 020-7836-0990. ● carluccios.com ● Ⓜ Covent Garden. Lun-ven 8h-23h30, sam 9h-23h30, dim 9h-22h30. Focaccia *et snacks env 2,50-4,50 £ ; plats env 9-15 £ ; menu enfants*. C'est une chaîne, mais de qualité, qui propose le meilleur de l'épicerie italienne. Parfait pour un petit creux : quelques *focaccie* garnies à emporter ou à consommer sur les quelques tables et chaises vite prises d'assaut. Leur chocolat chaud est aussi extra. Sinon, tout un choix de pâtes fraîches (raviolis maison), salades, assiettes d'*antipasti*, plats de viande et poisson, etc. Très bon rapport qualité-prix.

Bodean's BBQ Smoke House *(centre 1, E3, 305)* : 10 Poland St, W1F 8PZ. Ⓜ Oxford Circus. ☎ 020-7287-7575. ● soho@bodeansbbq. com ● Lun-jeu 12h-23h, ven-dim 11h30-23h (22h30 dim). Plats 8-23 £. Pas de chichis ici, on vient célébrer la bonne viande cuite au barbecue en direct USA. Des *ribs,* du poulet, de la dinde ou du porc, comme le rappelle l'enseigne au petit cochon. Et en sandwich, de préférence avec sauce et frites, servis dans une petite barquette en plastique. On commande au comptoir, on attend sur un tabouret que son numéro soit appelé et, ensuite, on mange avec les doigts, s'il vous plaît. Un régal ! Une autre salle au sous-sol, plus cosy. Terrasse aux beaux jours.

The Rock and Sole Plaice *(centre 1, F3, 182)* : 47 Endell St, WC2H 9AJ. ☎ 020-7836-3785. ● info@rockandsoleplaice.com ● Ⓜ Covent Garden. Lun-sam 11h30-23h30, dim 12h-22h. À partir de 8 £ à emporter, 15 £ sur place. Spécialiste du *fish & chips* depuis 1871, autant dire que ce *chippy* connaît son affaire. Effectivement, on n'est pas déçu par les poissons, tendres à l'intérieur et croustillants à souhait à l'extérieur, ni par la générosité des portions. Choix

d'une demi-douzaine de poissons (également *calamars and chips*). Bons *fish cakes*. Clientèle nombreuse de curieux et de touristes, regroupés dans la toute petite salle carrelée, dans le sous-sol caverneux ou sur la terrasse ombragée. Typique et populaire donc, même si les prix sont plutôt élevés pour cette catégorie, et tous les extras (frites, *mushy peas,* etc.) en supplément.

Ed's Easy Diner *(centre 1, E3, 159)* : 12 Moor St, Old Compton St, W1D 5NG. ☎ 020-7434-4439. ● soho. manager@edseasydiner.com ● Ⓜ Leicester Sq. Tlj 12h-23h (23h30 jeu-sam et 22h dim). Burgers 7-14 £. Les fans de *Happy days* vont être ravis ! Un vrai *dinner* à l'américaine des années 1950, avec de super burgers pour caler une fringale. Bonnes frites maison. On s'assoit autour du comptoir en zinc, et on sifflote sur un air de *Baby Love* en dégustant des milk-shakes renversants. D'autres *dinners* en ville mais, de toutes les manières, c'est cet *Ed's* qu'on préfère !

Taro *(centre 1, E4, 157)* : 61 Brewer St, W1F 9UW. ☎ 020-7734-5826. Ⓜ Piccadilly Circus. Lun-sam 12h-22h30 (23h ven-sam), dim 12h30-21h30. Plats 7-12 £. Resto de cuisine japonaise : sushis, nouilles et riz sautés, soupe de nouilles, *ramens,* bref, tout le monde y retrouve son plat préféré. Cuisine ouverte sur une petite salle simple tout en bois blond. Clientèle d'étudiants et de businessmen le midi.

Mildred's *(centre 1, E3, 160)* : 45, Lexington Rd, WF1 9AN. ☎ 020-7494-1634. ● soho@mildreds.co.uk ● Ⓜ Piccadilly Circus. Lun-sam 12h-23h. Plats 6-11 £. Si l'extérieur est bleu, l'intérieur est vert ! En poussant la porte de cette adorable devanture rétro, on a l'impression d'aller rendre visite à une vieille tante. Une aïeule un peu particulière, végétarienne, bio et dans le vent, chez qui il règne une ambiance de cantine. À tel point qu'on ne s'entend plus parler ! Salades, burgers, assiettes... Tout est délicieux, sain, pas trop cher et servi par un personnel aux petits oignons.

Rossopomodoro *(centre 1, F3, 192)* : 50-52 Monmouth St, WC2H 9EP. ☎ 020-7240-9095. ● covent@

rossopomodoro.co.uk ● Ⓜ *Leicester Sq. Tlj 12h-23h (23h30 ven-sam
et 22h dim). Pizzas env 8-14 £ ; menu
enfant 7-9 £.* L'une des succursales
d'une petite chaîne de restos italiens
très connue à Londres. Grande salle
moderne, colorée et agréable, quoi-
qu'un peu bruyante à l'heure du coup
de feu. Les habitués viennent principalement pour les pizzas, fameuses
et garnies de délicieux produits frais.
Bons plats de pâtes également, salades, *bruschette* et *street food* typiquement napolitaine. En prime, service vif
et souriant.

|●| **Masala Zone** *(centre 1, E3, **161**) :*
9 Marshall St, W1F 7ER. ☎ *020-7287-
9966.* ● *soho@masalazone.com* ●
Ⓜ *Piccadilly Circus ou Oxford Circus.
Tlj à partir de midi (non-stop sam). Pas
de résa. Plats 9-15 £.* 📶 Une cantine
indienne branchée, plébiscitée par bon
nombre de jeunes (et moins jeunes)
Londoniens. Bon *thali* (petit plateau
métallique) avec différentes prépa-
rations de légumes et de différentes
tailles. Convient à tous les appétits !
Grande salle sur différents niveaux, à la
déco égayée de fresques naïves, célébrant une région différente de l'Inde
dans chacune des adresses de cette
enseigne. Pas de la grande gastronomie mais de quoi casser une graine
saine pour pas cher. Assez animé et
service rapide et souriant.

|●| **Cha Cha Moon** *(centre 1, E3-4,
137) :* *15-21 Ganton St, W1F 9BN.*
☎ *020-7297-9800.* Ⓜ *Oxford
Circus. Lun-jeu 11h30-23h, ven-
sam 11h30-23h30, dim 12h-22h30.
Plats 8-11 £.* 📶 Atmosphère tamisée
pour ce resto créé par l'inventeur des
Wagamama. On reprend les mêmes
ingrédients – grandes tablées où l'on
se serre les coudes sous un éclairage
intime et cuisine ouverte sur la salle –,
et on recommence, en travaillant
désormais la cuisine chinoise et mal-
aise. Soupes, salades et autres merveilles de nouilles gentiment relevées.
Roboratif et d'un bon rapport qualité-
prix. Terrasse en été.

|●| **Rose Bakery** *(plan d'ensemble,
D4, **180**) :* *17-18 Dover St, W1S 4LT.*
☎ *020-7518-0687. Green Park. Lun-
sam 11h-17h (déj 12h-16h). Salades,
tartes, pies 7-13 £.* Manger au milieu

d'une boutique de fringues ! Voici le
rêve réalisé par ce petit café niché au
4e étage de ce *concept-store* de Dover
Street Market. Vite ! On se précipite
pour avoir une place vers la fenêtre
et la vue sur les toits. On jette un œil
aux salades fort appétissantes, aux
soupes et autres gourmandises. Et on
lit les magazines de mode à dispo, en
regardant la joyeuse équipe s'animer
derrière le beau comptoir en métal.
Cuisine simple mais savoureuse. Excellent accueil. Venir tôt ; pour le goûter,
c'est souvent terminé... Gardez de la
place pour le *carrot cake* (un très bon
souvenir).

|●| **Wild Food Café** *(centre 1, F3, **169**) :*
*14 Neal's Yard, au 1er étage (placette
accessible par Shorts Gardens ou Monmouth St), WC2H 9DP.* ☎ *020-7419-
2014.* Ⓜ *Covent Garden. Lun 12h-17h,
mar-sam 12h-22h, dim 12h-19h. Plats
env 5-15 £.* Dans un bel immeuble en
brique à la façade couverte de plantes
vertes, une salle claire et sobre organisée autour d'une cuisine ouverte, large
comptoir et série de tables le long des
fenêtres. Cuisine végétarienne issue
de recettes glanées par les proprios au
gré de leurs voyages. On retrouve tous
les grands classiques, du *mezze* turc
aux plats mexicains en passant par les
falafels égyptiens, préparés essentiellement avec des ingrédients bio. Bons
desserts.

|●| **The Punjab** *(centre 1, F3, **172**) :*
80 Neal St, WC2H 9PA. ☎ *020-7836-
9787.* ● *info@punjab.co.uk* ● Ⓜ *Covent
Garden ou Tottenham Court Rd. Tlj
12h-23h (22h dim). Résa conseillée.
Env 10-12 £ le plat.* Derrière une large
devanture bleue, un restaurant indien
qui se démarque par son cadre agréable tout en boiseries. Cela explique en
partie sa surprenante longévité (depuis
1946 !), mais c'est avant tout sa cuisine
punjabi (région au nord de l'Inde), classique et pleine de saveurs, qui fidélise
les amateurs. Parmi les spécialités, les
tandooris, bien sûr, ou le *karahi paneer*,
le tout arrosé de *mango lassi* et servi
généreusement.

|●| **Banana Tree Indochina** *(cen-
tre 1, E3, **613**) :* *103-109 Wardour St,
W1F 0UQ.* ☎ *020-7437-1351.*
● *soho@bananatree.co.uk* ● Ⓜ *Leicester Sq. Tlj midi et soir. Plats 8-14 £ ;*

combo set (avec riz, salade, chips) pour quelques pounds de plus. Lunch menus en sem 7-10 £. Grandes tablées de béton brut, cuisine ouverte et décor industriel pour cette chaîne de restos dédiée aux marmites d'Asie du Sud-Est, de la Thaïlande avec son pad thai (nouilles sautées), à l'Indonésie avec son bœuf rendang cuit au lait de coco et curry, ou sa soupe laksa de Malaisie, sans oublier le Vietnam, le Cambodge, le Laos, etc. Un vrai voyage ! Bruyant mais revigorant.

Prix moyens (20-30 £ / 26-39 €)

|●| **Barrafina** (centre 1, E3, **216**) : 54 Frith St, W1D 4SL. ☎ 020-7813-8016. Ⓜ Tottenham Court Rd. Tlj midi et soir. Pas de résa. Plats 6-13 £. La mode des bars à tapas a déferlé sur Londres pour notre plus grand plaisir ! Ici, on ne mange qu'au comptoir (pas de tables). Chaleureux comme tout, autant côté clients que serveurs. Pour l'apéro, quelques croquettes ou autres assiettes de charcuterie ibérique, et pour se sustenter, des plats en petite quantité, l'idéal pour goûter plusieurs spécialités (mais gaffe à l'addition !).

|●| **Polpo** (centre 1, E3-4, **231**) : 41 Beak St, W1F 9SB. ☎ 020-7734-4479. Ⓜ Oxford Circus. Lun-sam 12h-15h, 17h30-23h ; dim 12h-22h. Pas de résa le soir (mieux vaut arriver tôt !). Cicheti 6-10 £, repas 20-30 £. Dans une vieille bâtisse du XVIIIe s à peine redécorée, où Canaletto aurait séjourné un jour, une clientèle tendance vient célébrer la cuisine vénitienne sous des lampes à napperons. Les cicheti (petites portions) et autres plats de poisson ou de viande font le succès de cette adresse qui ne désemplit pas. Service jeune et décontracté. Au sous-sol, Campari Bar, sous des voûtes sombres. Le succès est tel que Polpo étend désormais ses tentacules jusqu'à Covent Garden, Notting Hill et, à l'est, vers Farringdon.

|●| **Jamie's Italian Covent Garden** (centre 1, F3-4, **197**) : 11 Upper Saint Martin's Lane, WC2H 9FB. ☎ 020-3326-6390. ● covent@jamiesitalian. com ● Ⓜ Leicester Sq ou Covent Garden. Tlj 12h-23h (22h30 dim). Pâtes env 6-10 £ ; plats 15-18 £. Jamie Oliver est une star « gastrocathodique » que l'on voit partout, sur tous les fronts et à toutes les sauces. Son bistrot italien propose une cuisine sans trop de complications, d'un bon rapport qualité-plaisir-prix. Cadre ludique de trattoria moderne, déco industrielle, chaleureuse et rétro à la fois. Plats du jour et cocktail de la semaine sur l'ardoise, grandes planches de charcuterie, burger italiano (énorme !), quelques fruits de mer et autres spécialités de la Botte. Service jovial et efficace, ambiance conviviale voire très bruyante en soirée ! Résa conseillée ou prévoir un peu d'attente.

– Même carte, même concept à **Jamie Oliver's Diner** (centre 1, E4, **197**) : 17-19 Denman St, W1D 7HW. ☎ 020-3376-3391. Lun-jeu 12h-23h30, ven-sam 12h-minuit, dim 12h-22h30. ☎ Dans un ancien pub réaménagé sur plusieurs étages. Également au métro Angel, dans un cadre particulièrement sophistiqué, avec une clientèle assez trendy.

|●| **Burger and Lobster** (plan d'ensemble, D4, **185**) : 29 Clarges St, W1J 7EF. ☎ 020-7409-1699. ● mayfair@burgerandlobster.com ● Ⓜ Green Park. Lun-sam 12h-22h30 ; dim 12h-17h30. Menu 20 £. Burger ou homard, un point c'est tout, pour ne pas se prendre la tête avec le menu à tarif unique. Les indécis opteront pour le homard en hot-dog. Pas bête ! C'est copieux dans tous les cas, marrant, efficace et on trifouille gaiement avec les doigts. Beaucoup de place, mais ça tombe bien, car il y a beaucoup de monde (pas de résa). Quant au niveau sonore, il est souvent digne d'un retour de criée. Staff jeune et frétillant. Une autre adresse dans Soho, 36 Dean St.

|●| 🍴 **Ceviche** (centre 1, E3, **612**) : 17 Frith St, W1D 4RG. Ⓜ Leicester Sq ou Tottenham Court Rd. ☎ 020-7292-2040. ● soho@cevicheuk.com ● Tlj 12h-23h30 (22h15 dim). Résa impérative. Compter 20-30 £. ☎ C'est pas le Pérou, mais ça y ressemble ! Du moins, dans les assiettes et dans les verres... Au choix : grand comptoir en métal, tabourets, tôle ondulée au plafond, ou petite salle à l'arrière, presque intime,

éclairée à la bougie. On vient ici pour déguster les spécialités à base de poisson cru, cuit dans une marinade de citron et autres merveilles de condiments, herbes et épices, sous forme de tapas bien relevées. 2-3 portions suffisent par personne. Un régal ! Avec un petit *pisco sour*, boisson nationale, pour faire passer. Ambiance *caliente* en fin de semaine. Parfait aussi pour boire un verre.

I●I *Sophie's Steakhouse* (centre 1, **F4**, **242**) : 29-31 Wellington St, WC2E 7DB. ☎ 020-7836-8836. ● coventgarden@sophiessteakhouse. com ● Ⓜ Covent Garden. Tlj 12h-1h (23h dim). Lunch (12h-17h) 10 £, Theatre menu (12h-17h et après 22h) 15-18 £ ; burger et plats à la carte env 15-30 £. On aime beaucoup cette grande brasserie conviviale avec ses coins et recoins, son éclairage tamisé et sa cuisine d'un bon rapport qualité-prix. Ici la viande est à l'honneur, mais on n'oublie pas les plats traditionnels anglais comme le *cottage pie* ou le *fish & chips*. Si les « top morceaux », style chateaubriand, restent chers, en revanche tous les « *classics* » sont abordables. Excellent *Sunday Roast Beef* (de *l'Aberdeen Angus* provenant de la ferme). Large choix de vins et cocktails. Service aimable et, gros avantage, des horaires étendus bien pratiques pour ceux qui envisagent de dîner après les spectacles.

I●I *Terroirs* (centre 1, **F4**, **286**) : 5 William IV St, WC2N 4DW. ☎ 020-7036-0660. ● enquiries@terroirswinebar.com ● Ⓜ Charing Cross. Tlj sf dim 12h-23h. Formules small plates env 8-20 £, lunch au bar (jusqu'à 15h) 10 £ avec 1 verre de vin. Plats du jour 17-20 £. Vin au verre 5-10 £. Beau succès pour ce bar à vins et resto à la fois, dans un cadre de brasserie chic ou dans une belle salle en sous-sol. Ici, on aime pousser le bouchon un peu loin : la cave ne recèle que des vins biodynamiques ou durables, principalement d'Italie, d'Espagne ou de France. Un concept bien dans l'air du temps, en adéquation avec une cuisine de saison simple et savoureuse, qui privilégie les petits producteurs : assiettes de fromages et de charcuterie ou plats du jour au rez-de-chaussée, spécialités françaises ou à tendance méditerranéenne au resto.

I●I *Sofra Mayfair* (plan d'ensemble, D4, **178**) : 18 Shepherd St, W1J 7JG. ☎ 020-7493-3320. Ⓜ Green Park. Tlj 12h-minuit. Plats 6-23 £, menus 12-15 £. Comme annoncé, vous serez accueilli par un « serveur souriant » et il vous sera servi de la « bonne nourriture » ! Une belle aubaine que ce restaurant turco-british. Le cadre élégant, calme et feutré, les prix doux, la cuisine maison et le service aux petits soins ont suffi à fidéliser la clientèle chic du quartier. Résultat, ça fait le plein, mais l'on vous trouvera toujours une petite table, que ce soit dans la grande salle, la cave ou la petite salle intime à l'arrière. À la carte, délicieux tajine d'agneau au riz pilaf, brochettes, moussaka... Bon plan, certains plats sont à moitié prix après 21h !

I●I *Ba Shan* (centre 1, E3, **359**) : 24 Romilly St, W1D 5AH. ☎ 020-7287-3266. Ⓜ Leicester Sq. Tlj 12h-23h. Plats 9-23 £. La devise de ce resto chinois est une citation de Mao : « Si tu ne manges pas de piment, tu ne seras pas un révolutionnaire »... De fait, la carte de spécialités du Yunnan et Sichuan a de quoi prendre d'assaut votre palais ! Mais libre à vous de piocher dans les plats moins épicés, qui restent parfumés en diable. Le cadre, assez intime, et la déco extrême-orientale mêlant objets traditionnels et affiches de propagande sont propices à une halte agréable.

I●I *Copita* (centre 1, E3, **167**) : 27 D'Arblay St, W1F 8EP. ☎ 020-7287-7797. ● info@copita.co.uk ● Ⓜ Oxford Circus ou Tottenham Court Rd. Lun-ven 12h-23h, sam 13h-23h. Tapas 2,50-9 £. Ce resto est une réinterprétation gastronomique des bars à tapas. Cadre soigné, noir et métal, avec lampes de mineur et nombreux tabourets autour des tablées. Ambiance décontractée. 3-4 tapas suffisent. Petite terrasse aux beaux jours. Olé !

I●I *Busaba Eathai* (centre 1, E3, **152**) : 106-110 Wardour St, W1F 0TR. ☎ 020-7255-8686. ● mail@busaba. com ● Ⓜ Oxford Circus ou Piccadilly Circus. Tlj 12h-23h (23h30 ven-sam,

22h30 dim). Plats 8-16 £. 🌂 Une petite chaîne asiatique de qualité. Ici, la clientèle branchée se réunit autour de larges tables carrées en bois de 10 personnes, sous des lumières tamisées. Aucune intimité et bruyant, mais une déco sobre très réussie et, surtout, une excellente cuisine thaïlandaise à base de viandes grillées, poisson et fruits. Attention, certains plats sont vraiment très épicés, même pour les palais aguerris... Plus sympa en soirée qu'au déjeuner ; en revanche, il faut souvent faire la queue, surtout le week-end : pas de résa !

I●I Sarastro *(centre 1, F3, 282) :* 126 Drury Lane, WC2B 5SU. ☎ 020-7836-0101. ● info@sarastro-res taurant.com ● Ⓜ *Covent Garden. Lun-ven 12h30-22h30 (dernière commande), sam 12h30-23h, dim 12h30-16h et 18h-22h. Résa conseillée. Formule pré-théâtre* (Tenor Menu) *16,50-20 £. Sinon, plats à la carte env 15-25 £ et menus 29-32,50 £ pour les soirées « opéra » (dim-lun soir) et les jours de spectacle (jeu-ven).* Déco théâtrale délirante, baroco-rococo, composée d'un improbable patchwork de ballerines qui pendent aux lustres, de fresques et de moulures façon crème Chantilly... On peut même manger sur les galeries ! Cuisines méditerranéenne et turque correctes. Mais ce qui fait le succès de la maison, ce sont ses extravagants spectacles d'« opéra » les lundi soir et dimanche. Spectacle garanti, assuré par des artistes de la Royal Opera House. Le jeudi soir, c'est tendance Sinatra, et les vendredi et samedi soir, musique latino. À propos, mais vous le saviez peut-être, Sarastro est l'un des personnages de *La Flûte enchantée.*

I●I 🕴 Tibits *(centre 1, E4, 308) :* 12-14 Heddon St, W1B 4DA. ☎ 020-7584-4110. ● info@tibits.co.uk ● Ⓜ *Piccadilly Circus. Lun-sam 9h-22h30 (minuit jeu-sam), dim 11h30-22h30. Plats à partir de 7 £.* 🌂 On aime bien cette ruelle en U, abritée de Regent Street. On y trouve plusieurs restaurants, dont ce végétarien suisse amusant, où l'on se sert autour d'un bateau-buffet (mais pas de poisson, on est dans un *veggie*). Cuisine appétissante et boissons fraîches, du jus de fruits pressés à la

bière bio : plus de 40 plats différents, aux influences asiatiques, méditerranéennes et indiennes. On paie ensuite au poids. Pensez-y avant le 1ᵉʳ coup de fourchette ! Très bien pour manger rapide le midi ou pour prendre son petit déj. Le tout dans une déco tendance ou sur la grande tablée en terrasse.

I●I L'Artiste Musclé *(plan d'ensemble, D4, 178) :* 1 Shepherd Market, W1J 7PA. ☎ 020-7493-6150. Ⓜ *Green Park. Tlj 12h-15h, 18h-23h. Fermé 25 déc-1ᵉʳ janv. Plats 13-16 £. Menus midi et soir 16-22 £.* Dans un quartier piéton bourré de charme, avec pléthore de pubs et de petits restos qui empiètent largement sur la rue aux beaux jours. La table est réputée pour sa cuisine honnête et ses additions pas si musclées que ça. Décor de vieux bistrot parisien, à l'image d'une carte faisant la part belle aux grands classiques de l'Hexagone. 2 petites salles, dont une au sous-sol (bruyante). Carte des vins honnête.

I●I La Locanda *(centre 1, E4, 308) :* 35 Heddon St, W1. ☎ 020-7734-6689. Ⓜ *Piccadilly Circus. Tlj jusqu'à 22h. Menus 2-3 plats 12,95-15,50 £ ; plats 9-26 £.* Petit italien sans esbroufe, dont la carte classique justifie une halte si on se balade dans le coin. Devanture rouge brique, tables nappées, cadre de trattoria en pierre rappelant l'Italie natale du patron. Atmosphère chaleureuse : cette adresse ne change pas sa formule gagnante depuis de nombreuses années. Service agréable, parfois un peu lent.

I●I Bocca di Lupo *(centre 1, E4, 277) :* 12 Archer St, W1D 7BB. ☎ 020-7734-2223. Ⓜ *Piccadilly Circus. Service lun-sam 12h15-14h45, 17h15-23h ; dim 12h15-15h, 17h15-21h30. Plats 12-27 £.* Avis aux gastronomes amateurs de cuisine italienne, voici un « antre du loup » qui n'a rien de terrifiant, bien au contraire. Cadre élégant et soigné de brasserie moderne, long comptoir de marbre pour un plat rapide ou petite salle plus intime, décorée d'œuvres d'art contemporain. Cuisine rustique mais racée, célébrant la variété de produits et toutes les régions de la Botte. Possibilité de portions « tapas » pour multiplier les saveurs. Service de bon conseil. S'il vous reste une place pour une glace, voir *Gelupo*, juste en face en sortant, même maison.

IOI Browns *(centre 1, F4, 188)* : 82-84 Saint Martin's Lane, WC2 4AG. ☎ 020-7497-50-50. Ⓜ *Leicester Sq. Lun-ven 8h-22h30 (23h ven), sam 9h-23h, dim 9h-22h30. Bar 23h (minuit jeu-sam). Lunch (12h-16h lun-ven) 12-16 £. Plats 12-18 £. Formules préthéâtre (16h-19h) 15-19 £. Afternoon tea 14h30-17h, 12-17 £ (min 2 pers).* Grande brasserie cosy, une institution rétro et branchée à la fois, qui connaît toujours le même succès, notamment pour ses formules pré-théâtre efficaces et avantageuses. Long comptoir de cuivre pour les pressés, salle vaste, pas mal d'espaces différents. Cuisine de brasserie à l'anglaise, copieuse et correcte. Également petit déj, *afternoon teas* et *sunday brunches.* Bref, ça ne désemplit pas !

IOI ♟ The Riding House Café *(plan d'ensemble, D3, 199)* : 43-51 Great Titchfield St, W1W 7PQ. ☎ 020-7927-0840. ● *info@ridinghousecafe.co.uk* ● *Lun-jeu 7h30-23h30, ven 7h30-23h, sam 9h-23h, dim et j. fériés 9h-22h. Breakfast 4,50-17 £ (résa obligatoire le w-e !), plats 9-28 £.* ☎ Un vrai lieu de vie que cette étape équestre ! Grande brasserie, avec sa partie resto et son long bar, ses tabourets de cuir, sa grande table centrale, ses petits coins avec ses fauteuils bien épais. On y passerait bien la journée ! Parfait pour le petit déj ou pour un repas en famille. Cuisine anglaise roborative, de qualité (belles pièces de viande des campagnes anglaises, cheeseburger...).

IOI The Gay Hussar *(centre 1, E3, 193)* : 2 Greek St, W1D 4NB. ☎ 020-7437-0973. ● *egayhussar@corushotels. com* ● Ⓜ *Tottenham Court Rd. Tlj sf dim 12h15-14h30, 17h30-22h45. Résa conseillée. Le midi, formules 21-25 £ ; plats 14-21 £.* Branché, *The Gay Hussar* ? C'est vrai que le nom et le quartier pourraient prêter à confusion, mais ce vieux coucou a tout d'une pièce de musée... Plutôt *Old England* donc, avec ses lambris recouverts par une collection de dessins caricaturaux et ses rangées de livres, ses banquettes profondes et ses serveurs tirés à quatre épingles. Quant à la cuisine, elle est définitivement hongroise. Copieuse,

savoureuse et appréciée des Londoniens depuis plus de 50 ans. Arrosée d'un bon tokay, et votre soirée sera à coup sûr réussie !

IOI Yauatcha *(centre 1, E3, 144)* : 15 Broadwick St, W1F 0DL. ☎ 020-7494-8888. ● *reservations@yauatcha.com* ● Ⓜ *Leicester Sq. Lun-sam 12h-23h30, dim 12h-22h. Plats 12-21 £.* ☎ Un resto de cuisine chinoise assez élaborée, qui joue ici la carte du design. Ambiance *lounge* assez surprenante dans la grande salle baignée de lumière bleue et aux murs couverts de pots à thé. Atmosphère plus classique et chaleureuse au sous-sol avec ses petites niches remplies de bougies. La cuisine y est fort réputée pour la fraîcheur des produits et le soin apporté à la présentation. Les « shoppeuses » y accourent aussi l'après-midi pour la version salon de thé et pâtisseries... aussi belles que savoureuses ! De vraies œuvres d'art !

IOI Cecconi's *(plan d'ensemble, 309)* : 5 Burlington Gardens, W1S 3EP. ☎ 020-7434-1500. Ⓜ *Piccadilly Circus. Tlj 7h (8h le w-e)-1h (minuit dim). Plats 12-36 £.* ☎ Un italien chic qui fait le plein en permanence. Les serveurs s'affairent dans une joyeuse ambiance de cantine, mais pas vraiment romantique. Certains préfèrent s'installer à la bonne franquette autour du bar central mais, à vrai dire, le but du jeu est de trouver où s'asseoir quand on n'a pas réservé. Délicieux risotto, osso buco, *veal milanese* et autres plats italianisés... Terrasse aux beaux jours (mais toute l'année pour les Anglais !).

De prix moyens à très chic (25-40 £ et plus / 32,50-52 €)

IOI The Guinea Grill *(plan d'ensemble, D4, 166)* : 30 Bruton Pl, W1J 6NL. ☎ 020-7409-1728. ● *guinea@youngs. co.uk* ● Ⓜ *Bond St. Restauration tlj sf sam midi et dim. Résa indispensable. Plats 15-35 £ au resto, plats de pub grub 6-10 £ le midi.* Une brasserie chic qu'on transmet du bout des lèvres, cachée dans une impasse ou, plutôt, un *mews,* comme on dit ici. D'un côté, le petit bar pour se mettre en appétit ; de l'autre, les 2 salles du restaurant, au décor typiquement anglais avec ses vieux tableaux champêtres et ses nappes damassées. Au programme des réjouissances, un excellent *steak and kidney pie.* La maison est fière de son appartenance au *Scotch Beef Club,* autant dire des viandes racées. Les fruits de mer ne sont pas mal non plus.

I●I *Bentley's (centre 1, E4, 162) :* 11-15 Swallow St, W1B 4DG. ☎ 020-7734-4756. ● *reservations@bentleys. org* ● Ⓜ *Piccadilly Circus. Tlj ; service non-stop 12h-minuit (22h dim) à l'Oyster Bar. Au Grill, plats 22-32 £ et menus lunch lun-ven 25-29 £ ; au bar, plats 12-23 £.* ☞ Dans une petite ruelle à laquelle on accède depuis Regent Street ou Piccadilly. Ouvert depuis 1916, c'est l'un des tout premiers *Oyster Bar* de Londres. De cette époque, il a conservé son joli décor *Arts & Crafts.* L'une des meilleures adresses pour le poisson à Londres. Au resto *Grill,* plus guindé, nous préférons l'ambiance moins formelle du bar. Il permet de profiter du cadre feutré, d'un service impeccable et de plats anglais particulièrement soignés : *fish & chips* (absolument remarquable), poisson fumé et d'autres à partager... Pianiste certains soirs.

I●I *Tom's Kitchen at Somerset House (centre 1, F-G4, 278) :* dans Somerset House, Strand, WC2R 1LA. ☎ 020-7845-4646. Ⓜ *Temple ou Embankment. Lun-ven 12h-15h, et lun-sam 18h-22h. Sam-dim brunch 10h-16h. Menu express et « Pretheatre » (lun-ven 12h-15h, 18h-19h) 22-25,50 £ ; plats env 15-25 £.* Bienvenue dans l'ancien palais des ducs de Somerset, édifié au XVIIIe s. C'est ici qu'est établie la brasserie moderne de Tom Aikens, chef rigoureux dans le choix de ses producteurs britanniques. Classiques de la gastronomie anglaise comme le *fish & chips* ou l'*épaule d'agneau de 7h.* Belles autres pièces de viande, l'un des dadas du chef. Brunch tout aussi généreux. Un peu cher tout de même, mais on vient aussi pour le cadre et la terrasse, qui ouvre aux beaux jours (généralement de Pâques à août). Vue superbe sur la

Tamise ! Réservation plus que conseillée dans ce cas...

I●I *Berners Tavern (centre 1, E3, 154) :* 10 Berners St, W1T 3NP. ☎ 020-7908-7979. ● *reservations@berners tavern.com* ● Ⓜ *Oxford Circus. Plats 15-35 £.* ☞ Dans un hôtel du XIXe s extra branché, dont le hall vaut le coup d'œil en soi. Il permet d'accéder au resto, non moins impressionnant avec haut plafond chantilly et tableaux tapissant tous les recoins de murs. Entre le joyeux papotage général, le ballet des serveurs cravatés et la salsa folle se dégage de cette ancienne salle de bal, jusque dans l'assiette. Cuisine britannique tendance et parfaite signée Jason Atherton, un étoilé du moment. On ne vient certes pas chercher l'intimité, mais c'est *the place* où prendre le pouls d'un Soho décidément vissé sur un ressort.

I●I *Arbutus (centre 1, E3, 614) :* 63-64 Frith St, W1D 3JW. ☎ 020-7734-4545. ● *info@arbutusrestaurant.co.uk* ● *Lun-sam 12h-14h30, 17h-23h (23h30 ven-sam) ; dim 12h-15h, 17h30-22h30. Menu du jour (3 plats) 23 £ le midi et menu pré-théâtre lun-sam 17h-18h30 à 26 £. Plats à partir de 19 £.* ☞ Dans un cadre élégant blanc de peintures et photos contemporaines. Tenue correcte exigée. Le chef étoilé propose une cuisine anglaise délicate, savamment revisitée, avec une préférence pour les poissons. Mais les pièces de bœuf sont terribles aussi ! La présentation et les accompagnements terminent de ravir vos palais conquis. Grande tablée entre amis ou petit recoin pour amoureux, tout le monde y trouve son compte.

I●I *Fera at Claridge's (plan d'ensemble, D3-4, 215) :* Brook St, W1K 4HR. ☎ 020-7629-8860. ● *reservations@ feraatclaridges.co.uk* ● *Tlj 12h-14h30, 18h30-22h. Menu 39 £ le midi, tlj même dim. Plats 24-38 £, menu-dégustation 95 £ avec vins.* ☞ À vous la vie de palace ! Simon Rogan, un macaron ici, deux dans le Lake District, ardent défenseur du terroir britannique, propose une cuisine éblouissante qu'on oserait qualifier d'abordable tant le lunch nous a séduits. Les gourmets ne regretteront pas de secouer un peu leur tirelire. Le soir, c'est nettement plus cher. Le service est impeccable, le cadre somptueux mais en aucun cas guindé...

|●| *Hawksmoor – Seven Dials* *(centre 1, F3, 165) :* 11 Langley St, WC2H 9JG. ☎ 020-7420-9390. **Ⓜ** *Covent Garden. Tlj 12h-15h, 17h-22h30 (23h ven-sam, 21h30 dim). Plats env 20-34 £. Express menus (lun-sam jusqu'à 18h30 et après 22h) 25-28 £.* Si vous avez toujours voulu connaître le vrai bon goût du bœuf anglais, cette *steakhouse* chic et chère, élue parmi les 10 meilleurs restos de Londres par *Time Out* en 2015, est pour vous ! On s'engouffre avec plaisir dans cette immense salle en sous-sol de style bistrot, avec longue banquette ou tables plus intimes. Entrecôte, filet, T-bone, etc., cuits à la braise et d'une grande tendreté. Également un service au bar (meilleur marché), avec une carte de snacks, sandwichs et délicieux burgers. *Plusieurs adresses à Londres, notamment à Spitalfields.*

|●| *Rules (centre 1, F4, 196) :* 35 Maiden Lane, WC2E 7LB. ☎ 020-7836-5314. ● rules.co.uk ● **Ⓜ** *Covent Garden. Tlj 12h-23h45 (22h45 dim). Résa conseillée, obligatoire le w-e. Plats env 24-40 £.* Cette vénérable institution datant de 1798 a reçu la visite des acteurs les plus célèbres (Clark Gable, Charlie Chaplin, Buster Keaton...) et de grands écrivains (Dickens, H.G. Wells, Graham Greene, John Le Carré...). Incroyable : 90 places et... 90 employés ! Aujourd'hui encore, les personnalités sont nombreuses à ne pas concevoir un séjour londonien sans une halte rituelle au *Rules,* autant pour son cadre immuable d'auberge cossue que pour l'accueil en chapeau haut de forme à l'entrée ou son excellente cuisine

British, arrosée de savantes sauces sucrées-salées. La maison possède ses propres terres où le gibier abonde et où elle élève son cheptel de bœufs Galloway... En saison, c'est-à-dire du 12 août au 10 décembre, ne ratez pas le gibier et, en particulier, la *grouse,* volatile typiquement écossais qui fait le délice des Britanniques depuis des lustres... et dont la maison a fait sa spécialité. En prime, *cocktail bar* tout aussi prestigieux, pour prendre un verre dans un cadre mythique.

|●| *Simpson's in the Strand* *(centre 1, F4, 189) :* 100 Strand, WC2R 0EW. ☎ 020-7836-9112. ● *svy.simpsons@fairmont.com* ● **Ⓜ** *Charing Cross ou Covent Garden. Petit déj en sem 7h15-10h30. Lun-sam 12h-14h45, 17h45 (17h sam)-22h30 ; dim 12h-21h. Menus express et pré-théâtre (lun-ven jusqu'à 19h et sam midi) 26,50-32 £ ; plats env 19-35 £.* Une institution londonienne opérant depuis 1828. Fréquentée par de nombreuses personnalités, dont Dickens, Doyle et même... un certain Sherlock Holmes ! Ce fut à l'origine un club d'échecs et une *coffee house,* appelé *The Grand Cigar Divan.* L'accès à la gent féminine fut la seule véritable révolution que connut l'établissement. Cadre magnifique, tout en boiseries. Service irréprochable. La cuisine est à l'image des lieux, pétrie de tradition. Les trolleys, ces chariots de viande qui ont fait la réputation de la maison, sont toujours de rigueur. Un serveur les pousse de table en table et découpe avec maestria, qui de l'aloyau, qui de la dinde ou du gigot. L'ensemble a de l'allure, la qualité est indéniable mais, plus que la cuisine, ce sont le cadre et l'atmosphère hors du temps qui justifient le déplacement.

LE CENTRE TOURISTIQUE

Où prendre le thé ou le café ? Où faire une pause sucrée ?

L'*afternoon tea,* ce n'est pas seulement deux-trois gâteaux, mais bien un vrai repas en soi, composé de sandwichs, de jus de fruits ou de champagne, et

de pâtisseries, notamment les *scones,* servis avec crème fouettée ou *clotted cream* et confiture de fraises... Une alternative au repas du midi ! Le plus déjanté est au *Sketch*, le plus traditionnel chez *Fortnum & Mason*, le plus m'as-tu-vu à la *Berners Tavern* du sublime *London Edition Hotel* (voir plus haut « Où manger ? »).

☛ **Monmouth Coffee Company** (centre 1, F3, **255**) : 27 Monmouth St, WC2H 9EU. ☎ 020-7232-3010. ● beans@monmouthcoffee.co.uk ● Ⓜ Covent Garden ou Tottenham Court Rd. Lun-sam 8h-18h30 sf j. fériés. Comment ne pas succomber à l'odeur inimitable du grain de café fraîchement moulu dans cette charmante échoppe où le comptoir couvert de pâtisseries et autres douceurs sont comme un coup de grâce pour les gourmands ! Au tableau noir, les crus de café du mois et du jour. Seulement quelques tables réparties dans des box au fond de la minuscule salle pour ceux qui souhaitent déguster sur place. Une autre adresse au Borough Market, plus grande et tout aussi sympa.

☛ **The Sketch** (plan d'ensemble, D3-4, **272**) : 9 Conduit St, W1S 2XG. ☎ 0870-7659-4500. ● info@sketch.london ● Ⓜ Bond St. Lun-ven 8h-22h, sam-dim 10h-22h. Tea 13h-18h. Résa obligatoire (surtout pdt la Fashion week !). Afternoon tea 45 £ (57 £ avec du champ'). C'est le *jet-set tea* par excellence, un salon de thé installé dans l'ancien siège social de Dior. Plus branché, tu meurs : les montages et les œuvres d'art exposés sont très design, la déco ambiance maison de poupée, à moins que ce ne soit celle d'un dessin animé. Baroque et décalé dans les moindres recoins, jusqu'aux toilettes qui méritent assurément une petite visite. Quant aux divins gâteaux du chef, inspiré par Pierre Gagnaire, ils combleront les plus réticents au changement. Attention, ne pas venir en tongs.

☛ ІѲІ **Barnyard** (centre 1, E3, **48**) : 18 Charlotte St, W1T 2LZ. ☎ 020-7580-3842. ● info@barnyard-london.com ● Lun-ven 12h-22h30, sam 11h-23h, dim 11h-21h. Brunch et petit déj sam-dim 11h-14h, 3-12 £. Plats 9-14 £. 🛜 Décor pseudo-fermier plutôt anecdotique, mais des petits plats revigorants pour bien attaquer la journée. Gaufres au sirop d'érable, boudin noir pommechou, *smoothie* banane-camomille ou

full English breakfast. Becs salés et sucrés s'entendront sans peine.

☛ **Richoux** (centre 1, E4, **364**) : 172 Piccadilly, W1J 9EJ. ☎ 020-7493-2204. ● piccadilly@richoux.co.uk ● Ⓜ Green Park ou Piccadilly Circus. Lun-sam 8h-23h, dim 9h-22h. Afternoon tea 19,50 £. Une institution indé-bou-lon-nable, française à l'origine, en 1909, mais devenue *so British* avec le temps. Façade rouge pimpante, décor d'époque avec tapisseries à fleurs, lustres et alcôves pour se raconter des secrets. Pas donné quand même !

☛ **Maison Bertaux** (centre 1, E3, **313**) : 28 Greek St, W1D 5DQ. ☎ 020-7437-6007. Ⓜ Tottenham Court Rd ou Leicester Sq. Tlj 9h-23h (20h dim). L'autre institution française du quartier, une des plus anciennes pâtisseries de Londres, établie en 1871 ! Les nostalgiques du café-croissant y trouveront leur bonheur, les pressés peuvent y avaler un snack et les plus gourmands un saint-honoré (spécialité maison) ou une tartelette aux fruits frais (pas donnés)... Sublime *mixed fruit cheesecake* ! Cadre franchement rétro, voire un brin kitsch ; petite salle à l'étage qui accueille des expos temporaires. Le must : les quelques tables en terrasse.

Ϋ **Scoop** (centre 1, F3, **251**) : 40 Shorts Gardens, WC2H 9AB. ☎ 020-7240-7086. ● info@scoopgelato.com ● Ⓜ Covent Garden. Tlj 12h-22h30 (23h30 jeu-sam). Env 4 £ le cornet 2 parfums. Une vraie *gelateria*, authentique glacier à l'italienne. On y vient non pas pour son cadre, neutre, mais pour son savoir-faire indiscutable : produits frais et de première qualité (certains ingrédients proviennent directement d'Italie), pas de gluten, de colorant ni de conservateur, et un tour de main permettant d'aligner plus de 20 glaces onctueuses et savoureuses. Incontournable, même l'hiver ! Deux autres adresses à Soho (53 Brewer St) et à South Kensington (16 Old Brompton Rd).

☛ **Mômo** (centre 1, E4, **308**) : 23-25 Heddon St, W1B 4BH. ☎ 020-7434-4040. ● info@momoresto.com ● Ⓜ Piccadilly Circus. Tlj 12h (11h le w-e)-1h. Afternoon tea à partir de 9,50 £. Plats 14-38 £. 🛜 Pour qui voudrait fumer la chicha en terrasse (chauffée), derrière un rideau de verdure, ou prendre un thé accompagné de pâtisseries orientales. À l'intérieur, luxueux décor de souk marocain. Très agréable pour tester le délicieux cocktail *Mômo* (avec ou sans alcool) et grignoter une pâtisserie. Fait aussi resto avec, au menu, couscous et tajines évidemment.

☛ *The RA Grand Café* (centre 1, E4, **550**) : The Royal Academy, Burlington House, Piccadilly W1J 0BD. ☎ 020-7300-5608. À l'intérieur de la Royal Academy of Arts, *à gauche derrière l'escalier central. Tlj 10h-18h (22h ven). Tartes env 6-7 £.* 🛜 Géré par *Peyton & Byrne*, restaurateur-traiteur-pâtissier *so British,* et décoré par Tom Dixon, l'un des grands designers tout aussi anglais. On y est accueilli par des statues sous vitrines, et on y mange sous des voûtes peintes par des artistes du XXe s et sous des luminaires aussi originaux qu'esthétiques. Rapport qualité-prix pas extra-extra, mais parfait pour une *treacle tart* ou un thé l'après-midi, pourquoi pas ?

☛ *Tap Coffee Nº 193* (centre 1, E3, **376**) : 193 Wardour St, W1F 8ZF. ● richard@tapcoffee.co.uk ● *Lun-ven 8h-19h, sam 10-18h, dim 12h-18h.* 🛜 La brûlerie se situe tout au fond, mais les bonnes odeurs de café torréfié débordent sur le trottoir ! Idéal pour un petit noir serré ou un beau cappuccino, à accompagner d'une bonne pâtisserie. Cadre convivial et chaleureux mais difficile de s'y faire une place.

Café pour... les enfants !

🍴 🧒 *Rainforest Café* (centre 1, E4, **183**) : 20 Shaftesbury Ave, W1D 7EU. ☎ 020-7434-3111. Ⓜ *Piccadilly Circus. Tlj 12h (11h30 le w-e)-22h.* Bienvenue dans l'univers impénétrable de la jungle ! Perroquets et animaux automates sont ici chez eux. Bruits mystérieux, fausse pluie, mare aux offrandes (pour les œuvres de charité !), chaises en forme de zèbre... Les enfants adorent. Parfait pour prendre un verre entre 2 boutiques. En revanche, éviter le resto.

LE CENTRE TOURISTIQUE

Où boire un verre ?

Pubs

🍸 *Lamb and Flag* (centre 1, F4, **399**) : 33 Rose St, WC2E 9EB. ☎ 020-7497-9504. Ⓜ *Covent Garden. Dans la ruelle reliant Garrick St à Floral St. Lun-sam 11h-23h, dim 12h-22h30.* Un must ! Vieux de plus de 250 ans. Construit en 1638. Première référence comme pub en 1772 sous le nom de *Coopers Arms.* Il prit le nom de *Lamb and Flag* en 1833 et n'a jamais désempli depuis. Le pub favori de Dickens. Au XIXe s, il acquit le surnom de *The Bucket of Blood* (« Le Seau de Sang »), à cause des bagarres à poings nus qui s'y déroulaient. Les seules « bagarres » aujourd'hui, c'est pour réussir à commander sa pinte ! Délicieuse atmosphère de vieille taverne, avec son parquet buriné, son comptoir patiné et ses verres dépolis. Salle à l'étage tout aussi conviviale. En hiver, un bon feu crépite dans l'âtre. Propose un large choix de sandwichs, plats de pub et snacks à prix raisonnables. Aux beaux jours, tout le monde se retrouve dehors, un verre à la main !

🍸 *The French House* (centre 1, E3, **359**) : 49 Dean St, W1D 5BG. ☎ 020-7437-2799 et 2477. ● contact@french housesoho.com ● Ⓜ *Leicester Sq. Tlj 12h-23h (22h30 dim). Bar food lun-ven jusqu'à 16h.* Murs patinés de vieux bar de province mâtiné de pub à l'anglaise, doublé des inévitables stores estampillés *Canard-Duchêne.* La devise du lieu ? « Si tu bois pour oublier, paie pour commencer ! » Même le général de Gaulle est venu trinquer ici (il s'agissait d'un lieu de réunion de la Résistance française pendant la Seconde Guerre mondiale !). Ambiance au coude-à-coude, c'est convivial ! Une valeur sûre à Soho depuis des décennies, plébiscitée par les locaux et les touristes de passage. À l'étage, une salle tout aussi chaleureuse, où l'on peut siffler sa pinte assis. Ouf !

🍸 *The Chandos* (centre 1, F4, **158**) : 29 Saint Martin's Lane (au 1er étage),

WC2N 4ER. ☎ 020-7836-1401. Ⓜ *Leicester Sq. Au croisement avec William IV St. Tlj 11h-23h (19h pour la cuisine, 18h ven et dim). Service non-stop. Plats principaux 6-10 £ et sandwichs env 5-6 £.* Le pub anglais comme on l'imagine, avec une salle de resto à l'étage *(Opera room)* au cadre chaleureux : bois et céramique, vitraux, rideaux à fleurs, petits recoins, etc. L'adresse est fréquentée par une foule d'habitués en fin de journée. L'hiver, le feu crépite dans l'âtre. On y vient surtout pour prendre une bonne *lager* maison (bière légère) et profiter de l'ambiance très animée à l'heure de l'apéro. Pour éponger le tout, classique cuisine de pub avec des plats roboratifs à prix raisonnables.

🍸 **Sherlock Holmes** *(centre 1, F4, 352)* : *10 Northumberland St, WC2N 5DB.* ☎ *020-7930-2644.* ● *hello@sherlockholmes-stjames. co.uk* ● Ⓜ *Charing Cross. Dim-jeu 11h-23h, ven-sam 11h-minuit. Fait aussi resto en continu jusqu'à 22h (*full English breakfast 6,50 £ ; sandwichs env 7 £ et plats 10-15 £). Plus qu'un bar, plus qu'un musée, ce pub typique est un véritable lieu de pèlerinage pour les fans de Holmes. Plusieurs objets personnels de Conan Doyle ont été rapatriés dans les murs (dont un vieux revolver). Résultat, tout rappelle le célèbre détective, de la collection de dessins et gravures à la reconstitution amusante de son cabinet de travail au 1er étage, avec le mannequin du héros en pleine réflexion. De même, tous les noms de plats sont en rapport avec les ouvrages et les personnages de Doyle. Beau bar en acajou et *beer garden.*

🍸 **The Salisbury** *(centre 1, F4, 353)* : *90 Saint Martin's Lane, WC2.* ☎ *020-7836-5863.* Ⓜ *Leicester Sq. Lun-jeu 11h-23h (23h30 jeu), ven-sam 12h-minuit, dim 12h-22h30. Cuisine 12h-21h30 (21h dim) ; sandwichs env 6-7 £, plats 10-15 £.* L'un des pubs victoriens les mieux préservés de Londres, bâti en 1898. Certes, l'atmosphère à la Oscar Wilde s'est dissipée depuis longtemps (on y propose désormais des *afternoon teas*), mais les vitres ciselées, les boiseries et plafonds sculptés n'ont guère bougé... Superbe façade ouvragée, l'une des plus belles

de Londres, parfois utilisée comme décor de film. L'enseigne représente le marquis de Salisbury qui fut 3 fois Premier ministre de 1885 à 1902. On retrouve son blason entre deux angelots au-dessus de la porte (sa famille fut un temps proprio du pub). Ici, pas d'écran télé *(« Official Sports Free Pub »)* ; seule invitée, la bonne humeur de rigueur, alimentée par les bières bien tirées et une cuisine honorable de pub.

🍸 **The Toucan Bar** *(centre 1, E3, 356)* : *19 Carlisle St, W1D 3BY.* ☎ *020-7437-4123.* Ⓜ *Leicester Sq ou Tottenham Court Rd. Tlj sf dim 11h (13h sam)-23h.* 🛜 Quelques notes celtiques résonnent dans cette petite rue de Soho. Noir comme la Guinness et déjà patiné comme une vieille taverne, ce pub de poche n'a rien à envier à ses homologues irlandais. Les nombreux adeptes de la mousse celtique l'envahissent chaque soir, débordant largement dans la rue pour glaner un brin d'espace vital. Quand ce ne sont pas les amateurs de whisky venus écluser l'une des 30 sortes proposées...

🍸 **The Coal Hole** *(centre 1, F4, 354)* : *91-92 Strand, WC2R 0DW.* ☎ *020-7379-9883.* Ⓜ *Charing Cross ou Covent Garden. Tlj 10h-23h (minuit ven-sam).* Fréquenté à l'origine par les rouleurs de charbon, il devint ensuite un *Song and Supper Club*, pub où les gens étaient encouragés à chanter. Pub centenaire accueillant aujourd'hui les employés du quartier. Pas évident, dans ces conditions, de s'insérer dans la foule aux heures de pointe. Il conserve une bonne part de sa déco fantaisiste de 1904, à l'image d'une frise kitsch à souhait aux nymphes girondes, d'éléments Art nouveau et d'une superbe cheminée ouvragée. Haut de plafond ; monter dans la mezzanine pour avoir une belle vue d'ensemble. Si la cuisine ne mérite pas qu'on s'y attarde, les bières y possèdent en revanche une grande réputation.

🍸 **Waxy O'Connor's** *(centre 1, E4, 363)* : *14-16 Rupert St, W1D 6DD.* ☎ *020-7287-0255.* Ⓜ *Piccadilly Circus. Tlj à partir de 12h.* Plus on avance, plus on s'enfonce dans les entrailles de ce pub irlandais tentaculaire totalement insolite avec sa déco de chapelle gothique et même un arbre ! L'endroit ne manque pas de fidèles en tout cas, surtout les soirs de musique. À faire au moins une fois pour goûter le *craic* irlandais comme on dit sur l'île voisine (en décrypté, l'ambiance surchauffée).

♀ Brewdog *(centre 1, E3, 357) :* 21 Poland St, W1F 8QG. Ⓜ Oxford Circus. Bières à partir de 4,50 £. Bienvenue chez les addicts de la mousse. Ici, pas d'effort sur la déco, on zyeute plutôt la sélection savante des 20 et quelques bières du moment affichées derrière le comptoir et servies à la tireuse. On peut goûter avant. Attention toutefois au rapport quantité-prix pour ne pas se faire arnaquer. Clientèle volubile qui sait ce qu'elle veut et vide les pintes en refaisant le monde. Au sous-sol, même topo, et bizarrement les bières sont moins chères !

Bars à vins et cocktails

♀ Gordon's Wine Bar *(centre 1, F4, 350) :* 47 Villiers St, WC2N 6NE. ☎ 020-7930-1408. ● gordonswinebar. com ● Ⓜ Charing Cross. Lun-sam 11h-23h, dim 12h-22h. Verre de vin à partir de 5,10 £ et bouteille env 18,50 £. Planches et tapas env 5,50-17,50 £ ; plats (le midi slt) à partir de 9 £. Amateur de bons vins, cette adresse fondée en 1890 est un must ! Les boiseries séculaires et les briques hâlées ne mentent pas, ce dédale de caves voûtées très sombres et basses de plafond, éclairées à la bougie, a bien vieilli dans son jus, à l'instar des meilleurs crus. À l'ardoise, les vins de la vieille Europe et du Nouveau Monde. Il fut un temps où cette atmosphère intime stimulait Rudyard Kipling, à l'époque locataire de la maison. Tandis que Vivien Leigh et Sir Lawrence Olivier y puisaient quelques forces entre deux représentations au *Player's Theatre* voisin. Bonne sélection de fromages et leur accord complice proposé avec le vin (le *stilton* avec du porto, un classique *British* !). Quelques plats chauds proposés le midi et des tapas en soirée, ainsi que le traditionnel *Sunday roast* (sélection de viande de bœuf, agneau, poulet et porc) servis avec purée, légumes et *Yorkshire pudding*...

le dimanche. Également une terrasse disposée dans une ruelle piétonne pour les beaux jours.

♀ Antidote Wine Bar *(centre 1, E3, 367) :* 12 A Newburgh St, W1F 7RR. ☎ 020-7287-8488. ● contact@antidotewinebar.com ● Ⓜ Oxford Circus. Bar tlj sf dim 12h-23h non-stop. Résa possible pour l'apéro à partir de 3 pers. Plats 7-20 £, menu dégustation le soir 40 £ (plus 30 £ avec les vins). 🛜 Dans une petite rue perpendiculaire à Carnaby Street, un adorable troquet avec son comptoir pour écluser quelques gorgeons en bonne compagnie. Resto à l'étage pour une cuisine fraîche et de saison à base de charcuterie et de fromage. Une carte des vins au verre pensée habilement, faisant la part belle à ceux de l'Hexagone... Terrasse prise d'assaut le soir.

♀ Mr Fogg's *(plan d'ensemble, D4, 461) :* 15 Bruton Lane, W1J 6JD. ☎ 020-7299-1200. ● danilo@mr-foggs.com ● mr-foggs.com ● Lunmer 17h01-1h01, jeu 16h01-1h01, ven 15h01-1h01, sam 14h01-1h01, dim 15h01-12h01. Résa obligatoire ! Boissons 16-20 £ ; afternoon tea le w-e 38-68 £ (avec gin ou champagne). Bienvenue dans l'antre du fameux Phileas Fogg, aventurier et « bon viveur », comme l'annonce la devanture de cet immeuble sombre, dans une rue peu fréquentée. Car vous voici dans un *speakeasie*, l'un de ces bars prohibés, comme autrefois. Ici, il s'agit de montrer patte blanche, de faire la queue, ou d'avoir fait sa réservation au préalable... Une fois la porte franchie, c'est à un véritable voyage qu'on vous invite, avec cette montgolfière échouée dans un coin de ce grand et vaste club très privé, aux allures de cabinet de curiosités. Un rêve de gosse, loufoque à souhait. Dans les toilettes, on en apprend des vertes et des pas mûres sur cette époque victorienne, diablement bien mise en scène ici.

♀ Cellar Door *(centre 1, F4, 298) :* Aldwych, WC2E 7DN. ☎ 020-7240-8848. ● cellardoor.biz ● Lun-ven 16h-1h ; sam à partir de 18h et dim 18h-minuit. Résa conseillée. Cocktails env 9-11 £ ; shots 4-6 £. Très en vogue à Londres, ce petit bar intime est situé en sous-sol, dans d'anciennes toilettes publiques.

LE CENTRE TOURISTIQUE

Accès par un escalier sur le Strand, qui mène à une jolie salle décorée dans les tons rouge et bordeaux, dans un esprit cabaret allemand des années 1930 ou *speakeasy* new-yorkais. Malgré l'exiguïté des lieux (60 personnes max), on ne se sent pas à l'étroit sur les banquettes et tabourets alignés le long de murs capitonnés de velours. Spectacles variés : burlesque les vendredi et samedi, projection de films le dimanche, *open mic* et piano-bar les autres soirs. Ensuite un DJ assure l'animation jusqu'à la fermeture, parfois dans une chaude ambiance.

🍸 *American Bar* (centre 1, F4, **189**) : 100 Strand, WC2R 0EW. ☎ 020-7836-4343. Ⓜ *Temple ou Embankment. Dans le mythique* Savoy Hotel. *Lun-sam 11h30-minuit (pianiste 18h-22h30), dim 12h-23h. Cocktail env 15 £.* Bar intime dans un cadre Art déco, fondé en 1903. Essayer l'un des 40 cocktails maison, comme le *Moonwalk* (Grand Marnier, pamplemousse, orange), créé en hommage aux premiers hommes sur la Lune, qui le burent à leur retour sur Terre. Ou alors, l'historique *Hanky Panky*, inventé par la première *bartender*. Personnel extra. Autre bar dans l'hôtel, le *Beaufort*, charmant mais moins cosy.

🍸 *Experimental Cocktail Club* (centre 1, E4, **370**) : 13A Gerrard St, W1D 5PS. ☎ 020-7434-3559. ● reservation@chinatownecc.com ● Ⓜ *Leicester Sq. Lun-sam 18h-3h, dim 18h-minuit. Cocktails 10-12 £. Entrée : 5 £ après 23h. DJ mer-sam à partir de 21h, live music mar.* Ne cherchez pas d'enseigne, il n'y en a pas. Repérez juste les 2 petits restos chinois du rez-de-chaussée, *Far East* et *Four Seasons*. Une porte noire entre les deux. C'est le Graal pour accéder au bar le plus recherché de la capitale. Encore faut-il avoir réservé par e-mail et passer le cerbère de l'entrée ! Mais caressez-le dans le sens du poil, il ne mord pas. Une fois à l'étage, vous êtes plongé dans un petit décor sur 2 niveaux, fait de miroirs, grands panneaux de scènes oniriques chinoises, avec vieux plafonds vermoulus et mur en brique. Vintage et moderne à la fois. Cocktails extraordinaires, avec certaines créations et infusions maison audacieuses et envoûtantes. Pas facile d'y entrer, mais on comprend vite pourquoi !

🍸 *IceBar* (centre 1, E4, **308**) : 31-33 Heddon St, W1B 4BN. ☎ 020-7478-8910. ● icebarlondon.com ● Ⓜ *Piccadilly Circus. Horaires variables, du début d'ap-m à 21h30 dim-lun, plus tard le reste de la sem. Droit d'entrée : 13-25 £ selon heure et conso (comprise). Autre bar aux horaires un peu plus larges (entrée gratuite, sf soirée spéciale).* Un bout de Laponie en plein cœur de Londres. L'*IceBar*, c'est un bar tout en glace (importée de Suède !), qui est changée tous les ans. Et v'lan, c'est la banquise qui trinque ! Par - 5 °C toute l'année, on enfile sa doudoune, ses moufles (tout est prêté par la maison), et c'est parti pour 40 mn de frissons garantis (temps maximal imparti), un verre creusé dans la glace à la main. Clientèle de yuppies londoniens, assis sur des cubes glacés ou se trémoussant en musique. Pour se réchauffer et prolonger la soirée, direction le restaurant-bar tout ce qu'il y a de plus *lounge* et classique mais nettement plus adapté pour conter fleurette. Pour l'anecdote, c'est dans cette ruelle, devenue lieu de pèlerinage, que fut tourné le clip *Ziggy Stardust* de David Bowie.

🍸 *Augustus Harris* (centre 1, F3-4, **384**) : 33 Catherine St, WC2B 5JT. ● contact@augustusharris.com ● Ⓜ *Covent Garden. Lun 17h-23h, mar-ven 12h-23h, sam 13h-23h.* Petit bar sympa sur le modèle des bacaris de Venise, pour boire un verre et grignoter un morceau avant d'aller au théâtre (ou après !). Pas mal de vins et de cocktails italiens à la carte, et une petite cuisine de bar où gorgonzola, *bresaola*, et autres produits de la Botte sont à l'honneur. Bons *crostini* et planches de fromage ou charcuterie fine. Mais qui était Augustus Harris ? Tout simplement le patron du théâtre d'en face, dont la statue vous observe en sortant. Ciao Augustus !

🍸 Voir aussi *Terroirs* (centre 1, F4, **286**), décrit plus haut dans « Où manger ? ».

Concerts rock, jazz, blues...

♪ **Station de métro Piccadilly Circus** (centre 1, E4) **et Tottenham Court Road** (centre 1, E3) **:** en bas de l'un des escalators, au 2e sous-sol de la station de métro. L'administration du métro londonien met un point d'honneur à sélectionner les musiciens qui se produisent au pied de l'escalator. Ça vaut le coup de s'arrêter sur cette « micro-scène » alternative, car on peut y faire de belles découvertes, et en plus, l'acoustique est bonne ! Pop, rock, folk, classique, il y en aura pour tous les goûts. Et si l'artiste vous a plu, n'oubliez pas son chapeau !

♪ **The Social** (plan d'ensemble, D3, **360**) **:** voir la rubrique « Spécial noctambules ». Petite scène alternative.

♪ **Ronnie Scott's Club** (centre 1, E3, **450**) **:** 47 Frith St, W1D 4HT. ☎ 020-7439-0747. ● ronniescotts@ronnies cotts.co.uk ● ronniescotts.co.uk ● Ⓜ Leicester Sq ou Piccadilly Circus. Tlj 18h-3h (minuit dim) plus Sunday lunch jazz 12h-16h. Résa conseillée. Entrée : à partir de 10 £. Attention pour les places les moins chères, on n'est vraiment pas bien placé... Malgré la mort de Ronnie Scott, grand saxophoniste et fondateur de ce temple du jazz, le lieu garde toute sa magie. C'est un club de jazz comme dans les films : tables rondes, lumière rase et une petite scène dans le fond. Malgré le prix des consommations, ça ne désemplit jamais. Même si le nom affiché dehors ne vous dit rien, on vous recommande vivement d'entrer. C'est là que Jimi Hendrix fit sa dernière apparition sur scène, juste avant sa mort. 2 shows chaque soir : le 1er vers 20h30. Mais, en principe, l'ambiance est vraiment à point vers 22h. Bars et resto pour patienter. À ne pas manquer.

♪ **Ain't Nothin'But... Blues Bar** (centre 1, E3, **228**) **:** 20 Kingly St, W1B 5PZ. ☎ 020-7287-0514. ● aintnb93@ gmail.com ● aintnothinbut.co.uk ● Ⓜ Oxford Circus. Dans une rue parallèle à Regent St, dans le prolongement d'Argyll St. Ouvre souvent à 17h en sem, 15h le w-e. Droit d'entrée ven-sam après 20h30, 5 £ (sinon c'est gratuit). Jam session dim 16h-20h. Arriver tôt pour une place assise. Un bar tout dédié au blues des origines. Les groupes s'enchaînent toutes les 2h. Difficile alors de se frayer un chemin dans la foule des fans. La bière coule à flots. Ambiance garantie.

♪ **100 Club** (centre 1, E3, **451**) **:** 100 Oxford St, W1D 1LL. ☎ 020-7636-0933. ● info@the100club.co.uk ● the100club.co.uk ● Ⓜ Tottenham Court Rd. Souvent à partir de 19h30, mais horaires et programme variables. Entrée : 8-20 £ selon groupe ; parfois moins cher (notamment sur Internet). L'un des plus vieux clubs londoniens, longtemps réputé pour ses prestigieux concerts. On y croise moins de grosses pointures, mais ses concerts de jazz garantissent toujours de bonnes soirées. Ambiance chaleureuse et consos comme dans un pub.

♪ **Jazz @ Pizza Express** (centre 1, E3, **485**) **:** 10 Dean St, W1D 3RW. ☎ 0845-602-7017. Programme en vitrine ou sur ● pizzaexpresslive.com ● Ⓜ Tottenham Court Rd. Résa conseillée. Entrée : 15-25 £, pizza non comprise. ⌨ La célèbre chaîne est non seulement spécialisée dans les pizzas, mais aussi dans la musique. Plusieurs salles présentent des groupes de jazz ou de blues tous les soirs. Très bonne programmation ; des pointures mondiales viennent y jouer.

♪ **Jazz After Dark** (centre 1, E3, **484**) **:** 9 Greek St, W1D 4DQ. ☎ 020-7734-0545. ● jazzafterdark@btconnect. com ● jazzafterdark.co.uk ● Ⓜ Tottenham Court Rd. Mar-sam 14h-2h (3h ven-sam). Musique à partir de 21h ou 22h30. Entrée : 5 £ en sem et 15 £ le w-e ; réduc si vous dînez sur place. Menu 10 £ et une carte pour les grosses faims. Concerts de jazz de haute volée, à savourer sans retenue dans une atmosphère old school sombre à souhait. C'est là qu'Amy Winehouse a fait ses débuts : une expo lui est consacrée dans l'alcôve où elle composait ses chansons et elle est désormais au menu, avec son « assiette » préférée ou encore « son » cocktail... Back to Black ! Rien de très inventif sur le plan culinaire, mais l'ensemble est tout à fait honnête et on ne vient pas vraiment pour ça.

🎵 **The Borderline** (centre 1, E3, **455**) : Orange Yard, Manette St, W1D 4JB. ☎ 020-7734-5547. ● theborderline london.com ● Ⓜ Tottenham Court Rd. Depuis Greek St, passer sous un porche pour trouver l'entrée dans un recoin de Manette St. Entrée : concerts 5-30 £, night-club 5-10 £. Deux en un dans ce repaire underground pas touristique pour un penny : commencez par les gigues à 19h, soit 4 à 5 concerts rock ou autre par semaine, des nouvelles têtes le plus souvent. À partir de 23h, c'est la déchaîne sur la piste de danse !

Concerts classiques et théâtre

🎵 **English National Opera** (centre 1, F4) : London Coliseum, Saint Martin's Lane, WC2N 4ES. ☎ 020-7845-9300. ● eno.org ● Ⓜ Charing Cross ou Leicester Sq. L'ENO a une politique plus démocratique que son royal concurrent : les 1ers prix sont abordables et les mises en scène pas du tout élitistes. Petit warning pour les puristes : on y chante exclusivement en anglais ! Et on y danse aussi. Visite possible des coulisses : un autre monde !

🎵 **Royal Opera House** (centre 1, F3) : Covent Garden, WC2E 9DD. ☎ 020-7304-4000. ● roh.org.uk ● Ⓜ Covent Garden. Réserver 2-3 mois avt, pour avoir les meilleures places au meilleur prix (debout pour les moins chères). 📶 LA salle prestigieuse de Londres où passent les vedettes internationales. Prix en conséquence. Demander les returned tickets, tickets du jour invendus. Organise des visites guidées de l'opéra, un vrai dédale ! Superbe foyer pour boire ou dîner avant ou pendant le spectacle ; prix corrects. En été (de mai à juillet), certains opéras sont diffusés sur écrans géants à Trafalgar Square et autres lieux emblématiques du centre. Programme sur le site.

📽 **Saint Martin's Theatre** (centre 1, F3) : West St, Cambridge Circus, WC2H 9NZ. ☎ 0844-499-1515. ● themousetrap.co.uk ● Ⓜ Leicester Sq. Construit en 1916, il a conservé son cadre plein de charme. Un record à signaler : il joue la même pièce – The Mousetrap (La Souricière), d'Agatha Christie – depuis plus de 60 ans (mieux que La Cantatrice chauve au théâtre de La Huchette à Paris !) à 19h30 du lundi au samedi ; séances supplémentaires mardi à 15h et samedi à 16h. Allez-y, c'est drôle comme tout.

📽 **Soho Theatre** (centre 1, E3) : 21 Dean St, W1D 3NE. ☎ 020-7478-0100. ● sohotheatre.com ● Ⓜ Leicester Sq. L'avant-garde londonienne et théâtrale se retrouve sur cette scène expérimentale du West End. Comédies, tragédies, drames, tout y passe. Que de jeunes talents invités à résidence. Belle initiative. Au rez-de-chaussée, un café-bar-resto pour se sustenter entre 2 pièces.

Spécial noctambules

On estime à 100 000 le nombre de piétons arpentant les rues de Soho les vendredi et samedi soir ! Faut le voir pour le croire... Prévoir un gros budget, car même la vie nocturne à Londres est chère. Préférez les venues (mi-bars, mi-boîtes), plus sympas et où l'on fait d'agréables rencontres en musique. Ramassez les flyers dans les bars, épluchez le Time Out de la semaine pour trouver les bons plans et découpez-y votre Night Pass qui vous offre des avantages (coupe-files, réductions ou gratuités).

🎵 **Heaven** (centre 1, F4, **486**) : The Arches, Villiers St, Charing Cross, WC2N 6NG. ☎ 0844-847-2351 (ticket Line). ● heavennightclub-london. com ● Ⓜ Charing Cross ou Embankment. Lun et jeu-sam 23h-4h ou 5h. Entrée payante. Située dans le tunnel qui passe sous la gare, la 1re boîte gay de Londres a vu passer Madonna, Lady

Gaga ou encore Björk, et est toujours aussi connue : plusieurs bars et *dance floors* pris d'assaut lors de chaque soirée à thème (*popcorn* lundi et *G-A-Y* du jeudi au samedi). Les files d'attente du samedi sont légendaires, tout comme la sélection, pas toujours tendre à l'entrée...

♫ *G-A-Y* (centre 1, E3, **328**) : 30 Old Compton St, W1D 4UR. ☎ 020-7494-2756. Ⓜ Leicester Sq ou Covent Garden. Tlj 12h-minuit. Très fréquenté le w-e. Entrée payante ou non. L'autre célèbre bar-club gay et lesbien branchouille qui embrase la ville. De nombreuses stars de la pop s'y retrouvent encore. C'est vrai que ça pulse sec. En outre, tout le monde y est le bienvenu. C'est rose, c'est mauve, c'est tamisé comme il faut, et le niveau sonore... est proche de la rupture. Connu aussi pour ses *afters* endiablés !

Ⴁ ♫ *The O'Bar* (centre 1, E3-4, **355**) : 83-85 Wardour St (à l'angle de Brewer St), W1D 6QE. ☎ 020-7434-9413. ● obarsoho.com ● Ⓜ Piccadilly Circus ou Leicester Sq. Situé en plein cœur de Soho, un vaste bar branché étiré sur 3 étages : piste de danse enflammée par un DJ au sous-sol, un *lounge bar* cosy à l'étage et le bar principal pris d'assaut pendant les *happy hours* sous d'immenses lustres à pampilles ou des banquettes en skaï baroques. Surchargé le week-end.

Ⴁ ♫ *The Village* (centre 1, E3-4, **355**) : 81 Wardour St, W1D 6QD. ☎ 020-7478-0530. ● village-soho.

co.uk ● Ⓜ Leicester Sq ou Piccadilly Circus. Tlj à partir de 17h. L'un des meilleurs spots du circuit gay londonien. Ambiance tout ce qu'il y a de plus branché, avec DJs aux commandes tous les soirs et des *go-go dancers* les jeudi, vendredi et samedi soir. Salle plus intime à l'étage, sorte de boudoir tamisé pour se raconter des petits secrets.

Ⴁ ♫ *The Social* (plan d'ensemble, D3, **360**) : 5 Little Portland St, W1W 7JD. ☎ 020-7636-4992. ● carl@thesocial. com ● thesocial.com ● Ⓜ Oxford Circus. Lun-mer 11h30-minuit, jeu-ven 11h30-1h, sam 18h-1h. Entrée parfois payante. 📶 Plutôt pépère pendant la journée, avec sa déco rétro *seventies* et ses banquettes rondes en skaï marron, ce bar-boîte sur 2 niveaux sort les griffes dès la nuit tombée : les meilleurs DJs remplissent l'espace de décibels survoltés, aussitôt happés par une foule frémissante de jeunes Londoniens *trendy*. On a même vu les Chemical Brothers aux platines ! C'est aussi une bonne scène alternative comme on l'aime, où se produisent de jeunes groupes un peu déjantés !

Ⴁ *Bar Italia* (centre 1, E3, **328**) : 22 Frith St, W1. ☎ 020-7437-4520. Ⓜ Piccadilly Circus ou Leicester Sq. Tlj 24h/24. 📶 C'est au petit matin qu'il faut prendre un cappuccino dans ce minuscule snack indéboulonnable. Sandwichs et pâtisseries fort appétissants. Rendez-vous nocturne bien connu de tous les *clubbers* de Londres.

Shopping

Les grandes artères commerçantes

Même si l'on a tendance à lui préférer les quartiers de King's Road ou de High Kensington Street (plus tranquilles et plus charmants), *Oxford Street (centre 1, D-E3)* reste encore et toujours le centre névralgique et stratégique du shopping londonien. Allez donc rôder du côté de chez **Marks and Spencer, TopShop, Selfridges, House of Fraser, John Lewis.** C'est dans ces grands magasins que vous trouverez votre bonheur. Tout autour de *Carnaby*

Street, quelques créateurs (aussi mobiles que la mode est versatile) sont venus s'y réinstaller. Sans oublier quelques grandes marques franchisées (surtout fringues et chaussures). Et tout ce dont vous rêvez !

Vêtements et chaussures

▧ *Primark Marble Arch* (plan d'ensemble, C3, **606**) : 499-517 Oxford St, W1C 2QQ. ☎ 020-7495-0420. Ⓜ Marble Arch. Lun-sam 8h-22h, dim 11h30-18h. Sur 2 étages, mode femme, hommes, enfants.

Fringues, accessoires pas chers du tout et très sympas. Beaucoup de monde. Allez, on fait un pari : sûr que vous aussi vous repartirez avec votre sac en kraft et quelques achats dans votre besace !

🐝 Et comme vous en redemandez encore, à l'autre extrémité de la rue, **Primark Tottenham Court Rd** vous accueille dans un espace encore plus grand ! *14-28 Oxford St & 3 Tottenham Court Rd, W1D 1AU.* ☎ *020-7580-5510.* Ⓜ *Tottenham Court Rd. Lun-sam 8h-22h (21h sam), dim 12h-18h.* Mêmes recettes et mêmes sacs en kraft.

🐝 **Burberry** *(centre 1, E4) : 115-123 Regent St, W1B 4TB.* ☎ *020-3159-1329.* ● *burberry.com* ● *Lun-sam 10h-20h, dim 11h30-18h.* La marque fondée en 1856 par Thomas Burberry est devenue iconique, symbole de l'élégance britannique. Prisé des militaires, des aventuriers puis des fashionistas, le célèbre *trench coat* se décline désormais en plusieurs couleurs et même... en dentelle ! Cette boutique aménagée dans un ancien théâtre est la plus grande au monde. Hors de prix, cela va sans dire...

🐝 **Hunter Boots Store** *(centre 1, E4) : 83-85 Regent St, W1B 4EW.* ☎ *020-7287-2999.* ● *hunterboots. com* ● *Lun-sam 10h-20h, dim 12h-18h.* Accessoire indispensable pour jouer au *gentleman farmer,* la paire de bottes en caoutchouc Hunter ! Choix inégalable de modèles, du plus classique au plus déjanté... 100 % *British* !

🐝 **Abercrombie & Fitch** *(centre 1, D-E4) : 7 Burlington Gardens, W1S 3ES.* ☎ *0844-412-5750.* Ⓜ *Piccadilly Circus. Lun-sam 10h-20h, dim 12h-18h. En sortant, à gauche, dans Savile Row, Abercrombie Kids.* Le temple de la fringue américaine s'est établi au cœur de Londres dans un bâtiment cossu aux impressionnants volumes, qui vaut la visite en soi.

🐝 **Anthropologie** *(centre 1, E4) : 158 Regent St, W1B 5SW.* ☎ *020-7529-9800.* Ⓜ *Piccadilly Circus. Lun-sam 10h-19h (20h jeu), dim 12h-18h.* Boutique « vintage moderne », très bobo. Pas donné, mais jolies pièces et décor extra. De bonnes idées pour la déco. *Autre adresse au 131-141 King's Rd, SW3 4PW.* ☎ *020-7349-3110.*

🐝 **Victoria's Secret** *(plan d'ensemble, D4) : 111 New Bond St, W1S 1DP.* ☎ *020-7318-1740.* ● *victoriassecret. co.uk* ● *Lun-sam 10h-21h, dim 12h-18h.* Pas moins de 3 étages de bonnets, dentelles et autres dessous féminins ! Avec toutes les nouveautés de la marque de lingerie anglaise.

🐝 **Pop Boutique** *(centre 1, F4) : 30 Shorts Gardens, WC2H 9PX.* ☎ *020-7836-9819.* ● *pop-boutique.com* ● Ⓜ *Covent Garden. Lun-sam 10h30-18h, dim 12h30-18h.* Une ambiance très rétro *seventies* pour cette boutique de vêtements et objets vintage, avec aussi une sélection de vinyles.

🐝 **Vivienne Westwood** *(centre 1, D4) : 44 Conduit St, W1S 2YL.* ☎ *020-7439-1109.* Ⓜ *Oxford Circus. Lun-sam 10h-18h (19h jeu), dim 12h-17h.* La vieille boutique *World's End* affiche toujours son horloge qui remonte le temps au 430 King's Road, mais c'est dans cette boutique de soldes que le faux-cul côtoie le T-shirt imprimé peinture et les chaussures à semelles insensées. Fins de séries à prix parfois très abordables. Boutique pour hommes au n° 18.

🐝 **Office** *(centre 1, F3) : 57 Neal St, WC2H 9PP.* ☎ *020-7379-1896.* ● *office.co.uk* ● Ⓜ *Tottenham Court Rd. Lun-sam 10h-20h, dim 11h-18h30.* Une marque de *shoes* modernes, élégantes et pas trop chères ? C'est possible à Londres, *Office* l'a fait ! Nombreuses boutiques dans la capitale *(dont 58 Kings Rd, plan d'ensemble, C6 ; 206-208 Portobello Rd, centre 2, L9 ; 190 Oxford St, centre 1, E3).*

🐝 **Paul Smith** *(centre 1, F3-4) : 40-44 Floral St, WC2E 9TB.* ☎ *020-7379-7133.* Ⓜ *Covent Garden. Lun-mer 10h30-18h30, jeu-ven 10h30-19h, sam 10h-19h, dim 12h30-17h30.* Paul Smith est connu pour ses étonnants mariages de chic britannique et d'imprimés colorés, presque kitsch. 3 boutiques accolées sur Floral Street : femmes, hommes et chaussures.

🐝 **Agent Provocateur** *(centre 1, E3) : 6 Broadwick St, W1F 8HL.* ☎ *020-7439-0229.* Ⓜ *Oxford Circus ou Tottenham Court Rd. Lun-sam 11h-19h (20h jeu), dim 12h-17h.* Digne fils de sa maman, Vivienne Westwood, et de son papa, Malcolm McLaren, Joseph Corre a conçu une boutique de lingerie glamour, sexy-rétro (dessous des années 1950) où se bousculent les top models et le monde de la mode de passage à Londres. Pour voir et être vu. Rien de bien provocant toutefois, malgré une devanture rouge censée accrocher le regard.

⚜ **Size ?** (centre 1, E3) : 33-34 Carnaby St, W1F 7DW. ☎ 020-7287-4016. Ⓜ Oxford Circus. Lun-sam 10h-20h30, dim 12h-18h. Des fringues branchées, mais surtout des chaussures de sport excentriques, souvent en série limitée. On a trouvé des baskets pour y brancher son iPod ! Pas donné mais sympa.

⚜ **Irregular Choice** (centre 1, E3) : 35 Carnaby St, W1F 7DP. Ⓜ Oxford Circus. Lun-sam 10h-20h, dim 11h-19h. Des chaussures que vous n'auriez même pas imaginées, aux formes et couleurs totalement déjantées. Boutique à mi-chemin entre le monde d'Alice au Pays des Merveilles, celui d'un manga kitsch et d'un magasin de bonbons acidulés. Allez-y rien que pour la vitrine.

Disques et DVD

⚜ **FOPP** (centre 1, F3) : 1 Earlham St, WC2H 9LL. ☎ 020-7845-9770. ● fopp. com ● Ⓜ Leicester Sq. À l'angle de Shaftesbury Ave. Lun-mer 10h-22h, jeu-sam 10h-23h, dim 12h-18h30. Sur 3 niveaux, une vaste boutique de disques, livres et DVD (zone 2, peuvent être visionnés en France). Promos régulières et prix plancher pour les vieux classiques.

⚜ **Reckless Records** (centre 1, E3) : 30 Berwick St, W1F 8RH. ☎ 020-7437-4271. ● reckless.co.uk ● Ⓜ Oxford Circus. Tlj 10h-19h. Une des bonnes adresses pour les occasions de CD et de vinyles. Vaste choix et tous les styles, du rock à la techno, sans oublier les incontournables classiques des sixties et des seventies.

⚜ **Sister Ray** (centre 1, E3) : 75 Berwick St, W1F 8TG. ☎ 020-7734-3297. ● sisterray.co.uk ● Ⓜ Oxford Circus. Lun-sam 10h-20h, dim 12h-18h. Immense choix de CD et vinyles anciens et fraîchement arrivés dans les bacs. Même maison à Shoreditch.

⚜ **Sounds of the Universe** (centre 1, E3) : 7 Broadwick St, W1F 0DA. ☎ 020-7734-3430. ● soundsoftheuniverse.com ● Ⓜ Oxford Circus.

Lun-sam 11h-19h30 (20h jeu), dim 11h30-17h30. Hip-hop, house et ethnique, à défaut d'être universel.

⚜ **Harold Moores Records** (centre 1, E3) : 2 Great Marlborough St, W1F 7HQ. ☎ 020-7437-1576. ● hmrecords.co.uk ● Ⓜ Oxford Circus. Lun-sam 10h-18h30, dim et j. fériés 12h-18h. Boutique à l'ancienne mode, spécialisée dans les disques classiques qui ne sont plus édités. Possède, de plus, un service de recherche.

Livres

⚜ **Hatchard's** (centre 1, E4) : 187 Piccadilly, W1J 9LE. ☎ 020-7439-9921. ● hatchards.co.uk ● Ⓜ Piccadilly Circus. À 200 m du métro. Lun-sam 9h30-19h, dim 12h-18h. 📶 S'il n'y en a qu'une à voir, c'est celle-ci : LA librairie anglaise par excellence, sur plusieurs étages, ayant pignon sur rue depuis 1797. Le nec plus ultra ? Repartir, pour le même prix, avec une édition signée (signed copy) par l'auteur de son bouquin préféré. Belle section complète d'ouvrages militaires (entre autres) et une autre de livres sur Churchill et la royauté ! Sans compter le jardinage, les chiens, etc. Succursale à la gare de King's Cross.

⚜ 👯 **Gosh !** (centre 1, E3) : 1 Berwick St, W1F 0DR. ☎ 020-7636-1011. ● goshlondon.com ● Ⓜ Oxford Circus. Tlj 10h30-19h. Pour les dingues de B.D. et comics américains. Excellent choix et nombreuses raretés. On y trouve aussi de la B.D. européenne, dans des éditions parfois introuvables chez nous.

⚜ 🍷 **Foyles** (centre 1, E3) : 107 Charing Cross Rd, WC2. ☎ 020-7437-5660. ● foyles.co.uk ● Ⓜ Leicester Sq. Lun-sam 9h30-21h, dim 12h-18h. Dans un cadre moderne et lumineux, on trouve absolument tous les genres de livres, ainsi que des partitions. Une ville dans la ville. Café branché dans tous les sens du terme au 5ᵉ étage.

⚜ **Waterstone's Booksellers** (centre 1, E4) : The Grand Building, Trafalgar Sq, WC2N 5EJ. ☎ 020-7839-4411. ● waterstones.com ● Ⓜ Charing Cross. Sous les arcades à l'angle de Northumberland Ave et The Strand. Lun-sam 9h (9h30 sam)-21h, dim 12h-18h. 📶 Grande librairie de la célèbre chaîne, sur plusieurs niveaux, proposant un choix intéressant dans tous les domaines.

🌐 **Stanfords** (centre 1, E4) : 12-14 Long Acre, WC2E 9LP. ☎ 020-7836-1321. • stanfords.co.uk • Ⓜ Leicester Square ou Covent Garden. Lun-sam 9h-20h, dim 11h30-18h. LA librairie spécialisée dans le voyage, établie ici depuis plus de 100 ans. Incroyable sélection de cartes du monde entier, ainsi que des guides et beaux livres.

Fromage
et autres douceurs

🌐 **Neal's Yard Dairy** (centre 1, F3) : 17 Shorts Gardens, WC2H 9AT. ☎ 020-7240-5700. • nealsyarddairy.co.uk • Ⓜ Covent Garden. Lun-sam 10h-19h. C'est le fromager incontournable de Londres pour qui souhaite découvrir le meilleur des Îles britanniques. On conseille aux sceptiques d'entrer dans cette magnifique boutique où les vieux cheddars s'affinent aux côtés de stiltons crémeux à souhait... Sur une ardoise sont écrits l'âge et l'origine de ces joyaux, mais les fromagers prennent volontiers le temps de vous en expliquer les caractéristiques, et surtout de vous faire goûter ! On y trouve les célèbres *Cashel Blue Cheese* et *Stinking Bishop* (« l'évêque qui pue »)... *Autres adresses à Borough Market (tlj sf dim, 9h-18h) et à Bermondsey (sur le marché de Dockley Rd, sam slt 9h-14h).*

🌐 **Prestat** (centre 1, E4) : 14 Princes Arcade, SW1Y 6DS. • prestat.co.uk • Ⓜ Piccadilly Circus ou Green Park. Lun-ven 9h30-18h, sam 10h-17h, dim 11h-16h30. Le plus vieux chocolatier d'Angleterre, pas moins, fondé en 1902 par un... Français, Antoine Dufour. La boutique vaut déjà le coup d'œil : véritable bonbonnière rose et bleu, assortie aux chapeaux de la reine, une cliente fidèle ! Le *packaging* est kitsch et superbe, à l'image des lieux. Les chocolats sont aussi fameux, en particulier la spécialité, les truffes.

🌐 **Charbonnel et Walker** (centre 1, D4) : 28, Old Bond St, à l'entrée de Royal Arcade. • charbonnel.co.uk • Ⓜ Green Park. Lun-sam 10h-18h, dim 12h-17h. Un autre fournisseur officiel de chocolats pour la reine, décidément

bien gourmande. Emballages hyper classe et vitrine à croquer depuis 1875. Dommage, c'est plutôt cher !

🌐 **Soho Whisky Club** (centre 1, E3) : 42 Old Compton St, W1D 4LR. Ⓜ Leicester Sq. ☎ 020-7018-1168. • sohowhiskyclub@gmail.com • sohowhiskybar.com • Lun-jeu 12h-23h, ven 12h-minuit, sam 13h-minuit. Plus de 400 whiskies en rayon, et des cigares.

Les boutiques
ultraspécialisées

On trouve à Londres des magasins inimaginables ailleurs, spécialisés dans tout et n'importe quoi. Un régal. La plupart se trouvent dans le centre, notamment à Covent Garden. Neal Street et Shorts Gardens sont des rues pleines de magasins spécialisés.

🌐 🏃 **Hamley's** (centre 1, E4, **607**) : 188-196 Regent St, W1B 5BT. ☎ 0371-704-1977. • hamleys.com • Ⓜ Oxford Circus. Lun-ven 10h-20h (21h jeu-ven), sam 9h30-21h, dim 12h-18h. Un fabuleux royaume de 5 étages, le plus grand du monde dans son genre, où les vendeurs sont totalement déchaînés et où vous trouverez les jouets les plus traditionnels (l'ours Paddington) comme les plus révolutionnaires, les plus chers comme les meilleur marché. Il y a même un rayon *Build a Bear workshop*, pour fabriquer le nounours de ses rêves (et un resto pour patienter), une section Lego et une collection de petites voitures à faire perdre la tête aux petits et aux grands enfants. Attention, les prix sont en général bien plus élevés qu'ailleurs. Toute petite annexe à la gare de Saint Pancras.

🌐 **Cath Kidston** (centre 1, F3, **609**) : 28-32 Shelton St, WC2H 9JE. ☎ 020-7240-8324. • cathkidston.com • Ⓜ Covent Garden. Lun-sam 10h-19h, dim 12h-18h. Si Laura Ashley avait une petite fille, elle s'appellerait sans doute Cath Kidston ! Une boutique avec plein de fleurs partout, des mugs aux housses d'ordinateur portable en passant par les sacs et autres vêtements colorés. Très *British*, très *girly*. Voir aussi le **flagship store**, situé sur Piccadilly, à côté de Fortnum & Mason, 178-180 Piccadilly, W1J 9ER. Mêmes *horaires. Boutique également à la gare de Saint Pancras.*

⚜ 🕺 **M & M's World** *(centre 1, E4) :* 1 Swiss Court, WC2H 7DG. ☎ 020-7025-7171. Ⓜ Leicester Sq et Piccadilly Circus. Lun-sam 10h-minuit, dim 12h-18h. Pas moins de 4 étages consacrés à la célèbre friandise chocolatée ! Outre la variété de *M & M's* vendus au poids, moult produits dérivés, du mug au T-shirt en passant par le rideau de douche ou la laisse pour chien ! On y croise aussi la voiture de James Bond ou les Beatles sur Abbey Road... version *M & M's* ! Du *merchandising* pur sucre, à prix salés.

⚜ **Apple Store** *(centre 1, D3) :* 235 Regent St, W1B 2EL. ☎ 020-7153-9000. ● apple.com/uk ● Ⓜ Oxford Circus. Lun-sam 10h-21h, dim 12h-18h. 📶 Le bastion local tout blanc des adeptes du grand constructeur à la petite pomme. Des Mac du sol au plafond, sur différents niveaux, répartis selon différents secteurs : cinéma, musique, Internet (accès gratuit, notamment en wifi !)... et même un *I Pod Bar* et un espace conseils *(The Genius Bar)* pour résoudre les problèmes techniques. Car, même chez Apple, les petits pépins, c'est pas toujours de la tarte ! *Une autre adresse à Covent Garden (centre 1, F3).*

⚜ **Penhaligon's** *(centre 1, E4) :* 125 Regent St, W1B 4HT. ☎ 020-7434-2608. Lun-sam 10h-19h (20h jeu), dim 12h-18h. William Henry Penhaligon était l'ancien barbier de la Cour et parfumeur de la reine Victoria. La première senteur de la maison est *Hammam Bouquet* (1872), toujours disponible. *D'autres boutiques ttes proches dans Burlington Arcade ou à Covent Garden.*

⚜ 🕺 **Tintin Shop** *(centre 1, F3-4) :* 34 Floral St, WC2E 9DJ. ☎ 020-7836-1131. ● thetintinshop.uk.com ● Ⓜ Covent Garden. Lun-sam 10h30-17h30, dim 12h-16h. Tout sur Tintin, son fidèle compagnon Snowy (Milou !) et le professeur Calculus. On y trouve vêtements, stylos, figurines, toutes les voitures utilisées dans les histoires en miniature et, bien sûr, les B.D. en anglais (chères). On apprend ainsi que « Mille millions de mille sabords ! » se traduit par « *Blue blistering barnacles !* ».

⚜ **The Tea House** *(centre 1, F3) :* 15 Neal St, WC2H 9PU. ☎ 020-7240-7539. ● theteahouseltd.com ● Ⓜ Covent Garden. Lun-mer 10h-19h, jeu-sam 10h-20h, dim et j. fériés 10h-19h. Des chinois aux indiens, des japonais aux russes, plus de 100 variétés de thés et tisanes à des prix raisonnables. Plein de théières originales, de belles boîtes métalliques, toutes sortes de gadgets rigolos...

⚜ **Magma** *(centre 1, F3) :* 29 Shorts Gardens, WC2H 9AP. ☎ 020-7240-7970. ● magma-shop.com ● Ⓜ Covent Garden. Lun-sam 11h-19h, dim 12h-18h30. Une boutique de gadgets farfelus qu'on adore. Plein d'idées déco ou cadeaux ! Une autre boutique à Clerkenwell *(117-119 Clerkenwell Rd ; lun-sam 10h-19h).*

⚜ **Lillywhites** *(centre 1, E4) :* 24-36 Regent St, sur Piccadilly Circus, SW1Y 4QF. ☎ 0844-332-5602. ● lillywhites.co.uk ● Ⓜ Piccadilly Circus. Lun-sam 9h30-22h, dim 11h45-18h. Considéré par certains comme le meilleur magasin d'articles de sport au monde.

⚜ 🕺 **Forbidden Planet** *(centre 1, F3) :* 179 Shaftesbury Ave, WC2H 8JR. ☎ 020-7420-3666. ● forbiddenplanet.com ● Ⓜ Tottenham Court Rd. À l'angle de Neal St. Lun-mar 10h-19h, mer et ven-sam 10h-19h30, jeu jusqu'à 20h et dim 12h-18h. Une boutique mythique pour les fans de Mr Spock, *Star Wars* ou le *Seigneur des Anneaux.* Figurines, vidéos, livres, B.D., collectors et objets divers tout droit sortis des séries cultes de la TV et du cinéma. Organise régulièrement des séances de dédicaces comme le mettent en scène des auteurs de romans S-F.

⚜ **James Purdey and Sons** *(plan d'ensemble, C-D4) :* 57-58 South Audley St, W1K 2ED. ☎ 020-7499-1801. ● purdey.com ● Ⓜ Marble Arch ou Bond St. Lun-ven 9h30-17h30, sam 10h-17h. Fermé dim et j. fériés. Tout l'art de la chasse, de l'arme à la tenue, pour hommes, femmes et enfants. Une institution londonienne depuis 1814 (1 an avant Waterloo !).

⚜ **Vinmag.com** *(centre 1, E4) :* 39-43 Brewer St, Soho, W1F 9UD. ☎ 020-7439-8525. ● Ⓜ Piccadilly Circus. À l'angle de Lexington St. Lun-jeu 10h-20h, ven-sam 10h-22h, dim 12h-20h. Objets en tout genre des années 1950 aux années 1990, sur 2 niveaux, dans ce royaume du vintage. On y trouve même des *Playboy* de l'année de sa naissance !

❀ 🧸 **Benjamin Pollock's Toyshop** (centre 1, F4) : *44 The Market, Covent Garden, WC2E 8RF.* ☎ *020-7379-7866.* ● *pollocks-coventgarden. co.uk* ● Ⓜ *Covent Garden. Lun-sam 10h30-18h (18h30 jeu-sam), dim 11h-18h.* Dans une allée du marché couvert, repérez la porte discrète de cette échoppe cachée à l'étage de 2 boutiques chic. Minithéâtres en carton, services à thé en porcelaine, boîtes à musique, marionnettes... Plein de jouets rétro, des peluches, poupées et une foultitude d'objets amusants.

❀ Grande concentration de magasins de guitares, basses, synthés, etc., sur **Denmark Street** (centre 1, E3), une rue parallèle à St Giles High Street, WC2. Ⓜ *Tottenham Court Rd.* Une rue mythique pour les amateurs de rock : ici se sont fournis tous les grands noms des *sixties* et des *seventies*.

Les boutiques chères et incontournables

❀ I●I **Fortnum & Mason** (centre 1, E4) : *181 Piccadilly, W1A 1ER.* ☎ *020-7734-8040.* ● *fortnumandmason. co.uk* ● Ⓜ *Piccadilly Circus ou Green Park. Lun-sam 10h-20h, dim 12h-18h.* Ce magasin de luxe est une véritable institution. D'atmosphère conviviale, il est décoré avec un goût et un raffinement poussés à l'extrême : lustres en cristal, rayonnages en bois à l'ancienne et moquettes épaisses. Quant aux vendeurs, ils portent fièrement leur uniforme. Faste inégalé au grand rayon alimentation et traiteur au sous-sol, qui fait depuis le XVIIIe s la réputation de cette épicerie fine. On y trouve (presque) de tout. Au rez-de-chaussée, thés en vrac et en sachets, considérés comme les meilleurs par des générations d'Anglais, marmelades fruitées, chocolats et pâtisseries pour les gourmets. Étages tout aussi précieux, consacrés aux arts de la table et autres plaisirs raffinés. À chaque niveau, son restaurant ou tearoom, où l'on peut prendre un *afternoon tea,* une glace ou un repas, mais en y mettant le prix...

❀ **Liberty** (plan d'ensemble, D3) : *Great Marlborough St, W1B 5AH (donne sur Regent St).* ☎ *020-7734-1234.* ● *liberty.co.uk* ● Ⓜ *Oxford Circus. Lun-sam 10h-20h, dim 12h-18h.* 📶 Tout le monde a entendu parler de ce grand magasin de luxe, sa superbe façade néo-Tudor hérissée de gargouilles, son bâti en bois, son escalier d'époque et surtout le style qu'il a imposé au monde entier. La créativité de son mobilier et de ses tissus a influencé le mouvement Art nouveau au début du siècle passé. Spécialisé dans les produits haut de gamme, ce magasin est évidemment hors de prix. Ça vaut en tout cas le coup d'y aller, en visant les soldes ou juste pour le plaisir des yeux. Une salle est consacrée aux fins de séries (*clearance*) au 4e étage. En attendant, tous les créateurs se battent pour y accrocher ne serait-ce que quelques cintres. Vivienne Westwood, Dries Van Noten... avec souvent quelques pièces « collector » en Liberty, spécialement créées pour la maison. Au rayon ameublement, tout là-haut, on trouve des rideaux vraiment superbes. C'est l'occasion d'admirer la charpente de plus près.

❀ **Dover Street Market** (centre 1, D4) : *17-18 Dover St, W1S 4LT.* ☎ *020-7518-0680.* ● *doverstreetmarket.com* ● Ⓜ *Green Park. Lun-sam 11h-19h, dim 12h-17h.* À l'opposé des grands classiques *British* du quartier, ce *concept-store* ouvert par la créatrice japonaise de *Comme des Garçons* est résolument moderne et design. Pas moins de 4 étages de vêtements, accessoires et objets contemporains, hors de prix... L'équivalent du *Colette* parisien, snob et branché à la fois. Avis aux amateurs, on y trouve une cafétéria *Rose Bakery* au dernier étage (voir « Où manger ? »).

Marché

– **Berwick Street Market** (centre 1, E3) : *Berwick St, W1 (une petite rue descendant d'Oxford St).* Ⓜ *Oxford Circus. Lun-sam 8h-17h env.* Situé au cœur de Soho, cerné de boîtes de strip-tease et de boutiques de CD d'occasion, ce petit marché de fruits et légumes est très animé et pas cher.

On y trouve aussi des baguettes de pain (oui, oui ! de vraies baguettes !) et de petites crêpes pour manger sur le pouce entre 2 boutiques.

Galeries et musées

✹✹✹ ⁂ National Gallery (centre 1, E-F4) **:** Trafalgar Sq, WC2N 5DN. ☎ 020-7747-2885. ● nationalgallery.org.uk ● Ⓜ Charing Cross. Tlj 10h-18h (21h ven). Fermé 1er janv et 24-26 déc. GRATUIT (sf expos temporaires), plan 1 £. Bon plan : 2 entrées pour le prix d'une aux expos temporaires sur présentation de votre billet d'Eurostar. Attention, pas de bagages volumineux au vestiaire (payant). Audioguides en français (4 £ ; réduc). Compter au moins 5h de visite. Agréable cafétéria au sous-sol du bâtiment principal et resto plutôt chic dans l'aile Sainsbury. 📶
L'un des plus beaux musées de peinture au monde, avec plus de 2 300 toiles datant de 1250 à 1900. Toutes les grandes écoles occidentales sont donc représentées, tandis que l'essentiel de la peinture moderne a été confié à la Tate Modern. Attention, certaines œuvres décrites ici peuvent ne pas être visibles, en prêt ou en roulement.

Nos conseils
– Prendre le plan du musée (_floor plan,_ 1 £) à l'entrée. **Tout se trouve au même niveau, à savoir le level 2, et le musée est organisé en quatre sections, identifiées par des couleurs.**
– Manque de temps ? Avant la visite, reportez-vous au site internet pour en savoir davantage sur 30 artistes ou 30 tableaux emblématiques. Puis suivez les exposés éclair de 10 mn sur un tableau _(tlj à 16h)._ Ou aperçu général guidé et gratuit de 1h en anglais _(tlj à 11h30 et 14h30, ainsi que ven à 19h ou le w-e à 16h)._ Rendez-vous dans le foyer de l'aile Sainsbury. Enfin, miniparcours téléchargeables gratuitement sur Internet.
– On peut également consulter le système multimédia du musée (nombreux espaces baptisés _ArtStart_) et se faire imprimer une visite guidée thématique concoctée selon ses goûts. Pratique !

Du XIIIe au XVe s, aile Sainsbury (Sainsbury Wing, section bleue) : début de la Renaissance
Œuvres de l'école italienne du gothique tardif et du début de la Renaissance, notamment allemande et flamande.
– **Salles 51 à 53 :** après avoir admiré une œuvre préparatoire de Léonard de Vinci isolée dans un cabinet attenant à la salle 51 et _une Vierge à l'enfant_ d'Arezzo datant de 1263 aux scènes très imagées, place aux primitifs italiens, dont Cimabue, précurseur du réalisme de la Renaissance italienne, et Duccio di Buoninsegna, son élève. Ce dernier est considéré comme le plus grand peintre siennois de la fin du XIIIe s. Couleurs encore fraîches (bleu éclatant sur fond doré), notamment dans le triptyque la _Vierge à l'Enfant avec saints._ Observer l'intéressante transition du style byzantin un peu sévère vers le gothique plus doux et fluide (drapé de la Vierge, jeu des couleurs). Voir ce magnifique _diptyque de Wilton (salle 53),_ exécuté à la fin du XIVe s dans un style gothique très décoratif.
Et encore un _Couronnement de la Vierge_ provenant d'un retable florentin, de Lorenzo Monaco, plus majestueux et coloré, presque pastel, que le précédent. Comparer les madones de Masaccio et de Gentile da Fabriano, peintes à la même époque.
– **Salles 54 et 55 :** le Florentin Paolo Uccello est superbement représenté, notamment avec la _Bataille de San Romano_ (vers 1440, commissionnée par les Médicis). Comme de nombreux artistes de la Renaissance, il a bien maîtrisé la perspective et le raccourci audacieux (à l'image du cavalier mort en bas de la toile), principalement grâce à toutes ces lances cassées au sol qui donnent le point de fuite. Du même peintre, ne pas rater _L'Histoire de David et Goliath_ et _Le Triomphe de David_

et Saül, foisonnantes. Sans oublier *L'Annonciation* et *Les Sept Saints* de Filippo Lippi, aux visages toujours aussi gracieux.

– *Salle 56,* Van Eyck nous fait entrer dans l'intérieur intime des *Époux Arnolfini* (1434). Un rendu très précis des couleurs (joli vert de la robe de madame) lui permet, par exemple, de peindre le tableau en abyme dans le miroir du fond. Sur ce même miroir, on distingue, en plus du couple, les silhouettes de deux personnages : Van Eyck s'est probablement représenté. Superbe portrait d'un *Homme au turban,* vraisemblablement un autoportrait. Il a beaucoup influencé ses compatriotes Van der Weyden *(Madeleine lisant)* et Petrus Christus *(Portrait d'un jeune homme,* réalisé vers 1450).

– *Salles 57 et 58 :* sombre *Vierge aux rochers* de Léonard de Vinci, puis florilège d'œuvres d'artistes florentins (Filippino Lippi, di Cosimo, del Verrocchio...), parmi lesquelles on distingue le *Martyre de saint Sébastien,* d'Antonio et Piero del Pollaiulo (environ 1475), avec six arbalétriers et archers qui adoptent trois poses différentes, vues sous un angle différent, soulignant la perspective du paysage en arrière-plan. Remarquer aussi *Vénus et Mars* de Botticelli (1485). Mars, dieu de la guerre, est vaincu par l'amour... La conque à son oreille symbolise la naissance de Vénus, issue de la mer.

– *La salle 59* est consacrée à Crivelli, artiste atypique connu pour ses incrustations d'éléments de bois et de gemmes qui donnent du relief à la peinture.

– *Salle 60 :* les écoles de Sienne et de Pérouse avec, comme chefs de file, le Pérugin, Matteo di Giovanni et plusieurs chefs-d'œuvre de Raphaël dont une *Crucifixion, Saint Jean-Baptiste prêchant,* et *Sainte Catherine d'Alexandrie.*

– *Salles 61 et 62 :* écoles de Mantoue et Venise vers 1500 avec un intrigant monochrome de Mantegna (1505), *Introduction du culte de Cybèle à Rome.* Cette frise « à l'antique » donne l'illusion d'avoir été sculptée sur du marbre coloré. Toujours de Mantegna, une touchante *Vierge à l'Enfant* et *L'Agonie au jardin des Oliviers* (vers 1460), une composition parfaite. De Bellini, le *Portrait du doge Loredan,* incarnation austère de la dignité du pouvoir. Quant au fameux *Saint Jérôme dans son ermitage* (1475), d'Antonello de Messine, il a longtemps été attribué à Van Eyck en raison de l'influence flamande qui le caractérise. Du même artiste, *La Crucifixion* (1475) et le *Portrait d'un homme* (sûrement un autoportrait) peint de trois quarts.

– *Salle 63 :* renaissance flamande. Plusieurs œuvres de Hans Memling, dont le triptyque représentant la *Vierge à l'Enfant.* Comme souvent, le donateur (Sir Donne, un nom prédestiné !) s'est fait représenter, agenouillé en prière. Impressionnant *Saint Michel triomphant du diable* (1468), de Bartolomé Bermejo, aux airs futuristes.

– *Salles 64 et 65 :* les écoles allemande et autrichienne avec les œuvres de Stephan Lochner et le maître de Liesborn. Également un très fin *Portrait du père* de Dürer (1497).

– *Salle 66 :* pour conclure, ne pas rater *Le Baptême du Christ* ou le *Saint Michel* de Piero della Francesca, aux couleurs patinées.

XVIe s (section pourpre) : Haute Renaissance et maniérisme

Une section riche en œuvres de la Renaissance italienne (écoles florentine, vénitienne et de l'Italie du Nord), flamande et allemande.

– La *salle 4,* l'une des plus belles du musée, célèbre la Renaissance allemande, bien représentée avec Hans Holbein le Jeune, peintre officiel d'Henri VIII. On y trouve son tableau le plus connu, *Les Ambassadeurs* (1533), peint sur bois. Sur une étagère, des symboles des nouveaux savoirs

LÉONARD ET ŒDIPE

Dans sa Vierge à l'Enfant avec sainte Anne et saint Jean-Baptiste, Léonard de Vinci aurait tenté de donner une image de la mère idéale, celle qu'il n'a jamais eue. Selon Freud, le peintre serait le sujet même de cette composition. La Vierge et sainte Anne représenteraient ses deux mères (sa mère naturelle et sa belle-mère).

de la Renaissance. Pourtant, quelque chose cloche : une des cordes du luth a sauté (signe de la discorde politique et religieuse en Europe), et au pied des personnages, plane une menace sous la forme d'une tache incongrue. C'est une anamorphose : une forme tordue par l'élongation de la perspective. En se déplaçant sur les côtés, on découvre ce que l'on ne veut regarder en face : la Mort, représentée par un crâne... On ne ferait pas mieux avec Photoshop ! Quelques œuvres remarquables de Cranach l'Ancien, notamment l'étrange *Plainte de Cupidon à Vénus* (environ 1525).

– **Salle 5 :** les amateurs de Renaissance flamande seront plus que comblés !

– **Salle 7 :** toute petite salle essentiellement consacrée au Florentin Jacopo Pontormo. Œuvres de palais représentant des scènes de l'Ancien Testament et de la vie de Joseph.

– **Salle 8 :** deux toiles inachevées de Michel-Ange. De Bronzino, une *Allégorie de Vénus et Cupidon* (environ 1545), vraiment coquine, offerte par Côme de Médicis à François Ier.

– **Salles 9 à 12 :** l'école de Venise, avec une superbe *Famille de Darius devant Alexandre le Grand* (1565) de Véronèse, l'une de ses grandes toiles mythologiques, là où il peut le mieux s'exprimer. Noter le cheval fantomatique en arrière-plan. Voir aussi quelques compositions remarquables du Greco. La salle 11 est consacrée à Joachim Beuckelaer (environ 1570) et sa représentation des quatre éléments : l'eau, la terre, le feu et l'air. Salle 12, galerie de portraits de Moroni (1520-1579), Bordone (1500-1571) et Lorenzo Lotto (1480-1556). Captivante *Lucrèce* de ce dernier.

– **Salle 14 :** école flamande du XVIe s. De Jan Gossaert, un *Couple âgé*, empreint d'émotion et de résignation. Dans les autres œuvres exposées, c'est davantage son sens du détail, de la composition, ses couleurs chatoyantes qui frappent, notamment dans son extraordinaire *Adoration des mages*.

UNE FEMME BIEN LAIDE

On est surpris (salle 5) par ce portrait outrageusement hideux peint par l'artiste flamand Quentin Metsys en 1525. En fait, la difformité du modèle serait due à la maladie de Paget qui provoque des excroissances osseuses. Cette œuvre devait être un diptyque avec le portrait du mari, à côté. Il y a renoncé. On comprend pourquoi.

XVIIe s (section orange) : l'époque baroque

– **Salle 15 :** petite entorse à la chronologie, on y trouve deux peintures de l'Anglais Turner (XIXe s) qui répondent à deux tableaux du peintre paysagiste français Claude Lorrain (XVIIe s), celui-ci ayant fortement influencé l'œuvre du maître anglais.

– **Salles 16 et 17a :** peintures flamandes, inspirées de l'Italie et du maniérisme, dont une *Nature morte aux crabes* de Bosschaert le Vieux. Premiers tableaux de Rembrandt, dont le monochrome *Ecce Homo* (1634), et l'*Orpheus* de Roelandt Savery avec toute une ménagerie d'animaux exotiques.

– **Salle 18** (qui porte le nom d'Yves Saint Laurent) **à 20 :** peintres français comme Simon Vouet, Pierre Mignard, Le Nain, ou encore le célèbre portrait du *Cardinal de Richelieu* par Philippe de Champaigne. De Poussin (salle 19), bacchanales et autres orgies pleines de vie. Nombreuses œuvres de Claude Lorrain.

– **Salles 21 à 29 :** consacrées aux peintres hollandais. Salle 21, la plupart des sujets traités par Ruysdael et Hobbema sont des paysages, en raison du tarissement des commandes religieuses au lendemain de la Réforme. Salle 22, les quatre officiers amstellodamois ont été peints par Van der Eeckhout, un élève de Rembrandt. On se serait presque fait avoir ! Salles 23 à 26, on découvre de rares Vermeer (une touchante *Dame debout au virginal* et une *Femme assise au virginal*) et des Rembrandt dont cette terrible femme jugée pour adultère. Ce dernier portait sur les gens et les choses un regard à la fois tendre et sans concession. C'est particulièrement évident dans son magnifique *Autoportrait à l'âge de 63 ans* (salle 23). Intéressant de voir, salle suivante, un autre *Autoportrait* de l'artiste, à l'âge de 34 ans.

– **Salle 30 :** l'école espagnole et les œuvres de Murillo, pleines de candeur (ses enfants sont craquants). Plusieurs Velázquez, dont un portrait de Philippe IV et *La Toilette de Vénus,* plutôt osé pour l'Espagne de l'époque, où l'Inquisition sévit encore.

– **Salle 31 :** consacrée à Van Dyck. Magnifiques portraits de Cour, dont l'infortuné *Charles Ier à cheval* (il sera décapité pendant la guerre civile).

– **Salles 32 et 37 :** les Italiens Caravage (très beau *Repas à Emmaüs*), Guercino, Carrache (salle 37)...

Du XVIIIe au XXe s (section verte) : le Rococo et la peinture après 1800, l'impressionnisme et le post-impressionnisme

– **Salle 33 :** peintres français du XVIIIe s. Autoportrait lumineux (bien qu'à l'ombre !) d'Élisabeth-Louise Vigée-Lebrun, des œuvres de Chardin, Pierre Peyron, Greuze, Vernet, Nattier, Boucher, Watteau... De Drouais, imposante *Madame de Pompadour* et ses joues roses, accordées à son élégante robe fleurie.

– **Salle 34 :** plusieurs Turner qui annoncent de façon évidente l'impressionnisme, mais aussi l'abstraction. La lumière, décomposée à l'extrême, devient l'objet même du tableau. Toute l'Angleterre a défilé au moins une fois devant l'une de ses toiles les plus fameuses, *The Fighting Temeraire.* La scène représente l'ultime voyage de ce navire mythique de Nelson, remorqué par un vapeur pour être démantelé dans un chantier naval. Portraits de Gainsborough et de Reynolds. Paysages anglais par Constable, l'autre grand peintre anglais du XVIIIe s, dont la *Charrette de foin* (repérez les paysans à l'ouvrage dans les champs tout là-bas).

– **Salle 35 :** Hogarth, Stubbs, et plusieurs portraits des filles de Gainsborough (l'album photos de l'époque). À noter aussi, une série désopilante de six tableaux par Hogarth, *Mariage à la mode* : une B.D. avant l'heure, pleine de rebondissements !

– Dans la rotonde **(salle 36)** : quatre portraits de la seconde moitié du XVIIIe s, dont des Reynolds.

– **Salles 38 à 40 :** les Italiens du XVIIIe s, dont plusieurs Canaletto, avec, comme toujours, ses ravissantes vues de Venise, les fameuses *vedute* que les cours européennes s'arrachaient. Pour nous changer, on trouve aussi quelques vues londoniennes. D'autres Vénitiens comme Tiepolo (salle 40), quelques jolis Longhi (incongru *Rhinocéros,* salle 39) et Guardi, mais aussi des portraits de Goya (salle 39).

– **Salle 43 :** Manet, Monet et les impressionnistes, des chefs-d'œuvre à en perdre la tête ! On est tout de suite attiré par cette *Exécution de Maximilien* par Manet, en quatre morceaux et toile apparente. À la mort du peintre, on la découpa ! Heureusement, Degas recolla les morceaux.

– **Salles 44 à 46 :** l'apothéose ! D'abord, Pissarro et Seurat, dont les célèbres *Baigneurs à Asnières,* contraste saisissant entre nature bucolique et paysage industriel. Remarquer aussi le *Boulevard Montmartre,* seule scène de nuit peinte par l'artiste et le même boulevard peint un matin de pluie. Mais les foules se précipitent pour le légendaire *Tournesols* de Van Gogh et leurs jaunes en folie, avant de découvrir *Les Fermes à Auvers,* l'un de ses derniers tableaux, puis le venteux *Champ de blé avec cyprès* et *La Chaise.*

LE TUBE DU SIÈCLE

Autrefois, les paysagistes réalisaient des croquis in situ, *mais finalisaient leur toile en atelier, faute de pouvoir conserver les couleurs (un mélange instable de pigments et de liants). Tout change au milieu du XIXe s avec l'invention du tube de peinture en étain. Les artistes peuvent enfin transporter les couleurs et réaliser leur œuvre en pleine nature en laissant libre cours à leur imagination. Une révolution qui favorisera la naissance de l'impressionnisme !*

Nombreux chefs-d'œuvre de Cézanne également, parmi lesquels se démarquent les fameuses *Grandes Baigneuses,* tableau peint au tournant du siècle. De Degas, gracieuses *Danseuses de ballet,* vertigineuse *Miss Lala au cirque Fernando* et de sensuelles scènes d'intimité avec *La Coiffure* ou *Après le bain* (sublimes pastels).
– Pour découvrir la suite du XXe s, il faudra se rendre à la Tate Modern.

🎭🎭🎭 ⛹ *National Portrait Gallery (centre 1, E-F4) :* Saint Martin's Pl ; dans le prolongement de la National Gallery, à l'arrière. ☎ 020-7306-0055. ● *npg.org.uk* ● Ⓜ *Charing Cross ou Leicester Sq.* ⛎ *Tlj 10h-18h (21h jeu-ven). Fermé 24-26 déc. GRATUIT (sf expos temporaires). Bon plan :* 2 entrées pour le prix d'une aux expos temporaires sur présentation de votre billet d'Eurostar. Audioguide vidéo en français (3 £). Mignonne cafétéria au sous-sol et resto chic à l'étage (vue vraiment splendide, mais cher). Propose des animations jeu et ven soir (parfois payantes). 📶

Nos conseils
– Sur le plan, repérez les tableaux à ne pas manquer (une petite dizaine) ainsi que les suggestions de visite en 30 mn, 1h et 2h ou plus.
– À la *mezzanine* du hall d'entrée, de nombreux ordinateurs permettent d'accéder à *Portrait Explorer,* un système multimédia offrant la possibilité d'imprimer des parcours personnalisés ou bien de se documenter sur les œuvres.
– À la boutique, possibilité d'imprimer son portrait préféré sur un tee-shirt, à choisir parmi 75 000 œuvres ! Pour info, les cartes postales les plus vendues sont celles représentant Paul Mc Cartney, Richard III, la reine Elizabeth II, l'acteur Benedict Cumberbatch...

La visite
Avec en expo plus de 1 000 portraits (couvrant 500 ans) sur les 250 000 en réserve, cette galerie est l'une des plus complètes au monde. Tous les hommes et les femmes ayant compté dans l'histoire du royaume se doivent d'être représentés ici, sous quelque forme que ce soit : peinture, sculpture, photo et dessin (en incluant la caricature, dans laquelle les Britanniques excellent), sans oublier la vidéo ! Beaucoup de portraits des différentes familles royales (des Tudors à Kate), d'hommes et femmes politiques (Churchill, Margaret Thatcher...), d'artistes (les sœurs Brontë, Shakespeare, Helen Mirren, la M de James Bond Judi Dench...), mais aussi de sportifs, de chercheurs et d'explorateurs, de musiciens ou d'architectes (Zaha Hadid par exemple). Idéal pour mettre un visage sur un nom célèbre ou vice-versa, biographies à l'appui. Les portraitistes font également partie du gratin : Reynolds, Gainsborough, Graham Sutherland, David Hockney et même cet incorrigible mondain d'Andy Warhol, qui signe un superbe portrait de la reine. Si vous vous intéressez surtout au XXe s, rendez-vous à la *Contemporary Portraits (niveau 1).* Les amateurs de photo ne manqueront pas non plus les prestigieuses expos temporaires.

🎭🎭 *Somerset House (plan d'ensemble, F-G4) :* Somerset House, Strand, WC2. ☎ 020-7845-4600. ● *somersethouse.org.uk* ● *M. : Charing Cross, Temple ou Covent Garden.* Édifié à partir de 1775, ce vaste édifice georgien se déploie entre le *Strand* et la Tamise, à l'emplacement de l'ancien palais des ducs de Somerset. Ses ailes enserrent une belle cour intérieure restaurée avec goût, où les Londoniens aiment à flâner en paix parmi les jets d'eau... à moins qu'ils ne se laissent tenter par les joies du patinage l'hiver venu ! Conçus à l'origine pour accueillir des bâtiments administratifs, les salons sont aujourd'hui entièrement dévolus à la culture. La *Somerset House* accueille des expositions temporaires, gratuites ou non, de grande envergure, mais abrite surtout la prestigieuse Courtauld Gallery. On y trouve aussi le resto et deli *Tom's Kitchen* (voir plus haut « Où manger ? »).

🎭🎭 *Courtauld Gallery (plan d'ensemble, F-G4) :* Somerset House, Strand, WC2. ● *courtauld.ac.uk* ● *Tlj (sf 25-26 déc), 10h-18h (dernière entrée à 17h30).* Entrée : 7-9,50 £ *(selon les expos temporaires, incluses dans le billet)* ; gratuit pour les *étudiants résidant en Grande-Bretagne, les possesseurs du* London Pass *et les moins de 18 ans.* Extraordinaire collection de peintures provenant principalement de la donation Courtauld, enrichie depuis par diverses donations.

– En guise de mise en bouche, la petite salle du rez-de-chaussée rassemble les maîtres du Moyen Âge et de la Renaissance italienne et flamande, comme Fra Angelico ou Antonio Vivarini. On apprécie notamment le triptyque de Bernardo Daddi (1338), magnifique exemple de tabernacle portable.

– Le 1er étage abrite les collections de tableaux impressionnistes et postimpressionnistes, d'une prodigieuse richesse ! Ils valent à eux seuls le déplacement. Observer notamment le jeu des couleurs d'un *Automne à Argenteuil* de Monet. Puis accordez votre attention à Renoir, Sisley et Pissarro. Parmi les postimpressionnistes, Cézanne est le mieux représenté avec notamment *Le Lac d'Annecy* et les *Joueurs de cartes.* Notez aussi cette version tardive du *Déjeuner sur l'herbe* de Manet (1867). Toujours de Manet, arrêt obligatoire pour admirer le saisissant *Bar des Folies-Bergère,* aussi pétillant qu'une coupe de champagne malgré le regard perdu de la serveuse, si seule au milieu de la foule.

– La visite se poursuit avec les peintres des XVIe, XVIIe et XVIIIe s. Voir, par exemple, la curieuse *Sainte Trinité* de Botticelli (1493), dans une composition se préoccupant peu des perspectives. Également un *Adam et Ève* très naturaliste de Cranach, où lion et héron se côtoient au pied de rougeoyantes pommes, auxquelles on n'aurait pas résisté ! On ne se lasse pas d'admirer les toiles de Rubens, comme cette *Descente de Croix.*

– Les réjouissances continuent au dernier étage. Des toiles de Derain, Matisse, Vlaminck, Braque, Dufy... Et de nombreux Kandinsky. Levez la tête, les plafonds sont superbes également !

– Pour clore la visite, la Courtauld Gallery présente différentes petites expositions temporaires de qualité.

🍴 ♿ Agréable cafétéria avec terrasse et boutique sur place.

🎯 Cleopatra's Needle *(centre 1, F4) : Victoria Embankment.* Ⓜ *Charing Cross.* Au bord de la Tamise, le long des jardins de Victoria Embankment, c'est le plus vieux monument de Londres ! Un obélisque de granit datant de 1485 av. J.-C., dont le frère jumeau se trouve à Central Park, à New York. Il fut offert à l'Angleterre par le vice-roi d'Égypte en 1819, mais il fallut attendre près de 60 ans avant de lui trouver une place de choix à Londres. Il fut érigé en 1878, au-dessus d'une « capsule temporelle » contenant des objets d'époque (journeaux, horaires de trains, épingles à cheveux, photos, etc.).

🎯🎯🎯 Royal Academy of Arts *(centre 1, E4) :* Burlington House, Piccadilly, W1J 0BD. ☎ 020-7300-8000. ● *royalacademy.org.uk* ● Ⓜ Piccadilly Circus ou Green Park. *Tlj 10h-18h (22h ven) pour les expos ; John Madejski Fine Rooms slt en visite guidée (mar-dim à 12h, gratuit, compter 1h). Entrée payante pour certaines expos (10-15 £). Bon plan : 2 entrées pour le prix d'une aux expos temporaires sur présentation de votre billet d'Eurostar.*

Prestigieuse institution fondée en 1768 pour favoriser le développement des arts plastiques. Elle a acquis depuis lors une réputation internationale et est installée dans un bâtiment à sa mesure, une énorme bâtisse de style palladien. Elle est soumise à l'autorité de la reine et gérée par un comité de

ALLO ?

Giles Gilbert Scott (1880-1960), à qui l'on doit l'édifice de la Tate Modern, est aussi l'inventeur de la fameuse cabine téléphonique rouge, dite K2, durant l'entre-deux-guerres. Le prototype en bois est visible à l'entrée de la Royal Academy of Arts, derrière les grilles, face à l'une des copies (il n'en reste que quelques dizaines aujourd'hui). Elles fonctionnent toujours. D'autres versions des phone boxes *britanniques suivirent jusqu'à la K8, la plus moderne.*

50 académiciens, tous peintres, sculpteurs, graveurs ou architectes. Le peintre Reynolds en fut le premier président, et Gainsborough l'un des membres fondateurs. Appartenir à cette académie était un privilège rare, et de nombreux artistes anglais sont grâce à cela passés dans l'*Establishment*. Elle possède une école d'art renommée, qui fut créée sur le modèle de l'École française des beaux-arts. Le grand événement estival qui ponctue, depuis plus de 225 ans, la vie culturelle de la capitale est la *Summer Exhibition,* le grand salon d'art contemporain. L'académie accueille le reste de l'année des expositions temporaires de grande qualité. Il est également possible de voir une sélection des *diploma works* exposée dans les superbes *Fine Rooms* du XVIIIe s. Car depuis l'origine, les académiciens sont obligés de faire don de l'une de leurs œuvres, condition nécessaire à l'obtention du diplôme. Toiles de Turner, Constable, Gainsborough, Reynolds, Waterhouse... Profitez-en pour jeter un coup d'œil au bâtiment : les plafonds ornés de fresques valent le détour. Faites aussi un tour par le restaurant, à gauche, derrière l'escalier d'entrée (voir « Où prendre le thé ? » plus haut).

🍴🍸 🏃 **London Transport Museum** *(centre 1, F4) : The Piazza, Covent Garden, WC2E 7BB.* ☎ *020-7565-7299.* ● *ltmuseum.co.uk* ● ⓜ *Covent Garden. Juste derrière le marché central. Lun-jeu et w-e 10h-18h (dernière entrée à 17h15), ven 11h-18h. Entrée : 17 £ ; réduc ; gratuit moins de 18 ans. Café et boutique sur place.*
On est accueilli par un plan de métro imaginaire de six grandes villes choisies dans le monde, dont Paris (cherchez bien), connectées les unes aux autres. Puis rendez-vous au 2e étage pour redescendre progressivement en suivant un parcours chronologique dans ce vaste musée qui a pour vocation de retracer l'histoire des moyens de transport londoniens depuis 1800. Diligences, tramways, autobus, *tube* et vélos, ils y sont tous, présentés avec la manière et en détail.
Au 1er étage, des trains à vapeur grandeur nature. On peut même s'asseoir sur les banquettes. Au rez-de-chaussée, tout sur la construction du métro londonien, et la mise en service des premières rames (dans lesquelles on peut – là encore – prendre place). Elles étaient alors conçues sans fenêtres... pour éviter toute peur de la vitesse ! Notez que le métro londonien, le plus vieux du monde, a fêté ses 150 ans en 2013.
Dans une des vitrines, le premier plan imaginé par Harry Beck en 1933, au design toujours utilisé.

🍸 **The Photographers' Gallery** *(centre 1, E3) : 16-18 Ramillies St, W1F 7LW.* ☎ *020-7087-9300.* ● *thephotographersgallery.org.uk* ● ⓜ *Oxford St. Lun-sam 10h-18h (20h jeu), dim 11h-18h. GRATUIT.* Galeries proposant des expos temporaires de photos de très bonne tenue. Accueille également une excellente librairie et un café-galerie agréable. Organise fréquemment des débats avec des photographes.

🍸 **Handel & Hendrix in London** *(plan d'ensemble, D3, F) : 25 Brook St, W1K 4HB.* ☎ *020-7399-1953.* ● *handelhendrix. org* ● ⓜ *Bond St. Lun-sam 11h-18h, dim 12h-18h ; dernière entrée à 17h. Entrée : Handel et Hendrix 10 £ (7,50 £ pour l'un ou l'autre) ; réduc. Réserver pour Hendrix (visites par petits groupes).* Un duo peu banal puisque ces deux musiciens ont vécu dans cette modeste maison géorgienne, mais pas en même temps, que les choses soient claires ! Georg Friedrich Haendel,

TOUJOURS LA MÊME MUSIQUE

Entre 1969 et 1971, plusieurs idoles du rock et du jazz sont mortes à l'âge de 27 ans : Brian Jones, Janis Joplin, Jim Morrison... Jimi Hendrix, décédé à Londres en 1970, fait partie du triste palmarès. Quand Kurt Cobain cassa sa pipe au même âge en 1994, on commença à parler du « club des 27 », que viendra rejoindre Amy Winehouse en 2011. Un curieux coup du sort.

le plus anglais des Allemands, y passa 36 ans de 1723 à sa mort. On se demande comment il a pu y composer, quasiment dans la pénombre et sans luxe débordant, *le Messie, Water Music* et la plupart de ses autres chefs-d'œuvre. Plus guère de mobilier sur les 2 étages, mais beaucoup à écouter, des concerts réguliers, des manuscrits et des expos temporaires. Passons par-dessus les siècles et retrouvons, dans un tout autre registre, le génie de la gratte qui emménagea un étage encore au-dessus à la fin des années 1960. On peut visiter les 3 pièces de l'appartement de Jimi Hendrix depuis 2016, au grand bonheur de ses fans.

Monuments et balades

Le Londres commerçant : Piccadilly, Mayfair et Oxford Street

Cette balade décevra les fanas de bonnes affaires et réjouira les lécheurs de vitrines. Dans la plupart des boutiques de Piccadilly et Mayfair, le moindre petit plaisir est une grande folie ! Autant se contenter d'un regard de sociologue devant ces devantures luxueuses.

¶ *Piccadilly Circus (centre 1, E4) :* il suffit d'y passer, comme plus de 34 autres millions de piétons à l'année (c'est inscrit sur un mur !), pour dire que l'on a vu Londres. Cette place bruyante aux panneaux publicitaires tapageurs est connue dans le monde entier. On est loin de l'œuvre initiale de l'architecte John Nash, qui conçut au début du XIXe s, à la demande du prince-régent et

> ### HAUT LES COLS
>
> *Saviez-vous que Piccadilly vient du mot pickadil, qui désignait au XVIIe s une sorte de col amidonné, assez haut, en vogue chez les jeunes aristocrates ? Un maître tailleur du coin, Robert Baker, s'en était fait une spécialité dans sa demeure appelée Piccadilly Hall, bien sûr ! Le nom est resté.*

futur George IV, l'aménagement d'un axe triomphal reliant du sud au nord le Mall à Regent's Park en passant par Piccadilly Circus et Regent Street. Aujourd'hui, les néons des centres commerciaux, le brouhaha des taxis et des autobus ont eu raison de l'élégance des façades de stuc blanc. L'ange d'aluminium surplombant la fontaine a été baptisé « Éros » par les Londoniens. Il symbolise, en fait, l'ange de la charité chrétienne, en souvenir du comte de Shaftesbury, qui se préoccupa au siècle dernier du sort de la classe ouvrière. Autrefois pointé vers Shaftesbury Avenue, où habitait le fameux comte, Éros a été déplacé pendant la Seconde Guerre mondiale carrément dans l'autre sens. Tout simplement pour indiquer le Dorset où habitait sur la fin de sa vie le pieux homme ! Ne manquez pas non plus l'autre fontaine emblématique de la place avec ses quatre chevaux en pleine course.

¶ *The Quadrant (centre 1, E4) :* cette grande courbe élégante dans *Regent Street* part de Piccadilly Circus et fut construite par Nash pour séparer l'aristocratie de Mayfair de la plèbe de Soho. La galerie du même nom et l'ensemble de la rue abritent des boutiques de mode chic et clinquantes comme le fameux grand magasin *Liberty* et sa façade Tudor. Les belles façades blanches de 1820 ont été refaites au début du XXe s de manière fidèle.

> ### *HAPPY FEW !*
>
> *Chez Fortnum & Mason, on peut dénicher un produit réservé aux connaisseurs : du miel avec une étiquette « Made in Hyde Park ». En effet, le magasin possède 4 ruches sur son toit.*

🎥🎥 Sur Piccadilly (la rue qui part du *Circus*), ne manquez pas **Hatchard's,** la plus belle librairie de Londres et aussi la plus ancienne (ouverte en 1797). Lord Byron fréquenta cet ancien club littéraire, et tous les grands auteurs viennent y dédicacer leur opus. Son propriétaire, Mr Hatchard, était un fervent partisan du combat contre l'esclavage, et les discussions à l'arrière de la boutique y étaient houleuses. Ne ratez pas non plus **Fortnum & Mason,** la porte à côté, qu'il faut avoir vu au moins une fois dans sa vie de consommateur (voir plus haut « Shopping »).

🎥🎥 *Saint James's Church* (centre 1, E4) : *197 Piccadilly, W1.* ● sjp.org.uk ● Ⓜ *Piccadilly Circus. Marché tlj 10h-17h ou 18h.* Petite église anglicane à l'arrière d'un jardin accueillant. Bien qu'elle ait été en partie reconstruite après la Seconde Guerre mondiale, vous aurez reconnu la touche inimitable de notre ami Christopher Wren (1684), l'architecte de Saint Paul's Cathedral. Nef à voûte large en berceau sur des colonnes corinthiennes. Autel sculpté par Gibbons. Au-dessus des tribunes, buffet d'orgue résolument baroque.

🎥 *Les façades de Piccadilly* (centre 1, E4) : au n° 203, immeuble moderne de la librairie *Waterstone's* où l'emploi du verre tranche avec les autres édifices de l'avenue. Non loin, *Burlington House,* le plus vieil édifice de Piccadilly, bâti au XVIIᵉ s et remanié au XVIIIᵉ s à la mode palladienne, redécouverte un siècle plus tard après que l'architecte Inigo Jones a importé le style néoclassique d'Italie. Propriété du gouvernement britannique, il fut loué au siècle dernier à la fameuse Royal Academy of Arts pour une durée de 999 ans et un loyer symbolique (voir plus haut « Galeries et musées »).

🎥 Au n° 173 de Piccadilly, **Burlington Arcade,** prolongée en face par **Piccadilly Arcade,** est un superbe passage du XIXᵉ s bordé de petites boutiques chic et personnalisées, qui perpétuent le bon goût *British*.

🎥 En sortant de Burlington Arcade, prendre à gauche **Old Bond Street** *(plan d'ensemble, D-E4)* suivie par **New Bond Street,** l'artère principale de Mayfair. Voici le cœur de l'un des quartiers les plus chic de Londres, si ce n'est LE plus chic. Rien à envier à l'élégance parisienne du faubourg Saint-Honoré ! Son nom vient du propriétaire des terres au XVIᵉ s, Sir Thomas Bond.

UNE ARCADE SOUS SILENCE

Lord George Cavendish aimait passer du temps dans son jardin. Oui mais voilà, on lui jetait toutes sortes de choses par-dessus les murs, des coquilles d'huîtres aux bouteilles vides en passant par... des chats morts. Il décida donc de construire Burlington Arcade, une voie privée de petites échoppes chics, qui soumet les piétons à un règlement strict, datant du XIXᵉ s. L'application est surveillée par les Beadles, la plus vieille patrouille de police d'Angleterre. Vous les verrez circuler en tenue so chic ! Il est interdit de siffler, de chanter et de jouer de la musique !

Boutiques de l'époque victorienne, parmi lesquelles antiquaires, galeries d'art, bijoutiers et magasins de mode. Au niveau du n° 15, statues originales de Churchill et Roosevelt devisant tout simplement... sur un banc. Ces statues ont été offertes en 1995 par les commerçants de la rue pour célébrer les 50 ans de paix en Europe Au n° 35, **Sotheby's,** l'une des salles des ventes les plus célèbres du monde. Londres est devenue ces dernières années la capitale mondiale de l'art, tant pour le volume que pour le montant des ventes qui battent à chaque fois de nouveaux records et atteignent des prix astronomiques, bien loin, malheureusement, de toute considération artistique.

🎥🎥 Possibilité de prolonger vers l'ouest de Piccadilly, direction **Green Park** (couvert de jonquilles aux beaux jours), pour le très luxueux **London Ritz.** Ouvert en 1906, cet hôtel fut le premier où les femmes célibataires pouvaient venir se loger ou tout simplement prendre un thé sans être accompagnées. Il fut construit par les mêmes architectes que son homologue parisien. Le salon de thé reste toujours très prisé mais hors de prix. On continue avec l'une de nos places préférées, **Shepherd Market.** Placettes, rue marchande, vieux cordonnier, fleuriste, chocolatier et une ambiance à la *Oliver Twist. So cute !*

OBJET BIEN TROUVÉ

Si vous vous placez devant la devanture de Sotheby's, au 35 New Bond Street, vous verrez en façade une sculpture égyptienne. Il s'agit de Sekhmet (c'est marqué dessus !), une représentation de la déesse égyptienne à tête de lion. C'est une statue originale, qui date de 1320 av. J.-C. Elle est l'emblème de la maison Sotheby's depuis 1880. Elle avait été vendue aux enchères 40 £.

🏃 Vers le nord, New Bond Street débouche sur **Oxford Street** *(plan d'ensemble, D-E3),* la rue commerçante la plus longue de Londres. Faites vos emplettes le long des 2,5 km de magasins ; plus abordable que tout ce que vous venez de voir. Vous y trouverez *Marks & Spencer* et les grandes chaînes anglaises, comme *Primark, River Island, TopShop* (où Kate Moss créa quelques modèles), *The Body Shop,* et d'autres qui ne se sont pas encore exportées. Comme, par exemple, l'incontournable *Ann Summer,* célèbre pour sa lingerie coquine. De manière générale, la confection hommes et femmes est bien représentée. Au niveau d'Orchard Street, voir la grande façade du début du XXe s de *Selfridges,* plus haut de gamme. Le samedi, grande cohue sur les trottoirs.

Le Londres branché : Soho et Covent Garden

Avant-gardistes, tribus alternatives et bobos hipster désertent ces quartiers pour d'autres (Camden Town et Islington, Shoreditch et Hackney, etc.). Toujours est-il que Soho, Covent Garden et leur périphérie constituent encore, et depuis belle lurette, le centre de la vie nocturne londonienne. Normal, puisqu'on y trouve une concentration étonnante de théâtres (ceux du fameux West

LE MARCHÉ DU COUVENT

Covent Garden est un lieu chargé d'histoire : comme son nom l'indique, ici se trouvaient les jardins d'un couvent. Les moines, pour se faire un peu d'argent de poche, vendaient les produits de leur potager : d'où l'habitude que prirent les Londoniens de venir y acheter leurs légumes...

End), de cinémas, de restos et pubs historiques, ainsi que bon nombre de clubs et de boîtes de nuit toujours en vogue. Sans conteste les quartiers les plus animés le soir, notamment aux carrefours stratégiques : Piccadilly Circus et Leicester Square. Pour le touriste, le choc principal d'une balade dans ces quartiers bondés est bien souvent occasionné par l'incroyable contraste des genres qui se côtoient ici : du jeune bourgeois aux rabatteurs de cabarets, les yuppies sortant du théâtre, les groupes d'amis en goguette le samedi soir, les gays excentriques d'Old Compton Street, les Chinois de Gerrard Street, etc. Un joyeux mélange et une animation qui créent une ambiance électrique, diablement dynamisante !

🎭🎭🎭 *Soho (centre 1, E3-4) :* un peu l'équivalent de Pigalle à Paris. C'est pourtant l'un des plus petits quartiers de Londres, délimité au nord par Oxford Street, au sud par Shaftesbury Avenue, à l'ouest par Regent Street et à l'est par Charing Cross Road. Il y a 300 ans débarquèrent des réfugiés venus de toute l'Europe, dont pas mal de protestants français, puis des royalistes chassés par la Révolution. La plupart d'entre eux firent ce que font en général les expatriés : ouvrir des bars, des cafés et des restaurants. Parmi les plus célèbres exilés à Soho : Karl Marx, qui échoua dans Dean Street et y resta 5 ans. Mozart y passa aussi un petit moment, très exactement au 21 Frith Street, ainsi que Canaletto (Beak Street). Le quartier regroupe quelques sex-shops, *peep shows, live shows* et les bars gays (Old Compton Street). Mais s'assagirait-il ? Les boutiques de mode tendance grappillent ruelle après ruelle. C'est là l'autre pendant de Soho, qui s'est rendu célèbre grâce à la mode : à l'ouest du quartier se trouve **Carnaby Street,** associée dans la mythologie des *sixties* au *swinging London,* puisqu'ici furent lancées les modes vestimentaires qui fascinèrent nos mamans. De jeunes créateurs ont investi les lieux et proposent des modèles bien *British,* à prix encore raisonnables. Carnaby Street retrouve aujourd'hui ses quartiers : les grandes marques de mode s'y précipitent. Tout près, au 7 Broadwick Street, Brian Jones recruta deux jeunes gars, Mick Jagger et Keith Richards, pour « monter » un petit groupe qui allait devenir grand, *The Rolling Stones.* Plus à l'est, le Soho des musiciens, avec ses clubs rock mythiques (voir « Où écouter du rock, du jazz, du blues, de la country... ? »), ses soldeurs de disques, ses vendeurs d'instruments et les bureaux de quelques éditeurs de musique.

À voir aussi, **Leicester Square** et **Leicester Place** (angle nord-est). Autour de cette place et dans les rues voisines, souvent animée par des fêtes foraines et repaire des cinévores, vécurent, entre autres, Newton et Charlie Chaplin (sur Leicester Place). Au centre, on peut voir la statue de Shakespeare. À l'un des angles, au nord-ouest, superbe hôtel *W,* imaginé par le studio Concrete. Il recèle un bar sympathique (voir le *Wyld* dans « Où boire un verre ? »).

SAINT COCTEAU

Au niveau du n° 5 de Leicester Place, pénétrez dans la petite église toute ronde de Notre-Dame-de-France. Au fond, à gauche, vous apercevrez des fresques de l'Annonciation, de la Crucifixion et de l'Assomption à la sensualité prononcée : elles sont l'œuvre de Jean Cocteau, qui les exécuta en 1960 en une semaine, en parlant à voix haute à ses personnages.

Belle vue sur la place. Enfin, n'oublions pas le quartier des théâtres, le West End, passage obligé pour tout artiste anglais, dans le secteur Shaftesbury - Charing Cross. Quelques beaux spécimens de bâtiments typiquement victoriens.

🎥🎥🎥 🚶 Vous voudrez, bien évidemment, voir à quoi ressemble *Chinatown* *(centre 1, E4 ;* Ⓜ *Leicester Sq),* célèbre enclave chinoise qui mérite assurément le détour. Quelques rues à peine, en bas de Wardour Street, autour de Gerrard Street. Le grand portail un peu kitsch qui marque la frontière vient tout droit de Shanghai, et l'on est immédiatement frappé par cette volonté farouche de maintenir quoi qu'il arrive la culture et les traditions chinoises. Les inscriptions, y compris les noms de rues, sont en chinois. Depuis 1973, le Nouvel an chinois y est fêté en grande pompe, attirant les touristes plus nombreux chaque année. On est loin du ghetto sordide de la première heure. L'arrivée en « nombre » au début du siècle dernier (imaginez, ils étaient 400 à 500 Chinois en 1913 !) alimenta les pires fantasmes et rumeurs, tous liés à l'opium, au crime... Au lendemain du grand *Blitz,* on relogea la communauté chinoise dans ce petit coin de Soho traditionnellement dévolu aux Italiens. En 1984, le sud de Soho devint officiellement Chinatown et se vit reconnaître une existence juridique et administrative propre. C'est aujourd'hui l'un des quartiers les plus visités. Y venir surtout le matin, au moment des livraisons de marchandises : on se croirait au cœur de Pékin.

🎥🎥 *Covent Garden (centre 1, F3-4) : à l'est de Soho. Boutiques ouv lun-sam env 10h-20h, dim 11h-18h. Marché de petit artisanat sam mat.*

Si Soho évoque Pigalle, Covent Garden fait vraiment penser aux Halles. Ça tombe bien : l'histoire est identique ! Au XVIIe s, le comte Russell, nouveau propriétaire du terrain, décida d'en confier le réaménagement à un grand architecte. S'inspirant, entre autres, de la place Royale de Paris (actuelle place des Vosges), celui-ci créa ainsi... le premier square londonien. Mais le Grand Incendie de 1666 fit disparaître la *piazza* et ses beaux bâtiments, qui influencèrent tant l'architecture de la ville. Le marché ayant prospéré, on construisit la halle au début du XIXe s.

LE CENTRE TOURISTIQUE

Les halles de Covent Garden, devenues trop petites, ont dû déménager à la fin des années 1970. Les Anglais ont eu la bonne idée de conserver la structure, à savoir la grande verrière qui faisait tout le charme des lieux. On y a installé des artisans, des petits commerces et des restaurateurs. C'est sûr, c'est moins pittoresque que le marché aux fruits et légumes d'antan, immortalisé à l'écran dans *My Fair Lady.*
De plus, c'est devenu hypertouristique et très cher.

LE SQUARE DE VÉNUS

Après le grand incendie de Londres en 1666, les vendeurs de rue furent concentrés sur la piazza de Covent Garden, qui devint la plus importante place commerciale du pays. Les tavernes et cafés se développèrent très vite autour du marché, tout comme le commerce sexuel... On dit que chaque maison – ou presque – abritait une maison close.

Le marché aux fleurs, lui, a cédé la place au *London Transport Museum* (voir « Galeries et musées »). Le quartier conserve cependant une atmosphère plaisante et très animée, notamment dans les rues commerçantes comme *Neal Street,* ou *Neal's Yard,* placette colorée accessible par Shorts Gardens.

🐾🐾 *Savoy Hotel (centre 1, F4) :* Strand, WC2R 0EU. ☎ 020-7836-4343. Ⓜ *Temple* ou *Embankment.* L'un des palaces mythiques de la planète, temple du style édouardien et Art déco. Construit en 1889 pour le compte de l'agent de théâtre Richard d'Oyly Carte afin d'y loger ses stars de la scène, ce palace a été le témoin d'instants de vie culturelle. Pensez donc : Monet y a peint de sa chambre certaines vues sur la Tamise ; Oscar Wilde y retrouvait son amant ; Marlène

CHAT ALORS !

En 1898, un riche magnat sud-africain donna un repas au Savoy. Au dernier moment, un convive annula et l'assemblée se retrouva 13 à table. Quelques jours plus tard, on retrouva l'hôte mort ! Pour éviter que cela ne se reproduise, la direction du Savoy commanda un chat noir (!), Kaspar, dans le style Art déco, « invité » à siéger lors de tels repas placés sous le coup du sort. Il existe toujours.

Dietrich exigeait d'être accueillie avec 12 roses et une bouteille de Dom Pérignon ; Queen Mum avait toujours sa bouteille de champagne doux au frais ; Lady Di y venait prendre le thé ; y furent inventées la pêche Melba pour la célèbre cantatrice Nelly Melba et la boisson *dry martini* à l'*American Bar* où venait jouer Frank Sinatra. On peut aujourd'hui encore y boire un verre (on préfère l'*American Bar* au *Beaufort,* voir « Où boire un verre ? ») ou juste pousser le tambour de la porte d'entrée pour le plaisir des yeux...

PIMLICO (VICTORIA), WESTMINSTER ET SAINT JAMES'S PARK

- Pour se repérer, voir le plan d'ensemble et le centre 1 détachables en fin de guide.

Les quartiers de Pimlico, Westminster et de Saint James's Park appartiennent à la City of Westminster, berceau de l'aristocratie et des institutions britanniques. La reine y réside, et c'est un peu plus à l'est de son palais que se trouve l'abbaye de Westminster, haut lieu religieux où les monarques se passent de tête en tête la couronne royale.

Ce n'est évidemment pas dans ces quartiers que vous assouvirez vos pulsions festives, mais quelques étapes incontournables d'un voyage à Londres vous y mèneront forcément. En caricaturant, on pourrait résumer l'animation au trafic de cars touristiques, à la relève de la garde et aux quintes de toux

POURQUOI « WESTMINSTER » ?

Le nom de Westminster trouve ses racines chez des Normands francophones qui nommèrent le lieu Ouest-Moutier, c'est-à-dire le « monastère de l'Ouest ». Ce qui donna Westminster.

de la famille royale. La partie la plus résidentielle du quartier, autour d'Ebury Street, abrite de nombreuses demeures de stars de l'écran et de la littérature. Même Mozart y a vécu, au n° 180, et a composé là sa première symphonie.

Où dormir ?

La plupart des adresses sont situées autour des stations de métro Pimlico, Victoria et Sloane Square. Quant à Ebury Street, elle est connue pour regrouper en enfilade de nombreux hôtels assez bon marché. Rien de vraiment inoubliable dans cette catégorie, mais le quartier est central et tranquille.

Studios et appartements

🏠 **The Studios @82 B & B Belgravia** *(plan d'ensemble, D6, 59)* : 64-66 Ebury St, SW1W 9QD. ☎ 020-7259-8570. ● *info@bb-belgravia.com* ● *bb-belgravia.com* ● Ⓜ *Victoria. À partir de 136 £ la nuit pour 2, petit déj continental compris, et jusqu'à 293 £ la nuit pour 5 pers.* 🖳 🛜 Dans une jolie petite rue, studios bien équipés et bien décorés, même si les kitchenettes ne permettent pas vraiment de se faire un repas (micro-ondes et réfrigérateur seulement). Possibilité de louer des vélos.

🏠 **The Georgian House Hotel** *(plan d'ensemble, D6, 52)* : 35-39 Saint George's Dr, SW1V 4DG.

☎ 020-7834-1438. ● reception@geor gianhousehotel.co.uk ● *Appartements pour 6 pers 179-260 £.* 🛏 📶 Voir dans la rubrique « Plus chic ».

De très bon marché à bon marché (moins de 50 £ / 65 €)

🛏 *Astor's Victoria Hostel* (plan d'ensemble, E6, **53**) : 71 Belgrave Rd, SW1V 2BG. ☎ 020-7834-3077. ● victoria@astorho stels.com ● astorhostels.com ● Ⓜ Pimlico. Ouv 24h/24. Lits 18-30 £ selon dortoir (4-8 lits) et saison. Doubles 60-100 £ selon saison. Petit déj continental pour 1 £ (au profit d'une ONG). 🛏 📶 Une adresse conviviale, réservée aux 18-35 ans. Dès l'entrée, petit salon, canapés et *lounge* hyper confortable, pour mater des films. Au sous-sol, 2 vastes cuisines. Dortoirs classiques (avec des couettes) et ensemble bien tenu. Personnel jeune et sympa, souvent des globe-trotters se refaisant une santé financière entre deux voyages. Une adresse parfaite pour jeunes routards et étudiants, à l'image des soirées à thème fraternelles et repas communs. En revanche, oubliez la chambre double, rapport qualité-prix nul.

🛏 *Easy Hotel* (plan d'ensemble, D6, **56**) : 34-40 Belgrave Rd, SWIV 1RG. ☎ 020-7834-1379. ● enquiries.victo ria@easyhotel.com ● easyhotel.com ● Ⓜ Victoria. Résa sur Internet, mais rien ne vous empêche de passer directement. Doubles 25-120 £ sans ou avec fenêtre ; familiales. 📶 (payant). Plus vous réservez tôt, moins c'est cher ! Le prix d'appel est censé vous faire tourner la tête et oublier quantité de petits détails qui, en temps normal, vous chiffonneraient. Comme l'absence de fenêtre dans certaines chambres ou leur surface, réduite au strict minimum. Confort rudimentaire donc, déco minimaliste, cabines de douche compactes et intégrées... Pour finir, attention aux suppléments : télé, wifi, ménage, etc.

Plus chic (90-120 £ / 117-156 €)

🛏 *The Georgian House Hotel* (plan d'ensemble, D6, **52**) : 35-39 Saint George's Dr, SW1V 4DG. ☎ 020-7834-1438. ● reception@georgianhou sehotel.co.uk ● georgianhousehotel. co.uk ● Ⓜ Victoria ou Pimlico. Doubles 97-194 £, petit déj fermier complet inclus. Appart 6 pers 179-260 £. 🛏 📶 Un élégant hôtel tout confort et à la déco joyeusement contemporaine, où la toile de Jouy côtoie allègrement des lignes graphiques noires, blanches et grises. Les chambres sont plutôt mignonnes et soignées, le plancher craque comme une vénérable ossature. Les fans d'Harry Potter ne manqueront pas de dormir dans l'une des 4 *Wizard Chambers*, à l'ambiance toute poudlardienne ! L'équipe de l'hôtel est très sympathique. Notre meilleur rapport qualité-prix dans le quartier.

🛏 *Luna Simone Hotel* (plan d'ensemble, E6, **57**) : 47-49 Belgrave Rd, SW1V 2BB. ☎ 020-7834-5897. ● stay@lunasimonehotel.com ● luna simonehotel.com ● Ⓜ Pimlico. Fermé 25 déc-1er janv. Doubles 100-150 £, English breakfast *inclus (jusqu'à 9h).* Familiales 175-230 £. 🛏 📶 Tenu par la même famille depuis 3 générations, cet hôtel pimpant d'une quarantaine de chambres a beaucoup de caractère, sur un large boulevard qui n'en manque pas non plus. Accueil souriant et pro, petites chambres agréables et hyper fonctionnelles, avec moquettes épaisses, à la déco fraîche et très standard. Entretien impeccable de l'ensemble.

🛏 *Premier Inn Victoria* (plan d'ensemble, D6, **42**) : 55 Gillingham St, SW1V 1PS. ☎ 7963-4060. ● premie rinn.com ● Ⓜ Victoria. ♿ Chambres 96-203 £, sans ou avec petit déj. 📶 (haut débit payant). Une centaine de chambres dans un imposant immeuble en brique rouge. Toutes les chambres de cette chaîne sont identiques, confortables, avec literie digne de ce nom et propreté assurée. Sofa pour les enfants. Réserver à l'avance pour bénéficier des promos.

Très chic (plus de 120 £ / 156 €)

🛏 *The Belgrave* (plan d'ensemble, E6, **85**) : 80-86 Belgrave Rd, SW1V 2BJ. ☎ 020-7828-8661. ● info@

the-belgrave.com • the-belgrave. com • Ⓜ Pimlico. À mi-chemin entre la Tate et Victoria station (en marchant un peu). Doubles 120-180 £, petit déj compris. 📶 La réception tape-à-l'œil donne le ton avec son comptoir en marbre. Ici, on fait dans les tons rouge, vert et pourpre. L'hôtel a fait peau neuve, dans un style moderne et confortable, malgré les défauts d'insonorisation parfois. Plus de 70 chambres de toutes tailles avec réfrigérateur, même dans les standard, et machine expresso à disposition. Accueil pro.

🏠 **B & B Belgravia** (plan d'ensemble, D6, **59**) **:** 64-66 Ebury St, SW1W 9QD. ☎ 020-7259-8570. • info@bb-belgravia.com • bb-belgravia.com • Ⓜ Victoria. Doubles 126-168 £, familiales 160-190 £, petit déj anglais compris. 🖥📶 Dans une rue résidentielle, un B & B à la déco très contemporaine, où les architectes d'intérieur se sont manifestement fait plaisir. Salon équipé de matériel high-tech, insolite passerelle en verre pour rejoindre la salle du petit déj. Les chambres sont spacieuses et claires (sauf pour celles du sous-sol), dont 2 familiales. Petite cour-jardin à l'arrière et, pour ne rien gâcher, vélos en libre-service. Accueil extra. Très belle adresse.

🏠 **The Nadler Victoria** (plan d'ensemble, D5, **106**) **:** 10 Palace Pl, SW1E 5BW. ☎ 020-3540-8800. • victoria.info@thenadler.com • thenadler.com • Ⓜ Victoria ou St James's

Park. Doubles 160-300 £, petit déj en sus. 📶 Le dernier-né de cette mini-chaîne hôtelière de standing est quasiment un voisin de Buckingham. Toujours le même concept : des tonalités reposantes dans la déco (inspirées d'une boîte de cigare !), des chambres tout confort et minimalistes et surtout toutes sortes d'attentions comme ces kitchenettes et machines à expresso partout. Tout ce qu'il faut pour se restaurer à proximité. Le petit déj avec la reine n'est pas inclus dans la prestation, mais vous êtes aux premières loges pour la relève de la garde.

🏠 **Eccleston Square Hotel** (plan d'ensemble, D6, **40**) **:** 37 Eccleston Sq, SW1 V 1PB. ☎ 020-3489-1000. • stay@ecclestonsquarehotel.com • ecclestonsquarehotel.com • Ⓜ Victoria. Doubles 170-300 £, petit déj en sus. 📶 Un cocon urbain que cette demeure georgienne transformée en hôtel high-tech sans rompre le charme de l'ancien. Tablettes, ciné en 3D dans la chambre, enceintes dernier cri, connectique à gogo et gadgets à tous les étages, comme les vitres de la salle de bains qui s'opacifient. La maison n'a pas lésiné non plus sur la décoration, avec ce lustre de Murano dès l'accueil et les chambres douillettes et confortables, jusqu'au petit spray sur l'oreiller pour faire de beaux rêves. Avec le bar et le resto, l'ensemble est cosy et classe à la fois.

Où manger ?

Sur le pouce (moins de 10 £ / 13 €)

🥪 **Relish** (plan d'ensemble, E-F6, **181**) **:** 8 John Islip St, SW1P 4PY. ☎ 020-7828-0628. Ⓜ Pimlico. Lun-ven 7h30-15h30 (15h ven). Sandwich et bagel env 3-5 £. Pas de w-c ! Petite boutique à l'angle de Ponsonby et John Islip, grande comme un mouchoir de poche... mais plus active qu'une ruche. Chaque midi, la foule assiège cette échoppe pour ses énormes sandwichs préparés à la commande avec toutes sortes de pains et de bons

produits frais appétissants. Bons petits déj variés et délicieux jus de fruits artisanaux. Idéal pour se restaurer avant ou après la Tate Britain. À déguster relishieusement !

🥪 **Gastronomia Italia** (plan d'ensemble, E6, **194**) **:** 8 Upper Tachbrook St, SW1V 1SH. ☎ 020-7834-2767. Ⓜ Victoria. Tlj sf dim 9h-18h (17h sam). Sandwichs et plats 2-5 £. 📶 Avec son store aux couleurs de l'Italie, cette épicerie charmante et un peu bric-à-brac attire chaque midi les inconditionnels des produits de la péninsule. Sandwichs à composer soi-même : 5 sortes d'olives, 2 fois plus

PIMLICO, WESTMINSTER ET SAINT JAMES'S PARK

de fromages, de charcuterie, etc. Une paire de tables en terrasse pour déguster, le nez au vent, des *espresso* divins, ou de grandes tablées à l'intérieur.

🍽️ **Cafétéria de l'ICA** (*Institute of Contemporary Arts ; centre 1, E4*) : The Mall, SW1Y 5AH. Ⓜ Charing Cross. Tlj 12h-23h (1h sam, 21h dim). Sandwichs et plats du jour 5-10 £. Accès 1 £. 📶 On y mange d'excellents sandwichs et de copieuses salades, en compagnie d'artistes et autres intellos révisant leurs classiques. L'ambiance est studieuse et propice aux échanges culturels. Cadre moderne convaincant et clair. Une bonne mise en condition pour la visite...

🍽️ **The Seafresh Fish Restaurant** (*plan d'ensemble, E6, 207*) : voir aussi, plus loin, rubrique « Bon marché ». Autour de 6-9 £. Le comptoir ventes à emporter propose des *fish & chips* croustillants et des *jacket potatoes*. Pratique et pas cher.

🍽️ **The Green Café** (*plan d'ensemble, D6, 208*) : 16 Eccleston St, SW1W 9LT. ☎ 020-7730-5304. Ⓜ Victoria. Lun-ven slt 6h-15h. Petit déj 3-7 £. C'est tout petit, ça n'a pas d'allure et c'est toujours plein. Forcément ! L'adresse est connue comme le loup blanc pour ses omelettes épaisses, ses *English breakfasts* et ses sandwichs minute. Et ça dure depuis 1955 ! Accueil sympa.

🍽️ **Tomtom Mess Hall** (*plan d'ensemble, D6, 208*) : 14 Eccleston St, SW1W 9LT. ☎ 020-7730-1845. ● messhall@tomtom.co.uk ● Ⓜ Victoria. Lun-ven 8h-21h, sam 9h-16h. Petit déj env 5-10 £ ; plats 5-18 £. 📶 Une petite adresse toute simple, à deux pas de la gare, pour s'envoyer vite fait bien fait un petit déjeuner, un sandwich, une soupe ou une pâtisserie. Cadre minimaliste et propret.

🍽️ **Regency Café** (*plan d'ensemble, E6, 186*) : 17-19 Regency St, SW1P 4BY. ☎ 020-7821-6596. Ⓜ Pimlico ou Saint James's Park. Lun-ven 7h-14h30, 16h-19h30 ; sam 7h-12h (petit déj slt). Plats 3-6 £. Voici l'une de nos adresses coup de cœur ! De l'extérieur, on pourrait croire à une peinture dans le goût d'Edward Hopper. Rien ne semble avoir bougé

depuis des décennies, les tables en formica, les photos de boxe et surtout l'ambiance où l'ouvrier de chantier côtoie l'étudiant et l'employé de bureau du coin. La carte est toute britannique et propose une excellente cuisine roborative dans le genre saucisse, *black pudding* et crumble à la *custard*. Quelques plats pour les végétariens et un large choix de snacks et sandwichs. On commande au comptoir puis, quand c'est prêt, le serveur, la serveuse ou le tonitruant proprio, Marco Schiaretta, vous hèle d'une voix de stentor. Attention, ça réveille !

Bon marché (10-20 £ / 13-26 €)

🍽️ 🧒 **Inn The Park** (*plan d'ensemble, E5, 311*) : Saint James's Park, SW1A 2BJ. ☎ 020-7451-9999. ● info@innthepark.com ● Ⓜ Saint James's Park. Petit déj 8h-11h (9h-11h le w-e), 6-14 £ sans les boissons ; lunch 12h-15h, 4-10 £ ; afternoon tea 15h-16h (17h le w-e), plats 6-15 £. 📶 Bar, café, *tearoom*... Cet établissement multifonctions, au cœur même du parc Saint James, s'avère une adresse bien pratique à toute heure de la journée, dans un quartier plutôt désert dans ce rayon. Un genre de cafétéria élégante, à l'architecture de bois bien intégrée à son environnement, gérée par la marque *so British* Peyton & Byrne (les gourmands salivent déjà !). Terrasse sur le toit aux beaux jours. Vaste choix de salades, de soupes, de *pies* ou de pâtisseries et cuisine efficace.

🍽️ 🍽️ **The Seafresh Fish Restaurant** (*plan d'ensemble, E6, 207*) : 80-81 Wilton Rd, SW1V 1DL. ☎ 020-7828-0747. Ⓜ Victoria. Lun-ven 12h-15h, 17h-22h30 ; sam 12h-22h30. Plats 9-28 £. Derrière ce cadre de brasserie marine impersonnel se cache l'une des plus vieilles enseignes de la capitale londonienne. C'est l'as du *fish & chips* depuis 1965, réalisé dans les règles de l'art et toujours à partir de produits de grande fraîcheur. Simple et sans esbroufe.

De prix moyens à très chic (à partir de 20 £ / 26 €)

|●| *The Quilon* (plan d'ensemble, E5, **284**) : 41 Buckingham Gate, SW1E 6AF. ☎ 020-7821-1899. ● info@quilonres taurant.co.uk ● Ⓜ Saint James's Park. Tlj midi et soir. Lunch 27-32 £, sinon, compter 40 £/pers. Le soir, dans les 80 £ (5 plats). ☞ Voici l'ambassade londonienne du groupe *Taj*, la chaîne d'hôtels de luxe et raffinée de l'Inde. Au resto du rez-de-chaussée, les délicates spécialités du Kerala mettront tous vos sens en émoi, mais l'addition saura vous faire redescendre sur terre ! Le restaurant est à la hauteur : décor classe et sophistiqué, personnel extra aux petits soins et l'un des meilleurs chefs du sous-continent aux commandes.

|●| *Boisdale* (plan d'ensemble, D6, **411**) : 13-15 Eccleston St, SW1W 9LX. ☎ 020-7730-6922. ● info@boisdale. co.uk ● Ⓜ Victoria. Lun-ven 12h-1h, sam 18h-1h. Plats 7-25 £ au bar, 15-33 £ au resto. On roule les « r » dans ce pub écossais pur jus et très chic, où les clients sont souvent des *members*. Tartan sur les chaises, vieux tapis et parquets cirés confèrent aux lieux une atmosphère chaleureuse. Bar, menu de bonne tenue (haggis, gibier, saumon des Highlands, bœuf d'Aberdeen, etc.), mais on vient surtout le soir pour les concerts de jazz des années 1930, 1940, 1950... Sélection savante de *single malt*, cela va de soi, cigares au menu et une terrasse tout là-haut pour déguster son barreau de chaise.

|●| *Hard Rock Cafe* (plan d'ensemble, D5, **149**) : 150 Old Park Lane, SW1K 1QZ. ☎ 020-7514-1700. Ⓜ Hyde Park Corner. Tlj 11h30 (12h sam)-minuit. Menus 15 (lun-jeu)-32 £, boissons illimitées incluses, plats 14-24 £. Les *rock addicts* ne manqueront pas le pèlerinage au premier *Hard Rock Cafe* du monde (1971), tapissé des guitares de célébrités. Registre grosse batterie à la carte avec des hamburgers et plats américains pas mauvais, en portions de cow-boys. Boutique en face dans une ancienne banque et *the vaults*, un musée (gratuit) de poche dans les coffres-forts où les plus fétichistes s'arracheront les vêtements devant la dernière guitare de Jimi Hendrix ou les dessous de Madonna.

Où boire un verre ? Où écouter de la musique ?

🍷 *Clarence* (centre 1, F4, **315**) : 53 Whitehall, SW1A 2HP. ☎ 020-7930-4808. ● theclarence@geronimo-inns. co.uk ● Ⓜ Charing Cross. Lun-sam 11h-23h, dim et j. fériés 12h-22h30. Snacks et plats ven-sam 6-16 £. ☞ Le vieux pub a conservé ses bow-windows et ses vénérables boiseries mais a subi un relooking aussi réussi que décalé : des chapeaux melon en guise d'éclairage et la relève de la garde en tapisserie ! Rajoutez-y une ambiance du tonnerre à l'apéro ou du rugby, vous avez là une bonne halte dans ce quartier pauvre en adresses où se requinquer.

🍷 *St Stephen's Tavern* (plan d'ensemble, F5, **314**) : 10 Bridge St, SW11 2JR. ☎ 020-7925-2286. ● ststephenstavern.london@hall-woodhouse. co.uk ● Ⓜ Westminster. Lun-sam 10h-23h (23h30 ven-sam), dim 11h-22h30.

Un pub traditionnel datant de 1873, situé juste en face du Parlement. Il distille une bière renommée du Dorset, la *Hall and Woodhouse*, et a vu passer tous les grands noms de la politique britannique. Aujourd'hui encore, les députés et journalistes en ont fait leur QG, d'autant que la cuisine y est de qualité. Aux heures stratégiques, l'ambiance est surchauffée et vraiment conviviale. Et si vous entendez une cloche retentir, c'est pour signaler à l'assemblée l'heure des votes, 8 minutes avant !

🍷 *The Red Lion* (plan d'ensemble, F5, **204**) : 48 Parliament St, SW1A 2NH. ☎ 020-7930-5826. ● redlionwestmins ter@fullers.co.uk ● Ⓜ Westminster. Lun-ven 8h-23h ; ferme à 21h le w-e. Détonnant un peu parmi les buildings imposants, un de ces pubs historiques, déjà fréquenté au XVe s, dont nombre

PIMLICO, WESTMINSTER ET SAINT JAMES'S PARK

de parlementaires et premiers ministres ont poussé la porte jusqu'à aujourd'hui. Même Dickens figure au palmarès. *Pies* maison en cas de fringale.

🍴 🎵 *Boisdale (plan d'ensemble, D6, 411) :* 13-15 Eccleston St, SW1W 9LX.

Voir « Où manger ? » Concerts ts les soirs sf dim, à partir de 22h (et piano lun-ven 18h30-21h30) ; rajouter 5 £ (avt 20h) lun-jeu, 7,50 £ ven-sam. Concerts de jazz des années 1930, 1940, 1950...

Galeries et musées

🏃‍♀️🏃‍♂️ *Tate Britain (plan d'ensemble, F6) :* Millbank, SW1P 4RG. ☎ 020-7887-8888. ● *tate.org.uk* ● Ⓜ *Pimlico. Bon à savoir : un bateau payant (le Tate Boat) relie la Tate Britain à la Tate Modern. Tlj départ ttes les 40-45 mn ; 1er vers 10h, dernier vers 17h (19h le w-e). Prix : 7,50 £ ; réduc et forfait famille. Musée tlj 10h-18h. Fermé 24-26 déc. GRATUIT (expos temporaires payantes). Bon plan : 2 entrées pour le prix d'une aux expos temporaires sur présentation de votre billet d'Eurostar. Visites guidées gratuites et thématiques en anglais (à 11h, 12h, 14h et 15h), plus des 10 mn walks autour d'une œuvre à 13h ven et dim. Grande cafétéria et un resto plus chic orné de fresques.* 📶

L'un des grands musées de Londres. Sa particularité est de regrouper plus de 500 ans de créations britanniques, de 1500 à nos jours, tout sur le même niveau *(main floor)* avec des salles chronologiques, pratique ! La Tate Britain consacre ses galeries à des artistes comme Turner, Gainsborough, Constable, Henry Moore, Hockney, Gormley, les préraphaélites... On y verra également des artistes moins emblématiques mais qui remportent un franc succès pour leurs compositions éminemment britanniques. Les collections tournent très régulièrement, et ce que vous verrez ne représente qu'une partie du fonds du musée. Lors de votre visite, munissez-vous du plan (1 £) et ne manquez pas les petites expos temporaires (gratuites), avec des artistes d'art contemporain souvent décapants ! Toutes les formes d'art sont représentées (vidéos, photographies, installations...).

– *Turner Collection :* dans une aile dédiée, plusieurs salles sont réservées à Joseph Mallord William Turner (1775-1851), l'un des plus grands et prolifiques peintres anglais (né et mort à Londres). Le musée possède près de 300 huiles, aquarelles et dessins (sans compter les 300 carnets de voyage), exposés par roulement, qui illustrent l'immense talent de ce maître de la lumière, largement précurseur des impressionnistes. En 1843, avec ses personnages effacés, ses jets de couleurs pastel, ses taches jaunes et bleues qui semblent gommer toute réalité, Turner est indiscutablement visionnaire. Quelle révolution après l'académisme de ses périodes anglaise et romaine ! On peut également apprécier toute la fougue romantique de ses débuts : scènes mythologiques, paysages fantastiques et grandioses, où l'orage gronde, la mer est déchaînée et l'homme menacé. Que de tourments chez ce peintre obsédé par les ciels torturés et les soleils éclatants ! À l'âge de 30 ans, il possédait sa propre galerie et, dans son atelier, passait d'une toile à l'autre avec un même pinceau pour n'utiliser qu'une couleur à la fois ! À sa mort, il laissa ainsi quantité de toiles inachevées. Mais il finira isolé de ses contemporains, livrant des œuvres aussi belles que dépouillées, incomprises des critiques.

🏛 *Boutiques du musée :* tlj 10h-18h. Entrée libre. Cadeaux estampillés « Tate », du sac à la tasse, en passant par des bouquins et de la papeterie.

🏃 En sortant, si vous longez la Tamise vers l'est, vous verrez de l'autre côté un immense bâtiment des années 1990, près du pont de Vauxhall, qui ressemble terriblement à un Lego géant, en brique et verre. Ce n'est rien moins que le *siège du MI6,* le temple du renseignement secret britannique, qu'on a pu voir exploser dans le James Bond *Skyfall* avec Daniel Craig.

🏃 *The Queen's Gallery (plan d'ensemble, D5) :* à Buckingham Palace, Buckingham Palace Rd, SW1A 1AA. ☎ 020-7766-7301. ● *royalcollection.org.uk* ●

M *Victoria, Green Park ou Hyde Park Corner. ♿ Entrée à gauche du palais. Tlj 10h-17h30 ; dernière admission à 16h15. Fermé de mi-fév à mi-mars et 25-26 déc. Entrée : 10 £ ; réduc. Possibilité de billet jumelé avec les Royal Mews (ouv fév-nov) : 17,10 £.* Ne vous attendez pas à visiter le palais de Buckingham. Seuls les gardiens en livrée, disponibles et courtois, vous rappelleront que vous êtes chez la reine. La galerie, à taille humaine, est située dans l'ancienne chapelle privée, qui fut gravement endommagée par les bombardements allemands de 1940 à 1944. Elle présente les œuvres d'art de la vaste collection royale selon des expositions thématiques, renouvelées régulièrement. Chaque jour, présentation gratuite (10 mn) d'une œuvre à 12h et 15h.

🍴 Royal Mews *(plan d'ensemble, D5) : à Buckingham Palace, Buckingham Palace Rd, SW1A 1AA. ☎ 020-7766-7302. ● royalcollection.org.uk ● Victoria, Green Park ou Hyde Park Corner. À côté de la Queen's Gallery. De début fév à fin mars et en nov, lun-sam 10h-16h ; de fin mars à oct, tlj 10h-17h (dernière admission 45 mn avt fermeture). Fermé déc-janv et quelques j. en avr, mai et juin (et en cas de visite officielle). Entrée : 9 £ ; réduc. Possibilité de billet jumelé avec la Queen's Gallery : 17,10 £.* Tous ces carrosses rutilants que l'on sort les jours de flonflon officiel et ces voitures à larges vitres derrière lesquelles la reine salue mollement de la main, il leur faut bien un entrepôt. C'est ici, dans les écuries royales, qu'ils sont bichonnés. Il est vrai que le « Gold State Coach » de 1762, tiré par huit chevaux, a fière allure, même si, paraît-il, on n'y est pas trop à son aise. Sachez que deux fois par jour, le postier délivre le courrier à Buckingham, Saint James's Palace et Clarence House... en calèche. La grande classe, sans parler du bilan carbone quasi nul !

🍴🍴 Churchill War Rooms *(plan d'ensemble, E-F5) : Clive Steps, King Charles St, SW1A 2AQ. ☎ 020-7930-6961. ● iwm.org.uk ● **M** Westminster. Tlj 9h30-18h, dernière admission à 17h. Fermé 24-26 déc. Entrée : 19 £ ; réduc. Audioguide compris. Pour des raisons de sécurité, pas de vestiaires. Compter au moins 2h de visite. Cafétéria.*

Un 10 Downing Street underground !

Cachée sous des bâtiments administratifs et protégée des bombes par une couche de béton et de métal, cette casemate inattendue, de dimension impressionnante, servit de PC à Churchill et à ses conseillers militaires. Ce labyrinthe d'une trentaine de salles surprend avant tout par son confort simple. D'autant qu'ils vinrent s'enterrer ici pendant près de 5 ans, du grand *Blitz* d'août 1940 à la reddition japonaise en 1945. Dès l'entrée, au sous-sol, une bombe allemande de 250 kg replace dans le contexte. Ce n'était pas virtuel ! Comme certains ne remontaient que très rarement à la surface, il

HISTOIRE DE POMME

Alan Turing, mathématicien de génie longtemps trop méconnu et mis à l'honneur dans le film Imitation Game, *eut une action décisive sur la victoire contre les nazis : il cassa le secret* Enigma, *la machine qui cryptait les messages allemands. Il est le père de l'informatique moderne. Mais Alan était homosexuel, et on le condamna en 1952 à un traitement aux hormones féminines. Il devint impuissant et se serait suicidé en avalant une pomme empoisonnée au cyanure. On dit que la pomme croquée, logo d'Apple, serait un hommage au grand homme.*

fallait bien que la vie s'organise. C'est ainsi que l'on visite les fameux cabinets de guerre, comme le *Transatlantic Telephone Room* d'où Churchill communiquait directement avec Roosevelt, les salles des cartes *(maps rooms)* où l'on suivait les opérations sur tous les fronts à l'aide d'épingles et de fils de laine colorés, les salles de radio, les postes de garde, etc. Le gouvernement de coalition, restreint, ne comptait alors que huit membres. Mais on découvre aussi le volet plus intime de ce bunker, avec la chambre de Churchill, la cuisine, la salle à manger... Pas mal de détails amusants, comme la petite phrase de la reine Victoria, affichée dans la salle du Conseil : « Les possibilités de défaite ne nous intéressent pas. Elles n'existent pas ! ». Des mannequins prêtent vie à l'ensemble et un audioguide fort bien fait nous conte mille anecdotes.

Churchill Museum
Au cœur de la visite, ce musée dans le musée s'intéresse à ce personnage décidément hors du commun. Churchill connut toutes les grandes mutations de la fin du XIXe et du XXe s, du premier téléphone à la conquête spatiale, et fut tout à la fois officier de l'armée, journaliste, historien, politicien, peintre, écrivain nobélisé... Si le musée a tendance à lui donner le beau rôle, au fil des écrans et des vitrines d'une grande richesse iconographique, on découvre un personnage fascinant, tout en nuances, contradictions et paradoxes (un Anglais, quoi !).

Sir Winston Leonard Spencer-Churchill (1874-1965) était fils d'un lord anglais et d'une riche héritière américaine. Il fut fait prisonnier en 1899. Son évasion le rendit mondialement célèbre et lui permit de se faire élire député. Voilà pour le côté rocambolesque. Mais ce conservateur radical, qui prêchait l'ordre public, est aussi à l'origine de nombreuses lois sociales visant à diminuer la précarité, tout en s'opposant fermement au démantèlement des colonies.

On lui reprochait souvent de

> ## EXCENTRICITÉ BRITANNIQUE ?
>
> *Churchill gérait son image avec un génie rare. Son cigare (qu'il mâchonnait !), ses tenues excentriques et ses peignoirs exotiques font désormais partie du mythe, tout comme son incorrigible habitude de recevoir ses collaborateurs au lit ou son penchant pour le champagne Pol Roger. Il alla même jusqu'à organiser ses propres funérailles nationales, sous le nom de code « Operation Hope Not ». Et apprit à son perroquet à insulter... Adolf Hitler !*

jouer les Cassandre. Ainsi, il fut l'un des rares à alerter le monde du danger que représentait Hitler. Malheureusement, la suite des événements lui donna raison, et Neville Chamberlain, le Premier ministre anglais, dut se résigner à l'appeler au gouvernement comme premier lord de l'Amirauté. Quelques jours plus tard, il lui céda même sa place ! L'Histoire fit de cet homme providentiel un héros de légende.

Cette immense popularité ne l'empêcha pas de perdre les élections en 1945. Personnage extrêmement controversé, il connut ensuite une longue traversée du désert, qu'il consacra à la littérature (prix Nobel pour son œuvre en 1953). Mais il continua à prendre ouvertement position et à jouer les agitateurs publics. Il fut finalement réélu en 1951. Il consacra la fin de sa vie à vouloir mettre un terme à la guerre froide. Il mourut en 1965, laissant une Europe plus divisée que jamais.

– La porte à côté du musée est le *HM Treasury,* l'équivalent de notre ministère de l'Économie et des Finances. Bien gardé !

🎖 🚶 **Household Cavalry Museum** (centre 1, F4) : *Horse Guards, Whitehall, SW1A 2AX.* ☎ 020-7930-3070. ● *householdcavalrymuseum.co.uk* ● Ⓜ *Westminster. Tlj 10h-18h (17h nov-mars). Fermé 20 juil et 24-26 déc. Dernière admission 45 mn avt fermeture. Entrée : 7 £ audioguide compris ; réduc.* En complément des changements de la garde qui se déroulent sur le terre-plein, ce modeste musée rappelle le rôle de la cavalerie dans l'histoire de la Grande-Bretagne, depuis sa création en 1660 par Charles II. Costumes (que l'on peut essayer), écrans tactiles et film sur la revue des troupes par la reine en juin *(Trooping the colour).* Mais le petit plus, ce sont ces box aux parois de verre, par lesquelles on peut voir les chevaux en live, dans leur élément ! Venir si possible après 16h, quand ils rentrent au bercail.

Monuments et balades

Le Londres politique : Trafalgar Square, Whitehall et Westminster

Cette balade rassemble quelques incontournables du tourisme londonien. Été comme hiver, vous ne serez pas seul à vous extasier devant l'uniforme des *Horse Guards* ou les sculptures funéraires de l'abbaye de Westminster. Quartier des ministères, du Parlement et de la résidence du Premier ministre, son importance dans le fonctionnement des institutions de la monarchie britannique se retrouve dans la solennité de l'architecture, presque exclusivement composée d'imposantes façades blanches à l'antique, agrémentées de tourelles dans le meilleur des cas.

🎭 🎵 *Saint Martin-in-the-Fields Church* (centre 1, F4) **:** *Trafalgar Sq, WC2.* ● stmartin-in-the-fields.org ● Ⓜ *Charing Cross ou Leicester Sq. Lun-ven 8h30-18h (17h mer), sam 9h30-18h, dim 15h30-17h.* Église baroque construite en 1726, donnant directement sur la place la plus célèbre de Londres. Portique corinthien particulièrement pesant et clocher effilé à base carrée. À l'intérieur, péristyle corinthien sous un plafond en ellipse orné de stucs. À gauche du chœur, les armes royales au-dessus de la loge réservée à la famille royale rappellent que nous sommes dans l'église paroissiale de Buckingham Palace. Aujourd'hui, elle sert également de centre d'accueil pour les SDF *(homeless).* L'Academy of Saint Martin-in-the-Fields est réputée mondialement pour son orchestre et sa chorale d'une grande qualité. On peut voir répéter le chœur et écouter des chants liturgiques les mercredi matin et dimanche après-midi (sauf en août). Régulièrement, le soir à 19h30, concerts payants de musique classique ou baroque (large répertoire). L'église est alors éclairée à la bougie ! Sinon, des concerts gratuits à 13h certains jours.
– Dans la crypte, le **Brass Rubbing Centre** (littéralement, « décalquage du laiton »). *Lun-mer 10h-18h, jeu-sam 10h-20h, dim 11h30-17h.* Voici un passe-temps très prisé des Britanniques qui s'amusent à reproduire des plaques cuivrées du Moyen Âge pour orner leurs cheminées. *À partir de 4,50 £, matériel fourni.*

🎭🎭🎭 *Trafalgar Square* (centre 1, E-F4) **:** en plein milieu de Trafalgar Square se dresse la célèbre colonne de Nelson, élevée à la mémoire du plus grand amiral de l'histoire britannique. Ce marin génial fit boire la tasse à l'armada française lors de la bataille navale de Trafalgar en 1805, au large des côtes espagnoles. Cette défaite napoléonienne mémorable sauva l'Angleterre et lui laissa la suprématie sur les mers. La mort de Nelson à l'issue des combats en fit à tout jamais un héros de légende. Les bas-reliefs du piédestal ont été coulés dans le bronze des canons français. Les lions au pied de la colonne de Nelson sont l'œuvre d'Edwin Landseer, qui était le peintre préféré de la reine Victoria. Un peintre ? Pour des sculptures ? Eh oui, Landseer ne pouvait rien refuser à la reine. On attendit donc que des lions du zoo meurent pour que Landseer apprenne la sculpture d'après ces modèles grandeur nature. Bientôt, ses voisins commencèrent à se plaindre de l'odeur des bêtes en putréfaction. C'est qu'il faut du temps pour réaliser de telles œuvres... À sa mort, Landseer demanda à être enterré avec une des peaux en souvenir. À croire qu'il avait aimé ça !
La renommée de la place lui vient non pas de sa beauté, avec sa colonne, ses lions et ses fontaines (certaines à eau potable, pratique pour remplir sa gourde !), mais plutôt en raison de sa situation centrale, à l'intersection du Mall royal, du quartier des ministères et des centres culturels de West End. C'est d'ailleurs ici qu'est établi le kilomètre 0 (ou « mile » !), point de repère pour le calcul des différents kilométrages à travers le pays. La place est prise d'assaut par les touristes, et les manifestants les jours de revendication. Quant aux pigeons, qui ont pourtant contribué à l'image de la place, ils ont été quasiment tous bannis ! À Noël, la Norvège offre

PIMLICO, WESTMINSTER ET SAINT JAMES'S PARK

un gigantesque sapin pour remercier la Grande-Bretagne de son aide contre l'ennemi nazi pendant la guerre. Si vous y êtes autour de la 1re semaine de décembre, ne pas manquer la cérémonie d'illumination du sapin (voir « Fêtes et jours fériés » dans « Londres utile »).

La place fut construite entre 1820 et 1840 selon les plans de l'architecte John Nash, qui aménagea le vaste quartier résidentiel s'étendant au nord jusqu'à

GARDE À (TOUTE PETITE) VUE

Sur la place de Trafalgar Square, à l'angle sud-est, au pied de la statue de Sir Henry Havelock, vous remarquerez une petite guérite sans personne à l'intérieur. Il s'agit du plus petit commissariat (ou de la plus petite prison) d'Angleterre. On y tient à peine à deux ! À l'intérieur, une ligne téléphonique permet de contacter Scotland Yard. Be careful !

Regent's Park. Plus que tout, la façade antique de la National Gallery, qui borde la place au nord, lui donne de l'allure. Beau point photo sous le portique du musée avec vue sur l'horloge Big Ben. Au départ de la place, la première façade bordant Whitehall est l'ancienne Amirauté, du XVIIIe s.

En face, *Great Scotland Yard* donna son surnom à la fameuse police londonienne. Son état-major y résida jusqu'à la fin du siècle dernier, avant d'emménager sur Victoria Street, dans un bâtiment moderne. Une rue plus loin, énorme masse blanche du *ministère de la Défense* terminée par de multiples tourelles et coupoles.

🏛 *Banqueting House* (centre 1, F4) : Whitehall, SW1. ☎ 020-3166-6154. ● hrp. org.uk ● Ⓜ Westminster, Embankment ou Charing Cross. En face de la caserne des Horse Guards. Tlj 10h-17h (dernière admission à 16h15) ; ouv min jusqu'à 13h en cas d'événement spécial (assez fréquent, se renseigner). Fermé les j. fériés, ainsi que 24 déc-1er janv. Entrée : 6,60 £ ; réduc ; gratuit moins de 16 ans. On vous rappelle l'existence d'un pass annuel qui permet un accès illimité pdt 1 an aux sites de Kensington Palace, Hampton Court Palace, Tower of London, Banqueting House et Kew Palace : à partir de 48 £ par adulte ; forfait famille. Audioguide de 20 mn en anglais inclus (le demander) et film d'introduction à la visite, tous deux un peu longuets.

La visite se résume à la splendide salle de banquets du 1er étage, seule rescapée de l'incendie de 1698 qui détruisit le palais royal de Whitehall. Cette immense résidence royale s'étendait alors de Saint James's Park à la Tamise et de Charing Cross à Westminster Bridge. Le rôle initial de la Banqueting House a été maintenu, puisqu'elle sert aujourd'hui encore de lieu de réceptions. L'endroit est chargé d'histoire et intimement lié à la monarchie anglaise. Henri VIII y mourut, Elizabeth Ire y résida avant d'être emprisonnée à la Tour de Londres, puis James Ier (Jacques Ier), roi absolutiste à l'origine de l'union des royaumes d'Écosse et d'Angleterre, y festoya. Dans un autre registre, son fils Charles Ier monta sur l'échafaud dressé pour l'occasion près de la porte d'entrée de la salle, et avec lui, six siècles de monarchie furent décapités. Vive la République ! Mais pas pour longtemps...

L'architecture du début du XVIIe s dans le style palladien est due à Inigo Jones, inspiré par un voyage en Italie. Superposition de deux ordres, comme sur la façade extérieure : ionique au premier niveau et corinthien au-dessus. Remarquez que les colonnes sont encastrées dans les murs pour gagner de l'espace et que la galerie est soutenue par des corbeaux. Le clou est bien sûr le plafond à caissons, peint par Rubens en 1629, qui tranche dans cet intérieur plutôt classique. Des scènes allégoriques hautes en couleur rendent un hommage complaisant au règne de James Ier et à sa sagesse.

🏛 *Institute of Contemporary Arts* (ICA ; centre 1, E4) : The Mall, SW1Y 5AH. ☎ 020-7930-3647. ● ica.org.uk ● Ⓜ Charing Cross ou Piccadilly Circus. Entrée discrète sur la droite du Mall, avec Trafalgar Sq dans le dos. Ne pas confondre avec un hall d'expos de peinture qui se trouve juste avt. Expos tlj sf lun 11h-18h (21h jeu), le bâtiment ferme à 23h. Entrée : 1 £. 🛜 Galeries d'expositions temporaires d'art contemporain. Cinémathèque, théâtre, librairie et conférences accordant une grande place aux thèmes les moins habituels. À la pointe de l'avant-garde artistique anglaise et internationale. L'accès intellectuel n'est pas toujours évident, mais c'est une bonne raison pour papoter avec les visiteurs ou le personnel de l'*Institute*. Un café-bar également pour une pause plus prosaïque (voir « Où manger ? Sur le pouce »).

🎥 🎬 **Caserne des Horse Guards** *(centre 1, F4)* **:** caserne de la cavalerie royale avec sa façade du XVIIIe s dans le style palladien. Côté Whitehall, l'entrée est gardée par deux beaux spécimens d'une impassibilité exemplaire. Petite cérémonie pour la fermeture des box des chevaux *(à 16h)* et remplacement de deux chevaux toutes les heures *(10h-15h)*, mais le plus intéressant est la relève de la garde, de l'autre côté du porche,

VIVE LE SYNTHÉTIQUE !

Les bonnets de la garde royale sont faits de poils d'ours canadien. Il faut d'ailleurs un ours entier pour fabriquer un seul bonnet. Pas très correct. Les amis des animaux ont beau manifester, rien n'y fait. Et la reine qui prétend aimer les animaux...

sur le terre-plein *(tlj à 11h, dim à 10h ; y être un peu avt et vérifier les horaires, soumis à changements)*. Toutefois, spectacle franchement longuet et action limitée, même si ça se passe avec des chevaux. L'essentiel des opérations se résume à un dialogue (inaudible) entre les deux officiers. Bref, beaucoup moins spectaculaire que le *Changing of the Guard* à Buckingham Palace. Le 2e samedi de juin, après l'anniversaire... officiel de la reine (le 6 juin), célébration en grande pompe de cet événement *(Trooping the Colour)*, visible le long du Mall. Pour en savoir plus, vous pouvez rendre visite au **Household Cavalry Museum,** sur le terre-plein (voir plus haut « Galeries et musées »).

🎥 Attenante à la caserne des *Horse Guards,* la façade palladienne du **Cabinet Office** longe fièrement Whitehall. Derrière siègent les ministères des Finances, du Commonwealth, des Affaires étrangères et de l'Intérieur. Dans les sous-sols, le *Churchill War Rooms* (voir plus haut « Galeries et musées »). Devant l'entrée du musée, monument en hommage aux 202 victimes des attentats à Bali (Indonésie) en 2002. Bordant

ÉCHEC ET MAT

Le ministre de l'Économie est appelé en Angleterre « chancelier de l'Echiquier » car, depuis le Xe s, les rois de Normandie faisaient leurs comptes sur une table à carreaux noirs et blancs. La table ressemblait effectivement à celle d'un jeu d'échecs. L'expression est restée.

le Cabinet Office, **Downing Street** n'aurait été qu'une triste impasse bordée de maisons georgiennes si George II n'avait pas décidé en 1735 d'en faire le « Matignon anglais ». Le Premier ministre habite au n° 10 et le chancelier de l'Échiquier au n° 11. L'accès est interdit au public et surveillé en permanence par des *bobbies* (agents de police). Plus bas, les voitures contournent le **Cénotaphe** érigé au milieu de la chaussée à la mémoire des victimes des deux dernières guerres. Le 2e dimanche de novembre, le jour du Souvenir, la reine le fleurit.

🎥🎬🎥 Vue mythique sur la longue façade jaune du Parlement depuis **Westminster Bridge** *(plan d'ensemble, F5)*. Magnifique de nuit. Par temps de brouillard, vous retrouverez la lumière que Monet a décomposée dans sa série de toiles ayant pour thème la Tamise, dont le fameux *Pont de Westminster* et le *Parlement de Londres.*

◈ 🎥🎬🎥 **Houses of Parliament et l'horloge Big Ben** *(plan d'ensemble, F5)* **:** *Bridge St.* ☎ *020-7219-4114.* ● *parliament.uk* ● Ⓜ *Westminster. Lun-jeu, possibilité d'accéder aux débats des chambres (celle des Communes est plus intéressante). GRATUIT. Pour assister aux autres débats, faire la queue (prévoir 1h-2h* *d'attente). Autrement, visites guidées payantes (1h15) 25,50 £ ou audioguidées 18,50 £ ; réduc. Résa obligatoire (calendrier en ligne – compliqué par les séances parlementaires). La visite de l'Elisabeth Tower et de Big Ben (gratuite) est réservée aux résidents.*

Appelé aussi pour des raisons historiques le palais de Westminster, c'est une preuve flagrante du goût de l'architecture victorienne pour l'art du pastiche. Cette énorme bâtisse de style néogothique n'en est pas moins un chef-d'œuvre. Les mêmes motifs architecturaux sont répétés sur chaque fenêtre, tandis que les tours coupent, de-ci, de-là, l'horizontalité de la longue façade côté Tamise. L'architecte s'est inspiré de la chapelle Henri VII de l'abbaye de Westminster, qui a sublimé en Angleterre le gothique flamboyant. L'histoire du palais de Westminster est liée à la monarchie anglaise et aux incendies qui l'ont ravagé. Avant de devenir le siège du Parlement, il fut la résidence royale principale à partir du XIe s jusqu'à ce qu'il brûle presque entièrement en 1513. Plutôt que d'entreprendre des travaux coûteux, Henri VIII le rénova sommairement et préféra l'abandonner pour s'installer non loin de là, dans le palais de Whitehall.

Vos papiers, s'il vous plaît !
En 1605, Guy Fawkes, partisan catholique adepte des méthodes expéditives, projeta de faire sauter le Parlement et, avec lui, le roi Jacques Ier, lors de la cérémonie d'ouverture de la session. La *conspiration des Poudres* fut démasquée à temps. Aujourd'hui, plus par tradition que par peur d'un régicide, on fouille solennellement les sous-sols du palais avant chaque début de session. C'est ce même Guy Fawkes qui inspira le masque de V dans *V pour Vendetta,* porté aujourd'hui par les Indignés du monde entier !

Après un vaste incendie en 1834, le Parlement fut reconstruit dans un style Tudor médiéval où le classique se mêle au tarabiscoté. En tout cas, la pierre possède une superbe couleur jaune orangé. L'image la plus célèbre est la tour de **Big Ben,** évidemment.
À l'opposé de Big Ben, **Victoria Tower,** bien plus imposante, qui abrite les archives nationales. Le drapeau britannique flotte au sommet lorsque le Parlement est en séance. Chaque année, mi-octobre, Sa Majesté la reine entre par cette tour pour prononcer son discours d'ouverture.

> ## ROCK AROUND THE CLOCK !
>
> *Big Ben ne désigne pas la tour mais la grosse cloche de 13 t qui sonne toutes les 15 mn. Elle se règle chaque année en posant un penny sur le mécanisme si elle avance et en en enlevant un si elle retarde ! Technique ô combien efficace, puisque le système ne connut sa première (petite) panne qu'en 1976... soit près de 120 ans après sa mise en service. Quant à son nom, il viendrait du fonctionnaire qui installa la cloche, le désormais célèbre Benjamin Ben.*

Si vous avez la chance de pouvoir entrer dans le Parlement, voici ce que vous pourrez voir :

Westminster Hall
Partie la plus ancienne du palais, datant de l'époque de Guillaume le Conquérant (XIe s), épargnée par les incendies. Superbe charpente en chêne du XIVe s. Entre les XIIIe et XIXe s siégèrent dans cette salle la Cour de justice et les tribunaux. Charles Ier y fut condamné à mort, tandis que Cromwell y fut proclamé lord-protecteur. Après la Restauration, la tête de Charles Ier se balança pendant 23 ans au bout d'une pique sur le toit de la salle. On y condamna également Guy Fawkes pour son coup manqué et Thomas More, lord-chancelier sous Henri VIII, qui refusa de reconnaître son roi comme chef de l'Église anglicane.

Chambre des communes
Elle accueille sur ses bancs capitonnés de cuir vert les *members of Parliament,* les membres du gouvernement à droite et l'opposition à gauche. Elle fut reconstruite

en l'état dans l'après-guerre, après sa destruction par une bombe allemande. Lors des séances, la masse d'armes du président du Parlement est posée sur la table entre les deux tribunes, comme symbole du pouvoir parlementaire. La ligne rouge entre les deux parties ne doit pas être franchie. Elle aurait été tracée à l'origine à... coups d'épée !

Chambre des lords
Somptueuse salle lambrissée construite dans le style gothique en même temps que le bâtiment. Dans la seconde chambre du Parlement, qui sert également de Cour suprême de justice, siègent les pairs, qui disposent d'un titre de noblesse. Elle est présidée par le fameux lord-chancelier, également ministre de la Justice. La reine s'assoit une fois par an sur le trône pour annoncer dans son discours les directives politiques, qui lui ont d'ailleurs été dictées par le Premier ministre.

🎨🚶 **Les Bourgeois de Calais** *(plan d'ensemble, F5) :* statues au pied de la House of Parliament, dans le jardin **Victoria Tower Gardens,** le long de la Tamise. En 1347, afin de sauver la vie des Calaisiens alors assiégés, six notables de la ville se rendirent à Édouard III pour être exécutés. La corde au cou et les clés de la ville à la main, ils se présentèrent devant le monarque. L'histoire raconte que l'épouse de ce dernier (une Française !) le supplia de leur laisser la vie sauve. Il se plia aux doléances de sa femme, mais Calais passa bel et bien à la couronne d'Angleterre, et ce jusqu'au XVIᵉ s.
La pierre claire du Parlement est une toile de fond idéale, sur laquelle se détache parfaitement ce tirage original (l'un des 13) des *Bourgeois de Calais*. Le contraste est saisissant, et on ressent bien toute la pesanteur de l'emplacement de cette pièce monumentale de Rodin.

⊙ 🎨🚶🚶 **Westminster Abbey** *(plan d'ensemble, F5) :* Parliament Sq, SW1P 3PA. ☎ 020-7222-5152. ● *westminster-abbey.org* ● Ⓜ *Westminster. Entrée par la porte nord. Attention, longue attente en période d'affluence (opter pour les paiements par CB, plus rapides) et horaires très changeants selon l'activité de l'abbaye (vérifier avt de venir). En théorie, lun-ven 9h30-16h30 (19h mer), sam 9h30-14h30 ; ferme 1h plus tôt en hiver. Dernier ticket 1h avt fermeture. Fermé aux touristes dim et fêtes, mais l'entrée est gratuite pour la messe (evensong) de 15h le w-e et 17h en sem : dans ce cas, tenue plus que correcte exigée. Entrée hors de prix : 20 £ ; réduc ; forfait famille. Audioguide (bien conçu, 1h30) et brochure en français inclus. Cafétéria de haute volée (menus 16-19 £) sous les voûtes, en sous-sol, le Cellarium.*

Un peu d'histoire
Magnifique abbaye où sont enterrés plus de 3 500 des hommes et femmes les plus illustres d'Angleterre et où se font couronner les rois et les reines depuis Guillaume le Conquérant. Les derniers monarques à y avoir été enterrés sont George II et son épouse, en 1760. Depuis, les membres de la famille royale sont inhumés à Windsor. Foisonnement de sculptures, de plaques commémoratives, de gisants et de sépultures royales résument l'histoire du pays. Le nombre de

> ### DÉSHABILLER PIERRE POUR HABILLER PAUL
>
> *Le nom exact de l'abbaye de Westminster est « église collégiale de Saint-Pierre ». Au Moyen Âge, les paroisses continuaient à réclamer les subsides du roi Saint-Pierre un peu plus que les autres... En guise de punition, les subsides de Saint-Pierre furent transférés à la cathédrale Saint-Paul. D'où l'expression !*

pierres tombales est tel qu'il est impossible de ne pas marcher dessus. En quelque sorte, la basilique Saint-Denis (avant la Révolution !), Notre-Dame de Paris et le Panthéon réunis. L'église originelle fut fondée au XIᵉ s sur les restes d'un monastère bénédictin, le « monastère de l'Ouest ». Elle fut reconstruite deux siècles plus tard par Henri III et remaniée maintes fois. Il serait difficile de s'extasier devant la façade principale, pas vraiment élégante. La plus belle façade est celle du transept nord, près de Saint Margaret's Church, avec sa grande rosace et ses nombreux arcs-boutants.

Le transept nord (entrée)
Le « coin des hommes d'État », rempli de statues pompeuses de politiciens célèbres. Puis, en remontant vers la nef, une pensée pour les musiciens (Purcell, Elgar, Britten...) et les scientifiques (Newton, Darwin, entre autres).

La nef (nave)
Grandiose, dans le style gothique flamboyant, avec de hautes voûtes nervurées et des piliers en marbre. La perspective est coupée par un beau jubé doré, mais la longueur et surtout la hauteur de l'édifice sont impressionnantes. Hommage aux premiers ministres dont, près de la sortie, une dalle à la mémoire de Churchill. À côté, tombe du Soldat inconnu.

Le sanctuaire (sacrarium)
Au-delà du chœur *(quire),* entre les transepts, s'ouvre le sanctuaire, lieu des couronnements (une quarantaine en tout) et funérailles royales, orné de stalles en bois, d'un dallage du XIIIe s dit « de Cosmati » et d'un spectaculaire maître-autel doré du XIXe s. Songez qu'en 1953, 8 200 invités assistèrent au couronnement d'Elizabeth II.

Le déambulatoire
En faisant le tour du sanctuaire par derrière, on trouve une profusion de chapelles et de gisants, certains dans leurs couleurs d'origine. À côté d'Henri III, la grille en fer forgé marque le tombeau d'Éléonore de Castille, la courageuse femme d'Édouard Ier, qui l'accompagna en croisade au péril de sa vie.

La chapelle Henri VII (Lady Chapel)
Une véritable église dans l'église. On visite d'abord le bas-côté droit (sur votre côté gauche, vous suivez ?) où reposent, sous un seul gisant, les demi-sœurs ennemies Elizabeth Ire et Marie Tudor (Mary I). Au fond, dans le « coin des Innocents », tombeaux disposés à l'envers des deux enfants d'Édouard IV, assassinés par leur oncle Richard III dans la Tour de Londres. Par un jeu de miroirs, on aperçoit le visage

LE COMBAT DES REINES

Elizabeth Ire, reine d'Angleterre, détestait sa cousine Marie Stuart, reine d'Écosse (Queen of Scots). Complots, espions et prisons résument leurs relations. La première fit décapiter la seconde. Les gisants des cousines rivales se retrouvent aujourd'hui face à face dans la chapelle Henri VII. Cocasse !

sépulcral de l'un des enfants. Brrr... On pénètre ensuite dans la nef de la chapelle (le clou de la visite !) par des portes en bronze. Voûtes dignes d'une chapelle royale. Elles semblent dessinées dans du tissu et sont le plus bel exemple du style gothique perpendiculaire, qui s'est développé au cours du XVe s à partir du gothique flamboyant, uniquement en Angleterre. Les lignes verticales et horizontales sont mises en relief : les nervures des hauts piliers éclatent en éventail au niveau des voûtes et se ramifient pour se rejoindre en de lourdes clés pendantes. Les étendards et les casques finissent de nous éblouir. Heureusement, des miroirs permettent d'admirer tout cela sans tomber à la renverse ! Derrière l'autel, tombeau d'Henri VII et d'Elizabeth d'York (bien gardé). Dans les chapelles rayonnantes, tombes des souverains Tudors et Stuarts. La chapelle centrale est dédiée à la *Royal Air Force.* À son entrée, une dalle rappelle qu'à l'origine, Cromwell fut enterré à cet endroit. Son corps fut exhumé, pendu et décapité au moment de la Restauration, deux ans plus tard.

Le tombeau d'Édouard le Confesseur (shrine of Saint Edward the Confessor)

Il ne se visite pas. Célèbre pour la châsse en bois du XIIIᵉ s contenant les cendres d'Édouard le Confesseur, saint et roi (1043-1065), sur laquelle il reste des fragments de mosaïque, côté intérieur (non visibles donc).

Le transept sud et le coin des poètes (Poets' corner)

Dédié aux poètes et aux écrivains anglais (et aussi à quelques musiciens, dont Haendel) : 40 sont enterrés ici, en plus des 60 plaques commémoratives. Sous vos pieds, Charles Dickens, Rudyard Kipling, Shakespeare, Jane Austeen...

PIERRE DE DISCORDE

Sous le trône du couronnement (coronation chair), toujours utilisé depuis 1308, repérez l'emplacement de la pierre de Scone rapportée d'Écosse en 1296 pour marquer le pouvoir anglais sur cette partie du royaume. Cette pierre (de 150 kg tout de même) fut volée par quatre étudiants écossais en 1950 et rapatriée à Londres un an plus tard. Mais elle fut restituée à l'Écosse, officiellement cette fois-ci, en 1996, à la condition qu'elle soit renvoyée symboliquement pour le prochain couronnement !

Le cloître de Westminster Abbey (the cloisters)

Il date du XIᵉ s et des plaques commémoratives recouvrent les murs. La plus curieuse fut apposée en 1986 par *British Aerospace* à la mémoire d'Edmund Halley pour le retour de sa fameuse comète. Un peu plus loin, au sol, voir celle dédiée à Muzio Clementi, l'inventeur du piano-forte.

La salle capitulaire (chapter house)

Dans l'aile ouest du cloître, on est accueilli par le Christ en majesté. Magnifique salle octogonale de 20 m de diamètre, construite au XIIIᵉ s. On peut y admirer des vestiges de fresques datant de 1400, bien mal en point, ainsi qu'un petit échantillon de pavements médiévaux sous le tapis. Mais le must reste le pilier central d'où partent les nervures des voûtes. Sublimissime.

La chambre de la Pyxide (Pyx chamber)

Située dans l'ancienne sacristie d'Édouard le Confesseur. Au XIIIᵉ s, elle devint salle du trésor royal (la pyxide est un réceptacle dans lequel est conservé l'argent). La lourde double porte à l'entrée date de 1303. Un peu plus loin, jeter un œil au *College garden* et son minicloître, bien paisible avec sa fontaine centrale.

🍴 Traversez Lambeth Bridge. En face, les deux tours crénelées en brique rouge marquent l'entrée de **Lambeth Palace** *(plan d'ensemble, F6)*, résidence des archevêques de Canterbury depuis le XIIIᵉ s, construit en face du palais de Westminster. Il a gardé de l'époque son aspect Tudor moyenâgeux. Il ne se visite pas, mais on peut le contourner et flâner dans les superbes jardins archiépiscopaux. Ou alors, suivez les berges de la Tamise.

Le Londres royal : Saint James's

Le quartier aristocratique de Saint James's s'est épanoui pendant la Restauration, lorsque Charles II s'installa à Saint James's Palace avec tout le faste de sa cour. Les courtisans ont suivi le roi et se sont fait bâtir de belles demeures. Nombre d'entre elles ont été reconstruites au XIXᵉ s, mais l'élégance de ces rues tranquilles a traversé les siècles et les crises, maintenue entre autres par les fameux clubs si fermés qui font la solidité des traditions anglaises.

🍴 De Trafalgar Square, passez sous l'**Admiralty Arch,** un monument triomphal en arc de cercle, à la gloire de la reine Victoria. Ici débute le *Mall (centre 1, E4-5)*. Les processions royales passent inévitablement par cette avenue rectiligne, en partant de Buckingham Palace. À gauche, longue façade néoclassique de *Carlton House Terrace,* construite par John Nash au début du XIXe s. Aussi austère que le Mall. Il créa ce nouveau style d'habitation formée d'un ensemble de maisons juxtaposées et unifiées par une couche de stuc. Trop blanc à notre goût ! Cet édifice comprenait à l'origine le palais du prince-régent. Ne manquez pas non plus cette excroissance architecturale tout en rondeurs, au début de Horse Guards Parade : la **citadelle de l'Old Admiralty,** construite durant la Seconde Guerre mondiale. Ses fondations iraient à plus de 9 m sous terre. Le toit, lui, ferait plus de 6 m d'épaisseur. C'est ici que devait se replier le gouvernement en cas d'assaut allemand. Top secret !

🐾 Entre les bâtiments du Mall, un escalier conduit à *Waterloo Place,* ornée de la **colonne du duc d'York** et de la **statue d'Édouard VII,** fils de Victoria qui attendit longtemps pour régner sur le pays. Au pied de la statue du duc d'York, au niveau du 9 de Carlton House, se trouve un arbre. À son pied, une petite sépulture blanche, où il est écrit « *Giro, ein treuer Begleiter, Februar 1934* » : un « compagnon fidèle » qui n'était autre que le chien de Léopold von Hoesh, ambassadeur d'Allemagne à l'heure où le nazisme gagnait l'Europe, contre lequel von Hoesh cherchait à lutter en vain. Il mourut en 1936 et fut remplacé par Ribbentrop. La tombe du chien est toujours là !

Voici le début de l'axe triomphal dessiné par Nash, qui relie Carlton House à Regent's Park. À gauche, au n° 4 de Carlton Gardens, le général de Gaulle organisa le mouvement de résistance des Forces françaises libres et lança, le 18 juin 1940, son célèbre appel diffusé sur la BBC. En face, la **statue en bronze du général** rappelle l'événement. Chaque année à cette date, les représentants diplomatiques français se réunissent pour lire le texte intégral du général.

> ## VAUT MIEUX DEUX FOIS QU'UNE
>
> *Souvent on parle de l'appel du 18 juin 1940 du général de Gaulle. Sauf qu'il n'y a pas eu d'enregistrement de l'appel du 18 Juin, contrairement au texte du 22 juin, avec lequel on le confond souvent... Le 18 Juin n'était qu'un appel dans les journaux. Le 22, cet appel, légèrement différent du 18, sera multidiffusé et... enregistré. C'est celui du 22 auquel on fait le plus souvent référence et qu'on entend tout le temps.*

🐾 Retour un peu plus haut sur **Pall Mall** *(centre 1, E4),* la rue des clubs privés les plus sélects de Londres. Il en existe une trentaine aujourd'hui. Les plus célèbres sont l'*Athenaeum Club* à l'angle de Waterloo Place, le *Traveller's Club* au n° 106 et le *Royal Automobile Club* au n° 89. Inutile de préciser que l'admission est réservée aux « gentlemen » et souvent très sélective. Mais on peut quand même en visiter quelques-uns : n'hésitez pas à frapper à la porte, on ne sait jamais... *Pall Mall* dérive de « paille maille », l'ancêtre du croquet, auquel jouait ici la cour de Charles II. Les *coffee houses* et les *chocolate houses,* qui sont apparues au XVIIe s avec l'importation des premiers grains de café et de cacao, sont les ancêtres de ces clubs où l'on parle politique, art, littérature et où l'on échange des potins dans un confort extrême.

🐾 Dans **Mason's Yard.** C'est dans cette rue, à l'*Indian Art Gallery,* qu'un couple célèbre allait se rencontrer : John et Yoko, bien sûr !

🐾🐾🐾 Prendre en face *Duke of York Street* et tourner à gauche dans **Jermyn Street** *(centre 1, E4),* bordée de boutiques raffinées. Des magasins de mode pour hommes, des antiquaires, le célèbre fromager *Paxton and Whitfield* où l'on trouve aussi bien le meilleur des stiltons qu'un bon munster vosgien fait à point, le parfumeur *Floris* avec son décor d'herboristerie et le maître ès cigares *Davidoff* à l'angle de Saint James's Street. Piccadilly est tout près, pour les lécheurs de vitrines.

Tourner à gauche dans **Saint James's Street** *(centre 1, D-E4),* une autre rue distinguée du quartier. Elle abrite les plus vieilles boutiques de Londres, qui se sont fait une solide réputation depuis le XVIIe s en fournissant la Cour. La plupart ont gardé leur allure de vieille échoppe, comme la cave à vins *Berry Brothers & Rudd* (depuis le XVIIe s !), le chapelier *Lock,* le vendeur de cigares *Dunhill's* ou le bottier *Lobb.* Également quelques clubs très sélects.

À gauche, au no 8 de King's Street, **Christie's** (● christies.com ●). L'une des trois salles des ventes aux enchères les plus renommées, avec *Sotheby's* et *Drouot.* C'est là qu'il faut acheter votre Rubens.

✗ Saint James's Palace et Clarence House *(plan d'ensemble, E4-5) :* au bout de *Saint James's St.* Ⓜ *Saint James's Park.* Façade anachronique de Saint James's Palace *(ne se visite pas)* avec ses tours octogonales crénelées et son horloge. Henri VIII fit construire ce palais pour sa deuxième femme, Ann Boleyn, au milieu du XVIe s. C'est l'un des derniers représentants du style Tudor, et sa proximité avec des édifices plus récents ajoute au pittoresque de son allure médiévale. Après la destruction du palais de Whitehall lors de l'incendie de 1698, Saint James's Palace devint la résidence officielle du souverain jusqu'à ce que Victoria emménageât à Buckingham en 1820. Il fut maintes fois agrandi au cours des règnes. Contournez-le en prenant à gauche la tranquille Cleveland Row, puis Queen's Walk à gauche, qui longe Green Park. Les résidences du XIXe s qui bordent le Mall et appartiennent au palais sont *Lancaster House,* servant de résidence officielle aux invités du gouvernement, et *Clarence House,* encore une œuvre de Nash. Autrefois habitée par la reine mère, c'est aujourd'hui la résidence du prince Charles et de Camilla. Visite guidée possible en août seulement *(45 mn ; 10 £/pers ; ● royalcollection.org.uk/visit/clarence-house ●).*

✗✗✗ ✗ Buckingham Palace *(plan d'ensemble, D5) :* Ⓜ *Victoria.* Devant le mémorial dédié à la reine Victoria s'étend l'immense palais servant de résidence officielle au souverain. Victoria fut la première reine à y dormir. L'édifice date du XVIIIe s et fut remanié par Nash dans le style néoclassique. Le drapeau royal au-dessus de la façade vous informe de la présence de la reine dans le palais. La bannière personnelle de Sa Gracieuse Majesté est divisée en trois : une harpe pour l'Irlande, un lion rampant pour l'Écosse et, sur l'autre moitié, trois lions d'or sur fond rouge symbolisant l'Angleterre. Pour les grandes occasions, la reine salue le peuple du balcon central. *Visite (avec audioguide) slt de début août à fin sept, tlj 9h15-17h15 (16h15 sept). Entrée : 21 £. Prévoir 2h30. Billet jumelé avec la Queen's Gallery et les Royal Mews : 37 £ ; réduc. Sans compter les special tours guidés à Noël et Pâques (75 £/pers), avec champagne (mais pas avec la reine !), pris d'assaut. Résas sur le site ● royalcollection.org.uk ●*

Pas question de voir les 600 pièces, dont seulement quelques-unes sont dévolues à l'usage personnel de la famille royale. Seules une vingtaine d'entre elles (les *State Rooms*) sont ouvertes au public, ainsi qu'une petite partie des jardins *(accès aux jardins privés de la reine lors des* garden highlights tours, *sur résa et par groupes de 20 maximum ; 9 £/ pers).* La *Queen's Gallery* et les

UN FAN CULOTTÉ !

Obsédé par la reine Victoria (quand elle était jeune !), Edward Jones s'introduisit dès l'âge de 14 ans à Buckingham Palace pour lui chiper des sous-vêtements féminins. La 3e fois, on décida de l'envoyer en Australie pour l'éloigner définitivement de la reine.

écuries royales se visitent aussi, lire plus haut « Galeries et musées ». Le prix d'entrée est exorbitant, car il doit servir à la restauration du château de Windsor... La valeur architecturale du palais n'étant pas proportionnelle à son prestige, autant combiner la balade pour arriver à 11h30 et assister à la relève de la garde *(Changing of the Guard). Tlj avr-fin juil, puis en principe les j. impairs le reste de l'année.*

PIMLICO, WESTMINSTER ET SAINT JAMES'S PARK

À noter : la relève n'a pas lieu les jours de trèèèèès mauvais temps. Cérémonie longuette (environ 45 mn)... mais en musique ! Très folklorique et pas franchement palpitant, même si le répertoire a été remis au goût du jour (on peut reconnaître certains morceaux des Beatles). Pour vérifier les horaires soumis à de sérieuses variations, rendez-vous sur le site ● *changing-the-guard.com* ●

👫 👫 **Saint James's Park** *(plan d'ensemble, E4-5) :* ☎ *020-7298-2005.* ● *royal parks.org.uk* ● Le plus ancien des parcs royaux, puisqu'il date d'Henri VIII. Il fut aménagé sur un terrain marécageux. Au XVIIIe s, Le Nôtre, le jardinier de Versailles, en fit un jardin à la française selon les vœux de Charles II. Le concept passa de mode dans l'Angleterre romantique du XIXe s, et l'inévitable Nash le remania à l'anglaise, tel qu'il est aujourd'hui. Berges bucoliques du lac artificiel peuplé de palmipèdes, dont des pélicans (depuis 1664 !). Tous les jours, ils sont nourris à 14h30. On les a toutefois vus gober des pigeons en plein vol ! Aux abords, les conifères se mêlent aux feuillus. Des dizaines d'écureuils batifolent. Du pont, vous aurez la meilleure vue possible sur Buckingham Palace. *Queen Anne's Gate* rappelle cette jeune reine qui fut 17 fois enceinte au XVIIIe s, sans pour autant avoir de descendants. Pour les enfants, juste à l'angle droit du jardin en venant de Buckingham Palace, petite aire de jeux avec des balançoires et un bac à sable. Pour couronner le tout, restaurant bien agréable, *Inn the Park* (voir « Où manger ? »), géré par les pâtissiers *Peyton & Byrne.* Miam !

👫👫 **Westminster Cathedral** *(plan d'ensemble, E5-6) :* 42 Francis St, SW1P 1QW. ☎ 020-7798-9055. ● *westminstercathedral.org.uk* ● Ⓜ Victoria. *Tlj 8h-18h, mais accès restreint pdt les services le w-e.*
En 1850, le *Catholic Emancipation Act* rétablit la hiérarchie cléricale de l'Église catholique romaine. Il fallait donc une cathédrale pour l'évêque de Westminster. Sa construction commença en 1895 dans un style byzantin primitif, plus rentable et rapide que le néogothique. Le résultat est pour le moins imposant : le colossal édifice en appareillage de brique et de pierre est surmonté d'un campanile de 100 m de haut, tandis qu'à ce jour la plus large de Grande-Bretagne et arbore un *Christ en Croix* époustouflant de grandeur et de majesté. Des variétés de marbre du monde entier recouvrent les murs intérieurs, comme dans la nef centrale, où le marbre provient des mêmes carrières que celui de la basilique Sainte-Sophie à Istanbul. Cette teinte bleutée et les voûtes sombres forcent le respect, tandis que les luminaires invitent à un certain recueillement.
Belles mosaïques dans les *chapelles du Saint-Sacrement* et de *Sainte-Marie*. Jeanne d'Arc est représentée dans le transept nord (pas banal en Angleterre !). À noter qu'il est possible de grimper dans le campanile pour admirer les toits de Londres *(tlj 9h30-17h, jusqu'à 18h w-e et j. fériés ; 6 £, réduc)* ou d'accéder à la salle du trésor *(5 £, réduc).* Au sous-sol, on peut aussi déjeuner pour quelques *pounds.* Juste en face, un centre commercial et d'affaires futuriste qui tranche avec l'ensemble. C'est ça aussi Londres !

BROMPTON, CHELSEA ET SOUTH KENSINGTON

> ● Pour se repérer, voir le plan d'ensemble et le centre 2 détachables en fin de guide.

Résidentiel, commerçant, luxueux, snob et « bohème-chic », autant d'adjectifs qui collent parfaitement à ces quartiers situés entre Hyde Park et la Tamise. La balade ravira aussi bien les fanas d'architectures georgienne et victorienne, les amateurs de musées mastodontes que les adeptes du lèche-vitrines et autres flâneurs en tout genre.

Nous, on a un petit faible pour Chelsea, ses petites rues aux maisons basses et parfois colorées, ses boutiques branchées et sa vie nocturne animée. South Kensington est aussi le quartier surnommé « Froggies Valley », ou le coin des « mangeurs de cuisses de grenouilles » ! En effet, vous entendrez très souvent parler français, autour du lycée français Charles-de-Gaulle et des librairies françaises vers la station de métro South Kensington.

ET L'ANGLETERRE INVENTA LA MINIJUPE

En 1965, Mary Quant imagina la mini-jupe... pour courir plus facilement après le bus, disait-elle. Sa boutique Bazaar, à Chelsea, fut vite célèbre dans le monde entier. L'Angleterre puritaine tressaillait. La jeunesse avait enfin son style et ses icônes. À cause de cette nouvelle mode, sœur Fiorella, chargée de vérifier la tenue des fidèles à Saint-Pierre de Rome, démissionna pour dépression nerveuse.

Où dormir ?

Très bon marché (moins de 35 £ / 45,50 €)

🛏 *LHA, Halpin House* (plan d'ensemble A6, *131*) : 97 Queen's Gate, SW7 5AB. ☎ 020-7373-4180. ● halpin@lhalondon.com ● lhalondon.com/halpin-house/ ● Ⓜ South Kensington ou Gloucester Rd. Résa conseillée. Lits en dortoirs de 2-4 pers (non mixtes) 25-30 £, dégressif. Pas de petit déj. 📶 Pas bien pimpante de l'extérieur, mais le confort général est correct. Cette vaste pension a bien choisi son emplacement, dans une rue victorienne très cossue à deux pas des grands musées. Très fonctionnelle, elle aligne plusieurs dizaines de chambres rustico-basiques, traditionnellement louées aux étudiants au long cours... mais qui se révèlent impeccables pour de courts séjours. Sanitaires communs assez propres. Et même une salle de sport !

🛏 **Meininger** *(plan d'ensemble A6, 46)* **:** *65-67 Queen's Gate, SW7 5JS.* ☎ *020-3318-1407.* ● *welcome@meininger-hotels.com* ● *meininger-hotels.com* ● Ⓜ *Gloucester Rd ou South Kensington. Lits en dortoirs (mixtes ou pour filles slt) de 4-12 pers 12-60 £. Doubles 64-164 £ ; petit déj continental en plus.* 🖥 *(payant).* 📶 Moderne et très centrale, aux portes des grands musées, cette AJ toute pimpante de 4 étages (ascenseur) draine beaucoup de groupes de tous âges. Pas des plus calme donc, dans un carrefour très passager, mais bon confort et surtout une ambiance scout qui devrait rappeler des souvenirs à certains. Pour profiter du panorama, grande terrasse sur le toit. Au fait, la statue à l'entrée, c'est Baden-Powell, le père du scoutisme.

Prix moyens (50-90 £ / 65-117 €)

🛏 **Oakley Hotel** *(plan d'ensemble B7, 61)* **:** *73 Oakley St, SW3 5HF.* ☎ *020-7352-5599.* ● *millenhotels@gmail.com* ● *oakleyhotel.com* ● Ⓜ *South Kensington ou Sloane Sq. En plein cœur de Chelsea mais loin du métro. Prendre l'un des nombreux bus qui empruntent King's Rd (le n° 11, par exemple, qui vient de Victoria). Doubles 75-109 £ sans ou avec sdb, petit déj traditionnel inclus.* 📶 *(au rdc).* Petit hôtel d'une douzaine de chambres, à l'atmosphère détendue, tenu par des jeunes, mais surtout l'un des rares du quartier à prix à peu près abordables. Les chambres sont meublées à l'ancienne, plutôt romantiques lorsqu'elles sont dotées d'un lit à baldaquin, sinon nettement plus simples. Certaines d'entre elles ainsi que les communs sont assez vieillissants, mais l'ensemble reste propre. Double vitrage. Cuisine à disposition et salon TV commun très cosy. Plus proche d'un *B & B* que d'un hôtel, en définitive. Très très bon accueil.

Très chic (plus de 120 £ / 156 €)

🛏 **Myhotel Chelsea** *(plan d'ensemble B6, 109)* **:** *35 Ixworth Pl, SW3 3QX.* ☎ *020-7225-7500.* ● *chelsea@myhotels.com* ● *myhotels.com* ● Ⓜ *South Kensington. Doubles 150-200 £, petit déj en sus. Promos et différents w-e à thème sur Internet.* 📶 Dans un immeuble en brique ; les chambres (une cinquantaine) sont calmes, spacieuses, confortables et gentiment décorées. Voilà un hôtel qui joue la carte du design et du glamour. Déco plus ou moins classique, plus ou moins folle selon la catégorie, avec des lits encore plus grands que grands dans les chambres les plus chères. Ceux qui aiment l'exotisme s'offriront la luxueuse suite thaïe ou la « Geisha » (on vous laisse imaginer)... Une folie, on vous prévient ! Petit déjeuner servi, au choix, au resto attenant ou au café végétarien. Charmant accueil.

🛏 **Number Sixteen** *(plan d'ensemble A-B6, 111)* **:** *16 Sumner Pl, SW7 3EG.* ☎ *020-7589-5232.* ● *sixteen@firmdale.com* ● *numbersixteen hotel.co.uk* ● Ⓜ *South Kensington. Doubles 276-408 £ ; petit déj inclus ou non.* 📶 4 maisons réunies rassemblent des chambres contemporaines superbes. Pas la moindre faute de goût, le décor, réalisé avec finesse et intelligence, change dans chaque chambre. Mais la vraie cerise sur le gâteau, c'est la véranda pour le breakfast, le repas, voire l'*afternoon tea,* donnant sur un jardin luxuriant. Très bon accueil. Une adresse de charme pour un moment unique. Autre adresse, moins *charming* peut-être, tout près de *Harrods* et de Hyde Park, **Knightsbridge Hotel :** *10 Beaufort Gardens, SW3 IPT.* ☎ *020-7584-6355.* ● *knightsbridge@firmdale.com* ● *knightsbridgehotel.com* ●

🛏 **Aster House** *(plan d'ensemble A-B6, 111)* **:** *3 Sumner Pl, SW7 3EE.* ☎ *020-7581-5888.* ● *reservations@asterhouse.com* ● *asterhouse.com* ● Ⓜ *South Kensington. Doubles 240-375 £, petit déj-buffet compris (ouf !).* 📶 Ce *B & B* de charme d'une dizaine de chambres et de suites cache bien son jeu. De l'extérieur, cossu, on ne s'attend pas à la délicieuse « orangerie » (en français dans le texte) envahie de plantes vertes, où est servi le breakfast. Et ce n'est pas tout ! Car derrière la maison se cache un adorable jardinet, où il fait bon lézarder en surveillant les canards du bassin. Quant aux chambres, elles sont à l'image de la maison : cosy, élégantes, fleuries, bref, britanniques ! Excellent accueil.

🛏 **The Beaufort** *(plan d'ensemble, B5, 63)* **:** *33 Beaufort Gardens, Knightsbridge, SW3 1PP.* ☎ *020-7584-5252.* ● *reservations@thebeaufort.co.uk* ● *thebeaufort.co.uk* ● Ⓜ *Knightsbridge. Doubles 280-390 £, suites également. Petit déj non inclus mais* afternoon cream tea *offert.* 🛜 Pour les routards les plus exigeants. Une trentaine de chambres joliment meublées, quoique petites. Ambiance résolument moderne dans les tons crème et brun. Le tout dans une rue cossue très calme. Point de chute idéal pour ceux qui envisagent de dévaliser les rayons de *Harrods,* juste à côté. Accueil attentionné.

Où manger ?

Dans ces quartiers, pas mal de pubs, de restos étrangers, et quelques snacks qui proposent des lunchs de qualité à prix modique. Les adresses chic se concentrent autour de South Kensington et du V & A Museum, tandis qu'à Chelsea, les petits bars et les restos animés jouent au coude à coude sur King's Road. On y trouve la plupart des franchises, bien pratiques à l'heure du breakfast ou du lunch.

Sur le pouce (moins de 10 £ / 13 €)

🍽 I●I *Duke of York Fine Food Market (plan d'ensemble, C6, 551)* **:** *sam mat, sur Duke of York Sq.* Ⓜ *Sloane Sq.* Créé à l'origine par la fameuse épicerie *Partridges* (voir « Shopping »). Un marché haut de gamme, biologique et fermier, avec quantité de stands proposant des plats à emporter. *Pies,* fromages, charcuterie, crêpes, cuisine asiatique, etc. On emballe le tout et on file manger debout, allongé, en tailleur, accroupi, entre amis, autour de la Saatchi Gallery. Bon enfant !

🍽 I●I *Jakobs (centre 2, M10, 243)* **:** *20 Gloucester Rd, SW7 4RB.* ☎ *020-7581-9292.* Ⓜ *Gloucester Rd. Tlj 8h-23h. Plats env 5-14 £ ; moins cher en take-away. En fin de sem,* concerts live *en fin de journée.* 🛜 Resto végétarien et bio d'excellente qualité, tendance cuisine méditerranéenne. Passez commande avant de prendre place dans l'une des petites salles joliment décorées, ou dans le fond sous l'agréable verrière. À savourer avec un jus de fruits frais (*yummy,* le pomme-betterave !) ou un thé oriental. Et si c'est complet, on peut emporter le tout au Kensington Park voisin !

🍽 🧍 *Carluccio's (plan d'ensemble, B6, 212)* **:** *voir ci-dessous. Compter env 4 £.* Une grande épicerie italienne qui propose de généreux sandwichs bien garnis. Si vous mangez sur place, attention, c'est très bruyant aux heures de pointe.

De très bon marché à bon marché (moins de 20 £ / 26 €)

I●I 🍽 *Fernandez and Wells (plan d'ensemble, B6, 210)* **:** *8 Exhibition Rd, SW7 2HF.* ☎ *020-7589-7473.* Ⓜ *South Kensington. Lun-ven 8h-22h, sam 9h-22h, dim 9h-20h. Plats 6-10 £.* Une belle devanture toute noire et un grand comptoir où sont exposées les victuailles du jour. On pioche. Sandwichs, soupes, tartes, salades, mais pas n'importe lesquels ! On craque notamment pour le sandwich au *black pudding,* l'une des spécialités de la maison, avec le jus d'orange sanguine. Du bon produit, pour des en-cas gourmands.

I●I *Le Comptoir Libanais (plan d'ensemble, B6, 210)* **:** *1-3 Exhibition Rd, SW7 2HE.* ☎ *020-7225-5006.* Ⓜ *South Kensington. Tlj 8h30-minuit (22h30 dim). Plats 8-13 £.* 🛜 Déco chaleureuse, très colorée, avec mosaïques, boîtes de harissa détournées et belles rangées de théières orientales bien alignées. Et au milieu, grandes tablées à partager avec vue directe sur la cuisine. Tous les classiques sont à la carte : *mezze,* tajines, pâtisseries, infusions

BROMPTON, CHELSEA ET SOUTH KENSINGTON

à l'orange ou encore limonade maison. Terrasse. D'autres adresses dans Londres, notamment derrière la Saatchi Gallery à Sloane Square.

I●I *The Stockpot* (plan d'ensemble, B7, 211): 273 King's Rd, SW3 5EN. ☎ 020-7823-3175. ● stockpotchelse@gmail.com ● Ⓜ Sloane Sq. Tlj 9h (11h30 dim)-23h. Petit déj 4-7 £, plats 7-16 £. 📶 La branche locale d'une petite chaîne de troquets connue pour son rapport qualité-prix imbattable. Cuisine ouverte au fond de la salle, pseudo-boiseries et tables en bois clair. Clientèle d'habitués, d'employés et plus huppés égarés avec plaisir. À la carte, des plats britanniques et méditerranéens sans surprise pour le prix, mais on repart le ventre plein et les poches encore tout autant. Pour les lève-tard, *English breakfast* servi jusqu'à... 18h !

I●I 🕴 *Carluccio's* (plan d'ensemble, B6, 212): 1 Old Brompton Rd, SW7 3HZ. ☎ 020-7581-8101. ● theoffice@carluccios.com ● Ⓜ South Kensington. Tlj 7h30 (9h le w-e)-23h30. Colazione (petit déj) 7-10 £, menus 11-15 £. Plats 9-16 £. 📶 Une chaîne d'épiceries-restaurants à l'italienne qui sort un peu du lot. Grande salle blanche avec beaucoup de tables. Les rayonnages de bouteilles et les produits de la Botte, savamment mis en valeur, tiennent lieu de décor. Quelques plats à emporter. Accueil sympathique et pro.

I●I *Chelsea Potter* (plan d'ensemble, B6, 148): 119 King's Rd, SW3 4PL. ☎ 020-7352-9479. Ⓜ Sloane Sq. Tlj 11h-23h (22h30 dim) ; service jusqu'à 21h. Plats 9-14 £, sandwich env 5 £. 📶 Non, ceci n'est pas le pub de la sœur cachée d'Harry, mais un bon pub de quartier à l'ancienne avec ses boiseries noires, animé et chaleureux. Idéal pour se restaurer très correctement d'un *fish & chips*, par exemple, si vous êtes de passage à la Saatchi Gallery. Quelques tablées en terrasse.

I●I *New Culture Revolution* (plan d'ensemble, B7, 202): 305 King's Rd, SW3 5EP. ☎ 020-7352-9281. ● info@newculturerevolution.co.uk ● Ⓜ Sloane Sq (pas le plus simple !). Tlj 12h-23h. Plats 6-10 £, menu 8,50 £. Cuisine asiatique bien faite. Si la déco fraîche mais minimaliste a quelque chose d'aseptisé, on craque pour les savoureux *dim sum* (sorte de raviolis) de la maison. Fourrées au poisson, aux légumes, à la viande, ces petites bouchées vantent l'équilibre naturel de la cuisine de la Chine du Nord. Que des produits bio, cela va de soi.

I●I *My Old Dutch* (plan d'ensemble, B7, 280): 221 King's Rd, SW3 5EJ. ☎ 020-7376-5650. ● info@myolddutch.com ● Ⓜ South Kensington. Tlj 10h-22h30 (22h dim). Petit déj jusqu'à 13h. Crêpes 7-11 £, ttes à 5 £ lun. Une chaîne hollandaise de pancakes et de crêpes. Oh, elles ne sont pas craquantes comme en Bretagne, mais bien épaisses et nourrissantes. Et servies dans de larges plats, façon porcelaine de Delft. De quoi se remplir l'estomac à bon marché. Sympathique service qui ne traîne pas. Et pour ceux qui ne veulent pas de crêpes, y'a tout ce qu'il faut pour les combler aussi (curry, chili, etc.).

I●I 🕴 *Buona Sera at the Jam* (plan d'ensemble, B7, 217): 289 A King's Rd, SW3 5EW. ☎ 020-7352-8827. Ⓜ Sloane Sq. Tlj sf lun midi. Bruschetta, pizza autour de 9 £, plats 8-18 £. 📶 On y va plus pour la déco fantaisiste que pour la cuisine, une carte de spécialités italiennes somme toute correcte. Le patron a eu une idée de génie : au lieu de pousser les murs, il a simplement empilé les tables les unes sur les autres pour augmenter sa capacité d'accueil. C'est un Meccano géant : on accède aux tables du haut par de petites échelles de bois. Rigolo pour les clients, rentable pour le patron mais peu pratique pour les serveurs !

I●I ✸ *La Cave à Fromages* (plan d'ensemble, B6, 13): 24-25 Cromwell Pl, SW7 2LD. ☎ 020-7581-1804. ● london@la-cave.co.uk ● Ⓜ South Kensington. Lun-jeu 10h-19h, ven-sam 10h-21h, dim 11h-18h. Sandwich + boisson en take-away 5,50 £. Vaste choix dans cette fromagerie fort appétissante, de l'Italie à l'Irlande en passant par la France et la Grande-Bretagne, bien sûr. La dégustation avec vin permet de s'initier au *blue stilton*, d'apprécier un cheddar de derrière les fagots ou encore un délicieux *perl wen* du pays de Galles. On adore, et on n'est pas les seuls le midi, surtout le samedi. Accueil en français. Extra !

|●| **Queen's Arms** (plan d'ensemble, A5, **554**) : 130 Queen's Gate Mews, SW7 5QL. ☎ 020-7823-9293. Ⓜ South Kensington. Tlj à partir de midi. Plats, sandwichs et burgers 7-15 £. Lun-ven avt 18h, 2 plats 12 £. Un pub pas si ancien qu'il en a l'air, dans un paisible quartier résidentiel dépourvu en adresses pour se restaurer. L'avantage : pas loin des musées et à l'écart des grands axes. Les musiciens du conservatoire royal voisin connaissent bien le filon ! Bières extra et cuisine traditionnelle soignée, *sustainable* dans la mesure du possible.

De bon marché à prix moyens (10-30 £ / 13-39 €)

|●| ⏣ **The Pig's Ear** (plan d'ensemble, B7, **218**) : 35 Old Church St, SW3 5BS. ☎ 020-7352-2908. ● pigsear@theunionbar.co.uk ● Ⓜ Sloane Sq. Tlj 12h-22h (23h sam et 21h dim). Résa conseillée. Plats 13-23 £. 📶 Ce *gastropub* de caractère doit sa réputation à ses bons petits plats ficelés et préparés avec grand soin. La carte change tous les jours. Et si les habitués mettent un peu trop d'ambiance, les amoureux trouveront refuge dans la jolie petite salle à l'étage, conviviale à souhait ! Une des meilleures adresses des parages, pleine d'authenticité et d'atmosphère, avec un vrai feu dans la cheminée et des bières du monde entier. Pas étonnant que dans ces conditions, dégoter une table ou s'agripper à un bout de comptoir relève parfois de la gageure... Un petit coup de cœur.

|●| **The Marketplace Restaurant** (plan d'ensemble, B7, **206**) : 125 Sydney St, SW3 6NR. ☎ 020-7352-5600. ● marketplacerestaurant@gmail.com ● Ⓜ Sloane Sq. Lun-ven 12-17h, le w-e 10h-17h. Plats 7-13 £. 📶 Au cœur du *Chelsea farmers market*. Dans cette petite enclave bucolique, que l'on devine à peine depuis King's Rd, on trouve un super marché bio, une adorable jardinerie et plusieurs petits restos dont les terrasses chauffées font le plein aux premiers rayons de soleil. Le week-end, c'est évidemment bondé. De tous les caboulots, c'est celui-ci que l'on préfère pour ses bons petits déj revigorants et son atmosphère bohème.

|●| **Daquise** (plan d'ensemble, B6, **220**) : 20 Thurloe St, SW7 2LT. ☎ 020-7589-6117. ● gessleratdaquise@gmail. com ● Ⓜ South Kensington. Tlj 12h-23h. Plats 15-22 £. Immuable et sans façons, ce bistrot polonais vieille école fait le plein midi et soir. Sa cuisine traditionnelle est richement préparée et bien faite. Et ça dure depuis plus de 60 ans ! *Kotleciki, sztukamies,* galettes de pommes de terre ou choux farcis n'ont rien de franchement diététiques, mais la mixture ranime son homme les jours de frimas... sans compter l'alléchante sélection de vodkas au verre pour tasser le tout. Prévoir un temps de digestion au moins égal à celui du repas !

|●| **Aglio e Olio** (plan d'ensemble, A7, **205**) : 194 Fulham Rd, SW10 9PN. ☎ 020-7351-0070. Ⓜ South Kensington, Gloucester Rd ou Earl's Court. Tlj 12h-15h, 18h30-23h30. Plats 9-20 £. Décidément, la nouvelle génération d'italiens n'a plus rien à voir avec les trattorias de grand-papa. Mais ce n'est pas la déco minimaliste et branchouille de ce minuscule resto qui séduit les amateurs, ce sont encore et toujours les bonnes vieilles recettes de *pasta* préparées avec soin. Ouf !

|●| **Food Court de Harrods** (plan d'ensemble, B-C5) : Hans Rd, entrée 11. Ⓜ Knightsbridge. Mêmes horaires que le magasin (voir plus loin). Des sandwichs frais, des pizzas à la coupe, de la charcutaille en veux-tu en voilà, mais aussi un bar à huîtres, du caviar (!), un stand japonais et un autre pour les tapas... tels sont les trésors de cette section du grand magasin qui permettent de se rassasier en faisant un petit tour du monde culinaire. Quelques tables également pour se poser. Attention, l'addition peut vite grimper, et on n'est pas tout seul !

|●| 🚶 **The Alfred Tennyson** (plan d'ensemble, C5, **312**) : 10 Motcomb St, SW1X 8LA. ☎ 020-7730-6074. ● reservations@thealfredtennyson.co.uk ● Ⓜ Knigthsbridge.

BROMPTON, CHELSEA ET SOUTH KENSINGTON

Lun-ven 12h-23h, le w-e 9h-23h (22h dim). Plats 13-30 £. Pub moderne, un rien chicos, mais atmosphère chaleureuse, avec enfants et habitués. Tout le quartier s'y retrouve pour un délicieux fish & chips ou un bon beef burger. Les doigts délicieusement graisseux, vous voilà d'attaque pour reprendre votre shopping là où il s'était arrêté, du côté de chez Harrods.

●| ¥ Ognisko « Polish Club » (plan d'ensemble, B5, **224**) : 55 Exhibition Rd, SW7 2PN. ☎ 020-7589-0101. ● info@ogniskorestaurant.co.uk ● Ⓜ South Kensington. Bar tlj 11h-23h ; service 12h30-15h, 17h30-23h. Plats 14-20 £ ; lunch et formule pré-théâtre (jusqu'à 19h) 18,50-22 £ ; brunch le dim. Une adresse confidentielle, établie dans le quartier depuis des lustres. Ce club fermé a eu l'idée d'ouvrir son bar et son restaurant. Entrée majestueuse avec un impressionnant escalier. La cravate n'est pas nécessaire, toutefois évitez bermudas et chemises à fleurs. Service discret et très courtois, à l'image des lieux. La salle à manger est cossue, prolongée par une agréable terrasse. Carte d'inspiration polonaise et internationale. Au bar, possibilité de se jeter une vodka derrière la cravate... Aïe, vous n'en avez pas !

●| Apero (plan d'ensemble, A6, **12**) : 2 Harrington Rd, SW7 3ER. ☎ 020-7591-4410. ● info@aperorestauran tandbar.com ● Ⓜ South Kensington. Menus le midi 12-15 £, le soir 28-32 £. Au sous-sol du très chic Ampersand Hotel, French spoken dans ce repaire de la communauté hexagonale. Il faut dire que le cadre moderno-propret sous arcades, entre bistrot et rétro, est particulièrement convivial et la cuisine, concoctée avec grand doigté. Menus défiant toute concurrence à midi, alors que les gâteaux sous cloche n'attendent que d'accompagner une tasse de thé l'après-midi. Un endroit privilégié et reposant entre deux musées.

De prix moyens à chic (plus de 20 £ / 26 €)

●| Tom's Kitchen (plan d'ensemble, B6, **293**) : 27 Cale St, SW3 3QP. ☎ 020-7349-0202. ● chelsea@

tomskitchen.co.uk ● Ⓜ South Kensington. Lun-ven 8h-11h30, 12h-14h30, 18h-22h30 ; w-e 10h-15h30, 18h-22h30 (21h30 dim). Plats 13,50-26 £. ☎ Une des cantines en vogue à Chelsea. Faut dire que Tom Aikens sait y faire. Cadre simple avec cuisine ouverte et bar en zinc, grosses tables en bois où viennent s'aligner les plats rondement menés par une équipe jeune et sympa. Pas de grandes trouvailles ni d'esbroufe dans l'assiette, mais d'habiles spécialités de viande et de pies, notamment au poisson. C'est frais, mais ça chiffre vite.

●| Rabbit (plan d'ensemble, B6, **173**) : 172 King's Rd, SW3 4UP. ☎ 020-3750-0172. ● info@rabbit-restaurant.com ● Ⓜ Sloane Sq. Lun 18h-23h, mar-sam 12h-23h, dim 12h-18h. Résa conseillée. Menu 28 £. Sinon, compter env 60 £ pour 2. Un peu moins cher le midi. ☎ Si le décor est pseudo-rustique, les produits sont authentiquement fermiers, en direct de la plus souvent de l'exploitation familiale située dans le West Sussex. Décliné sur le principe des tapas, le concept est franchement séduisant. On se partage plusieurs petites portions, aux saveurs fines et surprenantes... Pour éviter que l'addition ne grimpe trop vite, vous pouvez vous dispenser des mises en bouche pour mieux vous concentrer sur les slow et fast cooking (cuisson lente et rapide)... Of course, on accompagnera ce festin 100 % British d'un bon petit vin anglais.

●| Signor Sassi (plan d'ensemble, C5, **219**) : 14 Knightsbridge Green, SW1X 7QL. ☎ 020-7584-2277. Ⓜ Knightsbridge. Tlj 12h-23h30 (22h30 dim) ; service en continu. Résa conseillée le w-e. Pâtes 12-15 £, plats 15-33 £. Vieille enseigne italienne qui compte de nombreux fidèles et de nombreux touristes. La devanture aux couleurs pétantes, baignée de plantes vertes, cache une salle beaucoup plus sobre. Cadre traditionnel chic assez élégant, avec quelques clins d'œil aux années 1920. Petites tables, serviettes bleues sur nappe blanche, bougies le soir. Mais l'essentiel est dans l'assiette. Savoureux plats de pâtes fraîches, viande et poisson finement cuisinés. Atmosphère agréable, mais tenue correcte exigée.

Où prendre le petit déj ou le thé ?
Où manger des pâtisseries ?

The Orangery (centre 2, M10, **372**) : Kensington Gardens, W8 4PX. ☎ 020-3166-6113. Ⓜ High St Kensington. Tlj 10h-17h. Petits déj et plats 5-12 £ ; afternoon tea 26 £. Installé dans l'orangerie du palais royal, c'est un salon de thé so chic mais pas si cher. La déco est épurée, couleur crème chantilly, des colonnes en ronde-bosse aux moulures du plafond. Loin de l'agitation, un espace hors du temps. Idéal pour le déjeuner ou un tea break servis avec de délicieux scones ou autres douceurs dans de la vaisselle à l'effigie de la couronne. Le tout sur fond de musique classique. Une étape typiquement britannique. Le lieu mérite le détour. Service attentif, malgré la foule.

The Bluebird Restaurant (plan d'ensemble, A-B7, **374**) : 350 King's Rd, SW3 5UU. ☎ 020-7559-1000. Ⓜ Sloane Sq (puis 15 mn à pied). ● enquiries@bluebird-restaurant.com ● Petits déj 5-11 £ au café, plats 6-20 £. Au resto, plats 11-39 £. 📶 Encadrant la boutique de créateurs top fashion, un café, un bar-resto et une épicerie fine que l'on a plaisir à fréquenter à longueur de journée, du petit café du matin à la vodka du soir... Grande terrasse. Un lieu chic et décontracté, so Chelsea !

The Hummingbird Bakery (plan d'ensemble, A-B6, **236**) : 47 Old Brompton Rd, SW7 3PJ. ☎ 020-7584-0055. ● oldbrompton@hummingbirdbakery. com ● Ⓜ South Kensington. Tlj 9h-19h (20h ven-sam). On y retrouve tout ce qui fait le succès de la maison, à savoir des cup cakes et des fairy cakes aux couleurs complètement délirantes (parfois limite écœurantes, il faut bien l'avouer... la bouche pleine !). 4 tables à peine pour consommer sur place et la terrasse, ce qui s'avère bien utile dans le cas du carrot cake, totalement intransportable avec ses 3 étages et son glaçage à la crème... Absolutely gorgeous !

Baker and Spice (plan d'ensemble, B6, **10**) : 47 Denyer St, SW3 2LX. ☎ 020-7225-3417. ● chelsea@baker sandspice.co.uk ● Ⓜ South Kensington. Légèrement excentré. Lun-sam 7h-19h, dim 8h-18h. Petits déj 6-15 £. Boulangerie-salon de thé de charme, dont les étagères en bois et le comptoir regorgent de pains à la croûte mordorée, de salades multicolores et de gâteaux aux fragrances démoniaques. Les mots nous manquent ! Un délice... Quelques tables sur la rue, idéal pour lire le journal et boire un petit café.

Pubs et bars cachés

Kevin Moran, The Nag's Head (plan d'ensemble, C5, **365**) : 53 Kinnerton St, SW1X 8ED. ☎ 020-7235-1135. Ⓜ Knightsbridge. Petite rue à laquelle on accède par Motcomb St. Tlj 11h-23h (22h30 dim). Atmosphère, atmosphère... Amateurs de pubs, ne manquez pas cette taverne de poche comme on n'en fait plus ! Peu de fenêtres, pour garder le secret ou ajouter à l'excentricité des lieux, une 1re salle bancale, racornie par les ans, puis un genre de cambuse en sous-sol, grossièrement dallée, lambrissée et propice aux rendez-vous pour échafauder quelque mauvais coup. Un lieu de perdition où l'on s'échoue avec délectation ! Coup de cœur !

Barts (plan d'ensemble, B6, **203**) : New Chelsea Cloisters, 87 Sloane Ave, SW3 3DW. ☎ 020-7581-3355. ● shh@barts-london.com ● Ⓜ South Kensington. Dim-mar 18h-minuit, mer-sam 18h-1h. Cocktails 11-21 £. Dans le hall d'une résidence assez classe. Le portier vous demande le mot de passe... Susurrez-le (il change tous les mois, checkez le site internet). Une porte s'ouvre. Et vous voici télétransporté chez oncle Barts, dans son petit salon, en 1920, débarqué tout droit de Chicago au temps de la prohibition. Ici, on sert des cocktails « secrets » à partager dans de bien drôles d'outres. Chut ! On pourrait nous entendre. Déco extra : papier peint rouge à ramages, têtes de

BROMPTON, CHELSEA ET SOUTH KENSINGTON

cerf empaillées, et carte des cocktails cachée dans un vieux livre. Petite terrasse pour prendre l'air.

T **The Grenadier** *(plan d'ensemble, C5, 366) :* 18 Wilton Row, SW1X 7NR. ☎ 020-7235-3074. **M** *Hyde Park Corner. Dans Knightsbridge, prendre Old Barrack Yard (petit passage juste après Wilton Pl) ; au bout, tourner à gauche, passer sous l'arche d'un immeuble (« private mews »), pousser la porte rouge, le pub est à droite. Tlj 11h-23h (22h30 dim).* La façade colorée est recouverte de plantes grimpantes et de fleurs. C'était originellement la cantine des soldats du duc de Wellington. Difficile de ne pas s'en apercevoir : une guérite veille à l'extérieur et toute la panoplie du militaire est suspendue aux quatre coins de la petite salle. En revanche, l'ambiance donne plus dans le chicos, façon carré des officiers, que dans la cacophonie enfumée des tavernes de troupiers. Chaleureux et convivial malgré tout.

T **Anglesea Arms** *(plan d'ensemble, A-B6, 558) :* 15 Selwood Terrace, SW7 3QG. ☎ 020-7373-7960. ● *enquiries@angleseaarms.com* ● **M** *South Kensington. Du métro, prendre Old Brompton Rd et tourner dans la 4e à gauche, Onslow Gardens, prolongé par Selwood Terrace (qui donne dans Fulham Rd). Lun-sam 11h-23h, dim 12h-22h30.* 🛜 L'*Anglesea Arms,* c'est le refuge secret de tous ceux qui tentent d'échapper au trafic enfiévré de South Kensington. En terrasse, adossé à un vieux lampadaire, on savoure la quiétude de cette rue résidentielle. Dans la salle à l'ancienne, ornée de vieilles gravures et d'une odalisque au-dessus de la cheminée, on partage sans façons sa pinte avec les habitués. Et comme la maison sert quelques plats classiques, c'est décidément l'endroit idéal pour se refaire une santé.

T **Ognisko** **« Polish Club »** *(plan d'ensemble, B5, 224) : voir plus haut « Où manger ? ».* Pour boire une vodka au cercle polonais de Londres.

T Sans oublier les bonnes bières du **Pig's Ear** *(plan d'ensemble, B7, 218 ; voir plus haut « Où manger ? »).*

Concerts classiques

🎵 **Royal Albert Hall** *(plan d'ensemble, A5) : Kensington Gore, SW7 2AP.* ☎ *0845-401-5034 (box office).* ● *royalalberthall.com* ● **M** *Knightsbridge, High St Kensington ou South Kensington.* Très populaire surtout lors des *Proms* en été, organisés par la BBC. Un concert est donné à cette occasion chaque soir de mi-juillet à mi-septembre, retransmis en direct sur la station « BBC Radio 3 ». On précise aux fauchés que la queue pour les places les moins chères (debout dans la fosse !) se fait derrière l'édifice et non pas devant, le soir même du concert. Assister à un concert, découvrir la fosse centrale monumentale reste un grand moment. Organise aussi des visites guidées (voir « Monuments et balades » plus loin). À l'étage, café! *très agréable (réduc de 20 % pour les étudiants et concerts gratuits certains midi en été).*

Discothèque

🎵 **Maggie's** *(plan d'ensemble, A7, 213) :* 329 Fulham Rd, SW10 9QL. ☎ *020-7352-8512.* ● *maggies-club. com* ● **M** *South Kensington ou Gloucester Rd. Mar-mer 23h-2h30, jeu 22h30-2h30, ven-sam 22h30-3h30. Cocktails 13-18 £.* Ressortez vos Rubik's cube ! Voilà que cette boîte de nuit s'amuse à remettre au goût du jour les années 1980. Mais pas n'importe comment : en mettant à l'honneur Margaret Thatcher, l'iconique Dame de fer qui régna sur le pays pendant 11 ans dans ces années-là. D'ailleurs, on peut entendre ses discours... dans les toilettes ! Les serveurs sont tous habillés comme Tom Cruise dans *Top Gun* et les filles ont ressorti les collants colorés au son de *Vogue* ou autres classiques de l'époque. Ambiance assurée !

Shopping

À vous les boutiques ! King's Road, avec ses magasins de fringues, d'accessoires, de téléphones portables, de chaussures et autres marchands de beauté, vous ravira. Sur Brompton Road, on trouve des boutiques plus luxueuses, dont le très célèbre *Harrods.*

Boutiques de musées

❀ On recommande de pousser la porte des 3 grands musées qui possèdent chacun leurs boutiques thématiques, en accès libre. L'idéal pour faire un cadeau original ! Mêmes horaires que les musées (se reporter à « Galeries et musées») :
– Au *Victoria and Albert Museum* *(plan d'ensemble, B5-6),* superbe boutique où l'on trouve pas mal de bijoux, inspirés des collections et des expositions du moment, des fringues rigolotes et autres objets introuvables ailleurs.
– Au *Science Museum (plan d'ensemble, A-B5),* boutique assez délirante, avec objets pour apprentis chimistes ou pour faire des blagues dans la cour de récré.
– Au *Natural History Museum (plan d'ensemble, A-B5),* des peluches, des jeux éducatifs, mais aussi des gravures anciennes d'animaux et de plantes, des vêtements chic naturalistes, des bijoux, etc.

Épiceries

❀ *Partridges of Sloane Street (plan d'ensemble, C6, 551) :* 2-5 Duke of York Sq, SW3 4RY. ☎ 020-7581-0535. ● partridges.co.uk ● Ⓜ *Sloane Sq. Tlj 8h-22h.* L'une des épiceries fines qui ont l'honneur de figurer au rang des fournisseurs officiels de Sa Royale Majesté (il y en a 800 en tout !) Plus intime que *Fortnum & Mason* ou *Harrods,* plus petit aussi, on y déniche pas moins des produits anglais d'exception (belle collection de miels du monde entier). Petite cafétéria pour grignoter.
❀ *Baker and Spice (plan d'ensemble, B6, 10) :* 47 Denyer St, SW3 2LX.

☎ 020-7225-3417. Ⓜ *South Kensington ou Sloane Sq.* Boulangerie-salon de thé de charme qui fait aussi boutique. Voir « Où prendre le petit déj ou le thé ? Où manger des pâtisseries ? ».
❀ *La Cave à Fromages (plan d'ensemble, B6, 13) :* 24-25 Cromwell Pl, SW7 2LD. ● la-cave.co.uk ● Ⓜ *South Kensington.* Vaste choix dans cette fromagerie fort appétissante, de l'Italie à l'Irlande en passant par la France et la Grande-Bretagne, bien sûr. Voir aussi « Où manger ? ».

Boutiques spécialisées

❀ *Anthropologie (plan d'ensemble, B6-7) :* 131-141 King's Rd, SW3 4PW. ☎ 020-7349-3110. ● anthropologie. eu ● *Lun-sam 10h-19h, dim 12h-18h.* Une adresse unique, tellement anglaise, essentiellement pour les femmes. On y « shoppe » fringues, boutons de portes, tasses, livres de cuisine et mille et une autres merveilles.
❀ *British Red Cross (plan d'ensemble, B7) :* 69-71 Old Church St, SW3 5BS. ☎ 0845-054-7101. Ⓜ *Sloane Sq ou South Kensington.* À l'angle avec King's Rd. Lun-sam 10h-18h. Pour faire des affaires tout en faisant sa B.A. ! Des vêtements dégriffés à prix sacrifiés, mais aussi des bijoux, des sacs, des chaussures, etc. Tout dépend des arrivages, bien sûr, mais le turn-over se fait assez bien... Il faut dire que certaines ladies du quartier se débarrassent de leur robe feu Alexander McQueen ou Vivienne Westwood après le 1ᵉʳ cocktail ! Un vrai bon plan, on vous dit... Et tout ça au profit de la Croix-Rouge !
❀ *Mungo & Maud (plan d'ensemble, D6) :* 79 Elizabeth St, SW1W 9PJ. ☎ 020-7022-1207. ● mungoand maud.com ● Ⓜ *Sloane Sq. Lun-sam 10h-18h.* Également une boutique chez Harrods. Les Anglais sont fous de leurs *pets* (animaux de compagnie). Voici le genre de boutique introuvable ailleurs : une boutique design et chic pour le confort de Médor ou le doux ronron du chaton, de la couverture brodée au petit manteau tricoté pour les hivers

BROMPTON, CHELSEA ET SOUTH KENSINGTON

rigoureux ! Hors de prix et quelque peu indécent...

🏵 *La Page* (plan d'ensemble, A-B6, 12) : 7 Harrington Rd, SW7. ☎ 020-7589-5991. ● *librairielapage.com* ● Ⓜ South Kensington. Lun-ven 8h15-18h30, sam 9h-18h30, dim 10h-17h30. Une librairie française très bien fournie, avec tous les classiques et les nouveautés. Mais aussi de la presse, des DVD, des CD, des B.D., etc.

Les magasins mythiques et chers

🏵 *Harrods* (plan d'ensemble, B-C5) : 87-135 Brompton Rd, SW1X 7XL. ☎ 020-7730-1234. ● *harrods.com* ● Ⓜ Knightsbridge. Lun-sam 10h-21h, dim 11h30-18h. Horaires étendus en déc (Noël oblige) et pour les soldes. Fermé 25 déc et jour de Pâques. Les fameux soldes commencent fin déc et la 1re sem de juil ; également des soldes d'intersaison début mai. À Noël, les décorations sont souvent spectaculaires. On ne porte ni short ni jean déchiré pour entrer. Les sacs de voyage doivent être déposés à la consigne, les petits sacs à dos portés à la main. Ça ne rigole pas ! Plan du magasin disponible à l'entrée principale (et en ligne). Tout a commencé avec Henry Charles Harrod, un négociant en thés, savons et bougies, qui ouvrit son magasin en 1849. Aujourd'hui, *Harrods* compte 15 millions de clients par an, 4 000 employés, et a été vendu à une société d'investissement du Qatar en 2010, après avoir été la propriété du milliardaire Mohammed al-Fayed pendant 25 ans. Celui-ci a toujours refusé la nationalité britannique. La devise du célèbre magasin est : *Omnia, omnibus, ubique* (« Tout, pour tout le monde, de partout »). Ainsi, jusqu'en 1976 on y vendait encore des ceintures de chasteté. Devenu monument à part entière, *Harrods* possède des rayons qui sont des chefs-d'œuvre de décoration et de bon goût. Avant d'entrer, n'oubliez pas de jeter un coup d'œil à la majestueuse façade ouvragée, entièrement recouverte de terre cuite en 1901. Les éclairages de nuit sont totalement réussis. Poussons la porte...

– L'*Egyptian Hall* occupe tout un pan du magasin, sur plusieurs étages. Un chef-d'œuvre de l'Art nouveau. Chargé, certes, mais féerique ! L'escalator (électrique) fut le premier installé en Europe.

– Les *Food Halls* (rayons alimentaires), au rez-de-chaussée, sont célèbres pour leurs somptueuses céramiques Art nouveau. Chaque rayon bénéficie d'une décoration chatoyante et fastueuse. Ne ratez pas les rayons boucherie, poissonnerie, de loin les plus impressionnants. Mais ne boudez pas les autres rayons, riches en produits rares (du haut de gamme qui justifie les prix, mais qui reste malgré tout abordable) : thés, biscuits, confitures, charcuteries... Plusieurs stands pour grignoter sans trop se ruiner (voir « Où manger ? »).

– Au sous-sol du magasin, au pied du formidable escalator égyptien (il fallait bien leur trouver une petite place !), se trouve l'endroit le plus inattendu en un tel lieu : le *Dodi & Diana Memorial*. Rien de moins qu'une fontaine de marbre d'un kitsch flamboyant et une statue « Innocent Victims » carrément atroce ! Scellée dans le socle, la bague de diamants que Dodi offrit à la princesse la veille du drame et, on vous le donne en mille, le dernier verre dans lequel le couple mythique trempa ses lèvres !

– Le 1er étage, très chic et feutré, est consacré aux designers de luxe, vêtements, chaussures, robes de mariée et lingerie... Pour rester dans l'esprit, on y trouve le *Champagne Bar & Restaurant*.

– Au 2e étage, tout pour la maison, bouquins et une galerie d'art.

– Avis aux parents accompagnés de jeunes routards : les 3e et 4e étages abritent le *Toy Kingdom*, littéralement le « royaume des jouets », pas moins ! Y'a même un *Disney Store* et la *Disney Bibbidi Bobbidi Boutique*, pour transformer votre fille en parfaite princesse et votre fils en soldat de l'Empire (ou l'inverse...). Autant dire que vous entrez là en territoire miné... Mais les grands enfants ne sont pas oubliés, puisque c'est aussi à ces étages que l'on trouve tous les rayons high-tech (informatique, téléphonie, hifi, etc.), avec notamment un *Apple Store* !

🏵 *Harvey Nichols* (plan d'ensemble, C5) : 109-125 Knightsbridge, SW1X 7RJ. ● *harveynichols.com/stores/london* ●

Ⓜ *Knightsbridge. Lun-sam 10h-20h, dim 11h30-18h.* Un des plus chic et chers des grands magasins de Londres. La déco n'a rien d'exceptionnel, mais jetez-y un coup d'œil si vous êtes dans le coin pour connaître les dernières tendances. On y trouve également un salon de beauté et de coiffure très apprécié des filles chic... et riches. Le champagne est compris dans le prix de la manucure, c'est cool, non ? Au 5e étage, resto, cafétéria et bar, avec notamment une belle terrasse en plein air *(roof terrace)* et un vaste rayon alimentaire.

❀ Dans le triangle de Sloane Avenue, Fulham Road et Brompton Road, on trouve entre autres *Chanel, Gucci, Paul Smith,* mais aussi *Joseph* et, en face, le *Conran Shop* dans le Michelin Building, sur Fulham Road *(plan d'ensemble, A-B6-7).* Des adresses pour ceux qui ont envie de faire pousser des ailes à leurs billets de banque (et des cris à leur banquier !).

Galeries et musées

Victoria and Albert Museum (plan d'ensemble, B5-6)

🋱🋱🋱 🋱 *Cromwell Rd, SW7 2RL.* ☎ *020-7942-2000 ou 2766.* ● *vam.ac.uk* ● Ⓜ *South Kensington, accès direct depuis le métro.* ♿ *Tlj 10h-17h45 ; nocturne ven jusqu'à 22h. Fermé 24-26 déc. GRATUIT mais expos temporaires payantes. Bon plan : 2 entrées pour le prix d'une aux expos temporaires sur présentation de votre billet d'Eurostar. Plan indispensable, à dispo dans le hall principal (donation de 1 £ suggérée). Visites guidées et thématiques gratuites, y compris pour les personnes handicapées. En principe, plusieurs départs/j. 10h30-15h30 au meeting point dans le grand hall. Programme à l'accueil et sur le site internet. Durée : env 1h.* 📶

Nos conseils

– *Le V & A est l'un des plus grands musées de Londres, vous ne pourrez pas tout voir en une seule fois. Le V & A est gratuit, profitez-en pour revenir !*
– *C'est aussi un musée vivant, certaines pièces migrent des salles d'expositions aux réserves et vice versa. De même, certaines salles peuvent être temporairement fermées. Dans ts les cas, procurez-vous absolument un plan !*
– *Pour s'y retrouver, les expos sont organisées en 5 couleurs (qui courent sur plusieurs étages) : bleu pour l'Europe, orange pour l'Asie, rose pour les matériaux et les techniques, turquoise pour les temps modernes et violet pour les expos temporaires. Noter que le level 1 correspond au rez-de-chaussée.*
– *Les enfants ont droit à des attentions particulières, demander à l'accueil.*

🍴 ▮●▮ *Cafétéria du musée :* au niveau 1. Un comptoir propose des plats chauds de bonne qualité, compter 5-10 £. Sandwichs et menuenfants à partir de 5 £ env. Le V & A fut le 1er musée à prévoir un espace de restauration dans son enceinte dès sa création. Attention : il faut refaire la queue pour payer. Résultat des courses : on mange froid s'il y a trop de monde... Installez-vous dans les superbes salles *Morris, Gamble* et *Poynter* de style victorien ou dans la salle à manger moderne. En été, on peut aussi profiter de la belle cour intérieure qui permet d'admirer la structure et le style du V & A, et le Quadrangle, dont la décoration est inspirée de la Renaissance italienne (brique et terre cuite).

Un peu d'histoire

Le prince Albert, mari de Victoria, fit de la qualité esthétique l'un de ses défis culturels. Il présida en 1856 à la création d'un musée original : présenter un historique des beaux-arts et arts décoratifs de tous les pays occidentaux et orientaux, dans le but de stimuler l'inspiration des créateurs, former le goût du public et dynamiser la production industrielle...

Les collections se sont enrichies et comptent aujourd'hui 4 millions d'objets, répartis sur un immense espace d'environ 50 000 m². Le V & A, comme l'appellent affectueusement les Londoniens, se révèle d'une exceptionnelle variété. Il navigue intelligemment entre tradition et modernité, l'ensemble est savamment orchestré, et la réussite est totale. Dès le hall d'accueil, levez les yeux vers l'impressionnante sculpture de verre dans le goût de Murano. Autant dire qu'il y en a pour tous les goûts et pour tous les appétits. Pour continuer à faire vivre ce formidable savoir encyclopédique, le V & A s'est lancé depuis 2001 dans un ambitieux programme de rénovation. Quand on vous dit qu'il déborde d'énergie !

À ne pas manquer

Salles médiévales et de la Renaissance (bleu)

Un musée dans le musée, sur plusieurs étages ! Une dizaine de salles chronologiques débutent avec la chute de l'Empire romain pour se terminer à la Renaissance (de l'an 300 à 1500). Plus de 1 800 chefs-d'œuvre, du minuscule au gigantesque, savamment mis en scène comme ces vitraux éclairés par l'arrière ou ce « jardin » de sculptures.

Sous-sol (level 0), salles 8 à 10c

Parmi les œuvres du Moyen Âge, voir entre autres, **salle 8,** le magnifique coffret ayant probablement contenu les reliques de Thomas Becket (1180-1190) et les sculptures de Giovanni Pisano, **salles 9 et 10,** dont un poignant Christ en Croix (vers 1300) en ivoire. Rare tapisserie datant de 1425-1430, *The Boar and bear hunt* et triptyque allemand de 1380 représentant l'Apocalypse. **Salle 10a,** plat en argent (*Studley bowl,* vers 1400) décoré de l'alphabet et destiné au... porridge !

Au rez-de-chaussée (level 1)

Dans les **salles 50,** on se concentre sur la ville à la Renaissance (1350-1600). Superbes bas-reliefs et ornementations murales, notamment deux frontons de porte sculptés, du Génois Giovanni Gaggini, ou ce *monument à Marchese Spinetta Malaspina,* porche d'église en marbre et stuc avec statue équestre. Presque immanquable, le dramatique *Samson tuant une Philistine,* sculpture en marbre de Giambologna (1562), située près du bureau d'information, à l'entrée.

Au 1er étage (level 2)

Dans la section consacrée à l'art gothique tardif, **salle 62,** ne manquez pas l'incontournable nef de Burghley, conçue à Paris vers 1527-1528. C'est une petite maquette de bateau en argent doré ; une salière en vérité ! Certains détails montrent le talent de l'orfèvre : la coque est en fait un coquillage, et sur le pont, on peut voir Tristan et Iseult jouer aux échecs... **Salle 64,** la Renaissance italienne livre quelques splendides exemples, comme cette pièce d'autel en poirier sculpté (1527-1533), richement ornée de moult personnages en mouvement, œuvre de Giovanni Angelo Del Maino. Ne pas manquer non plus cette fascinante *Vierge à l'Enfant* sculptée, de l'Allemand Veit Stoss (environ 1495). **Salle 64b,** la façade en bois ouvragé de la maison de Sir Paul Pindar, l'une des rares rescapées de l'incendie de Londres en 1666, surprend par sa taille. Mais comment a-t-elle pu parvenir intacte ici ? De même, splendide escalier hélicoïdal de Morlaix (1522-1530) avec, toujours conservés, les différents paliers !

Salles Europe, 1600-1815 (bleu)

Autre musée dans le musée, cette récente section s'intéresse à toutes les formes d'art et d'artisanat en Europe, principalement en Italie puis en France, à une période si féconde culturellement et en évolution constante, sur fond d'émulation entre pays. Noter l'appli gratuite qui permet de scanner certaines des

1 100 œuvres exposées dans les 7 salles pour en obtenir plus de détails sur son smartphone (● *vam.ac.uk/page/e/europe-1600-1815/* ●). De la ***période baroque*** et ses rivalités religieuses, territoriales ou musicales notamment, on retient par exemple ce buffet de 1693 aux panneaux de bois peints éclatants de bleu. Ou encore la *panelled room,* une chambre à coucher française (1682) entièrement reconstituée avec ses peintures et dorures. Au XVIIIe s, *le classicisme* rayonne à la cour française avec ses instruments de musique, ses meubles marquetés et sa *mirrored room* (1789) ovale. Que de chemin parcouru jusqu'à la **période napoléonienne** et le néoclassicisme, transition judicieusement mise en scène dans les modes vestimentaires par exemple. En évoluant de salle en salle, on a le sentiment de parcourir les différentes pièces d'un château, en passant par ce curieux globe moderne censé symboliser les salons de conversation qui faisaient fureur à l'époque.

Les autres collections majeures

Niveau 1 (rez-de-chaussée)

Art chinois (salles 44 et 47)
Les collections chinoises du musée sont un véritable trésor, certaines pièces datent de - 3000 avant notre ère. Les galeries sont organisées autour de l'idée du quotidien, depuis le repas jusqu'au culte. L'élégance des lignes ancestrales frappe immédiatement l'observateur. Regardez dans les objets de notre société comme ces formes sont encore présentes ! D'ailleurs, dans la salle, des œuvres d'art contemporain s'amusent à réinterpréter ces formes millénaires. Sculptures en jade très anciennes, comme ces disques uniformes, symboles du ciel sur la terre. Le jade est une pierre impossible à tailler, qu'on ne façonne lentement qu'à force d'usure. Également de superbes meubles en laque rouge des dynasties Ming et Qing, sculptés avec de précieux détails, dont un trône impérial. Statues du bodhisattva Guanyin, figure sainte du bouddhisme. Sculptures en ivoire, porcelaines, statuettes et même du papier peint...

Art japonais (salle 45)
Dimensions et simplicité toutes japonaises... Superbes paravents et boîtes en laque (la plus belle collection hors du Japon !), vitrine de tabatières sculptées... et jolie sélection de pipes à opium. Masques et kimonos, bien sûr. Quelques sabres ouvragés, de magnifiques armures et un brûleur d'encens sur trépied avec deux paons monumentaux présenté à l'Exposition universelle de Paris en 1878. Notez cette admirable collection de *netsuke,* objets ciselés comme de vrais bijoux, qui permettaient de tenir les ceintures des kimonos, sans oublier les nombreux *inros,* petites bourses en bois laqué qui faisaient office de poche pour la menue monnaie, le tabac, les clés... Également des œuvres contemporaines.

Art islamique (salle 42)
Cette section est consacrée à l'évolution de l'art islamique au Moyen-Orient à partir du VIIIe s. Parmi les plus belles pièces, le *tapis d'Ardabil* (sous vitre) doit sa célébrité à son âge, sa taille et sa finesse ; c'est en effet l'un des plus vieux tapis du monde. Il fut achevé en 1540. Plus de 5 000 nœuds pour 10 cm^2, un exploit, vu la taille impressionnante de l'ouvrage (10,5 m x 5 m !). Comparer avec le superbe *tapis de Chelsea* (XVIe s). Ils sont tous deux persans. Étonnante chaire (minbar) du XVe s en bois incrusté d'ivoire, provenant d'une mosquée cairote. De très belles céramiques également et une cheminée en céramique du XVIIIe s portant les noms des Sept Dormeurs d'Hefez.

Asie du Sud et du Sud-Est (salles 41 et 47)
Riche collection compte tenu de la place importante occupée par l'Inde dans l'Empire britannique. Représentation des arts hindouistes de l'Inde prémoghole à travers de nombreux bouddhas. Exemples remarquables de l'essor que connut

l'art indien après l'invasion des Moghols et l'établissement de leur empire au XVIe s : peintures, ivoires sculptés, jades... Superbe coupe à vin blanche en jade sculpté d'une finesse remarquable (1657), avec une tête de bouquetin ayant appartenu au grand shah Jahan. Au début du XIXe s, l'arrivée des colons britanniques apporta aux artistes indiens son lot de réalisme et de complaisance, traduit en peinture dans le style « Compagnie ». Nombreux textiles, subtils et fleuris.

TIGRE ET CHÂTIMENTS

L'objet le plus ludique de la collection des arts indiens est Tippoo's Tiger, *un automate en bois peint datant de 1793. La scène est cocasse : un colon anglais se fait dévorer par un tigre.* Tippoo's Tiger *fut offert par les Français au sultan du même nom, lui aussi ennemi déclaré des Anglais ! Élégant...*

*Mode (*Fashion ; salle 40)
Cette salle accueille des expos temporaires, toujours sur le thème de la mode.

Sculptures
Dans la grande galerie longeant la cour intérieure, **salles 21 à 24,** on pourra comparer le coup de ciseau d'artistes aussi différents que Jean de Bologne (XVIe s), Leighton (XIXe s) et Canova (XVIIIe s). Nombreux Rodin, tels que *L'Âge de bronze,* ainsi qu'un beau buste préparatoire de Balzac. Ces pièces furent choisies et

FAUT-IL SUIVRE LA MODE ?

George Brummel naquit à Londres en 1778. Héritier mais non aristocrate, il gaspilla sa fortune dans les habits et le jeu. Il lança la mode de la cravate et des costumes sombres pour les hommes. Son dandysme l'obligeait à mettre 5h pour s'habiller. Il lustrait ses bottes au champagne. Sa notoriété n'était fondée sur aucun talent. Il mourut à Caen, ruiné, obèse et syphilitique. Ça ne donne pas envie de suivre la mode !

données au musée par le maître en personne.
Toujours au niveau 1 (rez-de-chaussée), ne pas manquer les *Cast Courts,* **salles 46a et 46b,** fabuleuses salles des moulages du musée, remplies dans leurs trois dimensions par des copies en plâtre gigantesques d'éléments de monuments célèbres. À voir ou à revoir, donc : la colonne Trajan, le portail de la cathédrale de Saint-Jacques-de-Compostelle. Très impressionnant ! N'oublions pas que la mission du musée était à l'origine éducative : ces copies servaient au XIXe s (et encore aujourd'hui) à l'enseignement de l'histoire de l'art et du dessin.

Cartons de Raphaël (salle 48a)
L'une des gloires du musée. Honneur à la Renaissance italienne avec ces sept cartons peints par Raphaël. Ils ont servi de modèles pour une série de tapisseries que le pape Léon X avait commandées en 1515. Elles étaient supposées décorer la chapelle Sixtine pour les grandes occasions et sont aujourd'hui conservées au Vatican. L'artiste a choisi de représenter des scènes de la vie de saint Pierre et de saint Paul. Regardez bien la seule tapisserie, son modèle en carton en face est inversé. En effet ceux-ci étaient ensuite appliqués comme un calque pour exécuter le tissage.

Niveaux 2 (1500-1760) et 4 (1760-1900 ; 1er et 3e étages)

Les British Galleries (salles 52 à 54a, 56 à 58b puis 118 à 125c)
Encore un musée dans le musée ! Immense section, dont les nombreuses salles détaillent l'histoire culturelle, artistique et sociale de l'Angleterre, des Tudors à l'époque victorienne. Certains meubles, sculptures, dessins ou autres pièces d'argenterie font l'objet d'une étude aussi poussée qu'intelligente, au travers de montages vidéo, guides audio et animations

informatiques, sans compter les différents courts-métrages thématiques projetés dans de petites salles annexes et la salle de lecture. Mais le plus impressionnant, ce sont sans doute les reconstitutions d'intérieurs d'époque, comme la chambre lambrissée du château de *Sizergh,* décorée de motifs mauresques, celle du *palais de Bromley-by-Bow,* ou le superbe salon de musique de *Norfolk House* (1756). Un des chefs-d'œuvre de la collection, *The Melville Bed,* est un spectaculaire lit à baldaquin en bois rouge ouvragé, dont le velours et la soie sont d'origine !

Au niveau supérieur, quelques salles parmi les plus emblématiques du musée, consacrées entre autres à la fameuse exposition de 1851, aux artistes de l'époque victorienne et aux mouvements *Art and Craft* et Préraphaélite (William Morris, Edward Burne-Jones, Rennie Mac Intosh...). On traverse au passage des salles présentant les différents « styles » : élisabéthain, Régence, Palladien, néoclassique ou Chippendale (seconde partie du XVIIIᵉ s). Ce style typiquement britannique est plein de fantaisie, une sorte de réaction aux styles français et italien de l'époque.

Niveau 3 (2ᵉ étage)

Photographie
Encore une fois, le V & A allie histoire et création contemporaine, en mélangeant habilement les images de son fonds (500 000, tout de même !). Le musée ayant commencé ses acquisitions photographiques dès 1852, sa collection est aujourd'hui remarquable de par sa diversité. **Salle 100,** la petite galerie de photographies présente par roulement ses trésors, faisant preuve d'une grande ouverture d'esprit, des classiques portraits de l'époque victorienne aux travaux de Cartier-Bresson, Man Ray, Alfred Stieglitz...

À voir également

Niveau 3 (2ᵉ étage)

Jewellery – The William & Judith Bollinger Gallery (salles 91 à 93)
La richissime collection de bijoux des premiers rois saxons jusqu'à Victoria émerveillera les amateurs de joyaux. Plus de 3 000 bijoux et joyaux retraçant l'histoire de la joaillerie sur 800 ans, avec également des créations contemporaines. La plus belle pièce de la Renaissance est un pendentif en or, diamant et rubis à l'effigie d'Elizabeth Iʳᵉ. On peut y admirer aussi de magnifiques pièces du premier Empire français ainsi qu'une belle collection de bijoux de Lalique. Et, bien sûr, comme dans toutes les autres sections du musée, des vidéos et des documents interactifs pour s'informer sur les techniques et l'histoire de la spécialité en question.

Silver – The Whiteley Galleries (salles 65 à 69, 70a et 89)
Dans le même registre que le précédent. À voir autant pour ses collections que pour la salle elle-même, une immense galerie dans les tons bleus de style victorien avec des plafonds décorés à la manière des palais Renaissance. Les noms de grands céramistes et de grands peintres sont inscrits sur les frises. Dans les vitrines, alignements de trésors brillant de mille feux pour illustrer l'histoire de l'argenterie, principalement de 1400 et 1800. Multitude de pièces richement travaillées. On y verra notamment des objets religieux, mais aussi des armes, de la vaisselle... Une *study area* avec ordinateur permet d'approfondir le sujet (fabrication, histoire, biographie), mais aussi d'explorer les nouvelles tendances (créateurs contemporains, nouveaux matériaux).

Salles de peinture (salles 81, 82, 87 et 88a), Edwin and Susan Davies Galleries
Quelques salles consacrées à la peinture, mais particulièrement surchargées ! Petites huiles de *John Constable,* paysagiste anglais de la fin du XVIIIᵉ s et

BROMPTON, CHELSEA ET SOUTH KENSINGTON

digne représentant de l'école anglaise. *La Cathédrale de Salisbury* et *Le Moulin de Dedham* sont particulièrement réussis. Ce n'est pas étonnant qu'il ait influencé les peintres de Barbizon. Voir également quelques beaux paysages de Turner et de Gainsborough. **Salle 81,** la *collection Ionides* présente des tableaux français de différentes époques, dont *Les Scieurs de bois* de Millet et quelques œuvres de Degas et de Courbet. La **salle 88a** présente par roulement des dessins et aquarelles, notamment les originaux de l'illustratrice pour enfants Beatrix Potter.

Theatre and performance *(salles 103 à 106)*
Moins fréquentées et pourtant passionnantes, des salles consacrées à la scène. Costumes de célébrités, affiches, décors miniatures, marionnettes... On pénètre dans l'intimité du monde du spectacle : loge, répétitions et photos des artistes durant les 35 mn (appelées *the half*) qui précèdent la levée du rideau. La section des costumes, **salle 105,** présente notamment les tenues de scène de Richard Burton dans le rôle d'Henri V, la robe et le chapeau confectionnés par Dior pour Vivien Leigh, le pantalon de Mick Jagger, etc. Salle suivante, le dressing entier de miss Kylie Minogue !

20th Century *(salles 74 et 76)*
Mobilier présentant les grands courants du XXe s à travers une sélection de meubles (style Sécession à Vienne, style Art déco, atelier Oméga...). Apparition de nouveaux matériaux comme le plastique ou de nouveaux objets sur lesquels s'exerce l'esprit inventif des designers (la radio, par exemple). On adore l'*Egg Chair* de Peter Ghyczy.

Portraits miniatures *(salle 90a)*
Dans un autre genre, les miniatures exposées ici acquièrent leurs lettres de noblesse avec des artistes comme Hilliard, Smart ou Cooper. Très délicats et précis, ces miniportraits étaient l'équivalent des « photos de famille » du XVIe s au milieu du XIXe s.

Ironwork *(salles 113 et 114e)*
Plus rustique, tout ce qu'il est possible de réaliser en fer forgé : cloches, mortiers, grilles...

Niveau 6 (5e étage)

Ceramics *(salles 136 à 146)*
Comment mettre le plus d'objets possible dans un minimum d'espace ? La réponse est dans cette galerie complètement ahurissante et riche en surprises. On découvre notamment le parcours de création des céramiques en Europe après 1900. La collection est divisée en quatre quarts du XXe s, puis aux années depuis 2000. Objets usuels ou décoratifs, voire ni l'un ni l'autre pour les plus biscornus ! Évocation des techniques de la céramique, qui remontent à 5 000 ans. On aime beaucoup le vase de Picasso, *Artist at His Easel*, peint en 1954 à Vallauris **(salle 145)**. Puis une section consacrée au reste du monde, principalement l'Asie (Chine, Japon, Corée), dont le V & A possède l'une des plus importantes collections dans le monde, superbement présentée dans une rotonde avec un éclairage naturel splendide.

Furniture Galleries *(salles 133 à 135)*
Les amateurs de meubles de confection ne manqueront pas de visiter ces trois salles. Des pièces maîtresses de la riche collection du musée y sont présentées selon leur fonction, la technique utilisée et l'ornementation,

depuis le XVᵉ s jusqu'à nos jours. On y découvre les différentes manières d'utiliser les meubles au quotidien. On s'arrête sur des artistes particuliers (F. Lloyd Wright, Eileen Gray, par exemple), sur des techniques, comme les meubles liquides devenus solides (des chaises en plastique en somme !), mais aussi le travail de la marqueterie, des matières animales, ou encore la laque, etc.

BAIN, ÇA ALORS !

Eileen Gray, artiste anglaise installée à Paris au XXᵉ s, importe la technique de la laque en France grâce à son maître japonais, venu, lui, à Paris pour l'Exposition universelle. La laque est une matière naturelle qui exsude des arbres et sèche à l'air. Le secret des Japonais ? La travailler sur des bateaux au large, en mer, pour disposer d'assez d'humidité. Mais comment fit donc Eileen Gray à Paris ? Dans sa salle de bains, au-dessus de sa baignoire, tout simplement.

Natural History Museum *(plan d'ensemble, A-B5-6)*

★★★ ♿ *Cromwell Rd, SW7 5BD.* ☎ *020-7942-5000.* ● *nhm.ac.uk* ● Ⓜ *South Kensington.* ♿ ***Autre entrée*** *sur Exhibition Rd, avec accès direct au Earth Hall et à la Zone rouge (plus rapide). Tlj 10h-17h50 (dernière admission à 17h30) ; nocturne jusqu'à 22h le dernier ven du mois (sf en déc). Fermé 24-26 déc. GRATUIT (mais consigne et visites guidées payantes). Expos et attractions temporaires payantes. Prévoir ½ journée. Boutique, resto et 2 cafétérias sur place (celle au Darwin Centre est plus calme).*

Le musée est divisé en quatre vastes sections allant de la minéralogie à la biologie humaine, repérées par des couleurs. Évidemment, beaucoup de salles consacrées au règne animal, au travers d'espèces naturalisées et mises en scène, de toutes tailles et de tous poils. Les collections comptant près de 70 millions de pièces différentes, on conseille vivement de se munir d'un plan (1 £). Pas toujours facile de s'y retrouver, d'autant qu'en fonction des travaux permanents, certaines sections peuvent être fermées, dont le hall d'entrée courant 2017 ! Incontournable en tout cas, pour les petits comme pour les grands.

Une nuit au musée

Une fois par mois, il est possible de dormir au milieu des dinosaures (programme *Dino Snores,* « ronflements des dinosaures »). Apportez votre sac de couchage et vous profiterez d'un dîner + petit déj + film d'horreur dans une atmosphère... cro-magnon. 60 £ par enfant et 180 £ par adulte, quand même ! Réservez plusieurs mois à l'avance.

Un peu d'histoire

L'histoire naturelle fut le centre d'intérêt principal du British Museum jusqu'au milieu du XIXᵉ s. La collection privée de Sir Hans Sloane, médecin naturaliste du XVIIᵉ s, était à l'origine de sa création. Mais l'archéologie prenant une place de plus en plus importante, on décida de transférer ici les collections d'histoire naturelle en 1860. La construction du nouvel édifice fut confiée à l'architecte Alfred Waterhouse, qui conçut un superbe bâtiment de style néoroman, aux fenêtres géminées et recouvert de reliefs animaliers en terre cuite (à vous de les trouver !). D'ailleurs, les spécimens bizarres ne sont pas l'œuvre d'un sculpteur fantasque mais rappellent les espèces aujourd'hui disparues.

BROMPTON, CHELSEA ET SOUTH KENSINGTON

Par ici la visite

Zone bleue : dinosaures, poissons, amphibiens, reptiles, invertébrés marins, mammifères, biologie humaine...

– Le superbe ***Hintze hall*** accueille les visiteurs depuis plus de 100 ans. Un squelette de baleine doit rejoindre celui du diplodocus courant 2017. À sa gauche, passionnantes ***galeries des dinosaures*** justement, à la scénographie soignée. On circule sur une passerelle au milieu de spécimens particulièrement bien représentés (ça pourrait effrayer les plus jeunes). Squelettes formidables, mannequins automates à faire frémir et vidéos. Sans oublier l'animation du *T. rex*, plus réaliste que nature et pour le moins saisissant ! Amusant d'observer le silence s'installer parmi les enfants quand il penche la tête vers eux. Saviez-vous que malgré sa taille (le *T. rex* était plus haut et plus large qu'un bus à impériale), ses bras étaient si petits qu'il n'aurait même pas pu se laver les dents ? C'est peut-être un début de réponse à cette question existentielle posée à la fin de la visite : comment les dinosaures ont-ils disparu ?
– L'exposition sur le corps humain ***(human biology)*** est un superbe voyage interactif à l'intérieur de soi : sang, muscles, cerveau, sens, hérédité, mémoire, etc. Et tout un parcours pour se mettre dans la peau des nouveau-nés (ouïe, vision, notion de l'espace...).

Zone verte : oiseaux, insectes, écologie, fossiles de reptiles marins, minéraux, primates...

– Dans la section consacrée au ***règne animal,*** petite pensée pour les deux exemplaires de dodos (rares) et le *giant sloth* (le paresseux géant), des espèces aujourd'hui disparues. On peut admirer un paon toutes ailes déployées, une vitrine de centaines de colibris *(hummingbirds),* sans oublier les macaques qui font le singe au 1er étage (levez la tête !). D'autres bêbêtes sont à l'honneur : les toutes petites, celles qui font bzzzz, zzzz, et crap crap crap ou qu'on n'entend pas ! Scorpions, abeilles, crabes, etc.
– Ne manquez pas non plus l'exposition très pédagogique sur l'***écologie*** : photosynthèse, chaînes alimentaires, cycle de l'eau, effet de serre, cycle du carbone...
– Au 1er étage, belles collections de ***minéraux*** où se distingue un morceau de la *météorite de Cranbourne,* qui pèse quand même 3,5 t.
– Petite halte au 2e étage devant une coupe de ***séquoia*** vieille de plus de 1 300 ans !

Zone rouge : fossiles, trésors de la Terre, vulcanologie, énergies renouvelables

– Changement de registre. Dans un vaste hall, un escalator entraîne les visiteurs au centre de la Terre pour redescendre progressivement les étages... Effets spéciaux et lumières tamisées pour évoquer l'évolution depuis le big bang *(From the beginning),* avec force détails sur l'érosion des sols *(Restless surface),* les mouvements des plaques tectoniques et les catastrophes qu'ils engendrent, les volcans, etc. *(Volcanoes and earthquakes).* On peut même vivre en direct les effets d'un tremblement de terre dans une boutique japonaise !
– Dans la section *Earth's treasury,* une muséographie moderne et dynamique présente toutes les variétés de ***minerais*** (ce sont les minéraux exploités), dont de sublimes pierres précieuses.
– Section *Earth lab* sur les ***origines de la vie*** (un incroyable concours de circonstances pour mener à la « soupe originelle ») et sur des ***fossiles*** ou ***squelettes*** qu'on n'aurait jamais imaginés *(Lasting impressions).*

Zone orange : Darwin Centre

Aile la plus récente du musée où plus d'une centaine de scientifiques de la maison font un formidable travail de sauvegarde des espèces. Accrochez-vous ! La *Zoology spirit collection* comprend 27 km de rayonnages (7 km rien que pour les poissons) où s'alignent environ 450 000 bocaux de tous diamètres. Puis pénétrez dans le gigantesque cocon (une réussite architecturale en soi), à l'intérieur assez dépouillé mais ô combien pédagogique ! On grimpe au sommet, et on redescend pour une initiation interactive aux mondes des insectes et des plantes, avec des ateliers animés par des scientifiques (quand on ne les regarde pas travailler derrière des vitres). Décodage de l'ADN, taxonomie, collecte d'échantillons... Un bain formidable dans le monde de la recherche, où les spécialistes sortent de leur bocal. On est à la limite du musée classique. Comme souvent, les Britanniques ont une longueur d'avance dans le domaine ! Conférences régulières à l'*Attenborough Studio,* du nom du présentateur naturaliste vedette de la BBC, avec des spécialistes de la question posée. Et rien ne vous empêche de vous balader dans le *Wildlife garden* si le ciel est de la partie.

🎥🎥🎥 🧍‍♀️ *Science Museum (plan d'ensemble, A-B5) :* Exhibition Rd, SW7 2DD. ☎ 0870-870-4868. ● sciencemuseum.org.uk ● Ⓜ South Kensington. ♿ Tlj 10h-18h (dernière admission à 17h15) ; ouv jusqu'à 19h pdt les vac scol. Nocturne le dernier mer du mois (hors déc), jusqu'à 22h. GRATUIT (consigne payante), donation de 5 £ souhaitée. Expos temporaires et activités dans l'espace interactif (cinémas 3D ou 4D, simulateurs) payantes. Bon plan : 2 entrées pour le prix d'une aux expos temporaires sur présentation de votre billet d'Eurostar. Visites guidées en anglais plusieurs fois/j. (durée 40 mn-1h). Fléchage à destination des enfants (une main avec l'index pointé). Prévoir 3 ou 4h. Plusieurs cafét ludiques et bon marché. Espace pique-nique au sous-sol (mais super bruyant !) 📶

Fondé en 1856, le Science Museum est une véritable mine de savoir. Avec plus de 10 000 pièces réparties sur sept niveaux, ses collections couvrent à peu près toutes les activités scientifiques, technologiques et médicales qui ont contribué au progrès. Mais le vrai tour de force, c'est d'avoir réussi à rendre ludiques et attrayants des univers réputés obscurs. On s'y perd parfois entre les expos, les thèmes et les étages, et l'ambiance est franchement bruyante tant les enfants se prennent au jeu, sur fond de bruitages et autres musiques. Peu importe ! Ici, c'est le merveilleux qui l'emporte, réjouissant aussi bien petits (mais pas trop) et grands ! Divers circuits de visite composés par tranche d'âge : moins de 5 ans, 5-7 ans, 8-11 ans, 12-16 ans et adultes ! Voici un aperçu non exhaustif des expos principales :

– **Le sous-sol** (basement, « B » sur le plan) : une grande aire de jeux pour que les enfants se défoulent. Mais aussi une mise en scène passionnante autour de la maison et du jardin. Ça grouille de tous côtés !

– **Le rez-de-chaussée** (ground floor, « G » sur le plan) abrite des pièces monumentales, avec une impressionnante section sur la « construction du monde moderne », des années 1750 à... 3000 ! La révolution industrielle est bien sûr à l'honneur, offrant dans l'*Energy Hall* un festival de machines à vapeur, hydrauliques ou diesel, ambiance *Les Temps modernes* de Chaplin. Belle collection de voitures du début du XXe s jusqu'à 1950, *Puffing Billy,* la première locomotive à vapeur datant de 1814 ou encore le plus grand pneu du monde ! La conquête spatiale est aussi à l'honneur dans *Exploring Space,* avec la *capsule Apollo 10* (vous iriez sur la Lune avec ça ?), une petite fusée et une brochette de satellites. Dans la cage d'escalier, ne manquez pas le pendule de Foucault. Son observation permet de mettre en évidence la rotation de la Terre.

– **Au 1er étage,** une exposition passionnante *(Measuring times)* sur le temps (qu'il fait ou qui passe) et l'observation du ciel. De la pendule à eau utilisée dans la Haute Égypte jusqu'au panneau digital affichant l'heure officielle anglaise. C'est le moment de régler votre montre ! Plusieurs pièces sur l'évolution des techniques agricoles à travers les âges (de l'araire au Massey Ferguson) et, avec *Challenge of materials,* une approche de la matière, du matériau au produit fini avec la délicate question du recyclage. Enfin, une galerie interactive qui pose cette question essentielle et existentielle : « Qui suis-je ? », sur le cerveau et la génétique.

– **Au 2e étage,** ne ratez pas, dans la section *Information age,* les machines à calculer et les premiers *computers* des années 1960, qui ont déjà l'air

d'antiquités ! Section sur les codes secrets et histoire des télécommunications, depuis le télégraphe jusqu'aux liaisons satellitaires qui ont, en moins de 200 ans, complètement modifié notre rapport au temps et à l'espace. Une galerie interactive, *Atmosphere,* sur les enjeux du changement climatique et une expo sur les horlogers de Londres depuis 1600, avec notamment la plus vieille horloge du monde. Enfin, une section qui honore l'énergie, avec, en ligne de mire, le mystérieux anneau central lumineux.
– *Au 3e étage,* vaste espace consacré à l'aviation, avec une belle sélection d'appareils en parfait état (du biplan à l'avion à réaction), différents moteurs et plusieurs simulateurs de vol payants *(motionrides)* dans la section *Fly zone,* pour les amateurs de sensations fortes (et parfois nauséeuses !).

Autres musées

🐾🐾🐾 *Saatchi Gallery (plan d'ensemble, C6) :* Duke of York's HQ, SW3 4RY. ● saatchi-gallery.co.uk ● Ⓜ Sloane Sq. Tlj 10h-18h (dernière entrée à 17h30). *Attention, fermé 10-25 j. entre chaque exposition ; renseignez-vous au préalable. GRATUIT.* Installée dans un ancien bâtiment militaire, la Saatchi Gallery est à la pointe de l'art contemporain. Les expositions sont généralement d'excellente qualité, parmi les plus visitées de la capitale. Si Charles Saatchi a fait fortune dans la publicité et comme conseiller de Margaret Thatcher, il est aujourd'hui le grand mécène de l'art contemporain britannique, et il le prouve avec chaque nouvelle exposition. On lui doit, par exemple, la promotion de Damien Hirst, l'artiste réputé comme le plus riche du monde de nos jours. Une visite immanquable pour tous les amateurs.
|●| 🍸 Resto-bar-café très sympathique, *Gallery Mess,* sous des voûtes impressionnantes *(lun-sam 10h-23h30, dim 10h-19h).* Terrasse.

🐾🐾 *National Army Museum (plan d'ensemble C7) :* Royal Hospital Rd, SW3 4HT. ☎ 020-7730-0717. ● nam.ac.uk ● Ⓜ Sloane Sq. Réouverture prévue *fin 2016 après rénovation.*

L'histoire de l'armée britannique depuis la création des *Yeomen of the Guards* en 1066. Histoire militaire, bien sûr, avec des faits d'armes, mais aussi d'intéressantes digressions sur les conditions de vie des soldats et la place peu enviable des femmes dans l'armée. Clin d'œil comme il se doit à une défaite française : Azincourt, en 1415, où 5 000 archers britanniques ont transformé les chevaliers français en pelotes d'épingles. Les guerres napoléoniennes sont illustrées par une vaste maquette de la bataille de Waterloo (pas moins de 70 000 figurines !). Le squelette de Marengo, l'un des che-

REALITY SHOW

Pendant la dernière guerre, Sefton Delmer, travaillant pour les services secrets britanniques, organisa une énorme entreprise de déstabilisation de l'armée allemande. Il créa une radio en allemand qui eut rapidement du succès dans la Wehrmacht, car tous les faits de guerre étaient exacts et la musique excellente. En revanche, de temps en temps, on évoquait que les chefs nazis couchaient avec les femmes des soldats allemands qui étaient au front ou que le fils de tel ministre était exempté d'armée... Cette propagande aura un impact fantastique lors de leur défaite en Russie.

vaux préférés de Napoléon, pris à Waterloo, trône dans une vitrine. Au XIXe s toujours, les tuniques rouges de Sa Majesté se battent sur tous les continents (avec la création des premiers cimetières militaires en Afrique du Sud). Clin d'œil à la Victoria Cross, la plus haute distinction militaire, créée par devinez qui en 1856.

Il n'y a ni *Redcoat* ni panache au temps de la Grande Guerre. Si l'armement et les méthodes évoluent, la Seconde Guerre mondiale et les conflits suivants ne sont guère plus glorieux...

Monuments et balades

Le Londres résidentiel : South Kensington, Brompton, Knightsbridge et Belgravia

Au menu de cette longue balade entre Hyde Park et Chelsea : palais royal, parcs, musées, boutiques de luxe et les plus beaux représentants des architectures georgienne et victorienne. De quoi entraîner les plus récalcitrants aux averses londoniennes dans une découverte des quartiers résidentiels les plus chic de la capitale : South Kensington, le quartier victorien dans le style et dans l'esprit ; Knightsbridge, le quartier animé des commerces de luxe ; Brompton, quadrillé de *crescents*, ces rues en croissant de lune, et de *mews*. Et, enfin Belgravia, à l'est de Brompton, dont le niveau des loyers n'attire plus que les ambassades.

🏹 **South Kensington** est le résultat du vaste projet d'urbanisation entrepris dans la seconde moitié du XIXᵉ s par le prince Albert, l'époux de la reine Victoria. Les rues bordant le quadrilatère formé de grands musées et d'écoles élitistes, comme Prince Consort Road, Queen's Gate ou Exhibition Road, sont à la gloire de l'Empire victorien et de sa foi en l'élévation de l'esprit par les arts et le progrès scientifique. Le prince consort fut à l'origine de la fameuse Exposition universelle, la première du genre, qui se tint

> **UN P'TIT REMONTANT ?**
>
> *C'est au Crystal Palace, en 1898, que fut mis en place pour la première fois un escalier mécanique, ou escalator... Au début, rien de très pratique, c'est juste une attraction, et on paie 1 penny pour grimper dessus. Par la suite, il est mis en place chez Harrods, le célèbre magasin. Les clients qui se risquaient à prendre cet escalier roulant étaient récompensés au sommet par un majordome avec... un verre de brandy. Tout se perd !*

durant le printemps et l'été 1851 dans le *Crystal Palace*. Cette gigantesque serre futuriste en verre et acier, construite au sud de Hyde Park, fut remontée ensuite dans le sud de Londres et finalement détruite lors d'un incendie en 1936. Grâce aux recettes considérables de l'exposition, le prince Albert fit aménager le quartier pour en faire un lieu consacré aux arts, aux techniques et à l'éducation.

🏹🏹 **Kensington Palace** *(centre 2, M10) : en bordure est de Kensington Gardens, W8 4PX. ☎ 0870-751-5170 ou 0844-482-7788. ● hrp.org.uk ● Ⓜ Queensway ou High St Kensington. Tlj 10h-18h (16h nov-fév). Dernière admission 1h avt fermeture. Entrée : 17,50 £ mars-oct, 16,50 £ nov-fév (légère réduc en ligne) ; réduc ; gratuit moins de 15 ans. On vous rappelle l'existence d'un* pass *qui permet un accès illimité pdt 1 an aux sites de Kensington Palace, Hampton Court Palace, Tower of London, Banqueting House et Kew Palace : à partir de 47 £ par adulte ; forfait famille. Boutique. Cafétéria, mais on préfère la pittoresque* Orangery *à proximité (voir plus haut « Où prendre le petit déj ou le thé ? Où manger des pâtisseries ? »).*

Le seul palais royal que l'on puisse visiter dans le centre. Pas aussi fastueux que Hampton Court ni Buckingham, bien sûr, mais dans un cadre très agréable, accolé à Hyde Park. Guillaume d'Orange acheta une belle demeure aristocratique à la fin du XVIIᵉ s et confia son réaménagement à l'architecte baroque Christopher Wren. Elle servit de résidence royale pendant la première partie du XVIIIᵉ s, jusqu'à l'installation de George III à Buckingham. Les princesses Diana et Margaret (la sœur d'Elizabeth II) y vécurent avant que les lieux ne soient occupés par Kate et William depuis leur mariage.

La visite donne accès à 3 appartements royaux (mais pas ceux de Kate et William !), à visiter dans l'ordre que l'on souhaite, sur fond de musique de circonstance. Mise en scène d'objets du

SACRÉE VICTORIA !

Malgré son image rigoriste, la reine s'enticha, à la mort de son mari, d'un rustre serviteur nommé John Brown. Devenu son confident, il eut une importance considérable dans les affaires du royaume. Victoria fut enterrée avec une mèche de ses cheveux. On s'interroge encore...

quotidien et de tableaux, quelques anecdotes, les joies, les peines, les décès (toujours plus théâtraux chez les couronnés, allez savoir pourquoi), mais rien de très emballant au final. À croire que les souverains mènent une vie plutôt ennuyeuse. Expositions temporaires en lien avec la famille royale aujourd'hui.

– *The Queen's state apartments :* les appartements de la reine Anne, notamment la pièce où elle eut une célèbre dispute avec sa meilleure amie, la duchesse de Marlborough en 1710. L'indélicate colérique fut reniée jusqu'à la fin de sa vie. Pas malin !

– *The King's state apartments :* décorés luxueusement en 1722 par le peintre William Kent, à la demande de George 1er. La comtesse de Deloraine y perdit son titre de maîtresse officielle de George II après avoir retiré la chaise du souverain au moment où il allait s'asseoir. On n'a pas idée aussi !

– *Victoria revealed :* au XIXe s, c'est dans cette aile que la future reine Victoria naquit et mena sa vie de princesse. Inattendues photos de famille, parents et enfants étaient tous fanas de cette nouvelle technologie ! Notez le *selfie* avant l'heure du prince Alexandre. Et les clichés du *jubilee* (60 ans de règne) en 1897, bien avant celui d'Elizabeth II.

🍴 🚶 *Kensington Gardens (centre 2, M10) :* face au Kensington Palace, dans le prolongement de Hyde Park. C'était, aux XVIIIe et XIXe s, le jardin privé de Kensington Palace. Il est toujours aussi propret avec ses allées apprêtées, ses bassins à l'italienne et sa grande quiétude. Allez dire un petit bonjour aux dizaines d'écureuils qui vivent par ici. Ils sont gras et bien nourris, pas farouches pour un cookie. Il vous faudra pourtant résister à l'envie de partager votre quatre-heures, chacun son régime alimentaire ! Près du Serpentine, on trouve la statue de Peter Pan,

PRISE DE BEC

S'il vous arrive d'apercevoir ou d'entendre des perroquets verts en liberté dans les parcs londoniens, vous ne rêvez pas ! Il s'agit en fait d'exotiques perruches à collier rose, originaires d'Inde et qui ont été relâchées par leurs propriétaires au fil des années. Résistantes au froid et très invasives, elles sont aujourd'hui plusieurs milliers à avoir colonisé les parcs du centre, mais surtout ceux de Richmond, Kew, Windsor... Elles ne se gênent pas pour piquer les cacahuètes destinées aux petites mésanges.

installée en 1912 par l'auteur du célèbre conte J. M. Barrie. C'est ici précisément qu'il eut l'idée de l'histoire et qu'il fit atterrir son petit personnage dans le conte.

🚶 Si vous avez des enfants, filez au *Diana Memorial Playground (accès par le coin nord-ouest ; centre 2, M9-10 ; tlj à partir de 10h ; GRATUIT),* une luxueuse aire de jeux réservée aux moins de 12 ans, créée après la mort de la princesse Diana. Pas de doute, le lieu est à la hauteur ! Tout en bois (il y a un bateau de pirates échoué sur un banc de sable fin), joliment paysagée, l'aire est surveillée.

Le *Serpentine,* un bassin d'eau tout en longueur, marque la limite avec Hyde Park. On trouve dans le parc au sud la *Serpentine Gallery (plan d'ensemble A5),* une galerie d'art contemporain aux expositions résolument déconcertantes (● ser pentinegalleries.org ● *Lors des expositions, ouv mar-dim 9h30-18h ; GRATUIT*). À 7 mn de marche (c'est précis !), autre espace, la **Serpentine Sackler Gallery** *(plan d'ensemble B4)*, dédiée également aux expositions d'art contemporain (mêmes horaires). L'originalité de cette bâtisse, qui servait autrefois à stocker la poudre à canon, est le bâtiment contemporain construit par Dame Zaha Hadid, « starchitecte » irakienne annoblie par la reine. Une sorte de pieuvre de résine blanche coiffe la structure de pierre d'autrefois. Contraste saisissant ! Cette structure abrite aujourd'hui un restaurant.

En suivant Broad Walk, puis Flower Walk, on arrive devant l'**Albert Memorial** *(plan d'ensemble A5)*, en bordure sud du parc, érigé par la reine Victoria après la mort de son époux en 1861. Sous un baldaquin à l'architecture néogothique particulièrement indigeste, une statue en bronze à son effigie tient le catalogue de l'Exposition universelle, comme Moïse tiendrait les Tables de la Loi. Frontons, flèches dorées et mosaïques témoignent du goût victorien, carrément excessif, pour le Moyen Âge.

🍴 Le prince Albert trône fièrement devant ses dernières créations, parmi lesquelles le **Royal Albert Hall** *(plan d'ensemble A5)*, une immense rotonde de plus de 5 000 places. Sa façade en brique rouge est ornée d'une frise représentant l'histoire des arts et des civilisations. Ce haut lieu de la vie culturelle londonienne (malgré ses qualités acoustiques discutables) est surtout célèbre pour ses « concerts-promenades » (les

> ## JUST A GIGOLO
>
> *Jusqu'au XIXᵉ s, se promener dans Kensington Gardens au bras d'un beau jeune homme était réservé aux gens de la noblesse. Les filles de peu de vertu et autres cocottes se rabattaient sur Hyde Park, moins chic mais tout proche. Elles louaient les services des militaires qui se faisaient payer pour redorer leur blason : 9 pence pour un artilleur !*

fameux *Proms*) de grande qualité, qui animent les soirées d'été depuis un siècle. Le nom vient de la galerie supérieure de la salle, appelée « promenade ». *Visites tlj sf mer 10h-16h (téléphoner car en cas de représentation, les visites peuvent être annulées l'ap-m).* ☎ 020-7589-8212. ● *royalalberthall.com/your-visit/tours/* ● *Prévoir 13-16 £ pour une balade d'env 1h ; réduc.*

À côté, l'immeuble cossu et tout en arrondi, en brique rouge et aux fenêtres blanches, **Albert Hall Mansions,** abrite de luxueux appartements au vu de leur taille et de leur situation. En face du Royal Albert Hall (porte sud), belle façade néogothique du **Royal College of Music,** ornée de tours et de poivrières. Contourner le bâtiment sur la gauche et descendre Exhibition Road jusqu'à Cromwell Road. Voici le quartier des musées. À droite, ne manquez pas la longue façade néoromane du **Natural History Museum,** décorée d'animaux en terre cuite (voir plus haut « Galeries et musées »). En revenant sur ses pas dans Cromwell Road, on passe devant la façade imposante du **Victoria and Albert Museum,** musée exceptionnel à la gloire de toutes les techniques, toutes les civilisations et toutes les époques (voir plus haut « Galeries et musées »).

🍴 Au beau milieu du boulevard (Thurloe Place), devant le V & A *(plan d'ensemble B5-6)*, on ne résiste pas à vous signaler la vieille bicoque en bois vert, totalement incongrue. Ce **cabbies' shelter** servait autrefois à abriter les conducteurs de fiacre. Le maigre édifice n'était guère plus long qu'un cheval et sa voiture. Il en reste seulement une douzaine dans la ville, tous classés. Rien que pour le fun, n'hésitez pas à hisser la tête par la toute petite lucarne. On y sert toujours boissons et sandwichs *(lun-sam 7h-22h)*. Un saut de 100 ans en arrière qui vous coûtera 0,50 £ le thé ou le café!

🍴 **Brompton Oratory** *(plan d'ensemble B5-6)* **:** *sur Brompton Rd, jouxtant le Victoria and Albert Museum.* Ⓜ *South Kensington. Tlj. GRATUIT.* Première église catholique à avoir été érigée après la Réforme anglicane (1531). Elle fut construite à la fin du XIXᵉ s dans un pastiche du baroque italien qui n'aurait pas déplu à Christopher Wren. Nef ample et imposante, bordée des deux côtés de chapelles et décorée de manière somptueuse. Pour faire plus vrai, des œuvres d'art datant de la Renaissance italienne ont été ajoutées, comme les statues des 12 apôtres, du sculpteur siennois Mazzuoli, qui ornent les pilastres. Dans la dernière chapelle de droite, autel de la Vierge en marbre polychrome très chargé, provenant de l'église de Brescia.

🍴 **Brompton Road** borde à l'ouest le quartier du même nom. Jolies demeures bourgeoises dans le quartier, avec le jardin côté rue. Egerton Crescent, notamment, présente les façades homogènes et à l'antique de ces maisons bourgeoises construites au XVIIIᵉ s dans un style élégant quoique un peu austère. Les fossés séparés du trottoir par une grille en fer, sur lesquels s'ouvrent les pièces réservées aux domestiques, datent de cette époque.

🚶🚶 Plus du côté des musées, Brompton Road fait place à Fulham Road, plus animée et moins sérieuse. À l'angle de Sloane Avenue, superbe entrée Art nouveau tardif (1911) de **Michelin House** (plan d'ensemble B6). L'immeuble abrite un resto et le grand magasin Conran.

🚶🚶 Faisons un crochet dans les rues chic et tranquilles du quartier de Brompton, en prenant Draycott Avenue, parallèle à Sloane Avenue ou **Walton Street** (plan d'ensemble B6), bordée de petites boutiques plus huppées les unes que les autres, de la bijouterie à l'orfèvrerie en passant par les tissus d'ameublement. Regagner Brompton Road par **Beauchamp Place** – on prononce « Bitcham » –, repaire de restos chic, de boutiques de mode anglaise et d'antiquaires. Hors de prix, of course !

🚶🚶 Brompton Road, moins intimiste puisque très commerçante, dans le quartier de **Knightsbridge**, n'abrite pas n'importe quels commerces. Voyez plutôt aux nᵒˢ 87 à 135 le magasin **Harrods** (plan d'ensemble B-C5) qui occupe tout le pâté de maisons. Dire qu'au XIXᵉ s, ce n'était qu'une petite épicerie de quartier ! Visitez-le comme le musée du commerce de luxe (voir « Shopping. Les magasins mythiques et chers »).

🚶🚶 Poursuivons dans le huppé bien ordonné en flânant dans les rues de **Belgravia**, le quartier des squares et des terraces aristocratiques, aménagé dans la première moitié du XIXᵉ s par la famille Grosvenor. Architecture typique des terraces, ces rangées monotones de maisons georgiennes en brique blanche ou crème ornées d'une colonnade et de frontons à l'antique. Prendre Hans Crescent, puis Sloane Street à droite et tourner à gauche dans Cadogan Street prolongée par Halkin Street, qui débouche sur **Belgrave Square** (plan d'ensemble C5), une réplique en miniature des grands exemples que créa l'architecte John Nash à la même époque autour de Regent's Park.

🚶🚶 🚶 **Hyde Park** (plan d'ensemble A-B-C4-5) : profitez d'une éclaircie pour faire une pause sur les pelouses de ce parc qui forme avec les Kensington Gardens attenants le plus grand espace vert de la ville. À moins que vous ne préfériez canoter sur le Serpentine ou plonger dans l'unique piscine du centre de Londres. Les nostalgiques iront méditer près de la Diana Memorial Fountain (plan d'ensemble B4), un vaste cercle de granit le long duquel s'écoule de l'eau et où les Londoniens n'hésitent pas à faire trempette l'été (attention à ne pas glisser !). Les amateurs d'insolite dénicheront le cimetière d'animaux domestiques (pets cemetery), très peu connu des Londoniens eux-mêmes car caché derrière les grilles au niveau de Victoria Gate Lodge sur Bayswater Road (plan d'ensemble C4). Il date de 1881 et abrite plusieurs centaines de tombes aux épitaphes parfois surprenantes.

Le parc constitue en tout cas un lieu rêvé pour un pique-nique. Plusieurs terrasses accueillantes pour déjeuner au bord de l'eau, notamment à l'extrémité est de la Serpentine. L'ex-terrain de chasse d'Henri VIII devint jardin public en 1635 sous le règne de Charles Iᵉʳ. Mais les détrousseurs remplacèrent les bêtes sauvages.

La sécurité n'était assurée que sur *Rotten Row* (« la rue Pourrie »), l'ex-« route du Roi » qui subit une malheureuse déformation de langage. Alors seule route éclairée de Londres, elle permettait au roi de se déplacer sûrement entre les palais de Kensington et de Saint James'. Aujourd'hui, vous y croiserez vers 10h30 la garde à cheval montante, qui se dirige vers le quartier des *Horse Guards* près de Whitehall pour la relève quotidienne. Le reste du temps, ce sont les *posh girls* (les filles B.C.B.G. en v.f.) et leur progéniture qui caracolent sur les sentiers. À l'angle nord-est, **Speaker's Corner** *(plan d'ensemble C4),* le « coin des Orateurs ». Tout Britannique ayant un message à apporter au monde peut l'exposer devant une masse d'auditeurs anonymes. On peut dire n'importe quoi, n'importe comment, le plus souvent avec humour, mais le dimanche seulement.
– Super festival de musique fin juin-début juillet, le *Wireless Festival,* avec plein d'artistes rock, pop et de variétés (● *wirelessfestival.co.uk* ●).
– **Balade à cheval dans Hyde Park** *(plan d'ensemble A-B3) :* Hyde Park Stables, *63 Bathurst Mews, W2 2SB.* ☎ *020-7723-2813.* ● *hydeparkstables.com* ● Ⓜ *Lancaster Gate ou Paddington. Balades à partir de 85 £/h par pers.* Expérience unique mais hors de prix !

⚘ Toujours à l'angle nord-est du parc, **Marble Arch** *(plan d'ensemble C3),* un arc de triomphe en marbre blanc du début du XIXᵉ s qui fit office à l'origine de porte d'honneur à l'entrée de Buckingham Palace. Non loin de là, sur le terre-plein triangulaire à l'entrée d'Edgware Road, une plaque ronde en pierre dans la chaussée rappelle qu'à cet endroit était jadis dressé le *gibet de Tyburn* **(Tyburn tree),** là où les pauvres gens étaient exécutés, ceux du moins dont la condition

AUX HÉROS DE LA NATION

On déniche sur Park Lane, au niveau de Brook Street (plan d'ensemble C4), un mémorial de bonne taille en hommage aux... animaux qui ont servi pendant les guerres. Ils y sont tous : mulets pour le transport, chevaux pour les assauts, chiens de garde... et même les pigeons voyageurs ! L'amour des Anglais pour leurs pets est décidément le plus fort.

n'autorisait pas une mort illustre à la Tour de Londres. Arrêtez-vous deux secondes pour ressourcer vos chakras devant l'élégante sculpture de Nic Fiddian-Green (2011), emprunte de sérénité, au milieu de la circulation : **Still water,** une tête de cheval de 10 m de haut, penchée délicatement pour boire une eau imaginaire.

Le Londres des artistes : Chelsea

Pendant des siècles modeste village de pêcheurs loin de la capitale, Chelsea apparaît dans l'histoire de Londres au XVIᵉ s sous l'impulsion de deux personnages : Henri VIII, qui s'y fit construire un manoir d'été, et Thomas More, un humaniste qui reçut nombre d'intellectuels et d'artistes de l'époque. Au XVIIIᵉ s, l'installation de Sir Hans Sloane, l'un des fondateurs du British Museum, et la construction du Royal Hospital contribuèrent à populariser Chelsea. L'endroit devint un lieu de promenade prisé des Londoniens qui fuyaient la vie (déjà) trépidante de la capitale. Véritable havre de paix, l'engouement s'amplifia encore au XIXᵉ s, lorsque quelques artistes, comme le peintre Turner, le poète Percy Shelley, les écrivains Henry James et Oscar Wilde vinrent s'installer ici, suivis de George Bernard Shaw et de Virginia Woolf. Chelsea devint une sorte de refuge pour toute une série d'artistes maudits. Les stars de la musique (Mick Jagger), de la TV, du cinéma et de la politique (Margaret Thatcher) ont aujourd'hui remplacé les écrivains. Chelsea a conservé son côté chic et charmant mais toujours avant-gardiste. Il suffit de se promener sur King's Road pour s'en apercevoir.

BROMPTON, CHELSEA ET SOUTH KENSINGTON

🏵 *Sloane Square* (plan d'ensemble C6) : Chelsea commence sur cette place bordée d'arbres, ornée d'une fontaine (l'une des rares de la ville, Londres n'est pas Rome !) et grouillante de circulation. Profitez de la station de métro, vous n'en reverrez plus dans ce quartier. Les habitants en ont empêché la construction pour être tranquilles. Du coup, il faut tout faire à pied

MÉTRO SUBMARINE

La station de métro Sloane Square est unique en son genre : au-dessus de ses rails coule une rivière. Il s'agit de la Westbourne, qui débute son cours à Hampstead Heath jusqu'au Serpentine pour traverser Sloane Square (l'eau de la fontaine) et se déverser dans la Tamise.

ou en bus. On trouve aux alentours quelques belles enseignes de prêt-à-porter. Mais surtout, la *Saatchi Gallery,* réputée internationalement pour la qualité de ses expositions temporaires. Voir plus haut « Galeries et musées ».

🏵 *Holy Trinity Church* (plan d'ensemble C6) : *sur Sloane St.* Église sans grand intérêt architectural mais, à l'intérieur, vitraux de William Morris et d'Edward Burne Jones représentant des scènes de l'Ancien et du Nouveau Testament, entourées d'une kyrielle de saints. Œuvre grandiose des deux artistes les plus emblématiques du mouvement préraphaélite, parti en guerre contre l'académisme victorien et les maux de la société industrielle. Au fond, orgue romantique du XIXe s que l'on peut entendre presque tous les jours. Traverser Sloane Square et descendre Lower Sloane Street jusqu'à Royal Hospital Road.

🏵 *Royal Hospital Chelsea* (plan d'ensemble C6-7) : *Royal Hospital Rd, SW3.* ☎ 020-7881-5000. ● *chelsea-pensioners.co.uk* ● Ⓜ *Sloane Sq. Tlj (sf dim mat) 11h-12h, 14h-16h. GRATUIT.* Bâtiment de brique rouge et de pierre blanche construit par Wren en 1682 sur le modèle des Invalides à Paris. Charles II voulait, comme Louis XIV, un hôpital destiné aux anciens de l'armée royale qu'il venait de reconstituer. Aujourd'hui encore, l'hôpital accueille plus de 350 pensionnaires. Dans la cour, statue toute dorée de Charles II en empereur romain par Gibbons. Le réfectoire *(Great Hall),* imposant et lourd, célèbre la royauté et ne manque pas de panache. En face, visiter la chapelle en marbre blanc et noir, ornée de boiseries sculptées par Gibbons. Dans la poste (dans la ruelle prolongeant l'entrée nord de l'hôpital), petit musée rempli de photos, de médailles, d'uniformes, etc.

🏵 Bordant le Royal Hospital, les *Ranelagh Gardens* furent le siège de fêtes insensées au XVIIIe s, où l'aristocratie se donnait rendez-vous en masse. Au centre, une rotonde décorée par Canaletto accueillit Haendel, qui créa *The Water Music,* ainsi que Mozart. Seul le *Chelsea Flower Show* subsiste au chapitre des festivités. *Achat des billets par tél depuis la France :* ☎ *(00-44) 121-767-4063.* ● *rhs.org.uk/ chelsea* ● *Assez cher.* Durant 4 jours, la 3e semaine de mai, la reine inaugure ces floralies qui attirent une foule imposante.

🏵 Sur Embankment, point de vue idéal sur la *Peace Pagoda* (pagode de la Paix), de l'autre côté de la Tamise, dans Battersea Park. Le bouddha d'or et de bronze de plus de 3 m fut construit en 11 mois par 50 moines venus du Japon en 1985. Prendre *Swan Walk.*

🏵🏵 *Chelsea Physic Garden* (plan d'ensemble C7) : *66 Royal Hospital Rd, SW3 4HS* (entrée sur Swan Walk l'été). ☎ 020-7352-5646. ● *chelseaphysicgarden.co.uk* ● Ⓜ *Sloane Sq.* ⚓ *Avr-oct, mar-ven et dim 11h-18h ; nov-mars, lun-ven 10h-16h (ou à la tombée de la nuit si plus tôt ; café et boutique fermés en hiver). Nocturne mar-mer en juil-août jusqu'à 22h (dernière entrée à 20h30). Visites guidées gratuites tlj. Entrée : 10,50 £ ; réduc.* Fondé en 1673, le plus vieux jardin botanique d'Angleterre (voire d'Europe, mais c'est un pléonasme !) fut sauvé puis offert à la Société des apothicaires de Londres par le célèbre médecin naturaliste Sir Hans Sloane. On y planta les premiers cèdres de Grande-Bretagne. Les plants de coton introduits aux Amériques transitèrent par ce jardin de 4 ha, tout comme les plants de thé de Chine qu'on envoya en Inde. C'est vrai que Pékin-Delhi via Londres, au XVIIIe s, c'était direct ! Aujourd'hui, on trouve des centaines d'essences, des milliers de plantes aromatiques, de fruits, de légumes, des serres, des bancs, des coins et des recoins... Une bouffée d'oxygène.

🎖 Prendre Old Church Street pour remonter vers King's Road. Vous passerez à côté de **Chelsea Old Church** *(plan d'ensemble B7)*, l'ancienne église de Chelsea datant en partie du XIIe s. Thomas More y serait enterré dans la chapelle sud reconstruite au XVIe s (mais sa tête se trouve à Canterbury, pour faire simple !).

🎖🎖 **King's Road** *(plan d'ensemble A-B-C6-7) :* en remontant vers Sloane Square, vous découvrirez l'exubérance et l'insolence de Chelsea où se mêlent une faune avant-gardiste et les touristes qui veulent rester dans le coup. Toutes les modes de l'après-guerre sont nées ici, et le contraste est étonnant entre cette artère de folie et les petites rues, au sud, qui font figure de chic banlieues isolées. C'est aussi un coin couru pour faire du shopping, notamment les dernières fringues tendance, pas vraiment bon marché...

De l'autre côté de la Tamise

🎖 Empruntez l'**Albert Bridge** *(plan d'ensemble B7)*, un pont en suspension de style victorien tout élégant et pimpant dans ses tons jaune et bleu. Les armées doivent rompre le pas pour le traverser, c'est indiqué à chaque extrémité. Repérez la dernière cabine de péage de Londres à l'entrée du pont (mais elle n'est plus en service !).

🎖 Juste de l'autre côté de la Tamise, on ne peut pas manquer les quatre tours de **Battersea power station,** l'usine électrique de Battersea *(plan d'ensemble D7)*. Célèbre, car figure sur la pochette de l'album *Animals* des Pink Floyd. Elle fut construite en 1932, par Giles Gilbert Scott, le même architecte qui construisit quelques années plus tard l'usine électrique de Southwark, à savoir l'actuelle *Tate Modern.* Bel exemple d'architecture industrielle de l'époque Art déco, elle est à ce titre classée Monument historique.
Agréable **parc de Battersea** pour taper la balle ou se détendre tout simplement. Un peu moins pris d'assaut que les parcs du centre-ville. Un bon plan !
🎖 Il abrite un **zoo,** doublé d'un centre de conservation des espèces. ☎ 020-7924-5826. ● batterseaparkzoo.co.uk ● Tlj 10h-17h30 (16h30 l'hiver). Entrée : env 9 £ ; réduc. Et, tout près, *petit lac* pour pagayer un peu et conter fleurette. Location des barques auprès du *Millenium Arena,* centre de sport situé à côté du zoo.

🎖 **Wimbledon Lawn Tennis Museum** *(hors plan d'ensemble par B-C8) :* The Museum Building, All England Lawn Tennis & Croquet Club, Church Rd, Wimbledon, SW19 5AE. ☎ 020-8946-6131. ● wimbledon.org/museum ● Ⓜ Southfields, puis bus n° 493 ; ou Tooting Broadway, puis bus n° 493. Assez excentré. En train, station Wimbledon Station depuis Waterloo, puis bus n° 493. Tlj 10h-17h. Fermé pdt les compétitions (sf pour les spectateurs munis de billets). Entrée : 13 £ ; réduc. Possibilité de visites guidées du site, qui incluent notamment le court central et les salles de presse : compter tout de même 24 £, entrée du musée comprise. Joueurs de fond de court ou volleyeurs, spectateurs ou ramasseurs de balles, un musée pour les fans du petit monde de la raquette. Attractions interactives de haut niveau : visite des vestiaires avec McEnroe, extraits de matchs en 3D... sans oublier, bien sûr, une collection de trophées, de matériel, et un panorama complet de l'histoire du tennis (qui remonterait à 1555).

EARL'S COURT, WEST BROMPTON, HAMMERSMITH ET SHEPHERD'S BUSH

● Pour se repérer, voir le centre 2 détachable en fin de guide.

Earl's Court se révèle un quartier animé autour de deux grandes rues commerçantes qui se croisent : Earl's Court Road et Old Brompton Road. On y trouve le siège du club de foot de Chelsea. Autant dire que les soirées peuvent être très électriques les jours de match. Rien de bien palpitant certes, mais le quartier est bien desservi par les transports en commun et c'est un point de chute pratique pour rayonner. Les rues résidentielles sont agréables, avec de belles maisons cossues. De là, on rejoint Holland Park, les grands musées de South Kensington, Chelsea ou encore Hammersmith et Shepherd's Bush en 10 à 15 mn à pied, en bus ou en métro.

Où dormir ?

Studios et appartements

🏠 **Go Native Kensington** (centre 2, L11, 68) : 181 Warwick Rd, W14 8PU. ☎ 020-7313-3886. Ⓜ Earl's Court, sortie « Warwick Rd » ou « Earl's Court Exhibition Center ». ● enquiries@gonative.com ● gonative.com ● Juste derrière l'immense Tesco. Studios et appartements 75-150 £ la nuit. 🛜 Dans un grand building, des appartements à la déco moderne et élégante (bois blond, touches colorées). L'environnement direct n'est pas très folichon, mais on reste proche du centre, et on trouve un supermarché ouvert 24h/24 juste à côté. L'idéal en famille. Certains appartements ont même une vue assez impressionnante (c'est haut !).

🏠 **Citadines South Kensington** (centre 2, M11, 136) : 25-35 A Gloucester Rd, SW7 4PL. ☎ 020-7543-7878. Résas en France : ☎ 0825-333-332. ● kensington@citadines.com ● Ⓜ Gloucester Rd. Petit studio à partir de 119 £, jusqu'à 244 £ la nuit selon nombre d'occupants (1-4 pers). Petit

déj possible. Moins cher à la sem et sur le site web. 🖥 🛜 Studios et mini-appartements confortables ; idéal si vous voyagez en famille. Les logements sont agréables, avec mobilier en bois clair et tonalités chaleureuses. Une adresse bien située (notamment pour les grands musées de l'Ouest londonien), qui présente un très bon niveau de confort.

De bon marché à prix moyens (moins de 90 £ / 117 €)

🏠 **Barmy Badger Backpackers** (centre 2, L11, 76) : 17 Longridge Rd, SW5 9SB. ☎ 020-7370-5213. ● barmybadger@hotmail.com ● barmybadger.com ● Ⓜ Earl's Court. Dortoirs mixtes (ou pas) 4-6 lits 22-30 £, doubles 60-80 £ sans ou avec sdb ; petit déj continental inclus. 🛜 Cette AJ de poche a trouvé son rythme dans un style brouillon mais chaleureux qui plaira sans doute aux routards bohèmes. Aucun gros défaut : à taille humaine, au calme et proche du métro. Un minisalon TV avec ses canapés épais, une cuisine sympa, une laverie, des *lockers* et des dortoirs corrects, dont certains avec salle de bains. Petit jardin pour les barbecues en été. Accueil jovial et souriant.

≙ *Earl's Court Youth Hostel* (YHA ; centre 2, M11, *66*) : 38 Bolton Gardens, SW5 0AQ. ☎ 0845-371-9114. ● earlscourt@yha.org.uk ● yha.org.uk ● ⓜ Earl's Court. Dortoirs 4-10 pers env 20-35 £, doubles 45-80 £ (réduc de 3 £ pour les membres). Petit déj-buffet 4,99 £. ☐ (payant). ☎ Vaste AJ bien située et moderne, avec des dortoirs nickel et des salons confortables. L'un des fleurons de la chaîne : la rue résidentielle est agréable, la maison à bow-windows ne manque pas de caractère, et les prestations sont à la hauteur (jardin, *coffee bar* 24h/24, location de serviettes), des sous-sols aux combles.

≙ *LHA, Belvedere House* (centre 2, M11, *71*) : 6 Grenville Pl, SW7 4RT. ☎ 020-3468-4340. ● bookings@lhalondon.com ● lhalondon.com/belvedere-house/ ● ⓜ Gloucester Rd. Juste après Ashburn St, proche de Kensington Gardens. Lits en chambre ou dortoir 1-3 pers (non mixte) 26-30 £. Prix dégressifs à partir de 2 sem. Pas de petit déj, cuisine à dispo, mais il faut avoir ses gamelles. ☐ ☎ Ancien hôtel particulier de 5 étages qui abrite aujourd'hui une résidence étudiante d'environ 130 places. Elle est pleine de charme, propre et bien tenue, avec les sanitaires sur le palier, pas moins de 2 cuisines par étage, une salle TV et une laverie. Chambres fonctionnelles, avec le minimum nécessaire. Ambiance pension de famille très agréable ; la plupart des chambres sont louées à l'année par les expats.

≙ *Easy Hotel South Kensington* (centre 2, M11, *54*) : 14 Lexham Gardens, W8 5JE. ● easyhotel.com ● ⓜ Gloucester Rd. ⚲ Résas slt sur Internet, au cours du jour. Doubles 20-100 £. ☐ ☎ (payants). Plus vous réservez tôt, plus votre nuit est bon marché. Mais à prix mini... chambres riquiqui ! Dans une belle demeure à colonnades (comme toute la rue d'ailleurs), les architectes ont réussi à caser un maximum de chambres aux allures de cabine de navire avec fenêtre pour les chanceux. Les claustros s'abstiendront... Attention, ménage durant votre séjour, serviette et TV en option. Accueil à l'avenant et, bien sûr, pas de petit déj. Une autre adresse à deux pas, si celle-ci est complète : *Easy Hotel Earl's Court*, 44-48 Cromwell Rd, SW5 9QL (même métro).

De prix moyens à plus chic (50-120 £ / 65-156 €)

≙ *London Town Hotel* (centre 2, L11, *78*) : 15 Penywern Rd, SW5 9TY. ☎ 020-7370-4356. ● info@londontownhotel.co.uk ● londontownhotel.co.uk ● ⓜ Earl's Court. Fermé 23-26 déc. Doubles 75-130 £, family rooms, petit déj continental inclus. ☐ (payant). ☎ Dans une maison victorienne typique et avec ascenseur, une trentaine de chambres conventionnelles confortables et agréablement aménagées, avec moquette bien épaisse. Hall d'entrée soigné. Au 1er étage, surplombant le jardin, salon équipé d'une TV et d'Internet avec thé et café à disposition. Accueil familial et service irréprochable. Une bonne adresse centrale et calme.

≙ *Henley House Hotel* (centre 2, L-M11, *79*) : 30 Barkston Gardens, SW5 0EN. ☎ 020-7370-4111. ● reservations@henleyhousehotel.com ● henleyhousehotel.com ● ⓜ Earl's Court. Doubles 79-199 £, petit déj inclus ; 15 % de réduc en ligne pour un séjour de 2 nuits ou plus ; 20 % pour 3 nuits ou plus, au moins 30 j. avt. ☎ Une belle maison victorienne en face d'un vaste square très paisible et une vingtaine de chambres entièrement rénovées dans un style *British new age* très réussi, mêlant design et tradition. Confort high-tech, ascenseur, et propreté irréprochable. Petit déj-buffet continental dans une grande salle avec verrière. Accueil attentionné. Une de nos meilleures adresses dans le coin.

≙ *Ibis Styles Hotels London Kensington* (centre 2, L-M11, *330*) : 15-25 Hogarth Rd, SW5 0QJ. ☎ 020-7373-4502. ● ibis.com ● ⓜ Earl's Court.

Doubles 72-208 £. ☎ Cet *Ibis*-là nous a séduits par sa position, sa déco design, son excellent confort et son intéressant rapport-qualité-prix en cas de promo. On adore sa façade victorienne à colonnes et la grande fresque du hall célébrant joyeusement les musées du quartier. Sur les 115 chambres, celles du sous-sol sont peu lumineuses mais particulièrement spacieuses. Accueil pro.

🛏 *The Nadler Kensington (centre 2, M11, 70) : 25 Courtfield Gardens, SW5 0PG.* ☎ 020-7244-2255. ● ken sington.reception@thenadler.com ● thenadler.com ● Ⓜ *Gloucester Rd ou Earl's Court. Doubles 79-300 £, petit déj en sus.* 🖥 *(payant).* ☎ Un hôtel décoré dans un style contemporain sobre et agréable, jusqu'aux moquettes, avec quelques vestiges victoriens comme ce bel escalier en fer forgé. Confort assuré et plein de petites attentions sympas comme cette kitchenette d'appoint (frigo et micro-ondes), la machine à expresso et les nombreuses réduc dans les restos du quartier. On aime beaucoup les chambres qui donnent sur le petit jardin à l'arrière. Une adresse idéale en famille et sans conteste un bon camp de base.

🛏 *The Mayflower Hotel (centre 2, L11, 69) : 26-28 Trebovir Rd, SW5 9NJ.* ☎ 020-7370-0991. ● info@mayflower-group.co.uk ● mayflower-group. co.uk ● Ⓜ *Earl's Court. Doubles 90-160 £ ; également triples et quadruples. Petit déj-buffet inclus.* 🖥 ☎ Un boutique-hôtel dans le style oriental, avec le bois comme dominante dans la déco. Une cinquantaine de chambres tout confort mais pas bien grandes, Londres oblige ! On préfère celles qui donnent sur le jardin à l'arrière. Mobilier indien, tissus choisis avec soin et literies douillettes à souhait. Tarifs avantageux pour les familiales. Salle de petit déj-bar pour un dernier verre.

🛏 *Premier Inn Earl's Court (centre 2, M11, 133) : 11 Knaresborough Pl, SW5 0TJ.* ☎ 0871-527-8666. ● pre mierinn.com ● Ⓜ *Gloucester Rd ou Earl's Court. Chambres 90-170 £. Petit déj en sus, gratuit pour un enfant de moins de 16 ans par adulte.* 🖥 ☎ *(haut débit payant).* Un hôtel de chaîne central et de bon confort, tout indiqué pour les familles (prix par chambre, de 1 à

4 personnes). 2 bâtiments, assez laids, reliés par une curieuse passerelle, presque 200 chambres et une déco très corporative, dans les tons mauves, emblème de la société. Une autre adresse toute proche, dans le même registre de confort et déco *(22-32 West Cromwell Rd.* ☎ *0871-527-8668).*

🛏 *Twenty Nevern Hotel (centre 2, L11, 60) : 20 Nevern Sq, SW5 9PD.* ☎ 020-7565-9555. ● hotel@twentyne vernsquare.co.uk ● 20nevernsquare. co.uk ● Ⓜ *Earl's Court. Doubles 100-200 £, petit déj inclus.* ☎ Dans ce calme square de *B & B*, répartis autour d'un vaste *green*, voici un lieu « very tempting » comme ils disent sur la brochure, sur le mode boutique-hôtel. Style oriental (plutôt chargé) dès la réception, et toutes les chambres ont leur ambiance exotique. Certaines pas bien grandes, mais toutes très confortables et résolument dépaysantes.

Spécial coup de folie (plus de 120 £ / 156 €)

🛏 *The Rockwell Boutique Hotel (centre 2, L11, 72) : 181-183 Cromwell Rd, SW5 0SF.* ☎ 020-7244-2000. ● reser vations@therockwell.com ● therock well.com ● Ⓜ *Gloucester Rd ou Earl's Court. Doubles 150-210 £, avec ou sans petit déj selon formule et promo. Familiales 210-250 £. Réduc sur Internet.* ☎ Un boutique-hôtel très cosy, à deux pas des musées. On pousse la lourde porte en bois et là, on reste sous le charme des grands volumes, l'élégance des matières claires, et de la déco anglaise chic et élégante. Tout confort, *of course*, même dans les chambres sur rue, grâce à l'efficace double vitrage. Bar, resto. Une adresse tout indiquée pour un week-end en amoureux.

🛏 *Hôtel Indigo (centre 2, L-M11, 79) : 34-44 Barkston Gardens, SW5 0EW.* ☎ 020-7373-7851. ● lonlk.reser vations@ihg.com ● hotelindigo.com/ kensington ● Ⓜ *Earl's Court. Doubles 139-269 £.* ☎ Dans un ancien hôtel victorien, totalement rénové. Une centaine de chambres, toutes dans des tonalités acidulées et chaleureuses. Avec les luminaires rose bonbon ou vert anis, la déco est résolument osée et flashy pour ce boutique-hôtel tout | confort. Bar tout aussi cosy pour un dernier verre.

Où manger ?

De très bon marché à bon marché (moins de 20 £ / 26 €)

|●| 🍽 *La Petite Bretagne* (centre 2, K11, **164**) : 5-7 Beadon Rd, à Hammersmith, W6 0EA. ☎ 020-8127-5530. ● contact@lapetitebretagne.co.uk ● Ⓜ *Hammersmith*. Lun-ven 8h-22h, w-e et j. fériés 10h-22h. Crêpes et galettes 7-10 £ (5-7 £ à emporter). 📶 Une poche de résistance chez la Perfide Albion ! Dans un décor chaleureux de cantine délicieusement rétro, de bonnes crêpes faites sous vos yeux, avec les traditionnelles « Complète », « Océane » et « Carnacoise ». Et le sourire du patron en prime, le sympathique Antoine, coiffe traditionnelle sur la tête. Crêpes du mois pas mauvaises du tout, où parfois les fromages anglais s'invitent. *Shocking !* Pour rattraper le tout, kouign-amann maison. Du jamais vu à Londres !

🍽 🍽 *Caffe Forum* (centre 2, M11, **147**) : 146 Gloucester Rd, SW7 4SZ. ☎ 0207-259-2322. Ⓜ *Gloucester Rd*. À 100 m du métro. Tlj 7h-minuit. Petit déj 2,50-7,50 £, plats et pizzas 5-9 £. 📶 On vient ici pour les bons petits déj anglais et les jus de fruits maison. Le reste du temps, cette maison conviviale propose des sandwichs généreusement garnis, des pizzas, de la petite restauration. La déco est faite de plantes vertes et de photos londoniennes en guise de tapisserie. Quelques tables en terrasse.

|●| 🧑‍🍳 *Wagamama* (centre 2, L11, **170**) : 182 Earl's Court Rd, SW5 9QG. ☎ 020-7373-4670. Ⓜ *Earl's Court*. Tlj 11h30-23h (22h dim). Plats 6-14 £. 📶 Comme ses consœurs partout à Londres, la célèbre enseigne arbore une déco minimaliste, de grandes tablées, une cuisine apparente et aligne tous les petits plats japonais qui font son succès. Portions copieuses et prix doux, la formule plaît. Wagamania ! Autre adresse (la 100ᵉ du groupe !) à

Hammersmith (centre 2, K11, **170**) : The Old Firestation, 244 Shepherds Bush Rd, W6 7NN. ☎ 208-741-9814. Ⓜ *Hammersmith*. Tlj 11h-23h (22h dim). Dans une historique caserne de pompiers.

|●| *Gourmet Burger Kitchen* (centre 2, L11, **233**) : 163-165 Earl's Court Rd, SW5 9RF. ☎ 020-7373-3184. ● gbk@gbkinfo.com ● Ⓜ *Earl's Court*. Tlj 11h-23h30 (22h dim). Burgers 5,50-12 £. Gourmet ? Quand même pas, mais gastroburger pour les amateurs de bonnes viandes. Ce petit resto de chaîne est toujours plein comme un œuf. Garnitures souvent très originales (gorgonzola, avocat ou encore betterave-ananas). Excellent, y compris les frites ! On commande et on paie au bar.

De bon marché à prix moyens (10-30 £ / 13-39 €)

|●| *Coco Momo* (centre 2, M11, **136**) : 25 Gloucester Rd, SW7 4PL ☎ 020-7589-0905. ● cocomomokensington@foodandfuel.co.uk ● Tlj 9h-23h (22h30 dim) ; service jusqu'à 22h (21h dim). Formules lunch 9,50-15 £. Plats 10-14 £. 📶 Grande salle de bistrot lumineuse, avec banquettes, petits recoins pour dîner, terrasse pour siroter et cuisine ouverte. Ambiance chaleureuse et conviviale. On allait oublier les cocktails, tout aussi savoureux et joliment présentés ! Petits plats bien troussés, copieux, réalisés à partir de produits bio locaux. Une halte bienvenue dans le quartier.

|●| *The Pembroke* (centre 2, M11, **405**) : 261 Old Brompton Rd, SW5 9JA. ☎ 020-7373-8337. ● info@thepembrokesw5.co.uk ● Ⓜ *West Brompton et Earl's Court*. Tlj 12h-minuit (23h dim) ; service nonstop. Plats 12-23 £, pub grub *autour de 4 £*. 📶 Un *gastropub* à la déco

contemporaine avec ce « je ne sais quoi » de britannique. L'ensemble est réussi et les lustres diffusent une douce lumière. La cuisine est réalisée avec soin à base de nobles produits anglais : porc du Hampshire, agneau du Devonshire... À déguster côté bar, où l'ambiance est très festive, ou côté resto, où elle est plus feutrée. Service souriant et remarquable. Une de nos adresses préférées dans les parages !

Où boire un verre ? Où danser ? Où voir un spectacle ?

♈ ♪ ∞ ⬢ *Troubadour* (centre 2, M11, *405*) : 263-267 Old Brompton Rd, SW5 9JA. ☎ 020-7370-1434. ● info@troubadour.co.uk ● trouba dour.co.uk ● Ⓜ West Brompton. Tlj 9h-minuit. Les soirs de spectacle ou de danse (à partir de 19h), petit supplément. ⏾ Coup de cœur ! Vous ne pourrez pas rater sa vitrine remplie de vieilles cafetières et sa porte sculptée extravagante. Un pub coffee house de charme, avec 2 petites salles très bohèmes encombrées d'objets chinés et à l'atmosphère chaleureuse. Sans oublier, derrière, une courette verdoyante tout aussi charmante. Spectacles certains soirs (poésie, concerts jazz, rock...), expos temporaires et petite boîte de nuit en fin de semaine. Bob Dylan et Hendrix y ont fait leurs débuts anglais. Quelques plats dont de bonnes *pies*, un hamburger extra, des cocktails et des petits déj. C'est aussi le repaire des Français du quartier. À l'étage, 2 chambres d'hôtes, The Garret et Elenor !

♈ *Evans and Peel* (centre 2, M11, *402*) : 310c Earl's Court Rd, SW5 9BA. ☎ 020-7373-3573. ● evansandpeel. com ● Ⓜ Earl's Court. À partir de 17h ; fermé dim-lun ; résa conseillée. Cocktails autour de 12 £. Rien à voir avec Emma Peel de Chapeau melon et bottes de cuir et pourtant... Repérez la 3ᵉ porte surmontée d'une loupiote sur Earl's Court square et sonnez. La condition pour accéder à ce speakeasy ? Un détective vous attend en bas de l'escalier et ne fera pivoter la bibliothèque que si vous lui soumettez une affaire à élucider. À court d'idée ? Pour « belle-mère » c'est motherin-law. Et vous voici délicieusement séquestré dans un bar à cocktails avec vos complices d'une soirée. On conseille le « Better have my honey », une tuerie ! Mais motus, on pourrait nous entendre.

♈ *Capote y Toros* (centre 2, M11, *555*) : 157 Old Brampton Rd, SW5 0LJ. ☎ 020-7373-0567. Ⓜ Gloucester Rd. Mar-sam 18h-23h30. Pas de résa, premier arrivé... Tapas 4,50-12 £. Chez ce dernier rejeton d'une fratrie hispanique (Cambio de Tercio et Tendido Cero, dans la même rue), ambiance andalouse tous les soirs avec flamenco et tapas au menu. Le tout sous l'œil de toreros inspirés qui tapissent les murs. Et arrosé de sherry, la traduction du fameux xérès produit par les Espagnols, tant apprécié des Grands-Bretons. Il y en a plus de 125 à la carte.

♈ ♪ Voir aussi *The Pembroke* (centre 2, M11, *405*), cité dans « Où manger ? ».

Marché

– *Shepherd's Bush Market* (centre 2, K10) : dans la ruelle étroite derrière la station de métro et le gigantesque shopping mall de Shepherd's Bush. ● shepherdsbushmarket.co.uk ● Lun-sam 9h-18h. Quelques stands de fruits et légumes, mais surtout beaucoup de babioles, de vêtements et jouets bon marché. Très populaire. Depuis la station de métro Shepherd's Bush, au nord-ouest, on peut aussi faire un petit tour dans Uxbridge Road (centre 2, K10), qui abrite quelques épiceries exotiques.

À voir

🎋 Brompton Cemetery *(centre 2, L11) :* *2 entrées, soit Fulham Rd, soit Old Brompton Rd.* ☎ *020-7351-1689.* ● *brompton-cemetery.org* ● **Ⓜ** *West Brompton ou Earl's Court. Ouv du lever à la tombée du jour. Possibilité de visite guidée (6-8 £), calendrier en ligne. Si vous êtes enfermé, appelez le* ☎ *020-7706-7272 !* Il date du XIXe s et compte plus de 200 000 sépultures, sur 16 ha. C'est aujourd'hui un lieu de promenade paisible au milieu des pierres tombales qui se dressent dans l'herbe. Les vélos sont même admis. On y croise des écureuils et des corneilles assez lugubres, qui ont l'air de garder l'endroit. Béatrix Potter, le célèbre auteur d'albums pour enfants, qui vivait dans les parages, s'est inspirée de noms gravés sur les tombes pour baptiser ses personnages.

HOLLAND PARK ET KENSINGTON

● Pour se repérer, voir le centre 2 détachable en fin de guide.

Au XIXe s, les environs de Holland Park étaient encore très campagnards, avec de grands espaces verts. Puis les propriétés se sont morcelées pour donner naissance à un quartier résidentiel où s'installèrent de nombreux artistes aux XIXe et XXe s. C'est aujourd'hui l'un des quartiers les plus chers de Londres, mais aussi de la planète ! Il n'en demeure pas moins qu'il reste encore l'esprit « village » par endroits, mais avec ce petit quelque chose en plus de chic et d'un peu compassé. Ne pas manquer de faire une balade dans Holland Park et dans les ruelles autour de l'église Saint Mary Abbots. Sir Terence Conran, le pape du design anglais a décidé de faire du quartier l'un des fleurons du design mondial en y installant le Design Museum, dans des espaces révolutionnaires.

Où dormir ?

De bon marché à prix moyens (jusqu'à 90 £ / 117 €)

🏠 *Safestay Holland Park* (centre 2, L10, 88) : Holland Walk (la rue qui borde à l'est Holland Park), W8 7QU. ☎ 020-7870-9629. ● receptionhp@safestay. com ● safestay.com ● Ⓜ Holland Park ou High St Kensington. Dortoirs 6-33 lits 15-35 £/pers, doubles 84-96 £. 📶 Voici un *poshtel* (une auberge de jeunesse *posh*, classe quoi !) nouvelle génération, au cœur du charmant Holland Park. Il occupe trois corps de bâtiment, dont l'un historique datant du XVIIe s. Les chambres doubles ou familiales *en suite* ne sont pas données, mais se révèlent vraiment sympa, certaines avec terrasse privative. Même les dortoirs de 33 lits semblent presque intimes avec leurs nombreux recoins, leurs rideaux et prises individuels. Espaces communs dans le même esprit, lumineux, moquettés, décorés avec humour et originalité. Micro-ondes à dispo, petit déj possible,

laverie. Un bon plan bucolique destiné aussi bien aux fauchés qu'aux familles.

Très chic (plus de 120 £ / 156 €)

🏠 *Kensington House Hotel* (centre 2, M10, 73) : 15-16 Prince of Wales Terrace, W8 5PQ. ☎ 020-7937-2345. ● reservations@kenhouse.com ● kenhouse.com ● Ⓜ High St Kensington. Doubles 120-174 £ pour les standard, *petit déj continental inclus.* 📶 On a presque l'impression d'une *guesthouse,* malgré la quarantaine de chambres de ce boutique-hôtel. Ambiance et déco chaleureuses, pas de luxe tapageur, juste un confort total et une élégance raffinée entre stores vénitiens et moquettes épaisses. On aime bien les chambres au dernier étage (les moins chères), pas bien grandes mais romantiques, avec vue sur les toits. Accueil souriant et dévoué.

Où manger ?

Sur le pouce (moins de 10 £ / 13 €)

🍽 **Café de Fred** (centre 2, L10, **294**) : 10 A Earl's Court Rd, SW8 6EA. ☎ 020-7938-1556. ● orders@cafedefred.co.uk ● Ⓜ High St Kensington. Tlj 7h-18h. Plats 3-6 £. 📶 Un petit snack tout simple et propret à deux pas de Holland Park. Large choix de bons sandwichs frais, soupes, *baked potatoes* et quelques plats du jour *(today's specials)* à prix démocratiques. Bien aussi le matin pour un copieux *English breakfast* et un véritable *espresso*. Accueil sympathique, en français, et *Routard* en vitrine.

De bon marché à prix moyens (10-30 £ / 13-39 €)

🍴 **Ffionas** (centre 2, L10, **404**) : 51 Kensington Church St, W8 4BA. ☎ 020-7937-4152. Ⓜ High St Kensington. ● ffiona@ffionas.com ● Mar-dim 18h-23h ; ven-dim brunch 10h-15h. Fermé lun. Résa conseillée. Brunch et breakfast 7-19 £, plats 13-23 £. 📶 Une adresse comme on n'en trouve plus beaucoup ! Derrière la façade discrète de ce resto niché dans une rue passante, une bonbonnière décorée de partitions de musique, tables en bois brut, grosse moquette et bouquets de fleurs fraîches, passion de la généreuse propriétaire. Avec son sourire elle a conquis sa grande famille d'habitués, venus se régaler de bons produits et de grands classiques britanniques :

œufs Benedict, *fish & chips*, *Yorkshire pudding*... L'un de nos coups de cœur dans le quartier, le tout en musique.

🍴 🍷 **The Scarsdale Tavern** (centre 2, L11, **225**) : 23 Edwardes Sq, W8 6HE. ☎ 020-7937-1811. ● scarsdale@fullers.co.uk ● Ⓜ High St Kensington. Dans Earl's Court Rd, tourner dans Earl's Walk. Tlj 11h-23h (22h30 dim). Plats 7-17 €. 📶 Avec son joli bout de terrasse égayé par des fleurs aux beaux jours et son cadre chaleureux tout en boiseries, ce pub traditionnel draine une clientèle fidèle. Elle apprécie autant la *real ale* tirée ici que le feu dans la cheminée ou la cuisine, savoureuse, à base de produits de saison, à déguster au pub ou dans la jolie salle avec cuisine ouverte. On s'y sent bien, on y mange bien, l'ambiance y est authentique ; bref, un autre coup de cœur !

🍴 **Maggie Jone's** (centre 2, M10, **230**) : 6 Old Court Pl, W8 4PL. ☎ 020-7937-6462. ● info@maggie-jones.co.uk ● Ⓜ High St Kensington. Tlj 12h-14h30, 18h-22h30. Résa conseillée. Le midi, formule (soupe et salade) 12 £ et plats 9-16 £ ; sunday roast 16-20 £. Le soir, plats 15-25 £. 📶 On a l'impression d'entrer dans une vieille maison de campagne, avec plein d'objets suspendus ici ou là, des vieux bouquets séchés, des bougies consumées dans des culs de bouteilles, des coins et petits recoins et, surtout, des plats qui font la part belle au terroir anglais. Du gibier mais aussi de délicieux *kidney pies*, *stilton* et autre *bread and butter pudding* (notamment pour le *Sunday lunch*). On adore !

Où boire un verre ?

🍷 **Elephant & Castle** (centre 2, L10, **371**) : 40 Holland St, W8 4LT. ☎ 020-7368-0901. Ⓜ High St Kensington. Plats env 10-15 £. 📶 Un adorable petit pub de quartier, dont la terrasse empiète sur le croisement de rues résidentielles. À l'intérieur, que des réguliers, accoudés au comptoir

le temps de commenter les derniers cancans du voisinage. Un peu hors du temps, un peu loin de tout, un havre de paix pittoresque et authentique. *Pub grub* classique. Terrasse aux beaux jours.

🍷 Voir aussi nos adresses mentionnées dans « Où manger ? ».

À voir. À faire

➤ *Holland Park* est une halte bienvenue avec ses espaces paysagés et doucement vallonnés, son jardin japonais peu connu et pourtant adorable, ses joueurs d'échecs, ses paons, ses terrains de sport (gratuits !) et ses représentations d'opéra l'été.

🎭🎭🎭 *Design Museum* (centre 2, L10) : *Kensington High St.* ● *designmuseum. org* ● *Dans l'ancien Commonwealth Institute. Ouverture depuis fin 2016.* Les locaux, réaménagés par l'architecte John Pawson, prévoient 3 fois plus d'espaces d'exposition qu'auparavant, quand le musée était installé dans l'East End. Le musée ambitionne d'être le plus grand lieu dédié au design dans le monde, aidé en cela par Sir Terence Conran, l'un des généreux donateurs. La forme même du bâtiment s'inspire d'une... tente, plantée dans le parc tout proche !

🎭🎭 *Leighton House Museum* (centre 2, L10) : *12 Holland Park Rd.* ☎ *020-7602-3316. Tlj sf mar 10h-17h30. Entrée : 7 £.* Maison du peintre victorien Frédéric Leighton (1830-1896), adepte de la mythologie grecque ou romaine. La construction de sa maison, commencée en 1864, et l'aménagement vont durer plus de 30 ans et témoignent de sa fascination pour l'Orient. Au fil des pièces, on découvre de belles marqueteries, des céramiques, des tentures, de la poterie, mais aussi de nombreux tableaux, dessins et esquisses.

➤ Ne pas hésiter à traîner dans les petites ruelles entre la sortie du métro High Street Kensington et le parc, autour de St Mary Abbots. On se croirait téléporté dans une autre époque. Petites échoppes hors d'âge, notamment sur *Kensington Church Walk,* avec boutique de fripes d'un genre unique : que des classiques anglais à vendre, du trilby au gilet de cricket en passant par le bibi à dentelles. L'idéal avant les fameuses courses de chevaux d'Epsom !

– Voir la partie sur le *Londres résidentiel* dans le chapitre « Brompton, Chelsea et South Kensington. Monuments et balades », en particulier pour Kensington Palace et les *gardens* attenants.

NOTTING HILL (PORTOBELLO) ET BAYSWATER

- Pour se repérer, voir le centre 2 détachable en fin de guide.

L'un des coins les plus connus de Londres avec son ambiance de gros village tranquille, son petit côté populaire à la lisière nord, qui devient hyper branché et qui tranche avec sa partie sud, très largement embourgeoisée. Les rues sont alors bordées d'élégantes demeures aux façades en stuc, ce qui contribue amplement à son charme. L'architecte qui en traça les plans décida de placer les habitations autour de jardins cachés aux yeux des promeneurs (et non l'inverse, comme souvent ailleurs). Au début du XIXe s, le quartier, alors insalubre, abritait les briqueteries et tuileries qui contribuèrent à la construction de Londres. On y vient aujourd'hui pour le shopping, entre les boutiques tendance, les antiquaires et les magasins d'occasion *(second hand shops)*. À ne pas manquer non plus : le très populaire marché aux puces de Portobello Road le samedi et, bien sûr, le carnaval de Notting Hill le dernier week-end d'août, l'un des rassemblements de rue les plus importants d'Europe, rappelant le caractère éminemment multiracial de Notting Hill, et de Londres plus généralement.

Où dormir ?

Bayswater, la partie est de Notting Hill, est un quartier bourré d'hôtels (plus ou moins chers mais de qualité médiocre en général), bordé au sud par Hyde Park et Kensington Gardens. Situation idéale donc. Pas mal d'AJ également, parmi lesquelles on a sélectionné les meilleures.

Location d'appartements

🏠 **Grand Plaza** *(centre 2, L9, 86)* : 42 Prince's Sq, W2 4AD. ☎ 020-7985-8000. ● reservations@ grandplazaemail.co.uk ● grand-plaza. co.uk ● Ⓜ *Bayswater.* ⚿ *Studettes 2 pers 89-188 £, lit supp. en sus. Apparts 3-6 pers 129-380 £.* 📶 Une adresse de standing proposant tout le confort souhaité pour voyager en famille. Les 200 studettes et appartements, modernes et élégants, sont soignés dans le moindre détail. Choisissez bien en fonction de vos besoins : les studios sont parfois plus spacieux que les appartements (superficies sur le site). Accueil et service disponibles.

Auberges de jeunesse et *student halls* (moins de 35 £ / 45,50 €)

🛏 *LHA, Bowden Court House* (centre 2, L9, **89**) : 24 Ladbroke Rd, W11 3NN. ☎ 020-3740-2429. ● bowden@lhalondon.com ● lhalondon.com ● ⓂNotting Hill Gate. Compter env 31,50-37 £/pers, en chambre simple, double ou triple, petit déj et 1 repas au self inclus. Chambres non mixtes. 📶 Cette grande résidence étudiante (plus de 260 places) est installée dans un superbe immeuble de style moderniste, en brique rouge, typique des années 1940. Les chambres pourvues d'un lavabo sont sobres et fonctionnelles. Salle de sport, laverie, baby-foot, etc. Plutôt fréquenté par des pensionnaires au long cours (nombreux Français). Les lits vacants sont attribués 1 ou 2 semaines avant en fonction des disponibilités. Accueil chaleureux et serviable.

🛏 *LHA, Sandeman Allen House* (centre 2, M9, **95**) : 40 Inverness Terrace, W2 3JB. ☎ 020-7727-2719. ● sandeman@lhalondon.com ● lhalondon.com ● ⓂBayswater ou Queensway. Chambres et dortoirs 1-6 pers 24,50-37 £/pers, petit déj et un repas au self inclus. 📶 Cette résidence étudiante occupe 4 bâtisses de caractère, dans une rue résidentielle agréable. Un vrai labyrinthe ! Charme plus fonctionnel, pour ne pas dire clinique, mais le tout est clair, bien conçu et très bien tenu, à l'image de la salle à manger. Douches et w-c en commun, laverie, salle de sport. Réservez 1 à 2 semaines avant pour profiter de tarifs avantageux. Un vrai bon plan pour Londres.

🛏 *Astor Queensway* (centre 2, M9, **93**) : 45 Queensborough Terrace, W2 3SY. ☎ 020-7229-7782. ● queensway@astorhostels.com ● astorhostels.co.uk ● ⓂQueensway ou Bayswater. À 2 mn à pied de Kensington Gardens. Dortoirs 4-9 lits 16-29 £/pers, doubles 25-69 £/pers. Prix selon saison, moins cher à la sem. Petit déj inclus. 🖥 📶 Auberge espagnole très sympa, réservée aux 18-35 ans, même si l'organisation et l'entretien relèvent parfois du flou artistique. La réception est un gentil foutoir d'objets hétéroclites. Dortoirs vraiment très basiques et sanitaires ornés de fresques, le tout peuplé de jeunes fêtards (programme des festivités à l'entrée). Cuisine à disposition, lave-linge, coffre-fort dans les chambres et petite salle TV à l'entrée. Ambiance générale un peu punky pour ceux qui aiment.

De prix moyens à plus chic (50-120 £ / 65-156 €)

🛏 *Caring Hotel* (centre 2, M9, **128**) : 24 Craven Hill Gardens, W2 3EA. ☎ 020-7262-8708. ● enquiries@caringhotel.co.uk ● caringhotel.co.uk ● ⓂBayswater. Doubles 60-100 £, petit déj inclus ; familiales. 📶 Un hôtel sans esbroufe, dans une rue au calme. Toutes les options possibles dans les chambres, en fonction de son budget : avec ou sans douche, avec ou sans w-c (partagés à 3 chambres max dans ce cas). Plus on monte dans les 4 étages (sans ascenseur), plus c'est lumineux. On n'atteint pas des sommets niveau déco et certaines chambres sont plutôt riquiqui, mais le tout est fort bien tenu, voire cosy, et l'accueil pro. Vu la situation et les tarifs, on adoube.

🛏 *Garden Court Hotel* (centre 2, L-M9, **67**) : 30-31 Kensington Gardens Sq, W2 4BG. ☎ 020-7229-2553. ● info@gardencourthotel.co.uk ● gardencourthotel.co.uk ● ⓂBayswater. Doubles 44-129 £, familiales 59-179 £ selon période. Petit déj continental inclus, en sus pour l'English breakfast. 🖥 (payant). 📶 Le genre d'adresse de square traditionnelle, installée dans une grande et belle demeure victorienne. Une quarantaine de chambres décorées de façon classique mais fonctionnelle pour certaines, plus moderne et contemporaine pour d'autres. Jolie vue sur un jardin privé et salles communes pour un *tea* ou clavarder. Un endroit accueillant et convivial.

🛏 *London House Hotel* (centre 2, M9, **96**) : 81 Kensington Gardens Sq, W2 4DJ. ☎ 020-7243-1810. ● reservations@londonhousehotels.com ● londonhousehotels.com ●

Ⓜ *Bayswater. Doubles 59-194 £,* family rooms *80-214 £ (promos sur Internet). Petit déj en sus.* 🛜 Le hall d'entrée tout blanc et design ne trompe pas sur la marchandise. Il s'agit d'un confortable hôtel doté de chambres fonctionnelles et agréables, qu'on jugerait presque grandes pour Londres et donnant pour certaines sur une place verdoyante. L'ensemble est lumineux et tout confort (salles de bains nickel, ascenseur...). Question déco, l'adresse joue la sobriété. Un bon rapport qualité-prix, surtout en basse saison. Accueil très cordial.

De plus chic à très chic (plus de 90 £ / 117 €)

🛏 **New Linden Hotel** *(centre 2, L9, 401) :* 58-60 Leinster Sq, W2 4PS. *Donne sur Hereford Rd.* ☎ 020-7221-4321. ● *newlindenhotel@mayflower-group.co.uk* ● *newlinden.co.uk* ● Ⓜ *Bayswater. Doubles 118-199 £, petit déj continental inclus. Familiales 229-332 £.* 🛜 Cette maison édouardienne a été entièrement rénovée et se distingue par son excellent rapport qualité-prix dans ce quartier qui foisonne d'hôtels. Un vrai effort de déco, dans un esprit extrême-oriental (couleurs chaudes, bois exotique), et des chambres tout confort, même si les plus grands se sentiront peut-être à l'étroit. L'accueil y est en tout cas charmant.

🛏 **The Byron Hotel** *(centre 2, M9, 90) :* 36-38 *Queensborough Terrace, W2 3SH.* ☎ 020-7243-0987. ● *capricornhotels.co.uk/byron/* ● *byron@capricorn-hotels.co.uk* ● Ⓜ *Bayswater. Doubles 80-160 £, petit déj continental inclus.* 🛜 L'hôtel occupe 2 élégantes maisons victoriennes de 5 étages (rassurez-vous, il y a un ascenseur). Chambres pas bien grandes mais confortables, agréablement aménagées avec du mobilier en bois clair. On prend son petit déj dans une salle à manger plaisante. Cher en saison, certes, mais l'adresse se défend dans sa catégorie.

Spécial coup de folie (plus de 200 £ / 260 €)

🛏 **The Portobello Hotel** *(centre 2, L9, 127) :* 22 Stanley Gardens, W11 2NG. ☎ 020-7727-2777. ● *info@portobellohotel.co.uk* ● *portobellohotel.com* ● Ⓜ *Notting Hill Gate ou Ladbroke Grove. Doubles à partir de 200 £, petit déj continental inclus.* 🛜 L'entrée de cet hôtel de charme et au calme est très discrète mais facilement identifiable par ses 2 buis taillés en pointe. Bon, d'accord, ce n'est pas donné, d'autant que les *standard* n'ont pas le charme des plus chères. Mais pas une chambre ne ressemble à une autre : la marocaine, la coloniale ou encore la circulaire, conseillée aux amoureux... Sans oublier les lits à baldaquin victoriens, les vieilles baignoires au cœur de la chambre *(so romantic !),* les couleurs chaleureuses des boiseries et des tentures... Quelle élégance ! Tout confort naturellement, salon cosy pour le *tea time,* et prestations soignées. De nombreux artistes y élisent domicile.

NOTTING HILL ET BAYSWATER

Où manger ?

Très bon marché (moins de 10 £ / 13 €)

🍴 **Aphrodite Café** *(centre 2, L9, 240) :* 13 Hereford Rd, W2 4AB. ☎ 020-7229-4422. ● *info@aphroditerestaurant.co.uk* ● Ⓜ *Bayswater. Tlj 9h-17h. English breakfast et petits plats 4-8 £.* Gentil petit café-sandwicherie retranché derrière une grande baie vitrée. Simple et copieux, à accompagner d'un jus de fruits frais. Voir aussi plus loin *Aphrodite Taverna* dans la rubrique « Bon marché ».

🍴 **Mr Christian's** *(centre 2, L9, 214) :* 11 Elgin Crescent, W11 2JA. ☎ 020-7229-0501. ● *alex.oliveira@mrchristians.co.uk* ● Ⓜ *Ladbroke Grove. Lun-sam 7h30-18h30 (18h sam), dim 8h-15h. Sandwichs 3-6 £, soupe du jour env 3 £.* Une épicerie-marchand de vins comme on les aime, à la vitrine appétissante.

Sandwichs et produits frais, pains aux olives, fromages et saucissons. De quoi s'en payer une tranche pour pas trop cher, accompagnée d'un bon verre de vin ! Une poignée de tables, ou à emporter.

🍴 **Gail's** (centre 2, L9, **300**) : 138 Portobello Rd, W11 2DZ. ☎ 020-7460-0766. Ⓜ Notting Hill Gate. Tlj 7h (8h dim)-20h. Sandwichs 4-5 £. Une vraie boulangerie pour croquer dans une tarte salée, sucrée, un petit pain garni ou des sucreries. Parfait pour un en-cas, un goûter, à l'intérieur comme à l'extérieur, avant d'aller arpenter les étals de Portobello. D'autres adresses dans Londres.

🍴 **Kitchen and Pantry** (centre 2, L9, **214**) : 14 Elgin Crescent, W11 2HX. ☎ 020-7727-8888. Ⓜ Notting Hill Gate. Lun-sam 7h-21h (20h jeu) dim 8h-20h. Breakfast 4-7 £, sandwich autour de 4 £. 📶 Plus bobo, tu meurs ! Une grande salle avec son parquet et ses grands sofas, pour goûter les breakfasts énergétiques et bio à souhait. Wraps bien épais, composés sur place avec légumes et assaisonnements maison ou salades, crêpes, voire glaces tout aussi artisanales et multiprimées. Tous les branchés du coin s'y retrouvent pour le petit déj, le brunch ou... la terrasse au soleil !

🍴 **Books for Cooks** (centre 2, L9, **245**) : 4 Blenheim Crescent, W11 1NN. ☎ 020-7221-1992. ● info@booksforcooks.com ● Ⓜ Ladbroke Grove. Mar-sam 10h-18h (beaucoup de monde, et les marmites sont vides dès 13h). Fermé les 3 dernières sem d'août, 10 j. à Noël et j. fériés. Menu moins de 10 £. Que vaudrait la théorie sans la pratique ? Dans cette librairie minuscule considérée par tous comme le temple de la littérature gastronomique, l'arrière-boutique est devenue une cuisine de maison de poupée (6 tables !) où l'on concocte chaque jour un menu différent. Et c'est du sérieux : les produits sont bio et le pain est pétri avec amour. Et si on a particulièrement apprécié le plat du jour, on peut repartir avec le livre de recettes de la maison.

🍴 **Fresco** (centre 2, M9, **241**) : 25 Westbourne Gr, W2 4UA. ☎ 020-7221-2355. ● info@eatfresco.co.uk ● Ⓜ Bayswater. Tlj 9h-22h. Plats à partir de 4 £. Joli snack libanais aux couleurs vives, idéal pour s'offrir un succulent taboulé, un mezze ou quelques falafels parfumés, à prix démocratiques. Également des cocktails de fruits frais pleins de vitamines. Le cadre est sympa, l'accueil souriant et les produits de qualité. Quelques tables.

🍴 **CakeCreate Bakery** (centre 2, M9, **307**) : 2-4 Westbourne Grove, W2 5RA. ☎ 020-7221-1173. Ⓜ Bayswater. Lun-sam 7h-20h, dim 8h-19h. Petit déj 5-9 £. Repérez les pièces montées aux couleurs pastel en vitrine. Tout le quartier défile dans cette bakery toute vitrée pour une viennoiserie, une part de quiche juste sortie du four, une pizza ou surtout pour le petit déj, du continental au « Royal ». Rapide, appétissant et pratique.

Bon marché (10-20 £ / 13-26 €)

🍴 🍷 ∞ **The Tabernacle** (centre 2, L9, **373**) : 35 Powis Sq, W11 2AY. ☎ 020-7221-9700. ● niki@tabernacleW11.com ● tabernaclew11.com ● Ⓜ Westbourne Park et Ladbroke Grove. Tlj de 9h à 22h-23h. Breakfast (jusqu'à 13h) 6-10 £, plats 7-12 £. 📶 Un lieu splendide, ancien temple protestant, construit en brique rouge à la fin du XIXe s. Et aujourd'hui, encore un vrai lieu de vie, à la fois salle de concerts et de spectacles (Adèle ou les Rolling Stones s'y sont produits !), galerie d'art, école de danse, et enfin resto et bistrot. Grands canapés ou tables sur la terrasse. L'idéal pour siroter un monaco (la spécialité maison), croquer dans un burger, déguster un risotto ou la soupe du jour.

🍴 **Geales** (centre 2, L10, **244**) : 2 Farmer St, W8 7SN. ☎ 020-7727-7528. ● info@geales.com ● Ⓜ Notting Hill Gate. Lun 18h-22h30 ; mar-ven 12h-15h, 18h-22h30 ; sam 12h-22h30 et dim 12h-21h30. Plats 11-21 £, menus le midi 15-18 £. Le resto est installé au calme dans une petite rue bordée de maisons colorées. À près de 80 printemps, le Geales porte plutôt bien son âge. Sa charmante salle tout en sobriété dans les tons gris est devenue une petite référence locale pour déguster du poisson à différentes sauces comme cette délicieuse *fish pie* (tourte de poisson) ou son célèbre *fish & chips* servi avec largesse. Sinon, on peut toujours opter pour le *chicken coronation*, un plat historique ! Desserts britanniques dans la plus pure tradition.

IOI ☕ Granger & CO (centre 2, L9, **310**) : 175 Westbourne Gr, W11 2SB. ☎ 020-7229-9111. • info@ grangerandco.com • Ⓜ Notting Hill Gate. Lun-sam 7h-23h, dim 8h-22h30. Breakfast 3-14 £ ; plats 9-16 £ le midi, 15-18 £ le soir. 🛜 Une immense salle baignée de lumière où l'on vient grignoter à toute heure, souvent entre deux séances de shopping effréné... Originaire d'Australie, le concept repose sur la fusion et la fraîcheur. Résultat, de jolies assiettes pleines de saveurs, de couleurs et de vitamines. Ambiance chic et décontractée, service alerte et souriant.

IOI Alounak (centre 2, L9, **319**) : 44 Westbourne Gr, W2 5SH. ☎ 020-7229-0416. Ⓜ Bayswater. Tlj 12h-minuit. Plats env 8-14 £. Une des références de la cuisine perse. Petite adresse sans prétention qui ne désemplit pas. Cuisine simple et chaleureuse, comme un poulet au riz et à la canneberge (l'une des spécialités maison). Éviter de se placer près de la porte entre le four à pain et les clients en attente. La porte à côté, c'est *Alounak Express*, pour un jus, une petite portion à emporter et, surtout, la glace au safran.

IOI Windsor Castle (centre 2, L10, **369**) : 114 Camden Hill Rd, W8 7AR. ☎ 020-7243-8797. • enquiry@thewindsorcastlekensing ton.co.uk • Ⓜ Notting Hill Gate. Tlj 12h-23h (22h30 dim). Plats 8-15 £ ; Sunday Roast 16-34 £. Les grosses lanternes éclairent une enseigne grinçante et une façade blanche, dont les huisseries noires laissent deviner un intérieur sombre comme une grotte. On y voit à peine plus que dans un verre de *Guinness* ! Du bois, des fauteuils en cuir, un comptoir de compét' et des portes très basses à déconseiller aux éthyliques. La cerise sur le gâteau : une cour intérieure des plus charmante, chauffée en hiver ! Cuisine traditionnelle de pub très correcte, à prix corrects, et une belle collection d'*India pale ales*.

IOI Hereford Road (centre 2, L9, **240**) : 3 Hereford Rd, W2 4AB. ☎ 020-7727-1144. Ⓜ Bayswater. Tlj 12h-15h, 18h-22h30. Lunch lun-ven 13,50-15,50 £ ; plats 12-16,50 £. Il y a des signes qui ne trompent pas, comme celui d'apercevoir le chef au fourneau dès 9h le matin, épluchant gaiement les légumes du jour dans sa cuisine grande ouverte... Dès lors, rien d'étonnant à ce que l'on se régale en salle de plats de saison glorifiant l'Angleterre dans ce qu'elle produit de meilleur : porc de Blythburgh, légumes oubliés et produits fermiers... Desserts à l'avenant. Et pour une fois, si la cuisine est gastronomique, les prix n'ont rien d'astronomique.

IOI Taqueria (centre 2, L9, **234**) : 141-145, Westbourne Grove, W11 2RS. ☎ 020-7229-4734. • bookings@taque ria.co.uk • Ⓜ Bayswater ou Royal Oak. Tlj jusqu'à 23h lun-jeu, 23h30 ven-sam, 22h30 dim. Tacos 6,50-9,50 £, menus lunch 7,50-11 £. 3 salles toutes simples pour cette cantine mexicaine qui trie ses fournisseurs sur le volet. À la carte, *quesadillas*, *tacos* et délicieux *chorizo* maison. Les plats sont assez relevés, mais rien de tel qu'une coupe de *margarita* pour vous mettre en appétit. Tout cela sous l'œil peu rigolard du révolutionnaire Zapata. On peut aussi se contenter d'un *mexican hot chocolate*, à base de cannelle et d'amande, la spécialité de la maison. Service *rápido*, ce qui ne gâche rien.

IOI Pizza East (hors centre 2 par L9, **327**) : 310 Portobello Rd, W10 5TA. ☎ 020-8969-4500. • reception@piz zaeastportobello.com • Ⓜ Ladbroke Grove ou Westbourne Park. Suivre Portobello Rd jusqu'au bout, à l'angle avec Golborne Rd. Tlj de 8h à 22h30-23h30. Plats 8-18 £, pizzas 10-15 £. 🛜 Non, ce n'est pas une énième pizzeria impersonnelle ! Nous voilà dans un ancien pub georgien, complètement réhabilité mais qui laisse apparaître quelques traces de son ancien décor. On s'installe dans un joyeux brouhaha, soit le long des longs comptoirs en marbre, pour siffler une *Peroni*, soit en salle, autour de tablées chaleureuses. Les plats sont généreux, avec une petite

NOTTING HILL ET BAYSWATER

touche méditerranéenne ; le chef a fait ses classes dans les meilleurs restos italiens de la capitale. Les pizzas ne sont pas en reste.

IOI *The Cow* (centre 2, L9, **246**) : 89 Westbourne Park Rd, W2 5QH. ☎ 020-7221-0021. ● *mail@tom conranrestaurants.co.uk* ● **M** *Royal Oak* ou *Westbourne Park. Resto lun-sam 19h-23h, dim 12h30-22h30. Plats 10 £ (jusqu'à 19h30)-22 £ ; à l'étage slt, menus lun-mer 18-23 £ et Sunday Roast 19 £.* 🌢 Une de nos adresses préférées dans le coin ! Souvent bondé, *The Cow* appartient au fils du designer Terence Conran, créateur de la chaîne *Habitat* et des *Conran Shop*. Au choix, en fonction de l'heure et de l'affluence, saloon-bar au rez-de-chaussée, à l'ambiance assez *crazy* et décontractée où l'on partage des plats au coude-à-coude dans un joyeux brouhaha, ou une petite salle rétro et plus intime à l'étage. Pas donné, mais plats traditionnels délicieux et copieux. Service efficace et souriant. Excellente sélection de whiskies, bières et vins. Gentiment branché tout en restant dans la tradition.

IOI *The Ladbroke Arms* (centre 2, L9, **250**) : 54 Ladbroke Rd, W11 3NW. ☎ 020-7727-6648. ● *enquiries@ ladbrokearms.com* ● **M** *Notting Hill Gate. Service midi et soir. Plats 11-18 £.* 🌢 Un très joli *gastropub* de quartier qui vaut le déplacement. Cuisine soignée et imaginative à base de produits frais et de qualité mis en valeur par des cuissons bien maîtrisées. Le cadre est agréable, confortable et lumineux, avec de nombreuses gravures. Tables près de la cheminée ou dans la salle derrière le bar, ou terrasse fleurie et chauffée aux beaux jours. Bonne ambiance où les rires fusent. On adore !

IOI *Hafez* (centre 2, L9, **240**) : 5 Hereford Rd, W2 4AB. ☎ 020-7229-9398. ● *info@hafezrestaurant.co.uk* ● **M** *Bayswater. Tlj 12h-minuit. Plats 9-15 £.* Petit resto iranien d'apparence anodine, proposant de bonnes spécialités de viandes grillées marinées, dont les classiques kebabs. Les plats sont bons et l'accueil est très aimable. Quelques tables sur la rue pour les jours ensoleillés, plats à emporter pour les plus pressés. Déco de cuillères amusante.

IOI *The Prince Bonaparte* (centre 2, L9, **232**) : 80 Chepstow Rd, W2 5BE. ☎ 020-7313-9491. ● *info@theprince bonapartew2.co.uk* ● **M** *Royal Oak. Lun-sam 12h-22h (21h30 dim). Plats 12-22 £.* 🌢 Un vaste *gastropub trendy* à souhait dans une joviale ambiance *fifties*. Des abat-jour diffusent une lumière tamisée sur les motifs rétro du papier peint. Cuisine généreuse et bien maîtrisée avec de traditionnels *angus beef* et des grillades. D'autres plats où fleure bon la Méditerranée, si chère à Bonaparte. N'hésitez pas à prendre place autour du large comptoir en fer à cheval.

IOI *Electric Diner* (centre 2, L9, **458**) : 191 Portobello Rd, W11 2ED. ☎ 020-7908-9696. **M** *Ladbroke Grove. Lun-mer 8h-minuit, jeu-sam 8h-1h, dim 8h-23h. Sandwichs, brunch et plats 9-21 £.* 🌢 Accolé au cinéma du même nom, un resto qui ne désemplit pas. La version londonienne du *diner* à l'américaine. Une grande salle tout en longueur avec tables bistrot, longues banquettes et cuisine ouverte. Carte classique avec sandwichs, steaks et autres salades. Bon plan aussi pour le petit déj ou le brunch.

IOI *Raoul's* (centre 2, L9, **616**) : 105-107 Talbot Rd, W11 2AT. ☎ 020-7229-2400. **M** *Westbourne Grove. Lun-sam 7h30-20h, dim 8h30-18h. Fermé 1er janv, dernier w-e d'août et 25 déc. Plats 8-21 £.* Un café chic et décontracté à la fois, avec ses banquettes et luminaires orange, bois sombre et métal doré. Une alternative à la folie de Portobello ! Carte variée proposant une cuisine aux accents méditerranéens. La propriétaire n'est pas grecque pour rien ! Vite plein le week-end. Bonne halte dans le coin. Et au sous-sol, un *deli* pour faire le plein de victuailles à aller déguster dans les parcs voisins.

IOI *Aphrodite Taverna* (centre 2, L9, **240**) : 15 Hereford Rd, W2 4AB. ☎ 020-7229-2206. ● *info@aphrodi terestaurant.co.uk* ● **M** *Bayswater. Tlj sf dim 12h-23h45. Plats 11-26 £.* D'un côté, le petit café pour se ravitailler sans chichis en journée (voir plus haut), de l'autre, la taverne hyper kitsch pour passer une soirée chaleureuse, ainsi qu'une petite terrasse à partager aux beaux jours. Clientèle d'habitués, ambiance du tonnerre de Zeus. Dans l'assiette, cuisine grecque savoureuse, à tel point que les fourchettes frétillent au rythme du sirtaki. Accueil agréable et service très efficace.

I●I Voir aussi *The Westbourne* (centre 2, L9, *380)* dans « Où boire un verre ? ».

Prix moyens (20-30 £ / 26-39 €)

I●I *The Shed* (centre 2, L9, *615*) : 122 Palace Gardens Terrace, W8 4RT. ☎ 020-7229-4024. ● info@rabbit-restaurant.com ● Ⓜ Notting Hill Gate. Tlj sf lun midi et dim. Menu 25 £ ; carte 25-35 £. Bois brut, tables posées sur des bidons, joyeuse ambiance de basse-cour... On a vraiment l'impression de pénétrer dans une grange retapée pour apprécier ce que la *countryside* anglaise peut offrir de mieux,

jusqu'au vin de pays. Pour ceux que ça botte, ici tout vient de fermes soigneusement choisies, et cela se ressent dans l'assiette, sous la forme de tapas goûteuses, aux mariages de saveurs parfois originaux. Service en chemise à carreaux et à la vitesse d'un John Deere dernier cri. Et pour clore le tout, on ne vous plume pas ! Un coup de cœur.

I●I *Inaho* (centre 2, L9, *229*) : 4 Hereford Rd, W2 4AA. ☎ 020-7221-8495. Ⓜ Bayswater. Tlj sf sam midi et dim 12h-14h, 19h-23h. Congés : mi-déc à mi-janv. Résa conseillée. Sashimis-sushis 4-23 £. Lunch 12-19 £ ; le soir compter 28-30 £. Un minuscule restaurant japonais à la devanture bleu pétant, dont l'atmosphère zen invite à parler à voix basse. C'est un petit bout d'archipel nippon qui a dérivé jusqu'à Londres, où l'on peut déguster une cuisine raffinée et préparée avec beaucoup de soin (soupes, sushis...). Un agréable voyage gustatif au pays du Soleil Levant. Attention aux appétits trop féroces, l'addition peut vite grimper. Service discret et mesuré.

Où prendre le thé ? Où manger des pâtisseries ?

🍵I●I *202 London* (centre 2, L9, *238*) : 202 Westbourne Gr, W11 2RH. ☎ 020-7727-2722. Ⓜ Notting Hill Gate. Lun 10h-18h, mar-jeu 8h30-18h, ven-sam 8h30-22h, dim 10h-17h. Brunch jusqu'à 16h, 9-18 £ ; plats 13-21 £. 📶 Une adresse aussi *gentry* que *trendy*, aussi adorable que branchouille... Dans une belle boutique de mode, au milieu des fringues, un ravissant café où il fait bon bruncher. Succès oblige, il faudra s'armer de patience pour décrocher une table.

🍵I●I *Pâtisserie Lisboa* (hors centre 2 par L9, *327*) : 57 Golborne Rd, W10 5NR. ☎ 020-8968-5242. Ⓜ Ladbroke Grove ou Westbourne Park. Tlj 7h-19h30 (19h dim). Gâteaux moins de 1 £. Une pâtisserie dans son jus, avec ses azulejos aux murs, des habitués venus s'attabler sur les quelques

tables de fortune. On vient pour les pâtisseries aux amandes, à la noix de coco et d'autres encore, mais surtout pour les *pasteis de nata,* ces petits flans crémeux typiquement portugais. Un régal ! Quelques tables en terrasse aux beaux jours.

🍵🏃 *The Hummingbird Bakery* (centre 2, L9, *236*) : 133 Portobello Rd, W11 2DY. ☎ 020-7229-6446. Ⓜ Notting Hill Gate. Lun-ven 10h-18h, sam 9h-18h30, dim 11h-17h. Une petite maison de poupée où l'on mange des gâteaux tout colorés. À l'heure du goûter, il est presque impossible d'atteindre le comptoir de cette minuscule *bakery.* Car ses *American cup cakes* sont célèbres pour leur fraîcheur et leur qualité. Niveau quantité, on en a pour ses *pounds*. Signe de son succès, l'adresse compte des petits dans tout Londres.

Où boire un verre ?

🍸 *Churchill Arms* (centre 2, L10, *383*) : 119 Kensington Church St, W8 7LN. ☎ 020-7727-4242. ● churchillarms@fullers.co.uk ● Ⓜ Notting Hill Gate.

Lun-jeu 11h-23h, ven-sam 11h-minuit, dim 12h-22h30. 🛜 Pub fidèle au poste depuis des décennies, avec sa devanture en pots de fleurs (mais comment diable font-ils pour tout arroser ?), flanqué d'une véranda et réputé pour son incroyable collection d'objets divers pendus au plafond : des pots de chambre aux portraits de la reine sous forme de torchons. Ajoutez à cela une moquette bien épaisse et une cheminée assoupie, vous obtenez un cocon des plus chaleureux, plébiscité par une joyeuse clientèle d'habitués et de touristes. Accueil asiatique, plutôt réservé, et cuisine thaïe au resto.

🍴 |●| **The Westbourne** *(centre 2, L9, 380) : 101 Westbourne Park Villas, W2 5ED.* ☎ 020-7221-1332. Ⓜ *Royal Oak ou Westbourne Park. Tlj 12h (16h30 lun)-22h30 (21h30 dim). Plats 9-15 £.* 🛜 Pub très accueillant et pas prétentieux pour un sou, un peu dans le style vieille brasserie avec son parquet usé, ses tables disparates et ses affiches anciennes. L'idéal pour une mousse ou un *Pimm's* bien rafraîchissants. Fait aussi resto et tapas. Cheminée ou immense terrasse. Ambiance sans façon, très décontractée.

🍴 **The Kensington Wine Rooms** *(centre 2, L10, 410) : 127-129 Kensington Church St, W8 7LP.* ☎ 020-7727-8142. ● *enriquies@greatwinesbytheglass. com* ● Ⓜ *Notting Hill Gate. Tlj 12h-23h30. Vins au verre 3-65 £ !* 🛜 Vieille Europe et *New World* se disputent la vedette dans ce bar à vins chic (seuls absents, les vins anglais !). Des bouteilles du sol au plafond et d'énigmatiques *enomatics* avec un système de carte rechargeable, pour se servir soi-même au verre. Attention aux mélanges tout de même... et à l'addition.

Plus de 40 vins à goûter. Possibilité d'accompagner sa dégustation de quelques tapas ou d'un repas.

🍴 |●| **E & O** *(centre 2, L9, 245) : 14 Blenheim Crescent, W11 1NN.* ☎ 020-7229-5454. Ⓜ *Ladbroke Grove. Lunsam 12h (11h sam)-minuit, dim 11h-23h30 ; resto sem 12h-15h, 18h-23h, non-stop le w-e 11h-23h (22h30 dim). Plats 8-33 £.* Une institution à Londres, que les stars ne boudent pas encore pour leur début de soirée. Nous non plus, malgré le côté un peu snob et bien mis du lieu. Déco très design. Derrière le bar en zinc, le resto blanc et net sert une *fusion food* très chère (un panachage de cuisine asiatique).

🍴 **Beach Blanket Babylon** *(centre 2, L9, 378) : 45 Ledbury Rd, W11 2AA.* ☎ 020-7229-2907. ● *bookings@ beachblanket.co.uk* ● Ⓜ *Notting Hill Gate. Lun 18h-minuit, mar-ven 12h-minuit, sam-dim 10h-minuit. Brunch le w-e.* Il s'agit d'un bar-restaurant à l'ambiance extravagante pour boire un verre sur une autre planète. Décoration rococo cosy avec un poil de style Liberty et un vrai feu dans la cheminée, sans oublier la terrasse bien gardée. Un mélange pour le moins original ! Clientèle classe, ne pas venir en tongs.

🍴 Voir aussi plus haut dans « Où manger ? » le pub traditionnel **Windsor Castle** *(centre 2, L10, 369)*, ou encore **Electric Diner** *(centre 2, L9, 458)*, une halte sympa pour prendre un verre avant ou après une toile au cinoche voisin, ou **The Tabernacle** *(centre 2, L9, 373)*, avant un concert ou pour la terrasse en été, ou encore **The Cow** *(centre 2, L9, 246)* ou **The Prince Bonaparte** *(centre 2, L9, 232)*.

Où écouter de la musique ? Où aller au cinéma ?

♪ **Notting Hill Arts Club** *(centre 2, L9, 601) : 21 Notting Hill Gate, W11 3JQ.* ☎ 020-7460-4459. ● *nottinghil lartsclub.com* ● Ⓜ *Notting Hill Gate. Entrée raisonnable.* L'une des rares boîtes dignes de ce nom dans le quartier, idéale pour découvrir de nouveaux talents. Programmation très large, concerts *live* et DJs remontés à fond,

dans une ambiance *lounge* très sympa. Bon plan pour les cocktails.

🎞 **Electric Cinema** *(centre 2, L9, 458) : 191 Portobello Rd, W11 2ED.* ☎ 020-7908-9696. ● *electriccinema. co.uk* ● Ⓜ *Ladbroke Grove.* Programmation confidentielle pour ce cinéma qui ne ressemble pas aux autres avec ses moulures d'antan et surtout de

PADDINGTON ET MARYLEBONE

> ● Pour se repérer, voir le plan d'ensemble détachable en fin de guide.

On ne trouvera pas ici le charme du voisin Notting Hill, mais plutôt l'ambiance tranquille et ronronnante d'un grand quartier bourgeois avec ses immeubles somptueux (vers Regent's Park) ou étonnamment rouges (vers Marylebone, prononcer « Méri-li-bourne »). Au nord, un des parcs les plus élégants de Londres, Regent's Park et, au sud, Hyde
Park, idéal pour le footing matinal. Les zones les plus commerçantes cultivent toujours une sympathique vie de quartier. On y trouve aussi une forte concentration de *mews,* ces ruelles sans issue, bordées de petites maisons – autrefois ouvrières – qui menaient aux écuries. Ces maisonnettes, aujourd'hui coquettement rénovées, se comptent par centaines tout autour de Sussex Gardens et de Norfolk Square, et sont devenues un lieu de résidence très privilégié... Le quartier dispose, par ailleurs, d'hébergements d'un bon rapport qualité-prix.

Où dormir ?

Studios et appartements

⌂ **Stylotel** (plan d'ensemble, B3, 130) : 160-162 Sussex Gardens, W2 1UD. ☎ 020-7723-1026. ● info@ stylotel.com ● stylotel.com ● Ⓜ Paddington. Studios et apparts 2-4 pers 139-179 £ la nuit. ☎ On est très loin du style traditionnel britannique. Plutôt dans un décor de film futuriste où dominent l'aluminium, le verre, les teintes tranchantes ! Un vrai soin a été apporté à chaque pièce, y compris aux salles d'eau. Chambres pas immenses mais très bien équipées, avec kitchenette. Accueil extra. On aime beaucoup ! Boissons à volonté et, au rez-de-chaussée, le pub de la maison, le *Sussex Arms.*

Très bon marché (moins de 35 £ / 45,50 €)

⌂ **Easy Hotel Paddington** (plan d'ensemble, B3, 221) : 10 Norfolk Pl, W2 1QL. ☎ 020-7706-9911. ● enquiries@paddington.easyhotel. com ● easyhotel.com ● Ⓜ Paddington. Chambres 29-79 £ sans ou avec fenêtre ; triples également. ☎ (payant). Le même système que pour les autres produits *low-cost* de la maison : plus vous réservez tôt, moins c'est cher. Et tous les petits plus sont facturés (TV, ménage, etc.). Une cinquantaine de chambres doubles, et pas beaucoup de place. Cabine de douche rudimentaire mais clean.
⌂ **LHA, New Mansion House** (plan d'ensemble, A4, 129) : 38-40 Lancaster Gate, W2 3NA. ☎ 020-7723-4421.

● mansion@lhalondon.com ● lhalon
don.com ● Ⓜ *Lancaster ou Queen's
Way. Compter 31,50 £/pers en single
ou 25-30 £ en chambre 2-6 pers, petit
déj et dîner au self inclus.* 🛜 Un des
rejetons de cette chaîne londonienne
de résidences étudiantes, ouvertes à
tous mais privilégiant les longs séjours.
Chambres fonctionnelles (beaucoup de
rangements) et bien tenues, certaines
avec un certain charme. Donne sur une
place cossue et très calme. Salle TV et
laverie. Assez petite en comparaison
de ses homologues (moins de 100 résidents), donc plus conviviale.

De prix moyens
à plus chic
(50-120 £ / 65-156 €)

🏠 *Oxford Hotel (plan d'ensemble,
A4, 100) :* 13-14 Craven Terrace,
W2 3QD. ☎ 020-7402-6860. ● oxfor
dhotel@btconnect.com ● oxfordho
tellondon.co.uk ● Ⓜ *Lancaster Gate.
Doubles 50-121 £, petit déj continental inclus.* 🛜 Petit hôtel familial très
agréable, d'une vingtaine de chambres
à quelques foulées seulement de Hyde
Park. Elles sont bien tenues, sans déco
particulière mais néanmoins accueillantes. On y trouve même un frigo et
un micro-ondes. Un établissement
modeste et plaisant. Accueil fort
sympathique.

🏠 *Stylotel (plan d'ensemble, B3, 130) :*
160-162 Sussex Gardens, W2 1UD.
☎ 020-7723-1026. ● info@stylotel.
com ● stylotel.com ● Ⓜ *Paddington.
Doubles à partir de 95 £, familiales 115-
135 £, petit déj inclus.* 🛜 Une adresse
pour le moins originale. L'hôtel est bleu
canard du sol au plafond, rehaussé de
tôle d'alu, histoire d'avoir un look plus
sidéral. On s'attend à croiser Spock et
son pote, le cap'tain Kirk. Une quarantaine de chambres tout confort avec
cabines de douche pratiques même si
elles sont un peu riquiqui. À deux pas,
dans la rue perpendiculaire, des studios
ou appartements dans le même ton (voir
plus haut) et un pub maison. Accueil tout
sourire. Boissons à volonté. On adore !

🏠 *Lancaster Hall Hotel (plan
d'ensemble, A3-4, 92) :* 35 Craven

Terrace, W2 3EL. ☎ 020-7723-9276.
● info@lancaster-hall-hotel.co.uk ●
lancaster-hall-hotel.co.uk ● Ⓜ *Lancaster Gate. Résa conseillée. Compter 57-95 £ pour 2-4 pers, sans ou
avec sdb. Petit déj inclus.* 🖥 *(payant).*
🛜 Dans un immeuble des années 1970
pas vraiment folichon, mais qu'importe,
les chambres sont confortables et la
propreté irréprochable. Un rapport
qualité-prix avantageux compte tenu
de la situation, mais on prévient, le look
seventies n'a rien de transcendant et
l'ambiance est plus proche du centre
de conférences soviétique. Pour les
chambres économiques, demander les
youth wing.

🏠 *27 Paddington Hotel (plan
d'ensemble, A3, 132) :* 25-27 Craven Rd, W2 3BU. ☎ 020-7706-9906.
● 27paddingtonhotel@magicstay.
co.uk ● Ⓜ *Lancaster Gate. Doubles 79-120 £, petit déj continental
inclus.* 🛜 Une petite adresse de poche,
une vingtaine de chambres, pas bien
grandes mais joliment rénovées et
décorées au goût du jour. Fonctionnelles et tout confort. Certaines en
demi-sous-sol mais pas sombres du
tout. Accueil cordial.

🏠 *Travelodge Marylebone (plan
d'ensemble, B2, 91) :* Harewood Row,
NW1 6SE. ☎ 020-3195-4555. ● trave
lodge.co.uk ● Ⓜ *Marylebone. Doubles
49-220 £, petit déj frugal inclus ; nettement plus avantageux sur Internet
à l'avance.* 🛜 *(gratuit 30 mn/j. puis
payant).* À côté de la gare, dans un
grand bâtiment de coin, en brique
rouge. Environ 90 chambres, sans surprise niveau déco mais conformes aux
hôtels de la chaîne : modernes, confortables et bien tenues. Noter qu'il n'y a
pas de chambres pour les familles ni
de *twins* (que des lits doubles). Petit
déj-buffet.

🏠 *Elysee Hotel (plan d'ensemble,
A4, 99) :* 25-26 Craven Terrace,
W2 3EL. ☎ 020-7402-7633. ● info@
elyseehotel.co.uk ● elyseehotel.
co.uk ● Ⓜ *Paddington ou Lancaster
Gate. Doubles 99-145 £, petit déj inclus
ou non.* 🖥 *(payant).* 🛜 À deux pas de
Hyde Park, un petit hôtel idéalement
situé dans une rue agréable, vivante
mais calme. Chambres modernes,
fonctionnelles, sans aucun charme

mais relativement vastes, impeccables et de bon confort.

Très chic
(plus de 120 £ / 156 £)

🏠 *22 York Street (plan d'ensemble, C3, 51)* : 22 York St, W1U 6PX. ☎ 020-7224-2990. ● mc@22yorkstreet.co.uk ● 22yorkstreet.co.uk ● Ⓜ Baker St. Doubles à partir de 150 £, petit déj inclus ; triples à partir de 180 £. 🖥 🛜 Une adresse de charme que ce *B & B* cosy en diable : une dizaine de chambres à l'ancienne mode, portant le nom de stations de métro, pleines de cachet avec leurs vieux meubles, leurs couvre-lits rétro et leurs planchers qui craquent. Les salons permettent de s'exercer au piano ou de bouquiner, mais c'est aussi dans la cuisine, autour de la curieuse table en forme de croissant, que les résidents font

connaissance. Notre adresse préférée dans cette catégorie.

🏠 *The Cumberland (plan d'ensemble, C3, 58)* : Great Cumberland Pl, W1H 7DL. ☎ 0871-376-9014. ● enqui ries@thecumberland.co.uk ● guoman. com ● Ⓜ Marble Arch. À deux pas de Hyde Park. Doubles standard 129-309 £, taxes et petit déj compris ou non. 🛜 Cet hôtel a investi une fortune dans son vaste hall, pensé comme la *Tate Modern* : verre, lumières *space* et blancheur se mêlent pour varier de couleur, de façon à mettre en valeur les expos temporaires. Et l'hôtel, dans tout cela ? Immense, c'est un peu l'usine, avec plus de 1 000 chambres (!) décorées dans un style minimaliste, voire clinique, du même acabit. Elles sont toutes différentes, mais on retrouve partout le bois, les tissus et la technologie qui cohabitent en parfaite harmonie.

Où manger ?

Sur le pouce
(moins de 10 £ / 13 €)

🥪 *Paul Rothe and Son Delicatessen (plan d'ensemble, D3, 349)* : 35 Marylebonè Lane, W1U 2NN. ☎ 020-7935-6783. Ⓜ Bond St. Lunven 8h-18h, sam 11h30-17h30. Fermé dim. Sandwichs 4-7 £. Une épicerie d'antan, ouverte en 1900, avec ses employés en blouse blanche. Déco de confitures et marmelades du sol au plafond, et le comptoir, avec son tableau et ses sandwichs à n'en plus finir. On ne sait que choisir tant tout est appétissant, fait sous vos yeux, avec pain au choix (de mie, aux graines, entier, etc.). Saucisses de Francfort, pâté, fromages anglais, soupes du jour revigorantes, gourmandises et chocolat chaud. On adore. Quelques tables.

🥪 *Le Comptoir Libanais (plan d'ensemble, D3, 610)* : 65 Wigmore St, W1U 1JT. ☎ 020-7935-1110. ● info@ lecomptoir.co.uk ● Ⓜ Bond St. Lunven 8h-22h, le w-e 10h-22h. Plats 8-13 £. 🛜 Un *deli* libanais dans un

cadre joyeux et riche en couleurs, comme la cuisine. Salade, kebabs, falafels, tajines, *wraps* et couscous. Tout le Sud pour un en-cas rapide et copieux. Jus de fruits et petits déj. De quoi vous caler pour la journée !

🥪 *Ranoush Juice Bar (plan d'ensemble, B-C3, 198)* : 43 Edgware Rd, W2 2JE. ☎ 020-7723-5929. Ⓜ Marble Arch. Tlj 9h-3h (du mat). Mezze 4-7 £, plat env 12 £. CB refusées. Tous les Libanais de Londres connaissent ce petit snack clinquant, où ils attrapent entre deux rendez-vous de délicieux *shawarmas* (viandes extra) et jus de fruits frais. Quelques tables. Terrasse.

🥪 *Pret A Manger (plan d'ensemble, C3, 279)* : 556 Oxford St, W1C 1LZ. ☎ 020-7932-5240. Ⓜ Marble Arch. Presque en face de Speaker's Corner. Tlj de très tôt à 23h. 🛜 Une des dizaines d'annexes de cette chaîne de snacks, salades, sandwichs, yaourts au muesli, porridge, barres chocolatées originales... Fraîcheur et originalité garanties. Idéal pour s'offrir un pique-nique dans Hyde Park. En cas de pluie, quelques tables.

PADDINGTON ET MARYLEBONE

🍽 I●I *Garfunkel's* (plan d'ensemble, A3, *556*) : 144 Praed St, W2 1HW. ☎ 020-7262-3415. Ⓜ Paddington Station. Tlj 7h-23h30. Petit déj 6 £, lunch 8 £. 📶 Resto de chaîne spécialisé dans les petits déj. Déco standard de café avec box et banquettes. Rien d'exceptionnel côté cuisine, mais on est bien content de croiser cette adresse pratique et de prendre des forces pour la journée sans trop dépenser. Thé et café à volonté.

Bon marché (moins de 20 £ / 26 €)

I●I 🍷 *The Chapel* (plan d'ensemble, B3, *326*) : 48 Chapel St, NW1 5DP. ☎ 020-7402-9220. ● thechapellondon@hotmail.co.uk ● Ⓜ Edgware Rd. Service tlj 12h-14h30 (15h dim), 19h-22h. Plats 9-23 £, assiettes antipasti (parfait pour l'apéro !) 11,50 £. Voir « Où boire un verre ? » plus loin.

I●I *La Fromagerie* (plan d'ensemble, C3, *611*) : 2-6 Moxon St, W1U 4EW. ☎ 020-7935-0341. ● moxon@lafromagerie.co.uk ● Ⓜ Baker St. Sur la place du marché fermier. Lun-ven 8h-19h30, sam 9h-19h, dim 10h-18h. Breakfasts, sandwichs, soupes à partir de 4,50 £, plats 7-16 £. 📶 Un endroit insolite, genre d'épicerie chic avec ses étals de fruits et de légumes, mais surtout ses quelques tables au milieu des cheddars et autres tommes bien fraîches. Effluves garantis ! Sert aussi des petits plats au déj, et des 4-heures à s'en lécher les babines.

I●I 🍢 *Satay House* (plan d'ensemble, B3, *249*) : 13 Sale Pl, W2 1PX. ☎ 020-7723-6763. ● info@satay-house.co.uk ● Ⓜ Edgware Rd. Tlj 12h-15h, 18h-23h. Fermé 24-26 déc. Résa conseillée. Plats 6-10 £. 📶 Tout petit resto malais à la déco sobre mais élégante, et une authenticité sans fard, qui fait sa force. On y travaille en famille dans le respect de la cuisine traditionnelle, faite comme au pays. On en ferait bien sa cantine ! Accueil adorable.

I●I 👣 *Wagamama* (plan d'ensemble, C3, *170*) : 101 Wigmore St (à l'angle de Duke St), W1U 1QR. ☎ 020-7409-0111. Ⓜ Bond St. Lun-sam 11h30-23h, dim 12h-22h. Plats 8-15 £. 📶 Resto japonais de chaîne.

Les grandes tablées de bois clair s'alignent comme un régiment, et, quand sonne l'heure de la soupe, une foule d'affamés envahissent les lieux, toujours satisfaits de retrouver leurs plats préférés à des prix raisonnables. Comme toujours, la qualité est au rendez-vous ! Souvent la queue, mais ça va vite. *Arigato !*

Prix moyens (20-30 £ / 26-39 €)

I●I *Frontline Club Restaurant* (plan d'ensemble, B3, *221*) : 13 Norfolk Pl, W2 1QJ. ☎ 020-7479-8960. ● reservation@frontlineclub.com ● Ⓜ Paddington. Lun-ven 12h-14h30, 17h30-minuit ; sam 18h-minuit. Plats 10-26 £ ; lunch 17-20 £ (2-3 plats). 📶 Ce resto est né de la volonté de grands reporters, envoyés sur la *frontline*, c'est-à-dire partout où de grands conflits se déroulent. Ils cherchaient un lieu de paix, d'harmonie et de fraternité pour exposer leur travail, organiser des débats, des conférences, des projections... On ne pouvait trouver mieux que cette ancienne manufacture. Un restaurant « militant » reposant sur quelques concepts très simples : des recettes anglaises traditionnelles, des produits de saison en provenance de petites exploitations, jusqu'aux poissons, pêchés au large des côtes britanniques. Résultat : une carte franchement appétissante avec, en plus, au menu, l'actu internationale du moment pour enrichir la conversation. Une vraie belle adresse.

I●I *Island Restaurant* (plan d'ensemble, A-B4, *306*) : Lancaster Terrace, W2 2TY. ☎ 020-7551-6070. ● eat@islandrestaurant.co.uk ● Ⓜ Lancaster Gate. Tlj 8h-22h30. Petit déj 5-9 £, menus 13,50-15 £ à midi, plats 11-22 £. Un cadre moderno-chic sur 2 demi-niveaux, assez impersonnel, mais avec de grandes baies vitrées donnant sur Hyde Park de l'autre côté de la route. C'est calme, lumineux, sobre, et la cuisine italienne ou britannique passe bien. On aime y prendre un délicieux petit déjeuner avec les joggeurs matinaux pour spectacle, ou profiter des menus bon marché le midi. Service avec style en tout cas.

Chic (plus de 30 £ / 39 €)

|●| *Chiltern Firehouse* (plan d'ensemble, C3, **101**) : 1 Chiltern St, W1U 7PA. ☎ 020-7073-7676. ● reservations@ chilternfirehouse.com ● Ⓜ Baker St. Petits déj 6-26 £ (plus boissons) ; plats 15-44 £ le midi, 21-75 £ le soir. Doubles 600-2 700 £ (glurp !). 📶 Dans une ancienne caserne de pompiers de 1889, que l'homme d'affaires André Balazs a totalement transformée. Il a même remis les portes hautes destinées aux voitures de cochers d'autrefois ! Au resto, ambiance tamisée, superbe comptoir, décor glamour et cosy, avec des touches insolites, comme ces œuvres faites à base de tuyaux d'arrosage des pompiers. Le chef Nino Mendez travaille sur les cuissons (dans une ancienne caserne, ça tombe bien !), les saveurs et l'originalité. Service impeccable. Dans les toilettes, poussez la porte « Wine & Women » chez les hommes et « Cigarettes & Men » chez les femmes, pour découvrir le fumoir de la maison, le *Ladler Shed* où étaient stockées les échelles. Également une terrasse. Un incontournable fréquenté par David Beckham.

Où boire un verre ?

🍸 *Roof Top Kitchen* (plan d'ensemble, B2, **381**) : Alfies Market, 13-25 Church St, NW8 8DT. ☎ 020-7258-3300. ● rooftopkitchen.co.uk ● Ⓜ Marylebone St ou Baker St. Donne sur Lisson Gr. Mar-sam 10h-18h. Fermé 21 déc-2 janv. 📶 Un peu excentré, voici la bonne surprise du quartier. Pour boire un verre, se faire un *afternoon tea* ou croquer dans un gros gâteau maison, on doit traverser un drôle de marché aux puces (voir plus loin), empilant antiquaires et brocanteurs sur plusieurs étages, avant de déboucher sur le toit. Là-haut, des tables en plein air pour lézarder au soleil (avec vue sur tous les toits voisins) et de gros canapés à l'intérieur. Ambiance rustique, bohème et vintage à la fois. Extra !

🍸 ∞| *Canal Cafe Theatre* (plan d'ensemble, A3, **287**) : Delamere Terrace, W2 6ND. ☎ 020-7289-6054 (résa théâtre) ou 020-7266-4326 (The Bridge House Pub). ● mail@canalca fetheatre.com ● canalcafetheatre. com ● thebridgehouselittlevenice. co.uk ● Ⓜ Warwick Avenue. À Little Venice, juste en face du canal. Tlj 12h-23h (23h30 sam, 22h30 dim). Spectacles payants. Le joyeux pub et cabaret que voilà ! Déco hétéroclite et cosy, gentiment branchée : cheminée, Chesterfield moelleux, tentures de velours cramoisi et lustres de perles au-dessus d'un comptoir en bois patiné. Bonne ambiance pour boire une bière et manger un plat classique de *pub grub* avant d'assister (ou après) aux excellents spectacles de comédie d'avant-garde donnés presque tous les soirs. Quelques tables en terrasse pour profiter de la vue sur le canal.

🍸 *The Chapel* (plan d'ensemble, B3, **326**) : 48 Chapel St, NW1 5DP. ☎ 020-7402-9220. ● thechapellon don@hotmail.co.uk ● Ⓜ Edgware Rd. Tlj 12h-23h (22h30 dim). Cette chapelle propose un genre de messe qu'on irait bien célébrer tous les soirs. Car il s'agit d'un beau compromis. La carte des vins bien montée, la carte tout court qui change tous les jours (et les surprises sont au rendez-vous), les journaux à disposition et les œuvres disposées çà et là sont les attributs d'un troquet intello. Les plats sont bien tournés et copieux. Atmosphère détendue. Jardin de poche coincé entre Marylebone et Chapel Street, avec terrasse chauffée pour les fumeurs.

🍸 *The Victoria Pub* (plan d'ensemble, B3, **227**) : 10 Strathearn Pl, W2 2NH. ☎ 020-7724-1191. Ⓜ Lancaster Gate. Tlj 11h-23h (22h30 dim). Cet ancestral pub de quartier encore dans son jus n'a d'yeux que pour une certaine reine. Pas bien grand mais fastueux et cosy en diable avec ses deux cheminées, ses boiseries travaillées et ses miroirs. Pour couronner le tout, des mousses bien fraîches et une indétrônable carte de *pub grub*.

Théâtres

∞ ⚹ **Open Air Theatre** (plan d'ensemble, C2) : Inner Circle, Regent's Park, NW1 4NU. ☎ 0844-826-4242. ● openairtheatre.org ● Ⓜ Baker St. ⚒ Programme sur Internet. En plein air, de mi-mai à mi-sept. Entrée payante. On y joue des pièces de Shakespeare, mais également d'autres classiques du théâtre anglais, des spectacles musicaux... Concerts gratuits parfois. Possibilité de pique-niquer sur place avant la représentation (bar et petite restauration).

🍴 ∞ **Canal Cafe Theatre** (plan d'ensemble, A3, **287**) : Delamere Terrace, W2 6ND. Voir plus haut la rubrique « Où boire un verre ? ».

Shopping

Concentration de magasins spécialisés hi-fi sur Edgware Rd, à droite en sortant de la station de métro du même nom. Moins connu que Tottenham Court et donc prix peut-être plus intéressants. Une autre rue spécialisée : Chiltern St (plan d'ensemble, C2-3). Mais là, ce ne sont que des robes de mariée !

⚛ **Selfridges & Co** (plan d'ensemble, C3, **620**) : 400 Oxford St, W1A 1AB. Lun-sam 9h30-21h, dim 11h30-18h. 📶 Les fans de la série Mr Selfridge ne reconnaîtront pas grand-chose de leur grand magasin (le décor ayant, évidemment, été reconstitué en studio) mais dans certaines parties authentiques Art déco, ils retrouveront l'atmosphère toute particulière de ce temple dédié à la mode et à tout le reste. Fondé en 1909, le magasin occupe aujourd'hui plusieurs pâtés de maisons. Le Food Hall, moins impressionnant que celui de Harrods, permet de déjeuner et de remplir sa valise de bons produits anglais.

⚛ **Beatles Store** (plan d'ensemble, C2, **563**) : 231-233 Baker St, NW1 6XE. ☎ 020-7935-4464. ● beatlesstorelondon.co.uk ● Ⓜ Baker St. Ouv « eight days a week » 10h-18h30. Boutique entièrement dédiée aux fans des quatre de Liverpool : posters, livres, mugs, disques... et même des chaussettes ! En face, une boutique semblable consacrée au rock'n'roll.

⚛ **Daunt Books** (plan d'ensemble, C3, **11**) : 83 Marylebone High St, W1U. Ⓜ Baker Street. Lun-sam 9h-19h30, dim 11h-18h. Phileas Fogg en herbe, poussez la porte de cette vénérable librairie pleine de charme consacrée aux voyages et à tout le reste. Avant tout, un voyage dans le temps avec ces rayonnages edwardiens tout en bois sur 2 niveaux et surmontés d'un puits de lumière. On est déjà dépaysé avant même de feuilleter un bouquin !

⚛ **Cadenhead's** (plan d'ensemble, C3) : 26 Chiltern St, W1U 7QF. ☎ 020-7935-6999. ● whiskytastingroom.com ● Ⓜ Baker St. Tlj sf dim. Des whiskeys écossais, mais aussi des irlandais, gallois, anglais, indiens, et même japonais ! Propose aussi des dégustations (1-5 pers ; résa obligatoire ; en anglais).

Marchés

– **Marylebone Farmer's Market** (plan d'ensemble, C3) : dim 10h-14h sur Cramer St et Moxon St. Ⓜ Baker St ou Bond St. Les fermiers des environs de Londres viennent déballer leurs productions, fruits, légumes, volailles... et surtout saucisses grillées à déguster sur place.

– **St Alfies Market** (plan d'ensemble, B2) : 13-25 Church St, NW8 8DT. ☎ 020-7723-6066. ● alfiesantiques.com ● Ⓜ Marylebone St ou Baker St. Donne sur Lisson Gr. Mar-sam 10h-18h. Bien cachées dans une grande bâtisse d'inspiration Art déco, plusieurs boutiques vendent depuis plus de 30 ans du mobilier du XXᵉ s, et plein d'autres trouvailles. « Alfie » était le nom du père du propriétaire, un grand musicien, mais un piètre négociateur à ses dires ! On vient surtout pour le café et la terrasse sur le toit du marché (voir plus haut « Où boire un verre ? Roof Top Kitchen »).

Galeries et musées

🎎 **Wallace Collection** (plan d'ensemble, C3) **:** Hertford House, Manchester Sq, W1U 3BN. ☎ 020-7563-9500. ● wallacecollection.org ● Ⓜ Bond St. Tlj 10h-17h. Fermé 24-26 déc. GRATUIT (expos temporaires payantes). 🛜 Guide audio : en français (payant). Visites guidées gratuites régulièrement. Calendrier très riche en animations et manifestations ; certaines pour les enfants (en anglais). Cafétéria et resto dans la cour (couverte) du musée.

Il fallait bien la noblesse d'un grand hôtel particulier, *Hertford House,* à Marylebone, pour présenter cette très riche collection de mobilier, d'objets d'art et de tableaux, la plus grande collection privée du pays, qui fut léguée à l'État à la fin du XIXe s par la veuve de Sir Richard Wallace. Cet esthète fit ses emplettes à partir de son pied-à-terre parisien, le château de Bagatelle, au bois de Boulogne. Il profita de la cession à prix imbattable du mobilier des châteaux et demeures d'aristocrates pendant la Révolution. Les meubles et objets d'art français

> ### À LA VÔTRE, M. WALLACE !
>
> *Après la Commune de Paris, la capitale est à feu et à sang. Et surtout à sec ! Grand philanthrope, Wallace, resté en place, veut aider les Parisiens. Pour lutter contre l'alcoolisme, il décide d'investir dans ces fontaines, dont un exemplaire se trouve dans le jardin du musée, imaginées sur le modèle de la fontaine des Innocents aux Halles de Paris. Elles sont devenues un symbole de Paris toujours en place. Les Parisiens d'alors lui en furent d'ailleurs très reconnaissants. À la vôtre !*

du XVIIIe s sont donc bien représentés, formant certainement la plus belle collection du genre hors de France. Il acheta par ailleurs des toiles de maîtres espagnols, flamands, hollandais et italiens des XVIe et XVIIe s. Ajoutons à cela une importante collection d'armes et d'armures. Si vous n'avez jamais su faire la différence entre les styles Louis XIV, Louis XV et Louis XVI, vous serez incollable en sortant de ce musée. De plus, il offre une alternative intéressante aux immenses salles des grands musées ! Tout est calme et cosy, même le tic-tac des pendules omniprésentes (festival de carillons à 12h) ! Mais ne ratez pas pour autant l'heure du lunch au *Wallace Restaurant.* Le jardin et la cour centrale, sous verrière, accueillent les convives dans un vaste espace décoré d'arbres. Petit tour du propriétaire... mais sachez toutefois que les œuvres se promènent et que les salles sont parfois fermées, à tour de rôle, en fonction des expositions temporaires.

Rez-de-chaussée (ground floor)
On commence la visite au rez-de-chaussée, en passant à gauche derrière l'escalier.
– **Dining Room :** lustre étincelant en bronze et diamant et horloge de 1770. Deux portraits de Nattier et Houdon, entre autres.
– **Billiard Room :** plusieurs meubles signés Boulle, dont une formidable armoire en marqueterie de cuivre et d'écaille, ornée de bronzes ciselés et rehaussés d'or, une chaise sur laquelle Louis XIV posa son royal postérieur, ainsi qu'une superbe pendule représentant Vénus et Cupidon. André-Charles Boulle (1642-1732) fut le célèbre ébéniste de Louis XIV, dont les créations sans égales sont devenues les références absolues pour des générations d'artisans. Profitez-en, on n'en trouve pratiquement plus en France.
– **Front State Room et Back State Room :** le bureau est une copie du bureau de Louis XV à Versailles, complétée de beaux médaillons Wedgwood sur les côtés.

Pendule astronomique baroque et tableaux naturalistes (Oudry, Boucher). Également une collection colorée de porcelaines de Sèvres.

– **Sixteenth Century Gallery :** bien à l'abri, cachée sous des sous-mains en cuir, une collection de rarissimes et amusantes miniatures de cire des XVIe et XVIIe s. Très kitsch quand même ! Eux aussi protégés de la lumière, des manuscrits enluminés de différentes époques (n'hésitez pas à soulever les peaux de cuir). Série de 24 émaux peints de Limoges (XVIe s).

– **Smoking Room :** poteries et céramiques Renaissance richement ornées. Ne manquez pas de jeter un coup d'œil à l'alcôve, à côté de l'escalier, décorée de carreaux en céramique de la ville turque d'Iznik. La salle était totalement recouverte de ces carreaux jusqu'en 1937.

SECRETS DE SECRÉTAIRE

Le bureau de Louis XV reproduit l'œuvre que le roi avait commandée aux ébénistes Oeben et Riesener, une bagatelle de... 62 000 livres ! Un chef-d'œuvre d'ébénisterie terminé en 1769 avec de l'acajou, du sycomore, des bronzes... Un vrai petit bijou de technologie, où un simple quart de tour de clé permettait l'ouverture et la fermeture. Il fallait que ce bureau ferme parfaitement : le roi y cachait tous les secrets rapportés par ses émissaires à travers le monde. Un bureau à secrets qu'on nommera par la suite un... secrétaire.

– **European Armoury I, II et III :** on y voit une collection d'armes et d'armures européennes rutilantes, présentées chronologiquement. Deux armures équestres particulièrement imposantes (coup d'œil sur les pieds !), des rondaches (boucliers circulaires), des casques ciselés et des armes aux mécanismes ingénieux.

– **Oriental Armoury :** en Orient, le raffinement en matière militaire est très poussé, comme le prouvent ces cimeterres (sabres) sertis de pierres précieuses, nacre et ivoire. Objets d'Inde, de l'Empire ottoman et d'Asie du Sud-Est. Également des tableaux orientalistes intéressants d'Horace Vernet, comme *La Chasse au lion*.

1er étage

– Toiles imposantes de Boucher, dans le **hall d'escalier** et sur le palier, dont *Le Lever* et *Le Coucher du soleil* (1752-1753), ayant appartenu à la marquise de Pompadour. Fraîcheur et grâce à la limite du licencieux (on entendrait presque les angelots nous révéler des petits secrets de la Cour).

– **Boudoir :** Greuze, pourtant contemporain de Boucher, s'oppose radicalement à sa légèreté et à ses thèmes favoris en préférant des sujets plus sérieux (gracieuse allégorie de *L'Innocence*). Le peintre anglais Reynolds s'en est beaucoup inspiré. Notez aussi le secrétaire de Dubois (1765), orné de dorures et velours vert.

– **Study :** passé le cabinet des miniatures, on retrouve de prestigieux artistes français, comme Vigée-Lebrun et Fragonard. À noter, plusieurs pièces de mobilier ayant appartenu à Marie-Antoinette, provenant du Petit Trianon et de Versailles. Et même l'acte de mise en vente en 1793 !

– **Oval Drawing Room :** différents Boucher dont l'un des portraits en pied de *Madame de Pompadour* et *Les Hasards heureux de l'escarpolette* de Fragonard, au regard espiègle, plein de sous-entendus.

– **Large Drawing Room :** c'est dans cette salle que l'on donnait les dîners et les bals somptueux, dont celui, mémorable, pour célébrer l'exil de Napoléon sur l'île d'Elbe en 1814. Tentures vertes assez flashy sur les murs et une superbe bibliothèque de Levasseur (XVIIIe s).

– **East and Small Drawing Room :** toiles de Rubens ou Van Dyck et un incroyable « almanach perpétuel et toujours nouveau dédié au Roy » en émail, complet et en parfait état, datant du XVIIIe s. Appréciez les prénoms de l'époque.

– **East Gallery I, II et III :** sublime collection, essentiellement dévolue à l'art flamand. Autoportrait de Rembrandt et portrait de son fils Titus... Nombreux tableaux de ses contemporains (Ruysdael, Maes, Dou, Metsu, Van Ostade, Steen, etc.).

– **Great Gallery :** cette extension, construite en 1875 pour accueillir les collections parisiennes de la famille, servait de salle d'exposition aux grands formats du baroque européen. On y trouve, dans un accrochage typique du XIXᵉ s, des chefs-d'œuvre du XVIIᵉ s de Rembrandt, Rubens, Poussin, Champaigne, Vélasquez... Délicieux *Cavalier riant*, avec son costume tout en dentelle, de Frans Hals.

– **West Gallery I, II et III et Nineteenth Century Galleries :** on revient ici à des salles à l'atmosphère plus intimiste, bien que l'accrochage reste toujours aussi dense. Là encore plusieurs chefs-d'œuvre. On attaque le XIXᵉ s par la peinture française (généralement orientaliste ou militariste), Corot, Vernet, Rosa Bonheur et Delacroix ! De ce dernier, *L'Exécution de Marino Faliero,* l'un de ses tableaux préférés. On y voit la mort d'un Doge, pour avoir trahi la République, au XIVᵉ s, un an seulement après avoir été choisi par les siens. Ou encore ce *Lion amoureux,* de Camille Roqueplan, qui se fait couper les griffes par amour pour la femme qu'il aime. Une belle réinterprétation de Samson et Dalila, dans une version ici revisitée par La Fontaine. Puis les *vedute* de Canaletto et Guardi pour l'Italie et, pour finir, une salle – tout de même – consacrée à la peinture anglaise du XVIIIᵉ s avec des élégantes peintes par Reynolds ou Gainsborough. Magnifiques portraits de Mrs Robinson, une célèbre actrice de l'époque. Visiblement, ce n'était pas la joie !

🧍 🧍‍ *Sherlock Holmes Museum (plan d'ensemble, C2) :* 239 (*même si la plaque indique 221 B*) Baker St, NW1. ☎ 020-7224-3688. ● sherlock-holmes.co.uk ● ⓜ Baker St. Tlj 9h30-18h. Dernière admission à 17h30. Entrée : 15 £ ; réduc. L'un des endroits les plus surprenants de Londres : une maison occupée par une personne... n'ayant jamais existé et certainement l'adresse la plus connue

LES HÉROS MEURENT AUSSI

Sir Conan Doyle, médecin de formation, inventa Sherlock Holmes, mais préférait écrire des romans historiques. Il finit par se lasser de son célèbre détective et le fit mourir en 1893. Ce fut un véritable tollé dans la presse. Il reçut tellement de lettres de plaintes qu'il finira par le ressusciter, après bien des hésitations, en 1903.

de Londres (avec le 10 Downing St). Sir Conan Doyle l'avait attribuée au héros de ses romans, qui continue d'y recevoir des lettres d'admirateurs lui demandant de résoudre des cas personnels. Cette charmante demeure victorienne de 1815 fut acquise par la très sérieuse *Sherlock Holmes Society* qui eut l'idée d'y recréer fidèlement l'intérieur du célèbre détective. Sur le plan purement esthétique, et pour l'atmosphère globale qui s'en dégage, il faut reconnaître que l'expérience est assez amusante si on adhère. Un *bobby* vous accueille devant le perron (après avoir fait la queue), avant de vous confier à l'une des « gouvernantes » pour être reçu par votre hôte prestigieux ou par ce cher Dr Watson, s'ils sont là... En attendant, vous pouvez profiter du bon vieux fauteuil de Holmes, au coin du feu, dans le salon (la plus jolie pièce de la maison) et essayer son célèbre chapeau. Dans chaque pièce (six, sur trois étages), des indices laissés par le fantôme des lieux : loupe, bien sûr, machine à écrire, violon, sans oublier le pistolet de Watson. Boutique à la sortie, évidemment.

🧍🧍‍ 🧍‍ *Madame Tussauds (plan d'ensemble, C2) :* Marylebone Rd, NW1. ☎ 0870-400-3000. ● madame-tussauds.com ● ⓜ Baker St. Horaires variables selon jour et période ; consulter le calendrier. Fermé à Noël. Prix d'entrée délirant (pour 1h30 en moyenne) : 34 £ ; enfant 29,50 £ ; gratuit moins de 4 ans. Une visite qui représente un budget colossal en famille. ET ON NOTE CHAQUE ANNÉE UNE AUGMENTATION DES PRIX SCANDALEUSE ! Attention : prévoir de faire la queue (souvent 2h, voire 3h en été) et éviter le créneau 11h-15h ; c'est l'un des musées les plus fréquentés de Londres. Pour éviter cette attente, on conseille vivement de réserver à l'avance par tél ou sur Internet, surtout que les prix sont censés être moins chers (il y a, par exemple, plusieurs billets jumelés possibles avec le

London Eye, le London Dungeon, l'Aquarium, Shrek Adventure ou les balades sur la Tamise, qui permettent certains jours d'obtenir des rabais substantiels).

Née à Strasbourg en 1761, Marie Tussaud apprit l'art de modeler la cire chez un médecin-sculpteur. Elle se fit la main en réalisant les figures des people de l'époque : Voltaire, Rousseau, Benjamin Franklin, avant d'être engagée à la cour de Versailles où elle créa les portraits de Louis XVI et de sa famille. Sympathisante royaliste, elle fut arrêtée par les révolutionnaires mais graciée grâce à ses talents de sculpteur ! Elle réalisa alors les masques mortuaires de Marie-Antoinette, Marat et Robespierre (ils sont exposés). Exilée en Angleterre, elle ouvrit à Londres son musée à l'âge de 74 ans. Depuis, d'autres ont été créés à New York, Amsterdam, Las Vegas, Hong Kong... Partout dans le monde, mais celui de Londres reste inégalé dans le genre.

Malgré la foule et le prix d'entrée délirant, l'endroit séduit toujours petits et grands. Il faut dire que les personnages sont saisissants de réalisme, mis en scène avec soin en fonction de l'actu et très accessibles, parfois même intimidants quand il s'agit de se faire photographier auprès d'eux (la main posée sur celle du beau George Clooney, ça vous dit ?). Six mois sont nécessaires pour réaliser ces figures, d'après les mensurations exactes des modèles originaux. Les cheveux sont piqués un à un et régulièrement lavés par la suite. La visite est organisée en plusieurs grandes sections où évoluent les centaines de figures. Une visite, curieusement, très vivante !

Vous y croiserez Alfred Hitchcock, mais aussi la famille royale au complet (plus vous sur la photo !), incroyablement réaliste, les Beatles faisant les fous sur un canapé, Picasso, gitane au doigt, Boris Johnson, l'ancien maire de Londres avec ses cheveux en pétard, une flopée de premiers ministres britanniques, de Gaulle, Nelson Mandela, Lady Gaga, Kate Winslet et plein de sportifs.

D'autres activités sur place, dont on n'a pas vraiment vu l'intérêt, comme *Marvel Super Heroes*, un film 4D où l'on retrouve les grands héros de fiction devant Buckingham ou encore la « chambre des Horreurs », pas si horrible que ça, et *Spirit of London ride*, sympathique reconstitution de l'histoire de Londres en taxi. Un petit bonjour à Shakespeare, puis on revit la Grande Peste et l'incendie de la ville, l'ère industrielle le *Blitz* (Churchill derrière ses sacs de sable), le Piccadilly des *bobbies*, des punks et des touristes.

Monuments et balades

Le Londres bourgeois : Marylebone, Regent's Park et Little Venice

🏃 ***Marylebone*** *(plan d'ensemble, B-C2-3) :* prononcer « Méri-li-bourne ». Quartier bourgeois délimité au sud par Oxford St et à l'est par Regent St. Il fut bâti à la fin du XVIIIe s et au début du XIXe s. Nombreux petits squares bordés de maisons georgiennes. Marylebone a son lot de célébrités. Dickens y vécut une dizaine d'années, pendant lesquelles il écrivit entre autres *David Copperfield*. Chateaubriand y séjourna quelque temps ainsi que Haendel (*le Messie*, c'est ici !) ou encore Jimy Hendrix. Mais le plus fidèle habitant fut Sir Conan Doyle, qui logea son personnage, le mythique Sherlock Holmes, dans Baker Street. Voir plus haut « Galeries et musées ».

🏃🏃🏃 ***Regent's Park*** *(plan d'ensemble, B-C-D1-2) :* ⓜ *Regent's Park.* Grand espace vert au nord de la ville, entouré au sud et à l'est de *terraces* de style Régence. Ces grands corps de bâtiments aristocratiques recouverts de stuc ressemblent à de véritables façades de palais. Le parc et ses alentours furent aménagés par Nash au début du XIXe s comme point final de son axe triomphal partant du Mall. Il atteignit le summum de son art dans les façades majestueuses de *Park*

Crescent donnant sur Marylebone Rd. Le parc est très plaisant et plus paysagé que les autres parcs de la capitale. Magnifique roseraie (en fleurs dès le début de l'été) dans *Queen's Mary Gardens* et théâtre en plein air l'été (voir « Théâtres » plus haut). La balade, vivement conseillée, vous mènera au zoo.

🎿 Au nord, Regent's Park est prolongé par **Primrose Hill Park.** C'est là que Paul McCartney venait promener son chien Martha (comme dans la chanson *Martha my Dear*).

Non loin de là, les fameux studios d'**Abbey Road** *(plan d'ensemble, A1 ; repère « V » du « Pèlerinage Rock »)* et le plus célèbre des passages piétons de la planète, qui orne la pochette de l'album *Abbey Road* des Beatles. Très marrant de voir les bouchons se former à cause des touristes qui prennent la pose au milieu de la rue ! Ces studios où des groupes comme Pink Floyd ou Oasis ont également enregistré sont classés « Monument historique » depuis 2010...

LES BEATLES ET LEUR REINE

Jamais les Fab Four *(leur surnom) n'oublieront leur origine ouvrière et travailliste. Lors d'un concert avec la famille royale, ils diront : « Ceux qui ont les billets les moins chers pourront applaudir. Les invités du premier rang agiteront leurs bijoux. » En 1965, la reine les décore de l'ordre de l'Empire britannique. Mais Lennon rendra sa médaille en protestation contre le soutien de l'Angleterre à la guerre du Vietnam.*

🎿 🚶 **ZSL London Zoo** *(plan d'ensemble, C1)* **:** *au nord de Regent's Park, NW1 4RY.* ☎ *020-7722-3333.* ● *zsl.org* ● Ⓜ *Camden Town (le plus proche) ou Regent's Park.* Compter 10-15 mn depuis Camden, ou prendre le bus n° 274 (indiqué à la sortie des métros). Entrée sur Outer Circle. Bon plan : aller au zoo depuis Little Venice ou le marché de Camden en navette fluviale : 24-25 £ (aller simple et entrée comprise, réduc ; retour autour de 5 £ ; ● londonwaterbus.com ●). Tlj à partir de 10h (fermeture variable, jusqu'à 18h en été) ; dernière admission 1h avt fermeture. Entrée (chère !) : 26,70 £ ; enfants 19,40 £ ; gratuit moins de 3 ans. Légère réduc sur Internet. Tickets « fast track » pour éviter de faire la queue et forfait famille (en ligne slt). Aire de pique-nique et plusieurs possibilités pour se restaurer sur place. L'un des plus vieux zoos du monde, fondé par la Société de zoologie entre 1826 et 1828. Au début du siècle passé, il innova en offrant aux animaux un environnement proche de leur habitat naturel. Ce n'est plus le cas aujourd'hui, autant être clair. Grand vivarium rempli de reptiles (celui-là même où Harry Potter fait la rencontre du serpent dans le 1er tome de ses aventures), intéressant « noctarium » (dont une vaste vitrine de chauves-souris), un *Tiger Territory* et désormais un *Land of the Lions* où les fortunés peuvent même loger. Sinon, varans de Komodo pas commodes, gorilles, et aquariums en pagaille. Pour ceux qui aiment.

🎿🚶 🚶 À l'ouest de Marylebone, **Little Venice** *(plan d'ensemble, A2-3 ;* Ⓜ *Warwick Avenue)* est un bassin triangulaire formé par la rencontre de deux canaux, qui relient le port de Londres à Birmingham. Au milieu, petit morceau de terre recouvert d'arbres. La comparaison avec Venise est assez excessive. Néanmoins, les berges tranquilles de *Grand Union Canal*, sur Maida Avenue, ont un petit charme. Un coin peu connu de Londres, insolite sans

FOUETTE COCHER... SUR L'EAU

Les « pénichettes » que vous verrez sur les canaux de Little Venice existent depuis plus de 100 ans. Autrefois, elles transportaient toutes sortes de marchandises. Elles ont été construites pour s'adapter à l'étroitesse des canaux mais, surtout, elles étaient non pas propulsées par des moteurs (ça n'existait pas !), mais tirées par des chevaux.

PADDINGTON ET MARYLEBONE

plus. *Navettes fluviales pour le zoo (en 15 mn) et le marché de Camden Town (en 45 mn). Départs ttes les heures env tlj 10h-17h avr-sept, horaires très restreints le reste de l'année. Rens :* ☎ *020-7482-2660 auprès de la* **London Waterbus Company** *:* ● *londonwaterbus.com* ● *Tickets A/R à partir de 12 £, réduc.* On n'avance pas plus vite que les piétons, mais la balade est agréable dans l'ensemble, surtout avec des enfants.

BLOOMSBURY, KING'S CROSS, SAINT PANCRAS ET EUSTON

- Pour se repérer, voir le plan d'ensemble
et le centre 1 détachables en fin de guide.

Bloomsbury l'intellectuel, où écrivains et artistes élurent autrefois domicile, abrite deux symboles culturels forts : le British Museum et l'université de Londres. Résolument calme et bourgeois, Bloomsbury devient plus animé et populaire à mesure que l'on s'approche des gares, autour de King's Cross. Ce quartier concentre à la fois la majorité des hôtels « pas chers » mais aussi des hôtels de luxe, comme le *St Pancras Renaissance Hotel,* datant de 1873, et le *Great Northern Hotel.* Ça tombe bien, car c'est à la gare de Saint Pancras que vous dépose l'Eurostar !
Ce quartier très vivant est en pleine mutation avec d'immenses chantiers dans sa partie nord. D'ici quelques années, ce sont 50 bâtiments – nouveaux ou réhabilités, dans un souci d'alliance entre patrimoine industriel et modernisme – qui vont émerger, une vingtaine de nouvelles rues, deux piscines, le siège du journal *The Guardian,* etc. On est bien loin d'un banal quartier de la gare...

Où dormir ?

– En sortant de la gare Eurostar, à droite vers la *British Library (plan d'ensemble, F1),* appréciez la façade monumentale de l'hôtel de luxe **St Pancras Renaissance Hotel,** datant de 1873. Superbe bâtiment victorien de Sir George Gilbert Scott. Il s'agit aujourd'hui d'un hôtel *Marriott* de 245 chambres, dont 38 suites. Faute d'y loger, pourquoi ne pas y prendre un verre au bar ou une *cup of tea* dans un des luxueux bars-salons ? Vaut aussi le coup d'œil pour son escalier central et le fumoir des Dames.

Auberges de jeunesse et *student halls* (moins de 35 £/pers / 45,50 €)

Dans cette catégorie, on trouve toutes les AJ avec dortoirs accessibles aux petits budgets. Mais la plupart disposent aussi de chambres privatives, pour 1 à 5 personnes. Dans ce cas, les tarifs grimpent dans la catégorie « Prix moyens », mais cela reste un vrai bon plan entre amis. En revanche, si vous êtes en famille, on vous conseille quand même de comparer les prix avec les chambres familiales des hôtels cités plus loin, relativement économiques et plus tranquilles.

⌂ **The Generator** *(plan d'ensemble, F2,* **105***) :* Compton Pl, au 37 Tavistock Pl, WC1H 9SE. ☎ 020-7388-7666 et 7655. ● london@generatorhostels.com ● generatorhostels.com ● Ⓜ Russell Sq ou King's Cross. Dortoirs (8-12 lits) à partir de 18-23,50 £/ pers selon capacité ; chambres privatives à partir de 86-96 £ pour 2-4 pers ; doubles avec sdb privée à partir de

86 £. *Prix majorés le w-e (jeu-sam), pdt les fêtes, et pour le carnaval de Notting Hill. Réduc par Internet et résa vivement conseillée.* 🖥 📶 Une chaîne d'AJ moderne et design que l'on trouve dans toutes les capitales branchées d'Europe. Celle-ci est immense (plus de 800 lits !), chic, urbaine et décorée au goût du jour. Chaque étage est baptisé du nom d'un film et d'une couleur. À vous de reconnaître le titre avec les dessins du petit bonhomme aux murs ! De longs couloirs, quelques petites chambres avec lits superposés pour 1 à 4 personnes, bien plus d'espace pour les grands dortoirs, avec literie confortable et tout le confort moderne. Jolie déco de bois clair et murs de couleurs vives. Salles de bains nickel et en nombre suffisant. Pas de cuisine, mais cafétéria et bar (ouvert jusqu'à 2h), pratiquant des tarifs très raisonnables. Billards, baby-foot, retransmission des compétitions sportives sur grand écran. Salle TV, laverie, agence de voyages et même une grande salle de relaxation. L'organisation tient plutôt bien la route, et l'atmosphère est jeune et trépidante.

🛏 *Clink261 (plan d'ensemble, F1-2, 103) : 261-265 Gray's Inn Rd, WC1 X8QT.* ☎ 020-7833-9400. ● *reservations261@clinkhostels.com* ● *clinkhostels.com* ● Ⓜ *King's Cross. Selon période et confort, en dortoir (4-18 lits) env 13-35 £/pers ; doubles env 50-75 £. Petit déj continental compris. Prix majorés le w-e et pdt les fêtes ; réduc sur Internet.* 🖥 📶 Vaste AJ colorée avec, à la réception, le portrait stylisé de la reine pour surveiller ses ouailles ! Super bien situé et bon accueil. Dortoirs classiques, certains plus spacieux que d'autres. Sanitaires et douches impeccables sur le palier. Cuisine équipée moderne, bar, salon TV et jeux vidéo, salle Internet, etc.

🛏 *Clink78 (plan d'ensemble, G2, 107) : 78 King's Cross Rd, WC1X 9QG.* ☎ 020-7183-9400. ● *reservations78@clinkhostels.com* ● *clinkhostels. com* ● Ⓜ *King's Cross (et bus n° 63). Dortoirs 4-16 lits env 13-35 £/pers selon taille et confort (en bunk beds, sans ou avec sdb). Chambres pour 1-3 pers sans ou avec sdb privée et* même d'authentiques cellules de prisonniers (avec leur lourde porte) pour 2 (max !) à partir de 20-25 £/pers... *Petit déj compris. Prix majorés le w-e et pdt les fêtes ; réduc sur Internet.* 🖥 📶 Voici une adresse insolite de plus de 500 lits : on dort dans un palais de justice réhabilité ! D'illustres prédécesseurs ont côtoyé l'endroit, de Charles Dickens, qui y rédigea les *Aventures d'Oliver Twist,* aux membres du groupe *The Clash* pour avoir canardé un pigeon. Les nouveaux jurés peuvent prendre d'assaut les salles d'audience désormais remplies d'ordis ou aménagées en salle de projection-ciné, et s'en vont dormir dans d'anciennes geôles au look résolument moderne, avec lits design et couleur pop acidulée, quoique un peu sombres et étriquées... Sinon, on peut toujours opter pour un des dortoirs plus classiques dans les étages, un poil plus chers, bien aménagés (certains sont réservés aux filles). Casiers et lampes de lecture. C'est propre, le petit déj en self-service en sous-sol est très correct et varié, et la cuisine très bien équipée. Boutique pour vos voyages et lettres. En bonus non négligeable, le *Clash Bar (tlj 18h-3h),* avec des DJs qui assurent des soirées endiablées au sous-sol !

🛏 *Keystone House Hostel (plan d'ensemble, F1, 47) : 272-276 Pentonville Rd, N1 9JY.* ☎ 020-7837-6444. ● *keystone-house.com* ● Ⓜ *King's Cross. En dortoirs de 4-16 lits, compter 16-35 £/pers selon saison ; doubles à partir de 65 £.* 🖥 📶 Le plus proche de l'Eurostar. Installé dans un bel édifice XIXe s en brique rouge et pierre jaune. Environ 150 lits en dortoirs ou chambres privatives, les plus chères d'excellent confort, avec salle de bains privée. Bonne literie et cadre contemporain plaisant et coloré. Sympathique bar, terrasse sur le toit pour les BBQ, Internet café, laverie, etc.

🛏 *Astor's Museum Hostel (centre 1, F3, 117) : 27 Montague St, WC1B 5BH.* ☎ 020-7580-5360. ● *museum@astorhostels.com* ● *astorhostels.com* ● Ⓜ *Holborn ou Russell Sq. Ouv 24h/24. En dortoir, env 15-35 £/pers selon période et capacité (4-12 lits) ; twins avec sdb commune à partir de 70 £. Petit déj continental (simple) inclus.*

Promos sur Internet et réduc avec la carte HI. 🖳 🛜 Une petite AJ simple et un peu étriquée, mais on aime bien son atmosphère fraternelle et pas compliquée. Surtout, excellente situation qui justifie le séjour, dans un quartier fort paisible la nuit. Dortoirs basiques répartis dans 2 bâtiments (à quelques rues d'écart), douches et w-c en commun à chaque étage, et grande cuisine conviviale dans le bâtiment principal. Seulement 3 doubles (à réserver). Le salon TV est assez banal (DVD à dispo), mais le charmant Russel Square voisin vaut mieux que n'importe quelle salle commune (par beau temps !).

🛏 *Pickwick Hall (centre 1, F3, 116) :* 7 Bedford Pl, WC1B 5JE. ☎ 020-7323-4958. ● *reception@pickwickhall.co.uk* ● *pickwickhall.co.uk* ● Ⓜ *Russell Sq.* Ouv 24h/24. Avec ou sans sanitaires communs, env 20-35 £/pers en dortoir (selon période) ; doubles à partir de 60 £. Petit déj continental inclus. 🖳 🛜 Le jeune Dickens n'aurait probablement pas boudé cette adresse atypique, située dans une rue très chic. À l'inverse d'une auberge de jeunesse lambda, brouillonne et échevelée, la maison se définit plutôt comme un curieux mélange entre une pension à l'ancienne mode et un *B & B* paisible (pas de folles soirées ici !). La belle bâtisse renferme un salon TV, une laverie, une cuisine comme à la maison et seulement une quinzaine de chambres de 1 à 4 lits pour préserver l'intimité des hôtes. Chambres bien tenues, toutes pourvues d'un frigo et d'un micro-ondes. Globalement un bon rapport qualité-prix, d'autant que le patron est un homme adorable.

🛏 *Smart Russell Square Hostel (plan d'ensemble, F2, 65) :* 71-72 Guilford St, Camden WC1N 1DF. ☎ 020-7833-8818. ● *smartback packers.com* ● Ⓜ *Russell Square* (slt à 230 m). Réception ouv 24h/24. Env 20-35 £/pers selon saison, et doubles à partir de 60 £. Petit déj continental compris. 🛜 (parties communes). Beau et imposant bâtiment de style georgien. Dortoirs de 4 à 18 lits (avec ou sans salle de bains). AJ confortable : casiers individuels, chauffage, blanchisserie, coffre, cuisine équipée, change et distributeur de billets, local à bagages, possibilité de laver son linge,

cybercafé... Accueil pro. En saison, tour de Londres quotidien gratuit à 11h.

🛏 *St Pancras YHA (plan d'ensemble, F2, 113) :* 79-81 Euston Rd, NW1 2QE. ☎ 020-7388-9998 et 845-371-9344. ● *stpancras@yha.org.uk* ● *yha.org.uk* ● Ⓜ *King's Cross.* Lits en dortoir à partir de 20-25 £ en sem, 32-35 £ le w-e. Doubles à partir de 75-85 £ sans ou avec sdb. Petit déj et serviettes en sus. *Réduc pour les membres.* 🖳 🛜 Une grande AJ toute nickel, fonctionnelle et sécurisée, stratégiquement située à deux pas du métro et face à la British Library. Secteur archi-fréquenté, mais bonne isolation sonore. Dortoirs et chambres propres, clairs, de taille raisonnable, les plus chères avec salle de bains privée et TV. Salons communs agréables, bar chaleureux et petite café au rez-de-chaussée. Accueil sympa.

🛏 *London Central YHA (plan d'ensemble, D3, 77) :* 104 Bolsover St, W1W 5NU. ☎ 845-371-9154. ● *stpancras@yha.org.uk* ● *yha.org. uk* ● Ⓜ *Great Portland St.* Dortoirs env 16-35 £/pers selon période, doubles à partir de 70 £. Réduc pour les membres et sur Internet. 🖳 🛜 Immense AJ moderne située au cœur de Londres, proche de Pancras et King's Rd Stations et à 5 mn du métro. Plus de 300 lits (en *bunk beds*). Réception vaste et colorée, particulièrement accueillante. Ensemble confortable et fort bien tenu. Certains dortoirs possèdent leur salle de bains privée. Également des chambres familiales et des poussettes à dispo pour les routards en herbe. Bar-cafétéria convivial, cuisine à dispo et plusieurs salles communes (salon TV et salle Internet), laverie, etc.

De prix moyens à plus chic (80-130 £ / 104-169 €)

Les quartiers de King's Cross et du British Museum rassemblent de nombreux hôtels, à prix honnêtes, certains dans de belles demeures georgiennes retirées en bordure de squares paisibles. Privilégier notamment les secteurs d'Argyle Street (à ne pas confondre avec Argyll Street, près d'Oxford

Circus), de Gower Street et des Cartwright Gardens.

⌂ _Alhambra Hotel_ (plan d'ensemble, F1, **114**) **:** 17-19 Argyle St, WC1H 8EJ. ☎ 020-7837-9575. • reservations@ alhambrahotel.com • alhambrahotel. com • Ⓜ King's Cross. En basse saison, doubles 60-80 £ (sans ou avec sdb), triples et quadruples à partir de 110 £. Tarifs majorés le w-e. En saison, doubles env 85-110 £, triples et quadruples à partir de 130 £. Petit déj anglais inclus. ≋ Hôtel de famille depuis près de 40 ans, tenu à la perfection. Une cinquantaine de chambres confortables, de petites dimensions et pas toujours parfaitement insonorisées mais pimpantes, dotées d'une moquette bleu nuit et d'un mobilier fonctionnel (petit bureau, coffre, TV écran plat). Thé et café à discrétion. Les chambres les plus chères dans chaque catégorie ont douche et w-c privés. Si c'est plein de ce côté de la rue, vous vous retrouverez dans l'une des 2 annexes ; même genre de déco et de prestations. Accueil très sympa, et en français de surcroît.

⌂ _Celtic Hotel_ (plan d'ensemble, F2, **118**) **:** 61-63 Guilford St, WC1N 1DD. ☎ 020-7837-6737 ou 9258. • reservations@celtichotel.com • celtichotel.com • Ⓜ Russell Sq ou Holborn. Sans ou avec sdb privée, doubles env 95-110 £, triples et quadruple env 100-145 £. Petit déj anglais (hmm ! ça sent bon le bacon !) inclus. Appart à partir de 160 £ pour 3-4 pers. ≋ Une adresse historique et hyper bien située, présente dans le Routard depuis des décennies, mais les prix, hélas, se sont alignés sur ceux du quartier. Hôtel bien tenu. Déco rustique, moquette, ambiance pension de famille conviviale. Pas mal de chambres possèdent désormais leur salle de bains. Quant aux autres, douches et w-c communs très propres. Grand salon TV, atmosphère familiale. Et la nouveauté, c'est le petit appartement pour 3-4 personnes au sous-sol, avec micro-ondes, frigo, et 2 chambres séparées. Et même un accès à une petite terrasse donnant sur la rue, en contrebas. Joli petit jardin à l'arrière de l'hôtel, pour boire un verre ou papoter aux beaux jours.

⌂ _Ridgemount Private Hotel_ (plan d'ensemble, E2, **115**) **:** 65-67 Gower St, WC1E 6HJ. ☎ 020-7636-1141 ou 020-7580-7060. • info@ridgemoun thotel.co.uk • ridgemounthotel.co.uk • Ⓜ Goodge St. Doubles sans ou avec sdb env 90-160 £ ; petit déj anglais inclus. Triples, quadruples et quintuples env 120-170 £. ▱ ≋ Les chambres familiales peuvent se révéler moins chères qu'un dortoir dans certaines AJ. À envisager donc ! Petit hôtel familial à l'ancienne, alignant des chambres datées et pas bien grandes, mais propres et confortables. Elles sont même très tranquilles et plaisantes côté jardin, surtout lorsqu'elles profitent d'une jolie cheminée. Salon commun agréable avec machine à café. Accueil attentionné.

De plus chic à très chic (90-120 £ et plus / 117-156 €)

⌂ _Travelodge King's Cross_ (plan d'ensemble, F1, **120**) **:** Willing House, 356-364 Gray's Inn Rd, WC1X 8BH. ☎ 0871-984-6256 ou 0203-195-4554. • travelodge.co.uk • Ⓜ King's Cross. Doubles tt confort env 90-130 £. Petit déj-buffet en sus. Réduc sur Internet. ▱ ≋ Cette chaîne d'hôtels propose des prix défiant toute concurrence. Un bon plan, d'autant plus que celui-ci sort du lot : sa façade majestueuse, sa situation à deux pas de King's Cross et son confort fonctionnel en font une vraie bonne adresse. Chambres impeccables, toutes équipées de salle de bains et de lit king size. Le credo de la maison, c'est de ne fournir que l'indispensable : une seule serviette par personne, téléphone non direct, câble TV payant, etc. Une formule intelligente et économique. Cependant, autant le savoir, certaines chambres peuvent être très proches des voies du métro et se révéler alors assez bruyantes...

⌂ D'autres Travelodge à Londres, notamment à 5 mn à pied, à Farringdon (10-42 King's Cross Rd, ☎ 0871-984-6274). Souvent plus grands, d'aspect plus moderne, avec tous les mêmes chambres.

⌂ *Thanet Hotel (centre 1, F3, **116**) :* 8 Bedford Pl, WC1B 5JA. ☎ 020-7636-2869 et 020-7580-3377. ● thane thotel@aol.com ● thanethotel.co.uk ● Ⓜ Russell Sq ou Holborn. Double env 130 £ ; également des chambres pour 3-5 pers. Copieux petit déj anglais compris. 🛜 Petit établissement plein de charme. Une quinzaine de chambres classiques bien tenues, de taille raisonnable, avec thé et café à disposition, d'un bon niveau de confort malgré les matelas peu épais et le mobilier datant un poil (mais ça donne un style). Le tout donnant sur la rue (peu passante) ou sur un jardin intérieur. Accueil particulièrement aimable. L'une de nos adresses préférées.

⌂ *Arosfa Hotel (plan d'ensemble, E2, **119**) :* 83 Gower St (au coin de Torrington), WC1E 6HJ. ☎ 020-7636-2115. ● info@arosfalondon.com ● arosfalondon.com ● Ⓜ Goodge St. Doubles à partir de 130 £, familiales à partir de 170 £, petit déj anglais inclus. 🛜 Petit, intime (une quinzaine de chambres) et très bien tenu. La déco est élégante, notamment dans les chambres confortables, où se mêlent harmonieusement l'ancien et le moderne. Chambres pour 2 à 6 personnes, salles de bains pas bien grandes, cela dit. Joli salon élégant et cosy et jardin pour prendre l'air.

⌂ *Euro Hotel (plan d'ensemble, F2, **121**) :* 51-53 Cartwright Gardens, WC1H 9EL. ☎ 020-7387-4321. ● reception@eurohotel.co.uk ● eurohotel.co.uk ● Ⓜ Euston ou Russell Sq. Doubles à partir de 145 £ avec sdb, familiales env 175 £ selon taille et confort. English breakfast inclus. 🛜 Donne sur une aimable place à l'anglaise, arborée, où se concentrent une foule d'hôtels de même catégorie. Chambres agréables, certaines avec douche et w-c, d'autres avec baignoire, toutes confortables et très propres. Belles chambres familiales. Réjouissant de se réveiller le matin face à ce square et de profiter de la vue en prenant son petit déjeuner.

⌂ *Premier Inn Euston (plan d'ensemble, E2, **110**) :* 1 Duke's Rd, WC1H 9PJ. ☎ 0871-527-8656. ● premierinn.com ● Ⓜ Euston Sq ou King's Cross. Doubles env 100-170 £ (réduc sur Internet), prix majorés le w-e. English breakfast en sus, gratuit moins de 16 ans. Resto. 🛜 On n'est pas venu ici pour cette grande bâtisse sans charme, mais pour les chambres de bon confort, toutes identiques (c'est une chaîne), assez spacieuses et somme toute agréables dans leur genre. Le vrai plus pour les familles : la possibilité, pour le même prix, de loger à 4 dans la même chambre (2 adultes, 2 enfants, pas d'autres configurations), avec lit double et canapé-lit dépliant. Café, terrasse et resto au rez-de-chaussée.

⌂ *Premier Inn King's Cross St Pancras (plan d'ensemble, F1, **49**) :* 26-30 York Way, N1 9AA. ☎ 020-7812-0100 et 0871-527-8672. ● premierinn.com ● Ⓜ King's Cross. Doubles env 80-200 £ selon saison (réduc sur Internet), plus cher le w-e. 🛜 Décidément, cette chaîne d'hôtels fait bien les choses. Ici, ce ne sont pas ses 280 chambres (nickel et confortables, comme d'habitude) qui retiennent l'attention, mais l'excellente situation : face à la gare, donc à deux pas du terminal des Eurostar et du métro pour le centre. Hyper pratique. Une remarque cependant : éviter si possible les chambres du rez-de-chaussée (peu nombreuses), seulement dotées de fenêtres aveugles.

⌂ *Regency House Hotel (plan d'ensemble, E2, **115**) :* 71 Gower St, WC1E 6HJ. ☎ 020-7637-1804. ● regency7hotel@aol.com ● regencyhouse-hotel.com ● Ⓜ Goodge St. Doubles à partir de 120-130 £, plus cher le w-e et en saison. Également des familiales jusqu'à 5 pers. Bon English breakfast compris. 🛜 Hôtel engageant, avec un soupçon de personnalité. Une quinzaine de chambres agréables, pas très grandes mais bien tenues. Toutes disposent de sanitaires privatifs. Double vitrage assez efficace. Celles à l'arrière ont une belle vue sur le jardin et sont, bien sûr, plus tranquilles. Les supérieures ont même droit à une petite terrasse privée.

Très chic
(plus de 150 £ / 195 €)

⌂ *The Beauchamp (centre 1, F3, **122**) :* 24-27 Bedford Pl.

☎ 020-7016-2540. ● beauchamp@grangehotels.com ● grangehotels.com/the_beauchamp_hotel ● Ⓜ Russel Sq ou Holborn. Doubles env 150-250 £. Réduc si résa sur Internet et breakfast inclus dans ce cas. 🖥 🛜 L'hôtel anglais chic et classe, avec ses vastes chambres, le mobilier contemporain de bon goût, les tableaux modernes, leurs lits moelleux, la moquette épaisse, le tombé parfait des rideaux, les salles de bains rutilantes pour paresser en paix... TV écran plat, coffre-fort et accueil à la hauteur.

🛏 **Myhotel Bloomsbury** (centre 1, E3, **64**) : 11-13 Bayley St, WC1B 3HD. ☎ 020-3004-6000 et 6002. ● res@myhotels.com ● myhotels.com ● Ⓜ Goodge St. Doubles ou suites 150-300 £ selon période, petit déj en sus ; promos sur Internet. À deux pas du British Museum, un hôtel conçu par l'incontournable designer anglais Terence Conran. Confort et atmosphère on ne peut plus cosy pour des chambres pas bien grandes, mais uniques. Et côté déco, couleurs flashy ou blancheur immaculée, au choix. Des meubles anciens également, des statues de Bouddha, gentiment incongrus dans ce cadre si moderne. Un vrai lieu de vie aussi, avec café et resto Gail's, ouverts sur la rue.

Où manger ?

Très bon marché (moins de 10 £ / 13 €)

🍴 **Peyton & Byrne :** plusieurs adresses, notamment à la British Library (ouv 9h30-17h) ; au 183 Euston Rd, au sein de la Wellcome Collection (plan d'ensemble, E2, **704**) ; et à Saint Pancras International, unit 11, the Undercroft (plan d'ensemble, F1). Olivier Peyton, un des fondateurs de cette chaîne, en avait assez des pseudo-sandwichs italiens, il rêvait de cheddar du Lancashire, de steak and kidney pies, bref, de vrais produits du terroir britannique. Et il a réussi ! C'est bon, pas trop cher, et les petits cakes, les scones et autres tartes en dessert sont un régal pour les yeux comme pour les papilles.

🍴 **Burger & Shake** (plan d'ensemble, F2, **291**) : 47 Marchmont St, WC1N 1AP. ☎ 020-7837-7718. Ⓜ Russell Square ou Euston. Tlj jusqu'à 22h30 (22h dim). Burgers env 6,50-8,50 £, milk-shakes 4,50 £. C'est tout petit, cosy, intime, avec des box et des banquettes de moleskine. Accueil adorable pour les meilleurs burgers au sud de King's Cross ! Préparés consciencieusement avec d'excellents ingrédients, assemblages et goûts originaux (essayer le Buffalo Chicken). Autre point fort : les milk-shakes, absolument délicieux, crémeux et ultracopieux.

🍴 **The Place Café** (plan d'ensemble, E2, **254**) : 17 Duke's Rd, WC1H 9PY. ☎ 020-7383-5477 et 7383-5469. ● info@theplace.org.uk ● Ⓜ Euston Sq ou King's Cross. Tlj sf dim 9h-18h/20h en fonction des spectacles. Petit déj, en-cas et petits plats 4-6 £. 🛜 La cafét de The Place, l'institut et la salle de spectacle du philanthrope Robin Howard. Vaste salle toute simple en sous-sol, à l'atmosphère chaleureuse et brouillonne ! Salades, soupes, quiches, pâtes, sandwichs et plats chauds à prix ultradémocratiques. Fréquenté par les danseurs et danseuses de The Place et par tous ceux qui ont flairé la bonne affaire.

🍴 Voir aussi la **Pâtisserie Deux Amis** (plan d'ensemble, F2, **262**), pour ses sandwichs (baguette) et ses bonnes quiches.

Bon marché (10-20 £ / 13-26 €)

🍴 **Caravan** (plan d'ensemble, F1, **605**) : 1 Granary Sq, N1C 4AA. ☎ 020-7101-7661. ● restaurant@caravankingscross.co.uk ● Ⓜ King's Cross. Lun-ven 8h-23h, brunch le w-e à partir de 10h (fermé dim à 16h). Assiettes env 6,50-8 £ ou autour de 14-17 £ selon la taille ; pizzas 7-9 £, petit déj et brunch

8,50-10,50 £. Très belle réhabilitation que cet ancien entrepôt à grains investi par l'université des Arts de Londres. Les étudiants et les gens bien avisés se retrouvent dans cette grande salle au rez-de-chaussée, sur de longues tables conviviales ou au comptoir (également quelques tables pour 2 pour les amoureux). Ambiance de cantine industrielle dans un joyeux brouhaha (supportable vu le volume des lieux), pour déguster des petites assiettes bien ficelées, entre cuisine bien *British* et incursions tous azimuts. Café maison et cocktails ne sont pas en reste. Personnel jeune et branché, ça va de soi, mais pas snob pour un sou. Un vrai petit coup de cœur. *Une autre annexe où prendre un délicieux café sur Exmouth Market, dans le quartier de Clerkenwell.*

|●| Itadaki Zen *(plan d'ensemble, G1, 251) : 139 King's Cross Rd, WC1X 9BJ.* ☎ *020-7278-3573.* Ⓜ *King's Cross. Tlj sf dim 12h30-14h, 18h-22h. Formules lunch 6-10 £ ; le soir, menus 13-28 £.* Proche de la gare. Cadre sobre (pas de décor, que du bois blanc) et intime pour une vraie cuisine japonaise familiale et personnalisée où l'accent est mis sur la qualité des produits. Grande variété de saveurs et textures, même les tofu ont du caractère ! À midi, le *bento* à 10 £ se révèle une aubaine. Service jeune et souriant. Si vous ne terminez pas, ici on encourage le *doggy bag* !

|●| Camino *(plan d'ensemble, F1, 267) : 3 Varnishers Yard.* ☎ *020-7841-7330.* ● *dr.reservations@camino.uk.com* ● Ⓜ *King's Cross. Lun-ven 12h-15h, 17h30-23h ; le w-e 11h-15h30, 17h30-23h sam et 18h-22h dim. Bar* Pepito *ouv tlj en continu jusqu'à minuit (1h sam). Plat du jour le midi en sem env 14 £, assiettes variées env 5-18 £ ; plats 18-20 £.* Ici, on célèbre clairement toutes les saveurs de l'Espagne, dans l'assiette et dans son verre. Tapas, charcuterie, viande (ah ! les *parillas* ! le grill !), fromages, et petits vins charpentés, venus de toute la péninsule Ibérique. Ambiance joviale, au comptoir, sur les tabourets, au fond des sofas ou autour des tonneaux sur terrasse. Pour patienter, possibilité de boire un verre en face, au *Pepito,* même maison. Tout aussi festif, en particulier du jeudi au samedi soir avec soirées DJ !

|●| Dishoom *(plan d'ensemble, F1, 253) : 5 Stable St, N1C 4AB.* ☎ *020-7420-9321.* Ⓜ *King's Cross. Petit déj 8h-11h30 (9h-12h le w-e), sinon 11h30-23h (minuit le w-e). Plats env 8-12 £.* Clin d'œil aux célèbres *Bombay Cafés* de Mumbai (créés par des immigrants zoroastriens venant d'Iran au début du siècle dernier, il y en eut presque 400 à Bombay jusqu'en 1960, une trentaine aujourd'hui !). Ouvert depuis novembre 2014 (3 autres adresses à Londres) et installé dans un entrepôt victorien de 1850, qui assurait le transit de marchandises entre Londres et… Bombay ! Immense volume, style brasserie post-moderne teintée d'exotisme, long comptoir, mezzanine... Cuisine indienne traditionnelle déclinée sur un menu bien présenté. Conseillé de réserver, parfois jusqu'à 1h d'attente (à croire qu'ils veulent qu'on prenne un cocktail au bar !), et ça peut être un peu bruyant.

|●| North Sea Fish *(plan d'ensemble, F2, 168) : 7-8 Leigh St, WC1H 9EW.* ☎ *020-7387-5892.* Ⓜ *Russell Sq ou King's Cross. Lun-sam 12h-14h30, 17h30-22h30 (17h-23h pour le take-away). À emporter, petits plats autour de 6 £. Sur place, plats env 16-22 £.* Divisé en 2 parties, le *take-away* et le resto. Que ce soit pour ses poissons grillés ou son *fish & chips,* cette petite adresse indémodable, au cadre vieillot, est livrée chaque jour en poisson frais et s'impose comme une des valeurs sûres du quartier. Rapport qualité-prix-fraîcheur irréprochable !

|●| 🕴 Wagamama *(centre 1, F3, 170) : 4 A Streatham St, WC1A 1JB.* ☎ *020-7323-9223.* ● *wagamama.com* ● Ⓜ *Tottenham Court Rd. Tlj 11h30-22h (23h ven-sam). Plats env 8-14 £.* Les années passent, mais la chaîne de restos *Wagamama* a toujours autant de succès. Celui-ci est le tout premier ouvert à Londres ! Un point de repère : arrivé en haut des escaliers, il n'y a plus que 15 mn d'attente ! Grande salle bondée et bruyante en sous-sol, à la déco aseptisée et cuisine asiatique à déguster sur de longues tables communes. *Pan-fried noodles, ramen* (nouilles chinoises dans un bouillon servies avec des morceaux de poulet et des légumes), *kare lomen* (pâté de crevettes, gingembre frais, lait de coco, citronnelle, coriandre), *coconut seafood broth,* de belles salades. Portions copieuses et la maison garantit des produits « non génétiquement modifiés ».

De bon marché à prix moyens (max 30 £ / 39 €)

|●| *Honey & Co (plan d'ensemble, D-E2, 255) :* 25A Warren St, W1T 5LZ. ☎ 020-7388-6175. ● honeyandco. co.uk ● Ⓜ Warren St. Tlj sf dim 8h (9h30 sam)-22h30. Petits déj env 3,50-7 £ ; plats env 14,50 £ et copieux menus 26,50 et 29,50 £. C'est tout petit, aucun décor à part quelques assiettes joliment présentées. L'important, ici, c'est avant tout le contenu de l'assiette. Tout simplement délicieux, un grand coup de cœur ! Au piano, un chef qui excelle à créer de suaves associations de saveurs à hauteur de la qualité des produits. Cuisine aux accents *Middle East,* fraîche et colorée, en de goûteuses et savantes combinaisons. On y vient aussi pour le petit déj, tout aussi fameux (*big breakfast menu* le samedi !). Quant au *cheesecake,* il se révèle une vraie tuerie ! Mon tout à des prix abordables eu égard à la qualité des mets !

|●| *Rotunda (plan d'ensemble, F1, 299) :* King's Pl, N1. ☎ 020-7014-2840 et 2849. Ⓜ King's Cross. Tlj midi et soir jusqu'à 22h30 (18h30 dim). Lunch (12h-15h) et early evening menu (17h-19h30) 19,50-24,50 £. Derrière la gare de King's Cross. Dans cet immense centre culturel, une brasserie de style contemporain, dans un environnement sympa. Tables bien séparées, longues banquettes de moleskine, service jeune pour une cuisine bien troussée à base de produits provenant de sa propre ferme bio (troupeaux à l'herbe, est-il précisé !). Belles viandes vieillissant au moins 28 jours, recettes classiques avec souvent des envolées inspirées, cuissons parfaites. Intéressant et généreux lunch.

|●| *Smithy's (plan d'ensemble, F1, 281) :* 15-17 Leeke St, WC1X 9HY. ☎ 020-7278-5949. ● info@smithyslon don.com ● Ⓜ King's Cross. Lun-mer 11h-minuit, jeu-ven 11h-1h, sam 17h-1h, fermé dim. Express lunch 8,50 £ ; sinon, plats env 12-22 £. 🛜 Dans une rue un peu perdue (accessible par Britannia et Wicklow St). Séduisant restaurant installé dans un ancien atelier de maréchal-ferrant décoré de photos du vieux Londres. Sols pavés, canapés en cuir, verrières et vieux bois lui confèrent une atmosphère authentique, avec quelques petites touches design. Très belle carte des vins (qui fait la part belle aux grands crus du Beaujolais) et bonne cuisine internationale. La nourriture, bien que savoureuse, paraît tout de même très chère au vu des quantités servies, d'autant que les accompagnements viennent en supplément (cependant *quick lunch* correct et bon marché le midi). Un point de chute néanmoins très agréable.

Où prendre un bon café ? Où faire une pause sucrée ?

🍵 *Pâtisserie Deux Amis (plan d'ensemble, F2, 262) :* 63 Judd St, WC1H 9QT. ☎ 020-7383-7029. Ⓜ King's Cross ou Euston. À l'angle de Leigh St. Lun-sam 9h-17h30, dim 9h30-14h. Snacks à partir de 4,50 £. Tout est possible à Londres, même déguster de vrais croissants ! Et, quitte à bien faire, les *Deux Amis* confectionnent un excellent cappuccino, mais aussi des sandwichs préparés avec des baguettes dignes de ce nom, des quiches savoureuses, etc. Un zeste de musique classique et quelques petites touches de déco bien vues donnent aussitôt envie de jouer les prolongations dans ce minuscule salon de thé cosy, bourré de charme.

Quelques tables dehors aux beaux jours.

☞ Voir aussi, dans « Où manger ? », **Caravan** (plan d'ensemble, F1, **605**), pour prendre un délicieux café torréfié maison. Divers crus à la carte et un vrai barrista aux manettes. Sans oublier les délicieuses pâtisseries de **Honey & Co** (plan d'ensemble, E2, **255**) !

Où boire un verre ? Où sortir ?

Y **Museum Tavern** (centre 1, F3, **320**) : 49 Great Russell St, WC1B 3BA (au coin de Museum St). Situé juste en face du British Museum. ☎ 020-7242-8987. Ⓜ Tottenham Court Rd. Lun-jeu 11h-23h30, ven-sam 11h-minuit (arrêt cuisine à 22h), dim 10h-22h. Un des plus vieux pubs de Londres, datant de 1723, reconstruit en 1855. Au XVIIIe s, il s'appelait le Dog & Duck, preuve qu'on chassait encore dans les environs ! Il changea opportunément de nom au moment de la création du musée. De cette époque, il a gardé beaucoup de témoignages, notamment le bar en acajou superbement sculpté et ciselé, les box, les miroirs gravés, etc. Karl Marx, qui pratiquait beaucoup le pub crawl sur Tottenham Court Rd, y passait à l'occasion (ainsi que Conan Doyle). Toujours aussi fréquenté, c'est le point de chute des employés du quartier et des visiteurs du musée, pour un verre ou un plat de pub grub. Ambiance très conviviale à la sortie des bureaux.

Y ♪ **Drink, Shop & Do** (plan d'ensemble, F1, **321**) : 9 Caledonian Rd, N1 9DX. ☎ 020-7278-4335. ● drinkshopdo.com ● Ⓜ King's Cross. Lun-jeu 10h30-minuit, jusqu'à 2h ven-sam et 20h dim. Cadre peu banal que ces anciens bains victoriens avec leur coupole et colonnades de stuc, relookés à la mode sixties à grand renfort de mobilier en formica. Ici on cultive le décalage et l'humour, entre boutique, activités thématiques le soir (atelier Lego, tricot...), comedy club, afternoon tea spécial men avec de la bière, et l'ensemble de la déco qui est à vendre. Les vendredi et samedi soir, les DJs investissent l'ancien sex-shop du sous-sol, et la clientèle envahit allègrement la piste de danse au son de pop, hip-hop and so on.

Y Voir également, dans « Où manger ? », **Smithy's** (plan d'ensemble, F1, **281**) et **Camino** (plan d'ensemble, F1, **267**), bien aussi pour prendre un verre.

Y ♪ **The Water Rats** (plan d'ensemble, F1, **322**) : 328 Grays Inn Rd, WC1X 8BZ. ☎ 020-7837-7269. ● thewaterrats.co.uk ● Ⓜ King's Cross. Tlj 5h-23h, jusqu'à 1h ven-dim. Pub au grand volume vieux de plus de 100 ans. Plancher et comptoir de bois bien usés. Carte classique de bières, cocktails et pub grub. L'adresse est avant tout réputée pour ses concerts rock, à prix démocratiques. Une longue tradition, de Bob Dylan, en 1962, aux débuts d'Oasis en 1994, en passant par les Pogues... Concerts ou performances de DJs quasiment tous les soirs de 19h à minuit (bien plus tard le week-end, lorsque le lieu se transforme en boîte). Et comme le lieu ouvre à l'aube, les fêtards de tout poil s'y retrouvent pour y prendre le petit déjeuner.

Y ♪ **Big Chill House** (plan d'ensemble, F1, **487**) : 257-259 Pentonville Rd, N1 9NL (à l'angle de King's Cross). ☎ 020-7427-2540. ● bigchill.net ● Ⓜ King's Cross. Lun-mer 9h-minuit, jusqu'à 1h jeu, 10h-3h ven-sam ; dim 11h-minuit. Un lieu hybride, à la fois resto-bar-club, organisé autour d'un dance floor. Soirées DJs en fin de semaine : funk, soul et classiques des 1970's le jeudi, hip-hop et R & B le vendredi, house et techno le samedi. Le son est alors poussé à fond, et il ne reste plus qu'à aller brûler la piste ! Et pour prendre l'air, cap sur le roof terrasse, un must en été.

♪ **The Egg** (hors plan d'ensemble, par F1) : 200 York Way, N7 9AX (à l'angle de Vale Royal). ☎ 020-7871-7111. ● egglondon.co.uk ● Ⓜ King's Cross ou Caledonian St. Mar 23h-6h, ven 23h-7h et sam 23h-9h. Entrée payante ; réduc sur Internet. Dress code smart/casual. L'une des principales boîtes à la mode de Londres (grosses pointures comme Laurent

Garnier, Solomun, David Morales, etc.), avec différents espaces distincts sur plusieurs niveaux. Sa terrasse-jardin est également connue pour le petit déj du dimanche matin (Breakfast at Egg), sur fond d'électro ou de house.

Shopping

⚜ **Boutique du British Museum** (centre 1, E-F3) : Great Russell St, WC1. ☎ 020-7323-8299. Ⓜ Holborn, Tottenham Court Rd ou Russell Sq. Tlj 10h-17h30. Fermé 1er janv, Vendredi saint et 24-26 déc. On y trouve tout ce qui touche à l'Égypte, à l'histoire antique et aux collections du musée. En plus des livres, plein d'objets et gadgets amusants (du mug au tapis de souris en passant par des parapluies ou des essuie-mains). Éclectique et culturel à la fois !

Parapluies

⚜ **James Smith & Sons** (centre 1, F3, 600) : Hazelwood House, 53 New Oxford St, WC1A 1BL. ☎ 020-7836-4731. ● james-smith.co.uk ● Ⓜ Holborn. À l'angle avec Bloomsbury. Lun-sam 10h-17h45 (17h15 sam). Le grand spécialiste du parapluie, du pépin, du pébroque, de l'ombrelle et de la canne à pommeau. Tout cela depuis 1830 ! Authentiquement British, cadre et décor exceptionnels ! Les Anglais sont définitivement experts en matière de pluie ! De la très grande qualité à – presque – tous les prix. Un monument.

Livres et papeterie

⚜ **Housmans** (plan d'ensemble, F1, 321) : 5 Caledonian Rd, N1 9DX. ☎ 020-7837-4473. ● housmans. com ● Ⓜ King's Cross. Lun-ven 10h-18h30, sam jusqu'à 18h et dim 12h-18h. Librairie libertaire, siège de nombreuses associations contestataires. Depuis 1945, elle propose une vaste sélection d'ouvrages sur l'écologie, la politique, la sociologie, etc. Conférences régulières sur les mêmes thèmes. Magazines du monde entier, cartes postales décalées ou engagées, fanzines et pamphlets. Également un minirayon consacré aux documentaires et, au sous-sol, une vaste sélection d'ouvrages à 1 £.

⚜ **Gay's the Word** (plan d'ensemble, F2, 603) : 66 Marchmont St, WC1N 1AB. ☎ 020-7278-7654. ● gaystheword.co.uk ● Ⓜ Russell Sq. Lun-sam 10h-18h30, dim 14h-18h. Une librairie gay très connue (pour hommes et femmes) avec un grand choix de bouquins.

⚜ **Paperchase** (centre 1, E3, 604) : 213-215 Tottenham Court Rd, W1T 7PS. ☎ 020-7467-6200. ● paperchase.co.uk ● Ⓜ Goodge St. Lun-ven 8h30-20h, sam 9h-19h et dim 12h-18h. Une immense papeterie où vous trouverez à coup sûr un choix énorme de cartes à pois bleus, de stylos roses et de pochettes flashy. Rayon beaux-arts. Nombreuses autres adresses dans Londres, mais celle-là, c'est la plus grande. Un choix incroyable !

Galeries et musées

British Museum (centre 1, E-F3)

🏃🏃🏃 👫 (pour les momies). Great Russell St, WC1B 3DG. ☎ 020-7323-8000. ● britishmuseum.org ● Ⓜ Holborn, Tottenham Court Rd ou Russell Sq. Tlj 10h-17h30 ; ven, ouverture d'une petite sélection de galeries jusqu'à 20h30. Fermé 1er janv, Vendredi saint et 24-26 déc. GRATUIT. Expos temporaires payantes. Bon plan : 2 entrées pour le prix d'une aux expos temporaires sur présentation de votre billet d'Eurostar. Médiaguides (avec le son et l'image) en anglais et espagnol : 5 £. Également de nombreuses visites à thème gratuites de 11h (Japon) à 15h45 (reliefs *assyriens). Cafétéria (basique) et resto franchement très cher. On vous encourage donc à sortir !*

LE musée par excellence, fondé en 1753 par Sir Hans Sloane ! Plus de 6 millions de visiteurs chaque année ! Sa richesse est telle qu'elle justifie – pour beaucoup – à elle seule une visite à Londres, c'est dire... On y accède par la sublime *Great Court,* réaménagée en un large atrium par l'architecte Norman Foster. Entièrement recouverte d'un toit translucide, comme une immense résille tissée par une araignée, elle permet l'appoint d'un espace culturel supplémentaire de 17 000 m². Cela en fait la plus grande place couverte d'Europe, avec ses boutiques, sa cafétéria et ses comptoirs d'information.

En plein centre, impériale, se dresse l'imposante rotonde de la salle de lecture (elle accueille aujourd'hui des expos temporaires), enlacée de deux escaliers monumentaux. La vénérable salle fut fréquentée en son temps par Shaw, Dickens et Marx (il y rédigea *Le Capital*).

Le « British » couvre l'histoire de l'humanité depuis ses origines jusqu'à nos jours, mais ce sont les collections d'antiquités qui occupent la plus grande partie des 26 000 m² de galeries. Impossible de tout voir en une fois. Si vous voulez aller au fond des choses, il vaut mieux choisir quelques sections et visiter le musée petit à petit. Les sections consacrées à l'Assyrie, à la Grèce (marbres de Lord Elgin rapportés du Parthénon...) et à l'Égypte (sarcophages, momies...) sont d'une richesse époustouflante. Celles sur l'art oriental ne sont pas en reste. Il abrite aussi des manuscrits rarissimes et des collections de monnaies inestimables, ainsi que des galeries consacrées aux civilisations américaines avant la conquête espagnole. Le tout est conservé en plein cœur de Londres, derrière cette gigantesque façade de temple grec.

Attention : c'est un vrai labyrinthe ! Se procurer ABSOLUMENT le plan au kiosque d'information ou au vestiaire. Plan à dispo (don suggéré : 2 £, avec le Top 10 du musée à voir en 1h). Les salles grisées sont fermées ou en rénovation (il y en a toujours).

Une visite éclair du musée

Pour ceux qui ont peu de temps à accorder au British Museum, voici une *balade de 2-3h* environ. En suivant cet itinéraire, vous verrez les pièces maîtresses du musée et les salles les plus intéressantes. Mais il ne s'agit que d'une visite édulcorée pour les stakhanovistes. Ceux qui souhaitent voir le musée à leur rythme doivent se reporter à la visite plus détaillée. Pour ceux qui ont encore moins de temps, le plan couleur payant *(2 £)* permet de *voir les 10 plus beaux trésors du musée en 1h.*

– Dès l'entrée du musée, dirigez-vous vers la *King's Library (salle 1).* Soigneusement restaurée, cette magnifique bibliothèque, créée en 1823 par George IV, restitue l'atmosphère des cabinets de curiosités du XVIIIe s. Les collections sont aussi hétéroclites qu'ordonnées, illustrant l'immense appétit de savoir des savants de l'époque. Sept sections évoquent des sujets comme les religions, les arts, l'écrit ou encore l'histoire naturelle. On y trouve même une copie de la pierre de Rosette : « *please touch* » ! Mais, plus que les objets présentés comme autrefois ou les lourds rayonnages chargés de livres anciens, on retiendra avant tout le vibrant hommage au musée balbutiant des premières heures...

– Ne pas manquer d'aller voir, *salle 2,* la plus vieille sculpture en ivoire du musée, datant de plus de 12 000 ans. Deux rennes y sont représentés en train de traverser une rivière.

– *Salle 4 :* à la place d'honneur à l'entrée de la salle, la *pierre de Rosette* est l'objet de toutes les attentions. Elle fut découverte en 1799 par des soldats français dans le delta du Nil et cédée à Londres aux termes du traité d'Alexandrie en 1801. Un décret du conseil des prêtres de Ptolémée V (196 av. J.-C.) est gravé en trois écritures : hiéroglyphes, démotique et grec. Au début du XIXᵉ s, elle permit à Champollion de percer le secret des hiéroglyphes. Maintenant que vous avez compris comment ça marche, vous pouvez toujours déchiffrer un autre document célèbre, la *liste des rois,* hiéroglyphes récapitulant le nom des pharaons de Ménès (3100 av. J.-C.) jusqu'à Ramsès II (XIIᵉ s av. J.-C.).

– Dans une aile de la même salle, un buste colossal de Ramsès II (1270 av. J.-C.). Un peu mégalo, ce dernier éleva plus de statues à son effigie que tous les autres pharaons d'Égypte. Remarquez les deux couleurs de marbre. La tête claire symbolise la supériorité de l'esprit sur le corps, plus sombre.

– En *salle 6,* sur la droite, admirer les *portes de Balawat* en bois sculpté (hautes de 7 m), de l'époque assyrienne, ainsi que les lions ailés à tête humaine et à cinq pattes.

– Continuez dans la *salle 10.* Les statues colossales figurant des taureaux ailés à tête humaine gardaient les portes de la cité de Khorsabad, nouvelle capitale du roi assyrien Sargon II (721-705 av. J.-C.). Chacun pèse 16 t. Pour vous rappeler que l'Irak a été administré par les Anglais... et pas mal pillé. Cela dit, rétrospectivement, vu le sort subi par les monuments antiques en Irak aujourd'hui, on se demande si au fond ils n'ont pas eu un peu raison ! Dans la salle à l'arrière, *Chasse au lion d'Ashurbanipal,* le sport favori des rois assyriens. Le réalisme des scènes de cette grande frise montre la parfaite maîtrise de cet art au VIIᵉ s av. J.-C.

– Continuez dans la salle 23 vers la *salle 18B.* La *frise du Parthénon* (Vᵉ s av. J.-C.) fut rapportée en Angleterre au XIXᵉ s par Lord Thomas Bruce Elgin alors que le site était à l'abandon. Le Parthénon a été restauré depuis, mais les frises sont encore à Londres, bien que les Grecs fassent campagne pour les récupérer. ***Elles sont rassemblées dans les salles 18, 18A et 18B.*** Les scènes sculptées nous font assister aux préparatifs des fêtes en l'honneur d'Athéna, à la procession et à la cérémonie.

– En sortant de la salle, tournez à gauche dans la *salle 19.* Voici l'une des *cariatides de l'Érechtéion* (temple sur l'Acropole, à Athènes). Sublime drapé plein de grâce.

– Passez dans la *salle 20,* contenant le tombeau de Payava avec des fragments de fresques, puis dans la *salle 21,* pour admirer des morceaux de la fresque des Amazones, provenant du mausolée d'Halicarnasse (Asie Mineure). Ce monument colossal figurait dans la liste très sélective des Sept Merveilles du monde antique (n'en subsiste que les pyramides du Caire).

– *Salle 22 :* tambour de colonne sculpté provenant du *temple d'Artémis* à Éphèse (325-300 av. J.-C.) : une autre des Sept Merveilles ! Évocation de la période d'Alexandre le Grand et de la vie des plus célèbres philosophes grecs (belle tête en bronze de Sophocle).

– Puis direction le 2ᵉ étage (niveau 3) en prenant l'escalier ouest au bout de la salle 4. Dans les *salles 61, 62* et *63,* à gauche de l'escalier, collection de momies et de sarcophages égyptiens. La plus belle hors d'Égypte, mais cela ne justifie pas les pillages de tombes perpétrés « au nom de l'Histoire ». Notre préférée est la *momie d'Artémidorus* du IIᵉ s av. J.-C. Mélange de stucs dans le style pharaonique, d'inscriptions grecques et de peinture romaine. Également un superbe ensemble de sarcophages des prêtres d'Amon. La salle 61 présente la *tombe-chapelle de Nebamum* et livre parmi les plus belles fresques que l'on connaisse (voir plus loin « Une visite approfondie des collections »).

– Dans la salle 63, tourner à droite dans la *salle 56* pour apprécier le bélier tout en lapis-lazuli et or, cherchant à manger dans un arbre imaginaire. Tout simplement splendide. N'oubliez pas les beaux *bronzes du temple de Ninhursag*. Les trésors sumériens sont nombreux : incroyable chapeau décoré de feuilles d'or, casque d'or trouvé à Ur, collection de harpes, de mosaïques, etc. Au passage, joli restaurant sous la verrière de Norman Foster : on a l'impression de tutoyer le ciel... mais nos poches en ressortent vides.
– Revenez à l'escalier ouest et continuez tout droit pour la Grèce et Rome. Signalons, en *salle 70,* le *vase Portland* du Ier s av. J.-C., fabriqué dans une verrerie romaine suivant la technique du camée. Une pure merveille de goût et de raffinement. Voir aussi une superbe tête de l'empereur *Augustus,* en bronze. Allez tout au bout de la *salle 69,* puis, à gauche, traversez la *salle 68* (salle des monnaies, de toutes les époques, jusqu'aux cartes bancaires et aux téléphones portables !).
– *Salle 41* (*Sutton Hoo and Europe,* 300-1100 apr. J.-C.) *:* c'est le trésor médiéval de *Sutton Hoo* (VIIe s) provenant d'un vaisseau funéraire de 27 m, dans lequel un roi anglo-saxon fut enterré. Le plus riche trésor jamais découvert en Angleterre : casque en fer orné de plaques de bronze et de fils d'argent, boucle de ceinture en or décorée d'entrelacs, cornes pour les libations....
– Puis direction la *salle 50,* via la salle 49, pour admirer le *bouclier de Battersea,* la plus remarquable pièce de l'art celtique primitif en Angleterre. La fine décoration en volutes montre une grande maîtrise du travail du bronze. N'oubliez pas de faire coucou à l'*homme de Lindow.* Jeune homme de 25 ans (il fait plus, non ?) mort il y a 2 000 ans et retrouvé au fond d'un marécage. L'examen du corps a montré que ce malheureux Celte a dû mourir lors d'un rituel horrible, après avoir été assommé, étouffé puis égorgé.
– Ensuite, l'escalier nord mène à la galerie asiatique *(salle 33)* et à la salle d'art islamique *(salle 34).* Voir une très belle *aiguière Blacas* qui servait à verser toutes sortes de liquides.

Une visite approfondie des collections

Être exhaustif serait impossible. C'est pourquoi cette visite suit nos préférences, comme d'habitude, par thèmes pour simplifier les choses. Pas de bla-bla sur les figurines d'argile d'Italie du Sud ou sur l'art cypriote. Mais rassurez-vous, il en reste assez pour satisfaire les plus gros appétits. Compter ici cinq bonnes heures, un peu plus si vous flânez et beaucoup plus si vous vous arrêtez pour lire chaque étiquette... N'oubliez pas toutefois de commencer la visite par la *King's Library* (salle 1), une plongée en apnée à travers les siècles à la découverte du British Museum tel qu'il était à l'origine (voir « Une visite éclair du musée »)...

Antiquités égyptiennes

Le département le plus prestigieux du British Museum et, dans le genre, les collections les plus riches au monde avec celles des musées du Caire et du Louvre. Les découvertes faites dans la vallée du Nil par les archéologues anglais y sont bien sûr pour quelque chose, mais il faut ajouter que les pièces inestimables cédées par Napoléon (après le traité d'Alexandrie) ont été accueillies avec joie. L'histoire du voleur volé, en quelque sorte... On ne se lasse pas d'arpenter les salles consacrées à l'Égypte ancienne, comme ce fut le cas, entre autres, pour Flaubert... Il faut dire que les trésors ne manquent pas.

Rez-de-chaussée
– *Salle 4 :* la plus grande salle du musée, dévolue aux œuvres monumentales. On commence par la fameuse *pierre de Rosette* (voir « Une visite éclair du musée ») puis on passe aux salles latérales. Dans la première, on ne peut pas rater les trois statues de granit noir représentant Sésostris III, ainsi que la tête colossale d'un roi de la XVIIIe dynastie. Son poing est posé à côté.

Voir également les *quatre statues de la déesse Sekhmet* (XVIIIe dynastie ; 1400 av. J.-C.) avec sa tête de lionne, son disque solaire et, entre ses mains, la croix *Ankh,* symbole de la vie. Enfin, ne pas manquer la *liste des rois,* pièce rare. Dans la deuxième salle, impossible de passer à côté du buste imposant de Ramsès II. Derrière lui, plusieurs cuves de sarcophages couvertes à l'intérieur et à l'extérieur de hiéroglyphes comme autant de messages de bienvenue dans l'au-delà. Plusieurs colonnes en granit, mais surtout un scarabée géant de l'époque ptolémaïque qu'on n'aimerait pas rencontrer sous son édredon ! Vous voici arrivé au niveau de l'escalier ouest, qu'il vous faut grimper calmement pour apprécier de magnifiques *mosaïques d'Halicarnasse,* riches en gazelles, lions et autres poissons.

1er étage (level 3, escalier ouest par la salle 4, puis à gauche)
– **Salle 61 :** découvrez l'un des chefs-d'œuvre de ce département, la *tombe-chapelle de Nebamun,* riche scribe du temple d'Amon à Thèbes (1350 av. J.-C.). Remarquable muséographie mettant en valeur des fresques magnifiques, au trait d'une finesse hors pair. L'une des scènes montre Nebamun inspectant un champ de blé, tandis qu'un de ses employés vérifie le bornage du champ (les autres fragments de la frise sont... à Berlin, c'est malin !). Vie rurale observée de façon fort détaillée, panorama précis de la vie quotidienne dans l'Égypte ancienne. Vie paradisiaque aussi, comme en témoignent son jardin exubérant et le bassin rempli de poissons et d'oiseaux... Sur une autre portion de fresque, Nebamun chasse le volatile avec sa femme et sa fille. Clin d'œil : ce chat attrapant un oiseau avec ses dents, tandis qu'il en saisit deux autres avec ses griffes... Avec la scène du festin, on atteint le sublime dans l'art pictural : grâce et légèreté des personnages véritablement fascinantes.
– **Salles 62 et 63 :** momies et sarcophages. Essayez d'éviter les heures de pointe : c'est le coin préféré des groupes scolaires ! Les pièces sont saisissantes, il faut l'avouer. Certaines sont dorées ou finement peintes, d'autres simplement emmaillotées ou recouvertes de chiffons usés (depuis le temps !). La pièce 6704 (à vous de chercher... Allez ! un indice : regardez sous les pieds !) est la plus frappante : les bandelettes épousent chaque partie du corps, créant comme une seconde peau à la dépouille. Des radiographies permettent de connaître l'âge, le sexe et les problèmes médicaux des personnes momifiées... Vous vous imaginez ainsi « ausculté » dans deux millénaires ? Brrr... Dans les vitrines (à l'un des angles), adorables momies d'animaux : un chat mimi comme tout, des poissons, un ibis, deux faucons réunis, un bébé crocodile... Également une belle collection de statuettes *Shaouabti* accompagnant les textes du *Livre des morts* (figurines magiques placées souvent dans des boîtes peintes). Et un impressionnant *Livre des morts* qui décrit en détail tous les rituels et tâches qui incombaient aux morts dans l'autre vie.
– **Salle 66 :** accessible depuis la salle 63. L'Égypte et l'Éthiopie coptes. Figurines, tapisseries, et surtout des fragments de tissus colorés et intacts parmi les plus anciens du monde (IVe-VIIe s apr. J.-C.) avec une rare imagerie chrétienne...
– **Salle 64 :** l'Égypte des débuts. Sculptures, amphores, etc. Le plus incroyable : la dépouille d'un homme, surnommé *Ginger* et ayant vécu 3 500 ans av. J.-C. Comme le temps passe... La peau (on serait tenté de dire le cuir) a été conservée par le désert. Restent même quelques cheveux ! À l'aide de l'autopsie interactive, tentez de deviner de quoi il est mort...
– **Salle 65 :** galerie d'Égypte. Pierres sculptées, bijoux, statuettes et vases. Au fond, reconstitution d'un mur de la chapelle d'un temple de basse Nubie, avec ses bas-reliefs.

Antiquités grecques et romaines

L'un des départements les plus riches. Il contribue, avec les antiquités égyptiennes, à la célébrité du musée. Les sculptures les plus grandioses se trouvent au rez-de-chaussée, qui présente l'évolution chronologique de l'art grec, de l'âge du bronze à l'époque romaine. Au 1er étage, art grec dans les colonies d'Italie du Sud, antiquités préromaines et romaines.

Rez-de-chaussée et sous-sol
– *Salles 11 et 12 :* les fondements de l'art grec. Art primitif des Cyclades (autour de IIIe-Ier millénaires av. J.-C.) avec sa statuaire en marbre très caractéristique, aux contours étonnamment modernes (dont Brancusi s'est inspiré) et de jolies figurines de marbre. Objets datant de la civilisation minoenne qui s'était développée en Grèce pendant l'âge du bronze. Elle servit de

QUI A VOLÉ DES MORCEAUX DU PARTHÉNON ?

En 1802, Lord Thomas Bruce Elgin, ambassadeur d'Angleterre à Constantinople, réussit un coup de maître en obtenant l'accord du sultan turc pour prélever des fragments du Parthénon, la Grèce faisant alors partie de l'Empire ottoman. Ainsi, il rapporta dans ses bagages la quasi-totalité de la frise qui courait en haut de la galerie extérieure du temple. Depuis l'indépendance grecque, le gouvernement tente désespérément de récupérer les fragments.

fondation à l'art mycénien, dont on découvre quelques exemples, notamment des bijoux. Vestiges du palais de Minos à Knossos ; curieux mobilier de terre cuite (coffre, baignoire, sarcophage, jarres, etc.). Magnifique collection de bijoux, colliers, bagues et, surtout, des diadèmes funéraires en or découverts à Chypre (1400-1200 av. J.-C.).
– *Salles 13 et 14 :* vases de la période géométrique qui débuta à Athènes au IXe s av. J.-C. Les motifs géométriques laissent peu à peu la place aux motifs figuratifs, très stylisés au début (hommes, dieux, animaux). Ce sont les éléments de base que les artistes grecs utiliseront désormais en les affinant. La Grèce archaïque (VIIe-VIe s av. J.-C.) : bronzes, céramiques et bijoux de la période orientalisante, pendant laquelle les Grecs digérèrent le savoir-faire et le style des artisans du Proche-Orient. Voir surtout la parure trouvée dans une tombe à Rhodes, ainsi que deux jolies poignées de chaudron en forme de griffon. Superbes vases athéniens à figures noires, dont un sur pied (vers 580 av. J.-C.). La frise supérieure représente les *Noces de Pélée* (le père d'Achille) *et de Thétis.* Remarquez le soin apporté à la décoration du col, la partie la plus visible lorsque le vase était posé sur son socle. La technique de la figure noire était en vogue à cette époque : les figures sont peintes en noir et les détails incisés. En revanche, la couleur blanche utilisée pour les visages et les parties visibles du corps n'a résisté au temps qu'à quelques endroits. Les dessins intacts conservés au British n'en sont que plus précieux.
La *salle 14* est consacrée à la technique de la figure rouge, inventée à Athènes à la fin du VIe s. C'est, en fait, l'inverse de la technique précédente : le vase est peint en noir, excepté les figures qui apparaissent dans la couleur rouge de l'argile. Les détails ne sont plus gravés à la pointe à tracer, mais sont peints au pinceau, ce qui permet de traiter avec plus de réalisme les corps et les drapés. Quelle révolution ! Au passage, on salue un vase superbe et épuré *(Dionysos et les Deux Satyres),* œuvre du célèbre potier Andokidès.
– *Salle 15 :* Athènes et la Lycie présentées de façon thématique : la démocratie, le corps humain, les guerres persanes, le peuple d'Athènes, etc. Beaux cratères, coupes et lécythes à figures rouges. Les frises animalières de Xanthos nous amènent au début de la période classique, où le coup de ciseau s'affine considérablement. Voir la tombe du roi lycien de Xanthos (480 av. J.-C.), avec ses sirènes qui allaient (symbole de la vie qui continue !). Très beau buste de Périclès.
– *Salle 16 :* autour de la mezzanine, superbe frise provenant du *temple d'Apollon à Bassae,* aux figures trapues et athlétiques (autour de 400 av. J.-C.). Une galerie de portraits toute en relief et en mouvement, révélant la richesse et la souplesse des drapés.
– *Salle 17 :* reconstitution spectaculaire de la façade ionique du *temple funéraire des Néréides à Xanthos* (Lycie). Entre les colonnes, les nymphes laissent

subtilement découvrir leurs formes sous un drapé presque transparent et qui semble vibrer.

– **Salle 18 :** voici le clou du spectacle, les *marbres d'Elgin* (V^e s av. J.-C.), vestiges du Parthénon. Le thème choisi par le génial sculpteur Phidias est la *Fête des Grandes Panathénées*, célébrée tous les 4 ans à Athènes en l'honneur de la déesse protectrice. À l'issue d'une longue procession rassemblant cavaliers, magistrats et serviteurs, le peuple apportait solennellement à Athéna un nouveau *péplos,* sa tunique de laine. Les marbres du fronton, dont il reste peu de chose, représentent la naissance peu banale d'Athéna en présence des autres dieux rassemblés pour l'occasion : elle sortit en armure de la tête de Zeus, après qu'Héphaïstos eut fendu le crâne de celui-ci. Le coup de ciseau adroit semble donner du poids aux étoffes. Les formes se laissent deviner sous les plis tourbillonnants. Notez que les sculptures sont aussi bien travaillées devant que derrière. Les frises sont tout aussi émouvantes : chars tirés par des chevaux, mouvement remarquablement recréé par les muscles tendus, les crinières vibrantes, les capes des conducteurs qui flottent au vent...

– **Salle 19 :** suite et fin du butin d'Elgin avec l'une des fameuses *cariatides de l'Érechtéion,* faisant toujours imperturbablement office de colonne. Les plis du *péplos* (tunique) couvrant la jambe tendue rappellent les cannelures d'une colonne.

– **Salle 20 :** imposante *tombe de Payava* à Xanthos. Ce mélange d'arts grec et oriental est caractéristique de l'art de Lycie, contrée d'Asie Mineure occupée par les Grecs. Plusieurs jarres et amphores, remarquables exemples des techniques de peinture rouge et de peinture noire.

– **Salle 20a** (en mezzanine) **:** salle entièrement consacrée aux différentes techniques de peintures utilisées sur des vases et des objets de vaisselle. Techniques de la figure rouge surtout, mais aussi vernis noir sur fond blanc, à l'iconographie souvent énigmatique.

– **Salle 21 :** vestige de l'une des Sept Merveilles du monde, une superbe tête de cheval qui appartenait au quadrige trônant au sommet de la *tombe du roi Mausole* à Halicarnasse (à l'origine du terme « mausolée »), haute de 40 m. Frises guerrières très réalistes : *Expédition d'Hercule et Thésée contre Themiskyra, Combat des Amazones*.

– **Salle 22 :** salle consacrée à Alexandre le Grand et aux Ptolémées. Impossible de tout décrire, se laisser transporter par l'émerveillement : petits bronzes, bijoux, pierres précieuses de toutes les couleurs, vases ciselés, vaisselle en verre de Canossa, statuettes, sculptures, bustes... Chien molosse particulièrement impressionnant. Et puis ce tambour de colonne sculpté provenant du *temple d'Artémis* à Éphèse (325-300 av. J.-C.), une autre des Sept Merveilles du monde, ou encore cette stupéfiante couronne en or (300 av. J.-C.) dont les branches portent des feuilles de chêne et des glands. Essayez de dénicher les deux cigales et l'abeille !

– **Salle 23 :** l'un des chefs-d'œuvre du musée, *Aphrodite prend son bain* de Lely, au grand plaisir des spectateurs... Elle tente vainement de cacher sa nudité. Petits coquins, va !

1er étage (level 3, *escalier ouest par la salle 4, puis à droite*)

– **Salle 73 :** impressionnant ensemble de vases d'Italie du Sud, parmi lesquels nos préférés : les cratères à volutes. Jarre en bronze du Ve s av. J.-C., découverte en Campanie, et son couvercle très original sur lequel des archers à cheval entourent un couple dansant. Cratères à figures rouges d'une sublime richesse et jarre décorée sur les flancs de chevaux peints de face et de profil, d'un grand raffinement. Belle poterie de Canossa (IIIe s av. J.-C.), joyaux en or et un rare casque corinthien en bronze (VIe s av. J.-C.).

– **Salle 72 :** antiquités chypriotes. Techniques du travail du bronze (entre autres). Jolis bijoux, insolites objets domestiques, bustes, verres, bronzes et d'intéressantes représentations de femmes en terre cuite avec leurs boucles d'oreilles.

– **Salle 71 :** antiquités préromaines et en particulier étrusques, où l'on sent l'influence décisive des artistes grecs. Présentation chronologique depuis l'âge du bronze. Urnes funéraires, sarcophage en terre cuite, superbes bijoux en or et armes en bronze parfaitement conservées. Remarquable collection de casques de toutes formes.

– *Salle 70 :* tous les jours, conférence sur l'ancienne Rome de 30 mn environ *(dans l'ap-m, infos sur le site, sur le plan ou sur place)*. Remarquable salle par la qualité des objets présentés. Ne manquez pas le fameux *vase Portland* (voir « Une visite éclair du musée »). Nombreux objets en bronze de tailles et de fonctions diverses (dont une oie grandeur nature). Ravissant bas-relief en deux plaques figurant les quatre saisons. En dessous, scène gracieuse de Bacchus enfant. À côté, trois jolies urnes funé-

L'UN DES PREMIERS CATALOGUES COMMERCIAUX DE L'HISTOIRE !

L'urne funéraire est un objet caractéristique de la période étrusque. Avec son couvercle orné d'une représentation du défunt. Le plus souvent, d'ailleurs, celle du couple, dans une position élégante, voire tendre, symbole d'une harmonieuse union. Les riches faisaient travailler de vrais artistes pour obtenir une œuvre originale. Les plus désargentés pouvaient choisir, « sur catalogue », un modèle qui était moulé en série. On choisissait, bien sûr, celui qui était le plus ressemblant. Et ça explique qu'on retrouva ensuite tant d'urnes funéraires identiques !

raires d'enfant ciselées. Bols et coupes en argent très travaillées, délicats petits bronzes. Voir aussi la *tête en bronze d'Auguste de Méroé* (27-25 av. J.-C.), retrouvée au Soudan. Les billes de verre sont encore dans leur orbite. Veste et casque en peau de crocodile provenant d'une armure de parade utilisée par les soldats romains après l'invasion de l'Égypte. Enfin, fragments de fresques de Pompéi et de remarquables mosaïques (poissons et fruits de mer notamment).

– *Salle 69 :* intéressante exposition didactique sur les arts et les techniques dans l'Antiquité gréco-romaine. Explication des techniques de travail du métal, de l'or, des fabricants de sceaux, des sculpteurs de pierre, etc. Belle collection d'objets en verre sur la mezzanine, parmi lesquels de petits flacons à parfum délicatement peints. Intéressant : face à face, les équipements assez rares d'un *hoplite* (soldat grec) et d'un *mirmillon* (casque légendaire du gladiateur romain). D'autres vitrines thématiques sur la vie sociale et culturelle, autour des enfants, de la mode, des courses de char, de la musique...

– *Salle 68 :* salle des monnaies, de toutes les époques.

Antiquités du Proche-Orient

Les salles de ce département fantastique font revivre les anciennes civilisations d'Asie occidentale, notamment assyrienne, sumérienne, babylonienne et phénicienne. L'étendue géographique de ces royaumes méconnus (en gros, de l'Asie Mineure au Pakistan) et leur longévité (de 2500 av. J.-C. jusqu'au VIIe s) expliquent la richesse des collections. L'Assyrie ancienne, qui occupe plusieurs salles du rez-de-chaussée, est la mieux représentée, grâce aux palais royaux mis au jour en Irak au XIXe s.

Rez-de-chaussée

– *Salle 6 :* monumentaux gardiens de la porte du *palais d'Assurbanipal* (900-612 av. J.-C.). Notez qu'ils sont dotés de cinq pattes, pour qu'on puisse, d'où que l'on soit, de face ou de profil, toujours en apercevoir quatre. Ingénieux, non ? À gauche de l'allée, petites obélisques noires comme des bandes dessinées et un des lions qui gardaient le *temple d'Ishtar*. Superbe gueule ouverte et corps entièrement sculpté. Voir aussi l'aigle protecteur des esprits finement sculpté et un brin bling-bling (il semble porter un sac à main et une montre). Puis reconstitution des colossales *portes de Balawat* (7 m de haut !), dont le bronze a survécu.

– *Salles 7 et 8 :* sur des dizaines de mètres, des scènes sculptées racontent en détail les conquêtes assyriennes. Ces œuvres finement exécutées proviennent principalement du *palais de Nimrud* (IXe s av. J.-C.). La représentation précise des chars, chevaux, guerriers et animaux blessés constitue un précieux témoignage sur les mœurs de l'époque. Notez, par exemple, les techniques des soldats pour attaquer les places fortes défendues par des fossés remplis d'eau : ils traversaient à la nage, soutenus par des outres gonflées. Du pain bénit pour les historiens. D'autres thématiques : chasse au lion, scènes de libations...

– *Salle 9 :* encore des scènes en relief, découvertes, celles-ci, dans le *palais de Nineveh,* plus connu sous le nom de Ninive (vers 700 av. J.-C.). Notez la diversité des motifs : guerre, pêche, cèdres stylisés, palmiers... On remarque même des esclaves tirant ce qui doit être l'un des colossaux taureaux ailés, emblèmes du royaume. Au fond à gauche, spectaculaire attaque de la ville d'Alummu (700 av. J.-C.). Une scène qu'on aime beaucoup aussi : cette campagne paisible dans le sud de l'Irak exprimée avec un grand souci du détail. Superbe rendu de la rivière, avec son petit peuple de poissons de toutes sortes.

– *Salle 10 :* les taureaux ailés à tête humaine gardaient les portes de la cité de Khorsabad, nouvelle capitale du roi assyrien Sargon II (VIIIe s av. J.-C.). Ils faisaient office de gardiens contre l'infortune. Fresques superbes retraçant des scènes de chasse au lion, rapportées du *palais du roi Assurbanipal* (645 av. J.-C.). Remarquez les félins blessés par des flèches, en particulier la lionne, première représentation de la douleur. Dans la galerie attenante, scènes sculptées glorifiant la prise de la cité biblique de Lakish par les Assyriens (700 av. J.-C.).

1er étage (level 3, *escalier ouest par la salle 4, puis en face*)

– *Salles 58 et 59 :* les premières cités. Reconstitution d'une tombe découverte à Jéricho (âge de bronze), des urnes funéraires et des statues grossières en terre cuite de 7200 av. J.-C. (première représentation de forme humaine à grande échelle).

– *Salle 57 :* l'ancien Levant, dont la Syrie. *Le roi d'Alalakh,* Idrimi, nous accueille, la main sur le cœur, avec des vêtements recouverts d'inscriptions. À voir aussi : les premières écritures relevées sur des terres cuites, des bustes trouvés à Palmyre, des bas-reliefs provenant du site de *Tell Halaf* (Mésopotamie), des bijoux phéniciens, des vestiges de Carthage, d'étranges têtes de sarcophages philistins... Délicats ivoires ciselés phéniciens trouvés à Nimrud (IXe s av. J.-C.).

– *Salle 56 :* Mésopotamie ancienne, autrement dit, l'aube de la civilisation. Un bélier original en lapis-lazuli et or et les *bronzes du temple de Ninhursag* avec leurs têtes de lion (voir « Une visite éclair du musée »). C'est aussi ici que l'on retrouve l'*étendard d'Ur* en ivoire et lapis-lazuli (dans la même vitrine que le bélier), illustrant les victoires du roi. Dans une autre vitrine, superbes instruments de musique, dont une lyre en argent à tête de taureau. À côté, un jeu royal de 2600 av. J.-C. ressemblant à une marelle.

TABLETTE D'ORIGINE

Les Sumériens, comme on le rappelle à point nommé dans la salle 56, sont aussi à l'origine de l'écriture. Et de la mode des tablettes ! On reconnaît aisément les caractères de cette écriture, dite « cunéiforme », à leur dessin en forme d'encoches triangulaires creusées dans des tablettes d'argile. Les nombreux spécimens se sont parfaitement conservés grâce au climat sec du désert.

– *Salle 55 :* Mésopotamie (1500 av. J.-C. à 539 de notre ère). Très belles bornes frontières gravées. Vestiges des bibliothèques royales de Ninive. Incroyable colonnette octogonale recouverte de microscopiques mots en écriture cunéiforme et qui détaille la vie civile et militaire d'un roi. Une vitrine explique l'importance du royaume de Nabuchodonosor, avec des vestiges du *temple du Soleil* à Sippar (près de Babylone). Et toujours ces fascinantes tablettes en terre cuite livrant la riche vie sociale de l'époque : liste des rations de nourriture à allouer aux travailleurs immigrés de l'époque (des Égyptiens), instructions pour teindre la laine, actes de vente, etc.

– **Salles 54 et 53 :** ancienne Anatolie. De bien jolies pièces parmi les figurines, poteries, bijoux, statuettes d'ivoire, etc. Remarquez le curieux casque pointu en bronze, ainsi que les pieds de lion en bronze. Salle 53, l'*Arabie du Sud* (900 av. J.-C. à 600 apr. J.-C.). Tablettes de bronze indiquant les offrandes à faire aux dieux.

– **Salle 52 :** art de l'Iran. De chaque côté de la pièce, des fresques de pierre, venues de Persépolis. Quelques chefs-d'œuvre : le cylindre de Cyrus, du VIe s av. J.-C., réalisé par un scribe de Babylone en écriture cunéiforme, mais aussi le trésor achéménide, ciselé, en or, découvert à la frontière de l'Afghanistan et du Tadjikistan, ainsi que de délicats petits bronzes. Somptueux bas-reliefs de Persépolis, en particulier les lions au magistral dessin attaquant des taureaux.

Préhistoire, art celte et antiquités anglo-romaines (1er étage, level 3, section B)

– **Salle 49 :** la Grande-Bretagne pendant la domination romaine (du Ier s av. J.-C. au Ve s apr. J.-C.). Fresques et mosaïques témoignent de son implantation. Belles pièces d'orfèvrerie comme le *trésor de Mildenhall* et son grand plat en argent orné de bacchantes, ainsi que ceux de *Thetford* et *Hoxne* (des ensembles de bijoux découverts en 1979 et 2002). Une des plus belles pièces est ce casque allié à un masque en bronze (utilisés surtout pour les joutes sportives à cheval). Plein d'objets et de témoignages aussi qui nous font rentrer dans l'intimité des colonies romaines. Comme ces diplômes militaires en bronze et, surtout, les exceptionnels écrits (les plus anciens d'Angleterre) retrouvés dans le *fort de Vindolanda,* à proximité du célèbre mur d'Hadrien (92-120 apr. J.-C.), au point extrême de la conquête.

– **Salle 50 :** ne ratez pas le plus étonnant, l'*homme de Lindow* (voir « Une visite éclair du musée »). Cette salle concerne également l'art celte à l'âge du fer (2000 à 100 av. J.-C.). Les Celtes avaient des mœurs barbares mais un goût raffiné. Ils maîtrisaient le travail des métaux et avaient un faible pour les décorations exubérantes. *Flacons de Basse-Yutz* en bec de canard, ornés d'une anse délicate en forme de chien. Leur art s'est déployé complètement dans les armes et les parures. *Bouclier de Battersea* (voir aussi « Une visite éclair du musée ») et casque à cornes trouvés dans le port de Londres, sous le Waterloo Bridge. Une pièce unique ! Splendides *torques de Snettisham*, sortes de colliers formés d'une torsade en or, notamment le *Great Torc* (enterré vers l'an 100 av. J.-C.), fait d'un mélange d'or et d'argent.

– **Salle 51 :** période s'étendant de 4000 à 800 av. J.-C. Rien que du classique : armes, poteries... Bouclier de parade en bronze à l'ornementation assez élaborée, montrant un haut degré dans l'artisanat. Tombe d'un homme décédé en 2330 av. J.-C.

La pièce maîtresse est la *Gold Cape*, un élément de parure retrouvé lors de fouilles en 1833. Entièrement en or et joliment ouvragée, elle est estimée remonter à environ 1900-1600 av. J.-C. Cette « cape » devait appartenir à une très haute personnalité et être utilisée seulement lors de cérémonies, car elle entrave les épaules et le haut des bras.

Du Moyen Âge au XXe s (1er étage, level 3, section A)

– **Salle 40 :** tous les arts du Moyen Âge, c'est-à-dire orfèvrerie, émaux, sculpture, peinture, etc. Superbe ciboire royal en or émaillé du XIVe s, représentant les scènes de la légende de sainte Agnès. La pièce maîtresse est *The Lewis Chessmen,* du XIIe s, trouvée en 1831 sur cette île au large de l'Écosse. C'est un échiquier composé de pièces sculptées en dents de morse, probablement d'origine viking.

– **Salle 41 :** l'Europe et la Méditerranée de 300 av. J.-C. à 1100 de notre ère. Traite de la fin de l'Empire romain et du début des royaumes.

– **Salle 45 :** abrite la *donation Waddesdon* du baron Ferdinand de Rothschild, qui rend un bel hommage à la créativité des artisans européens des XVe, XVIe et XVIIe s. Plats en argent, porcelaines, émaux de Limoges, etc. S'il n'y avait que trois pièces à voir, ce serait le ravissant *retable flamand* du XVIe s, si petit mais délicatement sculpté et ciselé, d'une finesse incroyable, le *reliquaire en or et émail* commandé par le duc de Berry en 1400 pour conserver une épine de la Couronne du Christ et la *châsse de sainte Valérie* (1170) en émail champlevé et cuivre de Limoges. D'ailleurs, on y découvre une exceptionnelle collection d'émaux limougeauds (bon, faut aimer). En prime, de superbes fusils ornementés du XVIIe s.

– *Salle 46 :* arts du XVe au XVIIIe s en Europe (vaisselle, argenterie, émaux, bijoux, arts du verre). L'orfèvrerie sous les Tudors révèle une période fort créative.

– *Salle 47 :* une salle un peu fourre-tout, essentiellement le XIXe s. Objets d'art de tous styles, vaisselle, bijoux, camées, émaux, céramiques. On y trouve même le masque mortuaire de Bonaparte, moulé 2 jours après sa mort. Cette salle démontre combien le XIXe s pilla allègrement dans les styles des siècles précédents et manqua quelque peu d'inspiration !

– *Salle 48 :* elle survole l'époque de 1900 à nos jours, surtout les périodes Art nouveau et Art déco. Intéressante vaisselle reproduisant la propagande soviétique des années 1930...

– *Salles 37 à 39 :* consacrées au temps, au son des tic-tac. Collections d'antiques pendules dont une magnifique pendule-baromètre en cuivre gravé, de 1589, et une rare pièce allemande de 1650. De beaux exemples d'horloges marquetées du XVIIe au XIXe s. Ne pas rater la pièce insolite en cuivre ciselé en forme de bateau, avec automates (datant de 1585).

– *Salle 68 :* les lecteurs numismates se régaleront ici. Toute l'histoire de l'argent présentée en une muséologie pas ennuyeuse du tout, des premières pièces (650 av. J.-C., Turquie) aux... téléphones portables, en passant par les grosses plaques de pierre de 3 m de diamètre, encore utilisées sur une île de Micronésie, ou les nouvelles monnaies, comme celle du Sud-Soudan, datant de 2011. Machines à fabriquer les pièces et à imprimer les billets de tous les âges.

Antiquités d'Extrême-Orient

Les collections asiatiques du musée sont disséminées dans plusieurs salles, d'autres présentées au gré des expositions. Une bonne partie est visible dans la salle 33, dans l'aile nord (bâtiment Édouard VII). Accès par l'escalier nord, derrière la bibliothèque.

– *Salle 33 :* à gauche, les pièces d'Inde et d'Asie du Sud-Est, à droite celles de Chine. Représentations de scènes d'amour indiennes, statue birmane en bois d XVIIIe s, portes d'un palais balinais du XIXe s, d'influence chinoise, collections de vases de toutes les dynasties chinoises, dont les célèbres « cloisonnés », etc. Une des plus belles pièces est un *Shiva et Parvati* du XIIe s venant d'Orissa, tout auréolé de musiciens ciselés avec une extrême finesse.

Sculptures du grand *stûpa d'Amaravati* (en Inde) du IIIe s av. J.-C. tout au fond. Un travail incroyable : des centaines de personnages inextricablement mêlés dans des scènes pleines de vie (racontant généralement la vie de Bouddha).

Magnifiques jades chinois et leur histoire sur 7 000 ans *(salle 33b).*

– *Salle 67 :* l'art de Corée, avec la reconstitution d'une maison traditionnelle, *sarangbang.* Ici, surtout porcelaines et faïences.

– Au 4e étage, *salles 92, 93 et 94 :* l'art japonais avec armures de samouraï, sabres et paravents cinétiques. Quelques estampes, dont la célèbre *Vague et le mont Fuji* d'Hokusai, et un captivant plat de Tokuda Yasokichi (1992), représentatif du style Kutani. Très zen.

– *Salle 34 :* l'art islamique, une des premières salles, en arrivant par la rue Montague. Redescendre au niveau inférieur de la salle 33. Quelques filtres de gargoulettes pour protéger les becs de jarres (vitrine 11). Fragments d'une bouteille de verre (vitrine 13), premier exemple de verre doré connu (XIIe s). Notez, juste à côté, la somptueuse *aiguière Blacas* (vitrine 13), très chargée, en provenance d'Irak (XIIIe s). De splendides *céramiques d'Iznik* (vitrine 27), du XVIe s, où l'on sent l'influence chinoise. Au passage, appréciez le *vase Vescovali* (vitrine 23) avec les signes du zodiaque, en bronze incrusté d'argent, en provenance d'Iran ou d'Afghanistan. Un beau paon d'époque qadjar (vitrine 40 ; XIXe s en Iran) qui semble nous observer. Dans la vitrine 36, une base de narguilé avec Khosrow et Shirin, les Roméo et Juliette de l'Orient ! Beaux carreaux de céramique de Damas du XVIᵉ s (vitrine 30). Riche section calligraphique. Poteries et vases de la période andalouse (XIVᵉ et XVᵉ s). Enfin, ne partez pas sans voir la somptueuse *tortue de jade de Kashgar* du début du XVIIᵉ s (vitrine 43) ainsi que le kit de pesée laqué du XIXᵉ s et le superbe coffre de joaillier iranien du XIXᵉ s. Couvercle enluminé et décoré de nombreux personnages et animaux.

Arts des Amériques

Si vous avez le temps et, bien sûr, si le sujet vous intéresse, remarquables salles consacrées aux arts indien et amérindien.

– *Salle 24 :* salle thématique autour de la vie quotidienne de *différentes civilisations :* les costumes, les rituels, la mort, la mer, etc. Statue de l'île de Pâques. Mais c'est la pièce centrale, nommée « Pharmacopoia » *(Craddle to Grave),* un peu hors sujet, qui retient surtout l'attention : deux immenses rouleaux de tissus en nylon contenant les médicaments prescrits à un homme et une femme au cours de leur vie en Angleterre : 14 000 chacun (autant de pochettes plastique que de pilules), et encore, on n'est pas en France ! Illustrés de photos montrant les étapes de la vie. Une œuvre étonnante de Susie Freeman, harmonieuse fusion d'une artiste et d'un médecin.

– *Salle 26 :* les *civilisations du Grand Nord* – les *Lapons (Inuits, Yup'iks, Inupiats)* et les *premiers Américains.* Riche collection d'objets domestiques et outils, costumes traditionnels. Évocation de la vie quotidienne. Sans oublier les Indiens des plaines canadiennes (artisanat, totems de Colombie-Britannique). Des peuples originels (2 à 10 millions avant l'arrivée des Européens au XVIᵉ s), il n'en restait plus que 300 000 individus en 1930. Faute d'immunité naturelle, ils furent laminés par les maladies apportées du Vieux Continent.

– *Salle 27 :* le *Mexique.* Superbes bas-reliefs mayas, poteries et sculptures précolombiennes *(cultures mixtec, aztèque, zapotèque...).* Au fond, fascinante et lumineuse présentation d'objets décorés d'incrustations de turquoises, pyrites et malachites, notamment un masque assez élaboré et le serpent à deux têtes, du XVIᵉ s.

Arts des Afriques

– *Salle 25 :* au sous-sol de la salle 24. Présentation resserrée, mais assez complète et intégrant subtilement des œuvres contemporaines. Divisée en plusieurs sections : sculpture sur bois, métal forgé, poterie, masques et textiles. Impressionnantes statues fétiches du Congo, magnifique porte Yoruba (Nigeria) et, en face, une étonnante sculpture peule contemporaine, riche collection de masques traditionnels, y compris naturalistes comme ces beaux crocodiles, hippopotames ou requins. Une des sections les plus remarquables reste les plaques en laiton forgé et ciselé qui ornaient les palais des empires d'Afrique de l'Ouest, notamment au Nigeria. Présentation détaillée de tissus et pagnes et présentation instructive de couvre-chefs à travers tout le continent, de la chéchia tunisienne à un chapeau en toile d'araignée (!) d'Afrique du Sud, du début du XXᵉ s. Remarquable collection de grandes poteries décorées. Dans les œuvres contemporaines, saisissantes sculptures réalisées uniquement à partir de centaines d'armes récupérées dans les nombreux conflits africains. Message de paix, refus de la culture de la violence à l'évidence, tout en démontrant le grand sens artistique et l'ingéniosité des artistes africains. En particulier, un fort original *Arbre de la vie,* composé de chargeurs de kalachnikov et réalisé par des sculpteurs mozambicains. De même, impressionnant fauteuil fabriqué exclusivement à partir de fusils.

🏹 *Wellcome Collection (plan d'ensemble, E2) : 183 Euston Rd, NW1 2BE.* ☎ *020-7611-2222.* ● *wellcomecollection.org* ● Ⓜ *Euston Sq. Lun-sam 10h-18h (22h jeu), dim 11h-18h. GRATUIT. Audioguide (gratuit) en français. Boutique et cafétéria Peyton & Byrne.*

BLOOMSBURY, KING'S CROSS, SAINT PANCRAS ET EUSTON

L'Américain Henry Solomon Wellcome (1853-1936) s'établit en Angleterre en 1880 et y fonda un trust pharmaceutique sans précédent, dont ce musée est l'un des témoignages actuels. Homme d'affaires, philanthrope, pionnier de la photo aérienne, collectionneur éclectique... une seule vie ne lui a pas suffi pour étancher sa soif de tout faire et tout connaître ! Ce bâtiment colossal, qu'il fit construire en 1932, accueille quelques centaines des objets glanés dans le monde entier par ses émissaires, sur le million que compte la collection ! Deux expos permanentes, pour les curieux incurables, et des expos temporaires qui font toujours le plein, sur des thèmes aussi variés que la conscience, la voix, la mort, etc. Également d'intéressantes conférences et des visites guidées (programme détaillé sur le site internet).

PETITE IDÉE, GRANDS EFFETS

Une simple idée permit à Henry Solomon Wellcome d'établir son empire pharmaceutique : il fut le premier à compresser les poudres médicinales sous forme de comprimés. Un processus qu'il vendit d'abord sous le nom de « tabloïds » (qui signifie « resserré »), qui deviendront « tablets ». D'ailleurs, les premiers journaux populaires adoptèrent aussi un petit format et le terme de « tabloïds ». Aujourd'hui, ce format est largement utilisé dans la presse, et pas seulement par les titres surtout bons à emballer les fish & chips.

1er étage

– **Medicine Man :** section historique de la collection, avec toute une batterie d'objets mêlant sciences et art. Momie péruvienne du XIIIe s, chaise de dentiste, instruments de chirurgie... Plus fétichistes, les cheveux du roi George III, la brosse à dents de Napoléon ou le bâton de marche (en ivoire) de Darwin.

– **Medicine now :** prospective tous azimuts sur le rapport de la médecine à notre société du XXIe s, où l'on a donné libre cours à des artistes. Voir notamment cette coupe longitudinale d'un corps humain, une sculpture très réaliste évoquant l'obésité, la laine de Dolly, célèbre brebis clonée en 1997, mais aussi ces milliers de dessins réalisés par les visiteurs anonymes (une œuvre collective fascinante dans son genre)...

GÉNIAL GÉNOME

Parmi les curiosités de la Wellcome collection, tout le génome humain répertorié dans des dizaines de bouquins, classés par chromosome (il y en a 22, plus les 2 chromosomes sexuels X et Y). Ouvrez-en un au hasard et vous ne verrez que des suites de quatre lettres (a, t, g, c) écrites en tout petit. Il y en a 300 millions... Bonne lecture !

2e étage

– Très belle **bibliothèque** Art déco qui renferme 2 millions d'ouvrages papier (on ne compte pas ceux numérisés). Sur le balcon circulaire, les noms des plus grands scientifiques ont été gravés.

🏃🏃 **British Library** (plan d'ensemble, F1) **:** 96 Euston Rd, NW1. ☎ 020-7412-7332 ou 330-333-1144. ● *bl.uk* ● Ⓜ *King's Cross ou Euston Sq. Lun et mer-ven 9h30-18h, mar 9h30-20h, sam 9h30-17h, dim et j. fériés 11h-17h. Fermé 1er janv et 25 déc. GRATUIT. Expos temporaires payantes. Bon plan : 2 entrées pour le prix d'une aux expos temporaires sur présentation de votre billet d'Eurostar. Café, resto. Plan (gratuit) à dispo.* 📶

Voici un vrai lieu de vie, dans un vaste bâtiment aux lignes industrielles réhabilité avec son architecture de brique – qui fit l'objet de maintes controverses en son temps (appelé « style brutaliste »), mais suscite à présent l'admiration pour son aménagement intérieur aéré et agréable.

Le visiteur est d'abord ébloui devant l'impressionnante et magnifique *King Library* dans le hall. Dans cette bibliothèque vitrée colossale, haute de 17 m (!), sont conservés 100 000 ouvrages, dont les quelque 85 000 de la collection personnelle du roi George III. On doute qu'il ait réussi à tout lire, mais cet héritage constitue un trésor inestimable pour les historiens...

La British Library abrite au total plus de 18 millions d'ouvrages ! Le fonds est d'une richesse inouïe et de vrais trésors sont visibles dans la *Treasures Gallery* (John Ritblat Gallery), plongée dans la pénombre pour préserver les textes les plus précieux. Parmi eux, une Bible de Gutenberg (XVe s), qui n'a pas inventé l'imprimerie (encore un mythe qui tombe !). Il a seulement amélioré la technique en inventant les lettres mobiles.

Également à voir dans cette galerie la mythique *Magna Carta* de Jean sans Terre (1215), à laquelle les sujets de Sa Gracieuse Majesté vouent une passion bien compréhensible : elle représente un rempart contre tout pouvoir arbitraire. Vous découvrirez également la première édition des œuvres de Shakespeare et des carnets de notes de Léonard de Vinci. En tout, plus de 200 de ces documents inestimables

EUH... PAS SI BROUILLÉS !

Un matin de 1965, au 57 Wimpole Street, Paul McCartney, chez sa petite amie Jane Asher, se précipite sur le piano. Il tient une mélodie qui lui plaît bien. En revanche, côté paroles, il a un problème : ça donne Scrambled eggs, *soit « œufs brouillés ». Pas très glamour. Au dernier moment, il change le titre de la chanson. Ce sera* Yesterday.

sont exposés par roulement (ils changent tous les 3 mois), du journal de bord de Nelson à des partitions de Haendel (le *Messie*), Ravel (le *Boléro*) ou encore des paroles des Beatles griffonnées sur des chiffons de papier *(Yesterday* et *Help !* notamment).

Belle sélection de cartes, dont la plus ancienne, représentant la Grande-Bretagne, fut tracée vers 1250. Et ce n'est qu'un début, car la collection s'intéresse aussi à l'Asie et à l'Orient, représentés par des corans anciens aux délicates arabesques, des tantras bouddhistes ou encore de magnifiques enluminures chinoises... Pour en savoir plus, des bornes interactives et des documents audio permettent de feuilleter des ouvrages ou d'entendre James Joyce faisant lui-même une lecture de son *Ulysse*... Pour finir, signalons à nos lecteurs les plus timbrés la superbe section philatélique du rez-de-chaussée (8 millions de spécimens tout de même !).

Par ailleurs, la British Library accueille régulièrement d'intéressantes expos temporaires dans l'une ou l'autre de ses galeries.

N'oubliez pas, avant de sortir, de faire un tour à la librairie, où l'on peut dégoter de bons guides thématiques de la ville, des reproductions de vieux plans de Londres, des livres de photos, etc.

PLUS ADROIT À L'ENVERS

Parmi les archives de la British Library, admirez les carnets de notes de Léonard de Vinci, curieusement écrits de droite à gauche. Coup de génie ? Notes confidentielles nécessitant un miroir pour être lues ? La raison semble plus prosaïque : le maître italien était gaucher. Écrire dans ce sens lui facilitait tout simplement la tâche, la plume glissant plus facilement !

🏛 ***Gagosian Gallery*** *(plan d'ensemble, F1)* **:** 6-24 Britannia St, WC1X 9JD. ☎ 020-7841-9960. ● gagosian. com ● Ⓜ *King's Cross.* Mar-sam 10h-18h. GRATUIT. Dans un vieil immeuble de pierres sombres, à la déco minimale et virginale, l'un des « faiseurs d'artistes » les plus connus du monde, Larry Gagosian. Il représente aussi bien Jeff Koons que Cy Twombly ou Richard Wright, des pointures de l'art contemporain. Expos temporaires.

🎣 *London Canal Museum* (plan d'ensemble, F1) : 12-13 New Wharf Rd, N1 9RT. ☎ 020-7713-0836. • canalmuseum.org.uk • Ⓜ King's Cross. Dans une ruelle qui donne sur Wharfdale Rd. Mar-dim 10h-16h30 (19h30 le 1er jeu du mois). Fermé lun non fériés, 24-26 et 31 déc. Entrée : 4 £ ; réduc. Prospectus en français. Ce petit musée sympatoche présente un aspect méconnu de l'histoire de Londres : la vie de ses canaux. Le bâtiment servait, aux XIXe et XXe s, à stocker la glace que l'on importait par cargo depuis... la Norvège ! On la revendait en été, et c'est en péniche que le plus gros du transport se faisait. Le Regent's Canal, ouvert en 1820 pour relier Limehouse et Paddington, était une artère vitale pour le transport des marchandises à Londres. Concurrencée par le rail et la route, la navigation fluviale a doucement périclité à travers le pays. À l'intérieur, maquettes, photos et documentaire. Reconstitution d'une péniche. Amarrées derrière le musée, on peut admirer quelques spécimens de ces péniches privées étroites (narrow boats) et peinturlurées de toutes les couleurs, à la mode roses and castle de l'époque. Les familles vivaient à bord, et aujourd'hui encore, certaines péniches sont habitées.

🎣 *Charles Dickens Museum* (plan d'ensemble, F-G2) : 48 Doughty St, WC1. ☎ 020-7405-2127. • dickensmuseum.com • Ⓜ Russell Sq ou Holborn. Tlj sf 1er janv 10h-17h (dernière admission à 16h). Tarif : 8 £ ; réduc. Le célèbre écrivain a vécu ici d'avril 1837 à décembre 1839, 2 années pendant lesquelles sa plume fut prolifique puisqu'il écrivit, entre autres, le célèbre Oliver Twist. La maison, caractéristique de l'époque, a été soigneusement meublée en suivant à la lettre les témoignages des visiteurs de Dickens. Les fans apprécieront sans doute la reconstitution minutieuse de la dizaine de pièces et seront comblés par les lettres, portraits et autres « reliques » ayant appartenu au grand homme. À côté, café, boutique et une salle d'expo temporaires.

🎣🎣 *New London Architecture - NLA* (centre 1, E3) : The Building Center, 26 Store St, WC1E 7BT. ☎ 020-7636-4044. • newlondonarchitecture.org • Ⓜ Goodge St. Lun-ven 9h-18h, sam 10h-17h. Fermé dim, j. fériés et Noël-début janv. GRATUIT. Une maquette de Londres au 1/1500, des schémas, des croquis, c'est retour vers le futur cette exposition ! Tous les projets, les grands chantiers à

CRÉNOM DE SURNOM

Norman Foster, l'un des grands architectes du monde, crée à Londres des immeubles aux formes si originales qu'on les affuble facilement de surnoms. L'un s'appelle Gherkin (« Cornichon »). Il a d'ailleurs failli se dénommer « Suppositoire ». Moins de chance pour le City Hall de forme ovoïde, puisque les Anglais l'ont baptisé Testicle.

venir pour le Londres urbain, les principaux gratte-ciel aux noms amusants : la « Râpe à fromage » (la tour Leadenhall), le « Toboggan » (la tour de Bichopsgate), le « Walkie-Talkie » (dans Fenchurch St), The Shard évidemment, etc. Et aussi des expos thématiques sur les transports, le parc Olympique, le relooking du quartier de Hackney...

ANGEL ET ISLINGTON

● Pour se repérer, voir le plan d'ensemble détachable en fin de guide.

Islington fait partie de ces anciens quartiers populaires où l'effet de mode a joué très rapidement, ajoutant aux bars de la première heure quantité de pubs et restos. Toutefois, si Upper Street concentre l'essentiel de l'animation, surtout le week-end, les ruelles immédiates demeurent très résidentielles et tranquilles, avec leur lot de maisons individuelles à jardinets. Baladez-vous sur Camden Passage, entre Duncan Street et Charlton Place, la vie est douce et calme, avec des boutiques et des coins sympas. N'hésitez pas à vous perdre du côté du canal, histoire de découvrir un autre visage de Londres, loin des clichés. On y déniche toutes sortes de disquaires, librairies et anti-quaires, ainsi que le Chapel Market, petit marché populaire bien sympa-thique. Le dimanche, les magasins restent ouverts, ce qui attire les foules et donne vie au quartier. Convaincu ? Alors, en route...

Où manger ? Où prendre un petit déj ?

Très bon marché (moins de 10 £ / 13 €)

|●| *Afghan Kitchen* (plan d'ensemble, H1, *316*) : 35 Islington Green, N1 8DU. ☎ 020-7359-8019. Ⓜ Angel. Tlj sf dim-lun 12h-15h30, 17h30-23h. Plats env 7-9 £. CB refusées. Ce n'est pas très grand, mais cosy comme tout, coloré et tamisé, pour une fraîche cui-sine afghane subtilement épicée et à des prix d'avant la guerre des Malouines. Une rare occasion de goûter à un délicieux *Qurma Suhzi Gosht* (agneau-épinards) ou au *Borani Kado* (potiron-yaourt) ! Jus de fruits ou de légumes frais. Petite table d'hôtes à l'entrée et salle à l'étage.

Bon marché (10-20 £ / 13-26 €)

|●| ☞ *Ottolenghi* (hors plan d'ensem-ble, par H1, *271*) : 287 Upper St, N1 2TZ. ☎ 020-7288-1454. ● upper@

ottolenghi.co.uk ● Ⓜ Angel. Lun-sam 8h-22h30, dim 9h-19h. Petits déj env 5-10 £ ; plats le midi 14,20-16,70 £ (avec 2-3 salades au choix), 9-13 £ le soir. Un peu plus cher à la carte. D'abord la boutique avec sa vitrine regorgeant de bons produits et pâtis-series, puis la grande salle design, d'une blancheur immaculée. Au centre, une longue table commune, encadrée de petites tables pour les amoureux. Et là, les *trendies* d'Islington se battent presque pour le petit déj complet, excellent, ou les fameux *scramble eggs and salmon*. File d'attente assurée le week-end ! Pour le déjeuner et le dîner, une autre fête des papilles : des plats tous aussi séduisants les uns que les autres, aux saveurs délicieuse-ment méditerranéennes et à des prix étonnamment modérés eu égard à la finesse de la cuisine ! *3 autres adresses à Londres, notamment à Spitalfields et Notting Hill, ainsi que* Nopi, *dans War-wick St (Soho).*

|●| ☞ *Gallipoli Café & Bistro* (hors plan d'ensemble, par G-H1, *400*) :

102 Upper St, N1 1QN. ☎ 020-7359-0630. ● info@gallipolicafe.co.uk ● Ⓜ Angel ou Highbury & Islington. Lun-ven 11h-23h, sam 9h30-minuit, dim 10h-23h. Mezze env 4,50 £ ; plats 10-13 £. Tout en longueur, un classique de la cuisine turque et méditerranéenne. Dans une déco de bazar New Age oriental, avec des dizaines de lampes au plafond et de nombreuses photos, estampes et dessins aux murs. En plus des plats traditionnels et des savoureux mezze, bons petits déj, omelettes et sandwichs (wraps) servis le midi. Le soir, ambiance tamisée propice à un dîner en amoureux, l'odeur enivrante du narghilé se mêlant à celle du thé à la menthe et aux effluves épicés de la cuisine. Ouvert en 1996, le Gallipoli figure désormais parmi les adresses incontournables d'Islington. D'ailleurs, le succès est tel qu'il a deux petits frères dans la rue. Tous offrent quasi la même carte, avec en prime des spectacles de danse orientale au Gallipoli Again !

|●| **Le Mercury** (hors plan d'ensemble, par H1, **260**) : 140 A Upper St (à l'angle de Almeida St), N1 1QY. ☎ 020-7354-4088. Ⓜ Angel ou Highbury & Islington. Lun-sam 12h-1h, dim 12h-23h. Plats env 11 £. L'une des bonnes petites adresses du circuit d'Islington : il suffit d'observer, à travers la baie vitrée arrondie, le sourire satisfait des habitués pour en être convaincu. Cadre plaisant sur 3 étages et, le soir, éclairage romantique à la bougie. Assuré d'y trouver de la place, sinon on vous enverra à l'annexe dans la même rue, au cadre assez design (horaires plus restreints en semaine). On y vient pour déguster une cuisine d'inspiration française sans complications et bien tournée. Magret de canard, entrecôte à l'échalote... rien que du classique ! Le tout à prix doux et fixes, quels que soient l'entrée, le plat ou le dessert. Sympa.

|●| **The Charles Lamb** (plan d'ensemble, H1, **201**) : 16 Elia St, N1 8DE. ☎ 020-7837-5040. ● food@thecharleslambpub.com ● Ⓜ Angel. Lun-mar 16h-23h, mer-ven 12h-23h, sam 11h-23h (brunch 11h-15h) ; dim 12h-22h30. Plats env 8-14 £. Véritable pub de quartier mais dans une version

« routiers ». Ambiance très décontractée (échecs et Scrabble à dispo), déco cosy et chaleureuse (parquet, cheminée, bibelots). On y sert une cuisine du jour, annoncée au tableau noir, goûteuse et pleine de bonnes idées. Pas de burgers ici, mais des petits plats bien sentis à prix démocratiques (pour Londres). Bon choix de bières, dont la Greenwich Meantime Brewery, et le vin de la maison... est issu du Domaine St Hilaire dans le Languedoc ! Agréable terrasse aux beaux jours.

De bon marché à prix moyens (moins de 30 £ / 39 €)

|●| ♀♂ **Jamie's Italian Angel** (plan d'ensemble, G1, **190**) : 409-411 Saint John St, EC1V 4AB. ☎ 020-3435-9915. Ⓜ Angel. Tlj 12h-23h (22h lun-mer et 21h30 dim). Menu super lunch deal (2 plats) à 10,95 £ ; plats env 11-15 £, salades 6-10 £, pâtes env 11-13,50 £. C'est la branche locale de la minichaîne de bistrots italiens de l'incontournable chef Jamie Oliver. La vaste salle au cadre de trattoria rétro-moderne est toujours bondée, et l'ambiance garantie. Clientèle assez trendy. Côté assiette : toutes sortes de pains italiens et bruschette bien garnis (par exemple au crabe et à l'avocat), pasta savoureuse (disponible en demi-portion), spécialités de viandes colorées à souhait et très bon rapport qualité-prix.

|●| **Le Sacré-Cœur** (plan d'ensemble, G-H1, **259**) : 18 Theberton St, N1 0QX. ☎ 020-7354-2618. Ⓜ Angel. Dans une petite rue perpendiculaire à 50 m d'Upper St. Tlj 11h30-23h (23h30 ven-sam et 22h30 dim). Formules déj 8,95-10,95 £. Menus 3 plats le soir 19,90-22,50 £, sinon plats env 11-14 £. Un authentique petit bistrot français très convivial, pourvu de tous les attributs propres à sa catégorie avec ses nappes à carreaux bleus et blancs et ses affiches de ciné-spectacles... On mange au coude-à-coude dans cet espace chaleureux, un p'tit bout de France recréé avec tant de conviction

qu'on n'y voit que du feu ! À la carte, une cuisine régionale archiclassique et bien tournée : bœuf bourguignon, entrecôte grillée, coq au vin, saucisse de Toulouse-purée, crème brûlée et tarte Tatin... Bonne sélection de poisson et quelques classiques anglais ou végétariens.

I●I Antepliler (hors plan d'ensemble, par H1, **260**) : 139 Upper St, N1 1PQ. ☎ 020-7226-5441. **Ⓜ** Angel. Tlj 12h-23h. Plats env 11-14 £. Assortiment de mezze (pour 2) env 14,50 £. Cadre gentiment kitsch et clinquant, spacieux et confortable, pour ce resto de spécialités turques. Le spectacle est dans l'assiette, où les mezze composent un assortiment multicolore, aussi beau que bon. Plats tout aussi savoureux, frais et parfumés sans excès, qu'il s'agisse d'un kebab classique ou d'un Ali Nazik bien crémeux. On se régale à moindres frais, d'autant que le service est très sympathique.

De prix moyens à chic (20-40 £ / 26-52 €)

I●I The Duke of Cambridge (plan d'ensemble, H1, **362**) : 30 Saint Peter's St, N1 8JT. ☎ 020-7359-3066. ● duke@dukeorganic.co.uk ● **Ⓜ** Angel. Tlj 12h-23h (22h30 dim). Service 12h-16h (16h30 dim), 18h30-22h30 (22h dim). Plats env 13-20 £. Cette taverne, certifiée 100 % organic et totalement éthique dans le choix de ses fournisseurs, fait toujours le plein ! La clientèle, on ne peut plus bobo, apprécie son parquet usé, ses grandes tables en bois, son brouhaha convivial et sa cuisine de saison. Le menu, constamment renouvelé (annoncé sur le tableau noir), est élaboré en fonction du marché à partir d'ingrédients bio issus du réseau de fermes Riverford, dans le Devon. Une cuisine parfaitement maîtrisée, puisque les spécialités classiques anglaises et des plats plus exotiques au coude-à-coude se révèlent savoureux. Belle sélection de vins au verre et d'excellentes bières, organic là aussi, accompagnent à

merveille cette réjouissante cuisine anglo-fusion.

I●I The Narrow Boat (plan d'ensemble, H1, **358**) : 119 St Peter's St, N1 8PZ. ☎ 020-7400-6003. ● nar rowboat@youngs.co.uk ● **Ⓜ** Angel. Au bord du canal, au bout de Noel Rd. Ouv jusqu'à 23h, minuit sam. Service en continu lun-sam 11h-22h ; dim 11h-21h. Burger menu 12,50 £, plats env 12,50-16 £. Ce pub hors des sentiers battus arbore une façade bien ordinaire. Mais c'est un leurre. Une fois à l'intérieur, on s'aperçoit qu'il est échoué au bord du canal et que sa longue salle s'étire le long de fenêtres donnant sur les flots. Salle à l'étage également. Un escalier conduit même sur le quai, où les habitués sirotent leur pinte en profitant de l'environnement paisible. En fin de journée, les rayons du soleil jouant parmi les gréements des quelques embarcations distillent un charme irrésistible... On y sert une classique cuisine de pub, de bons petits déj, snacks et sandwichs, ainsi que des plats copieux qui varient selon les saisons. Personnel adorable et service efficace.

I●I The Drapers Arms (plan d'ensemble, G1, **318**) : 44 Barnsbury St, N1 1ER. ☎ 020-7619-0348. ● info@drapersarms.com ● Tlj 12h-23h (service lun-ven 12h-15h, 18h-22h30 ; sam 12h-16h, 19h-22h30 ; dim 12h-20h30 en continu). Plats env 13-30 £. Vaste gastropub niché au pied d'une élégante demeure. Assez excentré, dans un agréable quartier résidentiel, c'est un pub de quartier se doublant d'une vocation gastronomique, avec une clientèle fidélisée. Beaucoup de monde et très bruyant en fin de semaine, mais ça fait partie de l'ambiance. Petits plats rustiques, assez inventifs dans les goûts et les textures, qu'on déguste à la lueur d'une bougie sur de grosses tables en bois rugueuses. Une dizaine de plats d'une carte qui tourne quotidiennement. Spécialités de viandes dont une tendre slow cooked shoulder of lamb (pour 2 personnes) ou le Loghorn rumsteak, maturé pendant 45 jours. Accueil jeune et souriant. Plaisante terrasse à l'arrière. Une belle adresse.

ANGEL ET ISLINGTON

Où boire un verre ? Où sortir ?

▼ Voir aussi ***The Duke of Cambridge*** *(plan d'ensemble, H1, 362)* et ***The Narrow Boat*** *(plan d'ensemble, H1, 358)*, décrits dans « Où manger ? Où prendre un petit déj ? ».

▼ ***69 Colebrooke Row*** *(plan d'ensemble, H1, 403) :* 69 Colebrooke Row, N1 8AA. ☎ 075-4052-8593. • *drinks@69colebrookerow.com* • Ⓜ *Angel. Tlj 17h-minuit (1h jeu et 2h ven-sam). Cocktails 10,50 £. Snacks env 3,50-7,50 £.* C'est l'un des bars à cocktails les plus connus de Londres. Il n'est pourtant pas bien grand, voire minuscule, on n'y est pas forcément très bien assis, et la déco fait plus dans le troquet de quartier que le club cosy. Mais c'est LE repaire de l'un des maîtres du genre ! Tous les aficionados ne jurent que par Tony Conigliaro et réservent bien à l'avance pour pouvoir goûter à ses créations audacieuses et surprenantes. Une expérience atypique, d'autant plus sympa les soirs où le pianiste de la maison régale l'assemblée de bons morceaux de jazz.

▼ ♪ ***The Lexington*** *(plan d'ensemble, G1, 409) :* 96-98 Pentonville Rd, N1 9JB. ☎ 020-7837-5371. • *the lexington.co.uk* • Ⓜ *Angel. Tlj 12h-2h (3h jeu, 4h ven-sam).* À l'angle de la rue. Un lieu délicieusement éclectique. Au rez-de-chaussée, le bar, amusant avec ses papiers peints à ramages et ses abat-jour kitsch... mais souvent trop petit pour accueillir les très nombreux fêtards attirés par la sélection (insolite !) de bourbons et de bières *made in USA.* Grosse ambiance donc, jeune et tonitruante, qu'on retrouve à l'étage, dans la salle de concert chaleureuse. Sets de DJ's (gratuit) du mercredi au samedi soir, concert *live* (payant) le dimanche. Finaliste de nombreux *music awards* !

▼ ∞ ***The Camden Head*** *(plan d'ensemble, H1, 316) :* 2 Camden Walk, N8 1DY. ☎ 020-7359-0851. • *camden-head.co.uk* • Ⓜ *Angel. Tlj 12h-23h (minuit jeu et 1h ven-sam).* Caché dans un petit passage pavé, ce joli pub date de 1849 et a conservé de nombreux éléments du passé : grand comptoir elliptique en bois sculpté, miroirs joliment gravés et un plancher bien usé par la joyeuse et bruyante clientèle d'habitués. On y vient pour le *comedy club* (gratuit), un des plus réputés, qui a lieu tous les soirs à 20h dans la salle à l'étage. Grande et agréable terrasse aux beaux jours.

▼ ∞ ♪ ***King's Head Theatre Pub*** *(hors plan d'ensemble, par G-H1, 400) :* 115 Upper St, N1 1QN. ☎ 020-7226-4443 et 7478-0160 (box office). • *kingsheadtheatrepub.co.uk* • Ⓜ *Highbury & Islington ou Angel. Face à l'église St Mary. Lun-mar 11h-23h, mer 11h-minuit, jeu 11h-1h, ven-sam 11h-2h, dim 12h-minuit.* Un endroit surprenant. On se glisse ici dans la chaude atmosphère d'un petit pub, où les habitués investissent les fauteuils de théâtre élimés quand ils ne sont pas accoudés au bar sous les antiques projecteurs. Et puis, derrière les portes battantes, un vrai théâtre de poche avec de vrais comédiens sur les planches, comme Hugh Grant ! Des dizaines de pièces partirent dans le West End après leur succès ici. Après 22h, la fête se termine par un concert rock-blues bien arrosé.

▼ ∞ ***Old Red Lion Theatre & Pub*** *(plan d'ensemble, G1, 301) :* 418 St John St, EC1V 4NJ. ☎ 020-7837-7816. • *oldredliontheatre.co.uk* • Ⓜ *Angel. Tlj 12h-minuit (1h ven-sam).* Happy hours *lun-ven 16h-19h.* Pub chaleureux et sans façons, situé dans le hall d'un vénérable théâtre. Grande vitre gravée qui cloisonne la salle, larges et moelleuses banquettes un peu défraîchies, piano où se relaient les artistes d'un soir, tables patinées qu'occupe nonchalamment une clientèle jeune et portée sur les arts. Que ce soit avant ou après la pièce (plusieurs représentations par semaine), on trouve la même ferveur théâtreuse, le même attachement aux valeurs *old school*... dont l'amour de la pinte fait partie intégrante ! Aux beaux jours, on se concentre dans le *beer garden*.

Shopping

⚜ **Annie's Vintage** *(plan d'ensemble, H1, 316)* : *12 Camden Passage, N1 8ED.* ☎ *020-7359-0796.* • *annies vintageclothing.co.uk* • Ⓜ *Angel. Tlj 11h-18h.* Cette adorable boutique d'angle, réfugiée au cœur du charmant Camden Passage, est célèbre dans le milieu vintage pour ses collections hors normes. On a vu Alexander McQueen et John Galliano venir y chiner plumes et broderies. Kate Moss est une cliente régulière. On ne parle d'ailleurs presque plus de vintage, mais d'antiquités ! Car bon nombre des robes et autres accessoires présentés dépassent allègrement le demi-siècle. Un lieu insolite et empreint d'une nostalgie glamour irrésistible.

ANGEL ET ISLINGTON

HOLBORN, FARRINGDON ET CLERKENWELL

> ● Pour se repérer, voir le plan d'ensemble
> et le centre 1 détachables en fin de guide.

En gros, délimité au sud par le Smithfield Market, à l'est par St John Street, au nord par Clerkenwell et à l'ouest par Farringdon Road, encore un quartier qui tient son petit bout de gras de l'animation nocturne londonienne. Grouillant de cols blancs la journée, Farringdon s'anime le soir, rejoint par l'élégant Clerkenwell, dont les lofts et les entrepôts ont trouvé quelques heureux repreneurs. L'ambiance un peu « village » de ces quartiers apporte une certaine convivialité. Tandis que Holborn, coincé entre Covent Garden et la City, reste pour l'instant hermétique à cette agitation. Débordant d'activité le jour mais déserté le soir, ce quartier est le bastion d'un certain classicisme à l'anglaise. Les *Inns of Court* et les grands pubs séculaires reclus dans d'étroites ruelles sont sa marque de fabrique.

Où dormir ?

**De prix moyens
à plus chic
(50-120 £ / 65-156 €)**

🏠 *High Holborn Residence* (centre 1, F3, **124**) : 178 High Holborn, WC1V 7AA. ☎ 020-7107-5737 et 020-7955-7676 (centrale de résa). ● high. holborn@lse.ac.uk ● lsevacations. co.uk ● Ⓜ Holborn. Ouv de mi-août à fin sept principalement, quelques logements tte l'année. Résa obligatoire. Doubles avec sdb commune à partir de 63-84 £, 110 £ avec sdb privée ; petit déj continental inclus. Promos sur Internet. 📶 À 10 mn de Covent Garden, une résidence universitaire moderne, bien tenue et surveillée 24h/24. Chambres petites, sans charme, mais confortables et fonctionnelles. Cuisine à dispo à chaque étage, bar, salle de jeux et machines à laver. Personnel accueillant et copieux petit déj-buffet inclus. Pas le grand luxe mais idéalement situé et d'un bon rapport qualité-prix.

🏠 *Travelodge Holborn* (centre 1, F3, **112**) : 10 Drury Lane, High Holborn, WC2B 5RE. ☎ 0871-984-6245 (centrale de résa). ● travelodge.co.uk ● Ⓜ Holborn ou Tottenham Court Rd. Prix variables selon jour et période, nuitée env 80-90 £ ; réduc sur Internet. 📶 Dans un énorme bâtiment sans charme mais fonctionnel et impeccable, une ribambelle de chambres modernes, rénovées dans un style contemporain. Simples et agréables, dotées de petites salles de bains bien tenues. Chambres familiales également. Petit déj en supplément dans la cafétéria (mais plein d'autres cafés dans le coin). Un bon rapport qualité-prix.

Spécial coup de folie (plus de 200 £ / 230 €)

🏠 **The Zetter Hotel** (plan d'ensemble, G-H2, **123**) : 86-88 Clerkenwell Rd, St Johns Sq, EC1M 5RJ. ☎ 020-7324-4567. ● thezetter.com ● Ⓜ Farringdon ou Barbican. Doubles à partir de 200 £ hors taxes. 📶 Un hôtel design, avec son puits de lumière, ses chambres personnalisées où se mêlent pierre, brique, métal et bois, dotées d'un éclairage rouge rosé. Moelleux des couettes immaculées, tapis acidulés et douches multijets. Plein d'autres gadgets inutiles, donc essentiels ! Mention spéciale aux chambres les plus chères, avec terrasse privée et vue imprenable sur Londres. La nuit tombée, la façade en pierre s'éclaire de néons. Excentrique à souhait ! Bistrot français au rez-de-chaussée, *Bistrot Bruno Loubet* (voir « Où manger ? Très chic »).

🏠 **The Zetter Townhouse** (plan d'ensemble, G-H2, **123**) : 49-50 St Johns Sq, EC1V 4JJ. ☎ 020-7324-4567. ● thezettertownhouse.com ●

Ⓜ Farringdon ou Barbican. Doubles à partir de 200 £. 📶 Non contents de nous accueillir dans leur univers design, les proprios du *Zetter* ont ouvert cette annexe juste derrière. Et quelle annexe ! Bienvenue chez tante Wilhelmina, une hypothétique ancêtre un peu excentrique : 13 chambres dans une ancienne demeure georgienne, papiers peints raffinés et une foule d'objets kitsch et insolites (kangourou empaillé, bouillottes tricotées, etc.). Grands lits moelleux, vieux parquets et confort ultramoderne (borne iPod, téléphone d'antan au goût du jour...), vieux miroirs, tableaux joyeusement décalés (Mickey passe la tête dans un vieux décor !) et fenêtres secrètes dans les salles de bains. Décidément, tante Wilhelmina sait recevoir... Au rez-de-chaussée, bar à cocktails très couru, cosy avec ses canapés Chesterfield et sophistiqué avec ses créations originales à la carte. Fort de son succès, *The Zetter* a ouvert une 3e annexe en 2015, The Zetter Townhouse Marylebone (28-30 Seymour St), une autre maison georgienne de 24 chambres, décorées dans le même esprit boutique-hôtel.

HOLBORN, FARRINGDON ET CLERKENWELL

Où manger ?

Grosse concentration de restos et de bars animés sur *Exmouth Market*, une « rue-marché » ancienne bordée de demeures basses. Un bon plan le soir, car c'est une rue qui bouge bien et possède un certain charme avec ses nombreux restos ethniques (thaïs, indiens, chinois, caraïbes, pays méditerranéens, etc.). Pour s'y rendre depuis King's Cross, bus n° 63 très pratique.

Sur le pouce (moins de 10 £ / 13 €)

🥖 🍽 **Gail's** (plan d'ensemble, G2, **300**) : 33-35 Exmouth Market, EC1R 4QL. ☎ 020-7713-6550. ● exmouthmarket@gailsbread.co.uk ● Ⓜ Angel. Bus n° 63. Lun-ven 7h-19h, w-e et j. fériés 8h-19h. Une petite chaîne de boulangeries artisanales. Ici, on trouve un large espace de dégustation. Cadre moderne tout blanc, très

lumineux, produits généreux, originaux, qu'il s'agisse des pains spéciaux, des formules pour le petit déj, des petits plats salés du jour (quiches, salades, sandwichs) ou des pâtisseries (*Chelsea bun* délicieux) pour le goûter. Un lieu où l'on passerait volontiers sa journée.

🍽 **Dose Espresso** (plan d'ensemble, H3, **317**) : 70 Long Lane, EC1A 9EJ. ☎ 020-7600-0382. ● james@dose-espresso.com ● Ⓜ Barbican ou Farringdon. Lun-ven 7h-17h, sam 9h-16h. Minuscule cafét moderne et artisanale à la fois, entièrement dévolue au café *espresso* ! Les employés du quartier viennent y prendre leur « dose » quotidienne. Café issu du commerce équitable et variant au gré des saisons (en hiver, par exemple, café du Nicaragua, d'El Salvador et du Kenya), lait bio, petits snacks variés et douceurs à base de bons produits bio ou locaux. Et une super machine à café italienne dont ils sont très fiers ! Une halte sympa dans le coin.

I●I *Whitecross Street Food* (plan d'ensemble, I2, **301**) : Whitecross St. Ⓜ Barbican ou Moorgate. Tlj 11h-14h. Ancienne « rue-marché » médiévale, juste en dehors des remparts, la plus ancienne de Londres (s'étendant d'Old St à Chiswell St). Aujourd'hui, toujours des immeubles populaires (petites plaques historiques sur les murs pour rappeler tout ça). Whitecross Street a retrouvé sa première vocation médiévale en alignant les stands de *street food,* suppléés par de bons petits restos à prix modérés. Toutes les cuisines du monde : soupes, crêpes, falafels, spécialités thaïes, antillaises, turques... Un stand propose même, suivant la saison, des *venison burgers* (au gibier)...
– Une combine intéressante : un pub, le **Two Brewers** (à peu près au milieu de Whitecross St), réalisant qu'il ne pourrait lutter question restauration avec la *Street Food,* en a pris son parti et autorise à apporter de la nourriture extérieure chez lui. Résultat, il recueille tous les pique-niqueurs de la rue et fait largement son chiffre avec les boissons. *My God, this is smart !*
Sinon, voici quelques bonnes petites adresses au long de Whitecross St pour les amateurs :
– **Kennedy's :** au n° 169-171. ☎ 020-7253-1796. Tlj. Un des meilleurs *fish & chips* du coin. Ultraclean. Carrelage blanc et quelques curieuses tables d'écolier. Excellent *cod* et *lunch menu* bon marché de 11h à 17h.
– **The Iskelé :** au n° 179-181. ☎ 020-7490-0082. Tlj 12h-22h30 (23h jeusam). Un excellent resto turc présentant une petite cuisine de là-bas soignée et pas chère. Accueil affable.
– **Jane Roe Kitchen :** à l'angle de Whitecross et Old St. ☎ 020-7336-8075. Cuisine de bistrot un poil créative aux effluves italiens. Bons burgers. Goûter au *cheesecake* maison à l'orange sanguine et chocolat !

Bon marché
(10-20 £ / 13-26 €)

I●I *J & A Café* (plan d'ensemble, H2, **135**) : 1-4 Sutton Lane, EC1M 5PU. ☎ 020-7490-2992. ● info@jandacafe. com ● Ⓜ Farringdon ou Barbican.

Lun-ven 8h-18h, le w-e 9h-17h. Bar jusqu'à 23h mer, jeu et ven. Plats env 9-12,50 £. Dissimulé dans une venelle paisible, opportunément transformée en terrasse dès que le soleil est de mise, ce café jeune et dynamique est l'un des spots incontournables du secteur pour le petit déj et les repas légers. Accroché au mur de brique, le tableau noir annonce une cuisine du jour toujours appétissante : plats de saison, quiches, salades et brunchs, pain maison, préparés avec des ingrédients au maximum bio et frais. Simple, bon, sain et servi avec le sourire.

I●I *Little Bay* (plan d'ensemble, G2, **328**) : 171 Farringdon Rd, EC1R 3AL. ☎ 020-7278-1234. ● farringdon@littlebay.co.uk ● Ⓜ Farringdon. Bus n° 63 depuis King's Cross. Tlj midi et soir jusqu'à minuit (23h dim). Plats env 6-8 £. Menus (3 courses) 11,95 £ et 13,95 £ (après 18h). Ce fut une grosse surprise de découvrir un vrai et bon resto à des prix d'avant la grande grève des mineurs de 1984 ! Déjà, on adore le cadre aux teintes rougeoyantes et son chaleureux décor baroquisant quasi théâtral. D'ailleurs, les jeudi et samedi soir, on y chante des airs d'opéra ! Tables bien séparées, quelques box intimes. Cuisine ultra-classique (*Aberdeen beef burger,* confit de canard, steak de veau), mais bien troussée et servie généreusement. Vins à prix également très abordables. Bref, l'un des meilleurs rapports qualité-prix de Londres.

I●I *Clerkenwell Kitchen* (plan d'ensemble, G2, **266**) : 27-31 Clerkenwell Close, au bout de Bowling Green Lane, EC1R 0AT. ☎ 020-7101-9959. ● info@theclerkenwellkitchen.co.uk ● Ⓜ Farringdon. Lun-ven 8h-15h (17h pour le café). Sandwichs à emporter env 4-6 £ ; plats sur place env 8-13 £. Café-resto ou resto-café ? Ce charmant établissement au cadre sobre et contemporain accueille ses habitués depuis le petit déj jusqu'au *teatime...* mais c'est pour son déjeuner qu'il s'est forgé une solide réputation. Chaque jour, le tableau noir affiche de nouveaux plats alléchants, toujours de saison et préparés avec les meilleurs produits (publie la liste de tous leurs producteurs). Sandwichs vraiment élaborés. Gâteaux maison. Définitivement dans l'air du temps.

IOI **Look Mum No Hands !** (plan d'ensemble, H2, **288**) : 49 Old St, EC1V 9HX. ☎ 020-7253-1025 et 7490-3928 (l'atelier). ● info@look mumnohands.com ● ⓜ Barbican. Lun-ven 7h30-22h, le w-e 8h30 (9h30 dim)-22h. Repas env 10-12 £. 🛜 Un café-bar-workshop qui offre une halte relax dans le quartier. Grande salle ouverte avec ses baies vitrées sur la rue et joli coin de terrasse aux beaux jours. Déco entièrement consacrée à la petite reine. Pour cause, l'adresse est tenue par des fanas de bicyclette et est en partie occupée par un atelier de réparation. Les bobos-cool du quartier viennent y faire rafistoler leur bécane et siroter un jus de fruits ou un bon café. On aime aussi les petits plats du jour, sans surprise ni génie mais préparés avec les produits frais de'saison : soupe, salades, sandwichs, etc. Bons desserts également, et une petite sélection de bières locales. Soirées à thème.

IOI **Morito** (plan d'ensemble, G2, **209**) : 32 Exmouth Market, EC1R 4QE. ☎ 020-7278-7007. ● info@morito. co.uk ● ⓜ Farringdon. Tlj sf dim soir 12h-16h et 17h-23h. Tapas env 4,50-10,50 £. Vins à partir de 18 £. C'est minuscule. Mais c'est le seul défaut de ce séduisant bar à tapas, où les gourmands s'entassent, dans une atmosphère joyeuse et bourdonnante, à l'une des quelques tables ou, mieux, au comptoir. Autre avantage : bien moins cher que le Moro à côté (bruyant et un peu surestimé). Le spectacle de la cuisine ouverte est un show bien réglé dont on ne se lasse pas ! Les tapas, préparées en direct avec des ingrédients frais, sont bien relevées et joliment présentées. Un régal, qu'il s'agisse de spécialités espagnoles bien classiques ou de petits plats plus originaux. Un must.

IOI **Kolossi Grill** (plan d'ensemble, G2, **302**) : 56-60 Rosebery Ave, EC1R 4RR. ☎ 020-7278-5758. ● info@kolossigrill.com ● ⓜ Farringdon. Tlj sf sam midi, dim et j. fériés 12h-14h30, 17h30-23h. Lunch env 6-8 £ avec entrée, plat et fruit. Plats 9-15 £. Un resto grec aux petits oignons, reconnaissable à sa devanture à colonnes. Un intérieur relaxant

avec sa cuisine nichée dans une fausse maisonnette et des plantes qui dégoulinent du plafond, le tout baignant dans un air de bouzouki. Menu long comme le bras. Bonnes spécialités et service chaleureux, Formules imbattables le midi. Cerise sur le gâteau, les fruits sont offerts à la fin du repas. Une adresse rare, et ça fait 50 ans que ça dure !

De bon marché à prix moyens (jusqu'à 30 £ / 39 €)

IOI Voir aussi un peu plus loin nos adresses de pubs, comme la **Cittie of Yorke** (centre 1, G3, **385**), où l'on mange bien, pas cher et, qui plus est, dans un cadre incomparable.

IOI **The Wilmington** (plan d'ensemble, G2, **325**) : 69 Rosebery St, EC1R 4RL. ☎ 020-7837-1384. ● info@wilming tonclerkenwell.com ● ⓜ Farringdon. Lun-jeu 11h-23h, ven-sam 10h-minuit, dim 10h-22h30. Repas env 23-30 £. Vénérable pub du XIXe s qui a décidé de jouer dans la cour des grands et qui a formidablement réussi ! C'est l'un des meilleurs gastropubs de Londres et pour quelques bonnes raisons : cuisine de haute qualité, salle très agréable qui a su garder des éléments de charme du passé et (pour une fois) un niveau sonore tolérable. Enfin, accueil affable, service au diapason de la cuisine, pro, efficace, toujours souriant et disponible. On a affaire ici un chef authentique, fusionnant habilement cuisines française et anglaise, utilisant de beaux produits, respectant les saveurs, réalisant des associations inspirées. Au bar, 14 bières et cidres à la pression (quelques bières artisanales tournant quotidiennement). L'une de nos plus belles découvertes !

IOI **Eagle** (plan d'ensemble, G2, **289**) : 159 Farringdon Rd, EC1R 3AL. ☎ 020-7837-1353. ● info@theeaglefarringdon. co.uk ● ⓜ Farringdon. Bar ouv lun-sam 12h-23h, dim jusqu'à 17h. Cuisine ouv 12h-15h (15h30 sam), 18h30-22h30 ; 12h-16h dim. Plats env 10-16 £. Depuis 25 ans, l'un des pères fondateurs des gastropubs poursuit sa route sur les courants ascendants. On adore l'atmosphère conviviale et le cadre sans chichis, le large bar hérissé de pompes à bière où se presse la foule, et les tables usées dispersées un peu au hasard. Un menu quotidien annonce sur le tableau noir des spécialités à tendance méditerranéenne (et aux effluves espagnols), souvent de bonne tenue, mais pas toujours diététiques. Portions généreuses. La formule plaît, mais les places manquent. On attendra donc son tour au bar, en profitant du spectacle haut en couleur de la cuisine ouverte.

|●| **St John** (plan d'ensemble, H2, **261**) : 26 St John St, EC1 M4AY. ☎ 020-7251-0848. ● reservations@ stjohnrestaurant.com ● Ⓜ Farringdon. Lun-ven 12h-15h, 18h-23h ; sam 18h-23h ; dim slt 13h-15h. Plats 16-25 £ ; env 6-10 £ au bar. Installé dans un ancien fumoir à jambon, ce célèbre restaurant, dont l'emblème est un cochon, obéit à une devise bien gourmande : « From the nose to the tail », grosso modo « Dans le cochon, tout est bon » ! Il n'y a pas que du cochon à manger, rassurez-vous, mais on déniche à la carte des morceaux qu'on n'a pas forcément l'habitude de voir dans nos assiettes. Tout bonnement délicieux ! Déco minimaliste, salle immaculée comme le tablier des serveurs. Bar idéal pour prendre l'apéro ou se restaurer de façon plus simple : assiette de fromages, terrines et snacks divers. Bon choix de desserts. Le tout arrosé de petits vins de propriété. So chic, la boulangerie intégrée où l'on peut faire emplette de superbes pains maison. Succursale à Spitalfield.

|●| **The Modern Pantry** (plan d'ensemble, H2, **141**) : 47-48 Saint John's Sq, EC1V 4JJ. ☎ 020-7553-9210. ● enquiries@themodernpantry.co.uk ● Ⓜ Farringdon. Café ouv lun-ven 8h-11h, 12h-22h30 (22h lun) ; le w-e 9h (10h dim)-16h, 18h-22h. Resto tlj sf lun soir et dim soir 12h-15h (16h le w-e), 18h-22h30. Petit déj 4,50-9,50 £. Menus 35-45 £, plats env 16-25 £. Installés dans un élégant édifice georgien, café lumineux au rez-de-chaussée, ou resto élégant et plus formel à l'étage. Clientèle un poil bobo branchée. Cuisine de type fusion ayant picoré des recettes ou des influences du monde entier (où

dominent cependant une petite musique méditerranéenne et une passion évidente pour les saveurs asiatiques). Ça donne des plats inventifs, travaillés à partir de produits traditionnels frais, avec quelques télescopages de couleurs et de saveurs judicieux. Belle carte des vins. Très bien également pour le brunch dominical. Service gentil comme tout.

|●| **Medcalf** (plan d'ensemble, G2, **142**) : 38-40 Exmouth Market, EC1R 4QE. ☎ 020-7833-3533. ● mail@medcalfbar.co.uk ● Ⓜ Farringdon. Tlj sf dim soir 12h-15h (17h dim), 17h30-22h30. Brunch le w-e 10h30-15h. Plats env 12-18 £ (possibilité de ½ portions). Cette ancienne boucherie de 1912 tout en longueur, au style bohémo-chic mêlant sobriété, expos temporaires et mobilier vintage, est impeccable pour se restaurer de manière décontractée et informelle. Pas une cuisine très sophistiquée, mais produits frais et viandes tendres : steak and Yorkshire pudding, rarebit gallois, etc. Mon tout bien servi à prix tout à fait abordables. Longue table conviviale pour bandes d'amis ou familles. Petite terrasse à l'arrière en saison chaude.

De chic à très chic (30-40 £ et plus / 39-52 €)

|●| **Bourne & Hollingsworth Buildings** (plan d'ensemble, G2, **329**) : 42 Northampton Rd, EC1R 0HU. ☎ 020-3174-1156. Ⓜ Farringdon. Au bout d'Exmouth Market, tourner à droite, c'est à 150 m. Tlj midi et soir jusqu'à 22h30. Repas env 30 £. Cadre plutôt plaisant. On aime bien la verrière derrière, sa végétation, ses profonds fauteuils. Clientèle trendy décontractée. Cuisine de bistrot finement revisitée et pas si chère que ça vu le standing. Compte tenu du côté un peu excentré du resto, il fonctionne plutôt bien grâce au bouche à oreille ! Service jeune, souriant, efficace. À la carte, choix d'une demi-douzaine de plats. Bon sens des associations de saveurs, petits légumes bien choisis et cuits comme il faut. Bons desserts.

|●| **Hix Oyster & Chop House** (plan d'ensemble, H2-3, **139**) : 36-37

Greenhill Rents, EC1M 6BN. ☎ 020-7017-1930. Ⓜ *Farringdon. Dans une ruelle juste derrière Cowcross St. Mar-sam 10h-22h, dim 10h-17h. Menus env 20-25 £ (servis en sem, jusqu'à 18h30 et après 22h sam). Plats env 18-35 £.* Ancienne fabrique de saucisses, une belle reconversion ! Mark Hix, le patron, est un amoureux fou des bons produits, intraitable sur leur origine et les meilleures saisons, leur culture ou leur élevage... Venez donc vous perdre dans cette brasserie chic d'une élégante sobriété pour mieux mettre en valeur toutes ces qualités. Un accueil sympa, un service décontracté et une clientèle classe mais pas snob. Et prix élevés mais justifiés pour un poisson ruisselant de fraîcheur et cuit à la perfection, et toutes les viandes 100 % anglaises. Beaux desserts et vieilles eaux-de-vie de pomme géniales...

I●I ***The Jugged Hare*** *(plan d'ensemble, I2, **324**) :* 49 Chiswell St (et Silk St), EC1Y 4SA. ☎ 020-7614-0134 et 07872-456-090. ● thejuggedhare. com ● Ⓜ *Barbican ou Morgate.* *Lun-mer 7h-23h, jeu-sam 7h-minuit, dim 7h-22h30. Résa quasi obligatoire. Intéressants menus pré- et post-théâtre tlj 17h30-18h30 et 21h30-23h. Au bar, plats env 12-18 £. À la carte, compter 40-50 £.* Restaurant spécialisé dans le gibier dont il possède l'art de tirer les plus belles et fortes saveurs. Cadre élégant et tamisé. Préférer la grande salle du fond et le plus loin possible, car les premières tables possèdent un gros niveau sonore. Ça tombe bien, car au fond, il y a de confortables box avec banquettes en demi-lune. Au centre, quelques tables rondes bien séparées. Gibier et champignons suivant les saisons, *grouse*, lièvre, lapin sauvage, perdreaux, cailles... En entrée, curieux petit écureuil gris à la chair délicate (selon arrivage) et saucisses de perdrix. Poisson du matin venant du marché de *Billingsgate*. Beaux produits, cuissons absolument maîtrisées, saveurs raffinées, pas de surprise. *Sunday Roast* réputé. Sans réservation, le comptoir est pour vous.

Où boire un verre ?

🍸 Voir aussi un peu plus haut nos adresses de restos, comme le ***Eagle*** *(plan d'ensemble, G2, **289**),* ainsi que le bar de l'hôtel ***The Zetter Townhouse*** *(plan d'ensemble, G-H2, **123**),* décrit dans « Où dormir ? ».

🍸 ***Jerusalem Tavern*** *(plan d'ensemble, H2, **387**) :* 55 Britton St, EC1M 5UQ. ☎ 020-7490-4281. ● thejerusalemtavern@gmail.com ● Ⓜ *Farringdon. Lun-ven 11h-23h.* Difficile de repérer de loin l'étroite façade sombre de cette taverne bâtie en 1720 mais qui se balada en d'autres endroits du quartier avant. L'un de ses ancêtres était tenu par Richard Hogarth (père du célèbre peintre qui imposait qu'on y parlât latin !). Minuscule espace tout en boiseries sombres et compartimenté comme une ruche. Et toutes les jeunes abeilles sont occupées à butiner le nectar de la maison, une savoureuse bière artisanale brassée par *Saint Peter* dans le Suffolk. On en a même goûté une au whisky ! A obtenu, il y a quelques années, le prestigieux label *Town* *Pub of the Year.* Notre pub préféré dans le coin, voire au-delà. On peut même y manger un morceau le midi.

🍸 ***Cittie of Yorke*** *(centre 1, G3, **385**) :* 22 High Holborn, WC1V 6BN. ☎ 020-7242-7670. Ⓜ *Holborn ou Chancery Lane. Lun-sam 12h-15h, 18h-21h (bar 23h). Plats à partir de 7 £.* Inauguré en 1430, ce pub formidable, reconstruit en 1695 avec les éléments du pub précédent, arbore une belle façade de style Tudor. On adore la hauteur de plafond dans le bar principal, les vitraux colorés, les vénérables boiseries, les passerelles métalliques, les immenses barriques (de 500 à 1 000 gallons)... Une clientèle fidèle – à laquelle se mêlent les touristes – se serre les coudes au bar ou autour du vieux poêle en fonte datant de 1815, quand elle ne préfère pas l'intimité des petits box à l'éclairage tamisé. À l'époque, ils permettaient aux avocats de discuter tranquillement avec leurs clients. Ici, on boit avant tout de la *Sam Smiths.* Un monument !

HOLBORN, FARRINGDON ET CLERKENWELL

🍸 *Ye Olde Cheshire Cheese (plan d'ensemble, G3, 390)* : 145 Fleet St, EC4A 2BU. ☎ 020-7353-6170. Ⓜ *Blackfriars. Lun-sam 11h-23h, dim 12h-16h.* L'entrée se fait par un petit passage perpendiculaire à Fleet Street. Datant de 1538 et reconstruit l'année suivant le terrible incendie de 1666, ce vieux pub n'a guère changé depuis. Il eut comme clients Dickens, Voltaire, Theodore Roosevelt, Conan Doyle... La mort du perroquet de la maison (qui vécut, dit-on, 40 ans) fut même annoncée par la BBC ! L'intérieur vaut le coup d'œil : un vrai labyrinthe avec plusieurs salles sombres, basses de plafond, toutes bardées de chêne noir et dotées de cheminées qui crépitent, un chapelet de caves médiévales rescapées des flammes (vestiges d'un couvent de carmélites du XIVe s).

🍸 *The Three Kings (plan d'ensemble, G2, 351)* : 7 Clerkenwell Close, EC1R 0DY. ☎ 020-7253-0483. Ⓜ *Farringdon. Dans le village de Clerkenwell, face à l'église. Lun-ven 12h-23h, sam 17h30-23h.* Une foule d'objets rigolos, des autographes et des souvenirs de voyages habitent les murs de ce repaire convivial. Clientèle d'habitués qui célèbrent l'esprit « grande famille » de la maison et trinquent volontiers à la santé des 3 rois : King Kong, Elvis et Henri VIII. Peu de touristes se perdent dans ce quartier pourtant charmant, peuplé de designers et d'architectes. Autant le savoir, souvent bourré à craquer et ambiance conviviale indescriptible, en particulier les soirs de match.

🍸 *Princess Louise (centre 1, F3, 386)* : 208 High Holborn, WC1V 7EP. ☎ 020-7405-8816. Ⓜ *Holborn. Lun-ven 11h-23h, sam 12h-23h, dim ferme à 18h45.* Pub magnifique datant de 1872 et qui prit le nom de la 4e fille de la reine Victoria. L'un des plus beaux décors de Londres : lambris, superbes miroirs gravés recouvrant les murs, plafonds ciselés, et d'insolites paravents permettant de compartimenter le bar... Même les toilettes valent le coup d'œil. À l'étage, salle plus cosy et tranquille où les habitués se regroupent autour de la cheminée pour profiter des plats classiques de pub (*fish & chips, steak and kidney pie,* etc.). Bon choix

de cidres et de bières, notamment la Sam Smiths (goûter à l'*extra stout*).

🍸 *Ye Olde Mitre (plan d'ensemble, G3, 388)* : 1 Ely Court, EC1N 6SJ. ☎ 020-7405-4751. ● *yeoldemitre@fullers.co.uk* ● Ⓜ *Chancery Lane ou Farringdon. Donne sur Hatton Garden. Lun-ven 11h-23h, fermé le w-e.* 📶 On hésite presque à révéler l'adresse de cette pépite cachée dans un passage large comme une meurtrière entre Ely Place (cul-de-sac perpendiculaire à Charterhouse) et Hatton Garden. Créé en 1547, reconstruit en 1772, ce pub minuscule bourré de charme est l'un des plus vieux de la ville et aussi l'un des plus secrets. Clientèle d'habitués en complet-cravate et de curieux doués d'un bon sens de l'orientation. Pas trop bruyant, cuisine correcte. Dans la ruelle, quelques tonneaux en guise de tables participent à cette atmosphère hors du temps.

🍸 *Old Bell Tavern (plan d'ensemble, H3, 389)* : 95 Fleet St, EC4Y 1DH. ☎ 020-7583-0216. Ⓜ *Aldwych. Lun-ven 11h-23h, sam 12h-20h, dim 12h-17h.* En plein quartier de la presse. Au XVIe s, site d'une imprimerie créée par un assistant de *William Caxton,* le premier imprimeur d'Angleterre. Ce pub historique est donc le rendez-vous naturel des journalistes, ça va de soi. Construit en 1678 pour abreuver les maçons qui reconstruisaient l'église Saint-Bride après le Grand Incendie. Belle façade en vitrail. Son vieux parquet et son bar central en bois sculpté en font une étape intéressante pour ceux qui effectuent un *pub crawl* historique.

🍸 *Fox and Anchor (plan d'ensemble, H2-3, 252)* : 115 Charterhouse St, EC1M 6AA. ☎ 020-7250-1300. ● *info@foxandanchor.com* ● Ⓜ *Barbican. Tlj 7h (8h30 le w-e)-23h (22h dim).* Un de ces pubs à l'ancienne affublés d'un nom improbable. Façade de style, comptoir à l'ancienne et des banquettes de moleskine où l'on se tasse comme on peut les soirs d'affluence. Les petits box privés à l'arrière sont plus au calme et cosy comme tout mais vite pris d'assaut. Sur place, 6 chambres dans l'esprit boutique-hôtel, notamment la superbe *Market suite,* avec petite terrasse !

Spécial *nightclubbers*

🎵 **Fabric** (plan d'ensemble, H3, **454**) : 77 A Charterhouse St, EC1M 3HN. ☎ 020-7336-8898. ● fabriclondon. com ● Ⓜ Farringdon. Slt ven-sam, à partir de 23h. Entrée : env 10-25 £ ; réduc. Installé dans un ancien entrepôt à viande de 3 000 m², cet immense club voit s'agglutiner par grappes les clubbers, qui ne se laissent pas rebuter par la foule ; mieux vaut s'inscrire sur la guest list et acheter son billet à l'avance pour pénétrer dans l'une des 3 salles (et autant de bars) de cet antre mythique de la house, de la techno et de l'électro. Un incontournable où l'on croise les DJs les plus en vogue du moment. Dress code avant tout décontracté.

Shopping

🕸 **Space EC1** (plan d'ensemble, G2) : 25 Exmouth Market, EC1R 4QL. ☎ 020-7837-1344. Ⓜ Farringdon. Lun-ven 10h30-18h, sam à partir de 11h. Des gadgets comme s'il en pleuvait, des objets déco rigolos et décalés, des tasses amusantes, des bougies, etc. Bref, que des choses essentielles !

Marché

– **Smithfield Market** (plan d'ensemble, H3) : Ⓜ Barbican ou Farringdon. Lun-ven 3h-12h. On vous conseille de venir avant 8h (après, il n'y a souvent plus rien !). Vous vous consolerez de ce réveil matinal avec un bon breakfast dans l'un des cafés et pubs installés tout autour du marché. Superbe architecture de style victorien (les halles furent reconstruites après un incendie en 1958). Viande, volaille et gibier en gros depuis plus de 800 ans ! À l'endroit même où l'on brûlait les sorcières et les protestants... Brrr !

Galeries et musées

🎭 **Sir John Soane's Museum** (centre 1, F3) : 13 Lincoln's Inn Fields, WC2A 3BP. ☎ 020-7405-2107. ● soane.org ● Ⓜ Holborn. Mar-sam 10h-17h (dernière entrée à 16h30). Fermé dim-lun et j. fériés. Nombre limité de visiteurs, parfois un peu d'attente (arriver dès 10h). GRATUIT. Le 1er mar du mois, visite supplémentaire à la bougie 18h-21h. Boutique. Bordant Lincoln's Inn Fields, l'une des plus vastes places de Londres, dessinée au début du XVIIe s, on ne soupçonne pas ce que dissimule la façade banale du n° 13. Voici la maison de l'excentrique Sir John Soane, architecte et collectionneur passionné d'objets de toutes sortes. Il l'a dessinée pour abriter ses très nombreux

LE COÛT DE L'ANANAS

À quelques maisons du Sir John Soane's Museum, aux nᵒˢ 27-28, admirez les ananas qui ornent l'entrée, un symbole de richesse pendant des siècles, vu la rareté et le coût exorbitant de ce fruit exotique. Amusez-vous à en repérer d'autres dans Londres, sur les lampadaires, dans les parcs ou jusque sur les toits de Saint Paul's Cathedral et de la National Gallery. L'ananas fut découvert par Christophe Colomb, en Guadeloupe, en 1493, mais présenté au roi d'Angleterre Charles II seulement à la fin du XVIIe s. On baptisa le fruit pineapple en raison de sa ressemblance avec une pomme de pin.

marbres, moulages antiques, tableaux et bibelots. Il fut l'architecte de la *Bank of England* (il ne reste plus aujourd'hui que la façade extérieure du bâtiment d'origine). Voyez sa trombine au-dessus de la cheminée, dans la salle à manger. Cet étrange endroit est tel qu'il l'a laissé à sa mort, en 1837. Et quel fouillis ! Un entassement de merveilles, une folie pure, un capharnaüm qui ferait rêver n'importe quel archéologue, surtout lorsque l'éclairage à la bougie (certains soirs) ajoute encore au mystère de ce formidable cabinet de curiosités. Mais le plan de la maison est tout aussi intéressant que les objets exposés, à l'image des sous-sols organisés comme une crypte, et des jeux de lumières insolites composés par de petites verrières disposées à bonne hauteur. On sent bien l'architecte torturé, romantique et mégalomane.

🏃🏃 *Hunterian Museum* (plan d'ensemble, G3) : 35-43 Lincoln's Inn Fields, WC2A 3PE. ☎ 020-7869-6560. Ⓜ Holborn. • rcseng.ac.uk/museums • Mar-sam 10h-17h. Fermé quelques jours autour de Pâques et la semaine Noël-Jour de l'An. Au 1er étage du Collège royal de chirurgie. GRATUIT. Visite guidée chaque mer à 13h (gratuite également). Un musée dans une école de chirurgie, créé à partir de la collection de John Hunter, anatomiste au XVIIIe s pour le roi George III. Belle collection d'exemples chirurgicaux et

TROPHÉE MACABRE

À l'Hunterian Museum, on peut reluquer le squelette de Charles Byrne (1761-1789), géant irlandais de 2,34 m qui vécut au XVIIIe s et dont l'anatomiste Hunter convoitait la dépouille... Mais l'homme sur son lit de mort refusa de léguer son corps et demanda à ce qu'il soit lesté de plomb, scellé et jeté en mer. Hunter soudoya des plongeurs à la mort de Byrne et récupéra la dépouille, qu'il fit bouillir pour étudier le squelette que vous pouvez encore apercevoir...

d'animaux conservés dans d'innombrables bocaux de formol, façon cabinet de curiosités, comme ce crâne hydrocéphale du XIXe s. Les étudiants viennent d'ailleurs s'y entraîner au dessin. Également une section sur l'évolution de la chirurgie, qui remue pas mal les tripes, une autre sur la chirurgie réparatrice de guerre et une évocation des principales découvertes, comme le premier antiseptique de Lister. Attention, des spécimens pourraient choquer les enfants. Instructif mais pour public averti.

🏃 *Old Curiosity Shop* (centre 1, F3) : 13-14 Portsmouth St, WC2A 2ES. Ⓜ Holborn. ☎ 020-7405-9891. Dans une jolie maisonnette blanc et vert en encorbellement, avec son toit rouge, un petit magasin qui prétend avoir été immortalisé par Dickens dans le livre du même nom. C'est devenu une boutique de chaussures qui ne se visite pas si vous n'en achetez pas expressément. Quoi qu'il en soit, la bâtisse date réellement du XVIIe s, et c'est l'une des très rares rescapées du terrible incendie de 1666. Certaines poutres proviennent de bois récupéré sur de vieux navires. De quoi se faire une petite idée de l'aspect du quartier avant le désastre...

L'EAU À LA BOUCHE

On trouve, près du viaduc de Holborn (à l'angle de Giltspur St), non loin de St Bartholomew, une fontaine publique d'eau potable. Elle fut inaugurée en 1859 par Samuel Gurney fondateur de la Metropolitan Free Drinking Association. À la fin du XIXe s, cette association gérait près de 140 sources à disposition des Londoniens, soutenue par la Ligue de tempérance, qui faisait campagne contre l'alcoolisme. De fait, la plupart de ces fontaines sont installées tout près d'un pub !

🏃 *St Bartholomew The Great* (église Saint-Bartholomé ; plan d'ensemble, H3) : près de St Bartholomew's Hospital.

Ⓜ *Farringdon. Ferme à 17h (16h sam et 20h dim).* ☎ *020-7600-0440. Pour prier, c'est gratuit. Pour visiter, c'est 4 £ ! Réduc.* L'église la plus vieille de Londres (fondée en 1123). Elle a servi de cadre aux films *Quatre mariages et un enterrement* et *Shakespeare in love.* Charmant *Cloister Café.*

LA CITY
ET TOWER BRIDGE

● Pour se repérer, voir le plan d'ensemble détachable en fin de guide.
● Plan Les Docklands, de Tower Bridge à Thames Barrier p. 248-249

La City est bordée par les Inns of Court à l'ouest, la Tower of London à l'est, le Barbican au nord et la Tamise au sud. Voici le Londres 100 % londonien, celui des hommes en perruque (quartier des *courts*), des chapeaux melon et costards-cravates, mais également des journalistes (Fleet Street) et des *Yeomen* (garde royale de la Tour de Londres)...
Même si on ne peut plus aujourd'hui s'en rendre compte, à cause du Grand Incendie de 1666, puis du *Blitz*, nous sommes ici dans la partie la plus ancienne de Londres. Dans la petite *Noble Street,* entre London Wall et Gresham Street, on peut encore voir quelques vestiges du fort romain. C'est dans la City que s'est forgée une grande partie de l'histoire du royaume. Considéré comme le vrai cœur de Londres, ce quartier constitue surtout son centre économique et financier, et ce, depuis l'époque de l'Empire. L'équivalent de Wall Street à New York et de la Bourse à Tokyo. Et 100 fois l'importance du quartier de la Bourse à Paris.

AU CŒUR DE LONDRES

Avec seulement 10 000 habitants, ce quartier que les Anglais surnomment le « square mile » (1 mile sur 1 mile de côté) abrite tout un monde ! 340 000 avocats, banquiers et autres employés y convergent tous les jours dans une ambiance trépidante, tandis que le soir, les week-ends et les jours fériés, les rues sont désertes et la plupart des restaurants sont fermés. Aujourd'hui encore, la City possède certains privilèges : son *lord mayor* (maire) élu chaque année, une administration indépendante et sa propre police. La reine, chaque année, se fait remettre symboliquement les clés de la City lors d'une pompeuse cérémonie.
Dans ces quartiers soigneusement entretenus sont jalousement conservés les plus grands trésors d'Angleterre : les lingots de la *Bank of England,* les secrets de la *Lloyd's* et les joyaux de la Couronne. Vous y verrez aussi le superbe **Tower Bridge,** qui garde avec fidélité l'accès à cette City dans la ville... Avec tout cela (et le reste), on comprend comment elle a pu conserver une telle autonomie : la Couronne s'est toujours appuyée sur ce centre névralgique, n'hésitant pas à y puiser l'argent nécessaire pour financer les guerres, quitte à y perdre de son pouvoir.

MAIRE ET LORD-MAIRE

L'actuel maire de Londres, Sadiq Khan, est le chef exécutif du Greater London (Grand Londres), élu au suffrage universel depuis 2000. À ne pas confondre avec le lord mayor of London, titre donné depuis la fin du XIIe s au maire de la Cité de Londres (la City). Celui-ci est élu chaque année et tient essentiellement un rôle honorifique.

Adresse utile

ℹ *City of London Tourist Information Centre* (plan d'ensemble, H3) : St Paul's Churchyard, EC4M 8BX. ☎ 020-7606-3030. • *visitthecity.* co.uk • **Ⓜ** *Mansion House. Lun-sam 9h30-17h30, dim 10h-16h.* 🛜 Accueil compétent, sympathique et francophone.

Où dormir ?

De bon marché à prix moyens (moins de 90 £ / 117 €)

🛏 *YHA London Saint Paul's* (YHA ; plan d'ensemble, H3, **125**) : 36 Carter Lane, EC4V 5AB. ☎ 020-7236-4965 ou 0845-371-9012 (centrale de résa). • stpauls@yha.org.uk • yha.org.uk • **Ⓜ** *Blackfriars* ou *St Paul's. Accès par Dean's Court. Selon période, env 18-35 £/pers en dortoirs (3-12 lits). Doubles env 50-75 £. Réduc pour les membres.* 🖥🛜 Vaste AJ nichée dans une belle et longue maison en brique de style victorien (ancienne école de la chorale de garçons de Saint-Paul, frise de mots latins sur la façade). Environ 210 lits (quelques *singles*, doubles et familiales). L'intérieur est moins séduisant : globalement sans charme et fonctionnel, même si les dortoirs se révèlent impeccables. Très bonne adresse toutefois, car fort bien située, dans une rue calme proche des transports. De plus, personnel pro et accueillant. Sur place : agréable café-téria bon marché pour le petit déj et le dîner, salon TV, laverie et consigne.
🛏 *Hub by Premier Inn Tower Bridge* (plan d'ensemble, J4, **156**) : 28 Great Tower St, EC3R 5AT. ☎ 033-321-3104 (centrale de résa). • hubhotels.co.uk • **Ⓜ** *Tower Hill. Compter 15-36 £/pers en dortoir. Doubles à partir de 69 £, le double pdt les w-e et périodes de fêtes. Résa conseillée (promos) sur Internet.* 🛜 Une véritable aubaine que cette petite chaîne d'établissements ultramodernes et tout confort, avec des chambres fonctionnelles et design. Grand bâtiment à la déco contemporaine et espaces communs très lumineux. Ascenseur, clim, consignes, etc. En prime, une agréable cafétéria-*deli*.

De plus chic à très chic (90-120 £ et plus / 117-156 €)

🛏 *Premier Inn London City* (plan Les Docklands, A1, **11**) : 22-24 Prescot St, E1 8BB. ☎ 0871-527-8646. • pre mierinn.com • **Ⓜ** *Tower Hill. Doubles env 80-160 £ selon période ; gratuit moins de 16 ans. Réduc sur Internet.* 🖥🛜 Situation éminemment stratégique pour ce *Premier Inn* : à deux pas du métro, de plusieurs pôles touristiques majeurs, et malgré tout dans une rue assez calme. Pour le reste, il a tous les attributs de la chaîne : chambres nickel, confortables, fonctionnelles et plutôt agréables dans leur genre, car de taille raisonnable. Petit déjeuner continental pour une fois consistant.
🛏 *Andaz* (plan d'ensemble, J3, **145**) : 40 Liverpool St, EC2M 7QN. ☎ 020-7961-1234 et 7618-5010. • *guest services.londonliv@andaz.com* • *london.liverpoolstreet.andaz.com* • **Ⓜ** *Liverpool St. Doubles à partir de 230 £. Réduc sur Internet.* 🖥🛜 Un hôtel de luxe de la chaîne *Hyatt*, conçu par Sir Terence Conran. Stratégiquement situé, au pied de Liverpool Station et aux portes de la City, dans un bâtiment à la façade victorienne de 1884. Art et design se conjuguent ici avec brio, mêlant éléments anciens et ultra-contemporains. Le hall d'accueil, dans un esprit japonisant, met tout de suite dans l'ambiance... Les chambres arborent des couleurs sobres et des lignes pures, et les salles de bains un joli carrelage rétro. Les *standard* sont vraiment bien. Pas moins de 5 restaurants et 4 bars. Le *1901 Restaurant & Wine Bar* met à l'honneur la nouvelle gastronomie *British*, le *Catch Restaurant & Champagne Bar* joue la

carte « iodée », le *Eastway* fait dans la brasserie à la new-yorkaise et s'est spécialisé dans la grillade, tandis que le *George Pub* met à l'aise son monde autour d'une bière et d'un classique *fish & chips*. Quant au *Miyako*... bon, vous l'aurez compris ! Ajoutez à cela un service personnalisé, remarquable, et vous avez là l'une des meilleures adresses de ce standing à Londres.

▲ **The Montcalm London City** *(plan d'ensemble, I2, 43)* : 52 Chiswell St, EC1Y 4SA. ☎ 020-7614-0100 et 0800-2888-100 *(n° gratuit)*. ● reservations@themontcalmlondoncity.co.uk ● themontcalmlondoncity.co.uk ●

Ⓜ *Barbican ou Moorgate. Doubles à partir de 160 £. Réduc sur Internet.* ☂ L'une de ces nombreuses brasseries de l'époque victorienne (la *Brewery London Co*) que les grands noms de l'architecture prennent plaisir à réhabiliter en palace. Les voûtes en brique et les piliers en acier ont été conservés, apportant chaleur et style au modernisme des chambres. Vastes espaces, larges lits, éclairages, technologies dernier cri... tout est pensé pour passer un moment privilégié. Sans oublier le spa et le personnel aux petits soins qui garantit la perfection du séjour.

Où manger ?

Sur le pouce (moins de 10 £ / 13 €)

◢ La City regorge de boutiques et de snacks pour acheter de quoi manger sur le pouce. Ainsi on trouve un **Pret A Manger** ou un **EAT** à chaque coin de rue *(tlj sf dim)*.

Bon marché (10-20 £ / 13-26 €)

|●| 🕴 **Wagamama** *(plan d'ensemble, J4, 170)* : Tower Pl, EC3N 4EE. ☎ 020-7283-5897. Ⓜ *Tower Hill. Tlj 11h30-21h. Un autre au 109 Fleet St* (☎ 020-7583-7889 ; Ⓜ *St Paul's ; fermé le w-e).* ☂ Vaste salle lumineuse en surplomb de l'esplanade. On retrouve toutes les spécialités de cette chaîne de restos asiatiques : nouilles sautées, *ramen*, soupes, salades parfumées, etc. Frais et copieux, de qualité constante.

|●| **Café Below** *(plan d'ensemble, I3, 297)* : St Mary-Le-Bow, Cheapside, EC2V 6AU. ☎ 020-7329-0789. ● info@cafebelow.co.uk ● Ⓜ *St Paul's. À l'angle de Cheapside et Bow Churchyard (entrée par le porche de l'église). Lun-ven 7h30-15h. Dîner mer-ven jusqu'à 21h30. Formule lunch 10 £ ; plats 8-15 £.* Les Anglais adorent les cryptes, mais pas forcément pour y prier. À St Mary-Le-Bow, le seul repas

qu'on partage n'a rien de spirituel, mais consiste en une sélection – chaque jour différente – de bons sandwichs et petits plats maison, en partie végétariens, préparés avec des produits de saison et à prix doux. Bien aussi pour le petit déj. Quant à la crypte, elle se définit désormais comme un café chaleureux et convivial, prolongée par une terrasse en été. Très sympa.

◢ |●| **The Cafe & Restaurant at St Paul's** : *au sous-sol, dans la crypte (accès sur le flanc de la cathédrale).* ☎ 020-7248-2469. *Au café, snacks (lun-sam 9h-17h, dim 10h-16h) env 5-10 £. Menus au resto (tlj 12h-15h) env 22-26 £. Afternoon tea (lun-sam 15h-16h30, résa conseillée) 16-22 £.* Un autre cadre agréable de crypte, dans la cathédrale St Paul, avec un vaste café avec ses plafonds voûtés et son mobilier clair. La cuisine y est savoureuse : gâteaux maison, sandwichs, soupes du jour... Intéressant buffet de salades, quiches et fromages locaux. Le resto permet aussi de goûter une cuisine anglaise de saison, plus onéreuse, dans une atmosphère plus recueillie, très propice à l'*afternoon tea*.

Prix moyens (20-30 £ / 26-39 €)

|●| **Loch Fyne** *(plan d'ensemble, I3, 382)* : 77-78 Gracechurch St, EC3V 0AS. ☎ 020-7929-8380.

Ⓜ *Mansion House ou Monument. À la lisière du superbe passage victorien, derrière la Lloyd's. Accès également par le Bull Head Passage. Lun-ven slt, 8h-22h. Menus env 12-15 £ (après 15h), plats env 12-24 £.* Intérieur chaleureux pour ce resto consacré aux poissons et aux fruits de mer. Cadre de bois clair, éclairages mesurés. Au choix, tables hautes et comptoir ou longues banquettes de moleskine. Étalage à la vue des convives, où tout est frais, en provenance directe des élevages et fumoirs de la maison. Ambiance aussi animée que dans un aquarium, entre un service frétillant (mais qui pêche parfois pour l'attente) et une clientèle de *brokers* tout en verve. Avantageux menus 2 ou 3 plats et des vins au verre aux tarifs raisonnables.

Ⅰ●Ⅰ *The George & Vulture (plan d'ensemble, I3, 226) :* 3 Castel Court, St Michael's Alley, EC3V 9DL. ☎ 020-7626-9710. Ⓜ *Bank. Dans une ruelle tellement petite qu'elle n'est inscrite sur aucun plan ! Du métro, prendre Cornhill, puis tourner à droite dans Birchin Lane, puis s'engouffrer dans Bengal Court sur la gauche et encore à gauche sous le porche. Lun-ven 12h-16h. Plats env 12-18 £.* La maison existe depuis 900 ans environ, mais le resto tel qu'on le voit date du XVIIe s. Autant dire qu'il s'agit d'une institution, fréquentée surtout par ces messieurs de la City, et Charles Dickens à une autre époque. Murs patinés, box en bois, belle cheminée. À la carte, rien de gastronomique, mais des spécialités 100 % *British*, simples, rustiques et servies uniquement le midi : *steak and kidney pie, bread pudding...* Un nouveau chef vient d'arriver, il semble que la cuisine devrait évoluer vers plus d'originalité !

Ⅰ●Ⅰ *Sweetings (plan d'ensemble, I3, 264) :* 39 Queen Victoria St, EC4N 4SF. ☎ 020-7248-3062. Ⓜ *Mansion House. Lun-ven 11h30-15h (dernière commande). Plats env 15-35 £.* Plus *British*, introuvable ! Une véritable institution. Chaque midi, environ 200 costumes gris finement rayés et le même nombre de cravates voyantes, alignés sur de hauts tabourets ou accoudés aux tables communes, dégustent les spécialités de poisson, sans sophistication mais délicieuses, de chez *Sweetings*. Et ça dure depuis près de 130 ans ! La sole de Douvres est un must (pas donné, bien sûr !). *Fish & chips* et haddock encore abordables, crumbles et puddings comptent parmi les autres gloires de la maison. Un seul regret : ici, on ne prend pas de résa, et comme les habitués sont légion...

Ⅰ●Ⅰ *Bread Street Kitchen (plan d'ensemble, I3, 333) :* 10 Bread St, EC4M 9AB. ☎ 020-3030-4050. ● *reservations@breadstreetkitchen. com* ● Ⓜ *St Paul's ou Mansion House. Lun-ven 7h-23h, sam 11h-23h, dim 11h-20h. Brunch le w-e env 9,50-18 £. Bar jusqu'à minuit sf dim. Pizzas au bar env 10-12 £. Plats env 14-35 £.* 📶 Une adresse en vogue à la City. De fait, cette création récente du célèbre chef anglais Gordon Ramsay a pas mal d'atouts. Espace impressionnant ! Au rez-de-chaussée, petit bar propice à un verre en fin de journée et de quoi se restaurer sur le pouce le long du comptoir de marbre. Un escalier et une passerelle métalliques mènent à l'immense salle de bistrot, superbe avec son carrelage à damier, ses longues banquettes dorées en arrondi, ses hauts plafonds, ses poutrelles en acier et ses grandes baies vitrées. Cuisine classique qui fait la part belle aux produits anglais. Le petit déj est d'ailleurs servi ici jusqu'à 11h (délicieux *ricotta hot cakes*). Très branché, souvent bondé... mais par conséquent bruyant.

Très chic (plus de 40 £ / 52 €)

Ⅰ●Ⅰ *Sushisamba (plan d'ensemble, J3, 377) :* Heron Tower, 110 Bishopsgate, EC2N 4AY. ☎ 020-3640-7330. ● *sushisamba.com* ● Ⓜ *Liverpool St. Tlj 11h30-0h30 (1h30 ven-sam). Lounge bar au 39e étage ouv 16h-1h. Résa très recommandée (jusqu'à 2 mois à l'avance !). Env 40-60 £ le repas (mais pour petites faims, petits plats env 11-15 £).* Cramponnez-vous, moins d'une minute dans un ascenseur extérieur suffit à vous projeter aux 38 et 39e étages d'un gratte-ciel ! Une rencontre au sommet entre le Japon et l'Amérique du Sud (Brésil et Pérou) pour ce resto détonant, offrant une vue craquante sur Londres, juste au-dessus du « petit » Gherkin. Le soir, c'est sublime depuis la salle cubique, tout en baies vitrées, ou depuis la plus haute terrasse d'Europe. À la carte, *samba rolls*, *sashimi*, et *robata* parfois intrigants... *Bœuf de Kobe* presque au prix du caviar (*rib eye* de 160 g à 144 £) ! On vous expliquera tout ça, mais attention, les prix grimpent très vite eux aussi. On peut se contenter d'aller y boire un verre.

IOI *M* et *The Raw* (plan d'ensemble, I3, *222*) : 2-3 Threadneedle Walk, 60, EC2R 8HP. ☎ 020-3327-7770. ● enqui ries@mrestaurants.co.uk ● Ⓜ Bank. Lun-ven 7h-minuit, sam 11h-minuit. Résa conseillée. Plats env 15-25 £ au Raw ; « steaks » env 20-50 £, voire 150 £ pour le bœuf de Kobe ! Au cœur de la City, un resto où les traders viennent aiguiser leurs canines. 2 restos en un, à dire vrai. *The Raw* qui, comme son nom l'indique, est dédié aux nourritures « crues » : tartares et carpaccios en tout genre, *ceviche* et *sashimi*... Et l'autre,

le *M,* qui s'adresse exclusivement aux viandards et carnivores de tout poil. Dans une chambre froide (qui évoque plutôt une vitrine de joaillier), rassissent tranquillement de sublimes pièces de viande : *Black Angus* d'Argentine, *African Tuli* du Botswana, jusqu'aux *Wagyu* et *Kobe* du Japon ! C'est bien le *M* qui a notre préférence, mais en réalité on peut mixer les menus. Cela dit, vu les prix, mieux vaut se contenter d'un (excellent) steak ! Vins au verre, eux aussi en provenance du monde entier.

IOI *Sky Garden* (plan d'ensemble, I-J3-4, *320*) : 20 Fenchurch St, EC3M 3BY. ☎ 0333-772-0020. ● restaurant@ skygarden.london ● Tlj 7h-22h30 (sam 8h-22h30, dim 11h30-16h30). Plats env 16-25 £. Résa obligatoire (au moins 3 j. avt). Imaginez 3 étages de magnifiques vues ininterrompues dans une merveilleuse lumière, au milieu d'une luxuriante végétation. Plusieurs bars, brasseries et restos pour vous retenir. Cuisine à la hauteur de ce cadre de verre et de lumière exceptionnel !

Où boire un verre ?

🍸 *The Black Friar* (plan d'ensemble, H3-4, *391*) : 174 Queen Victoria St, EC4V 4EG. ☎ 020-7236-5474. Ⓜ Blackfriars. Lun-sam 10h-23h, dim 12h-22h30. Avec un gros moine rabelaisien en guise d'enseigne, *The Black Friar* annonce la couleur : convivialité et bière bien tirée sont ici les seuls mots d'ordre ! Construit en 1905 sur le site d'un monastère dominicain. La déco incroyable n'est pas en reste, livrant une version Art nouveau amusante des

félicités monacales... le tout enrobé de dorures, moulures et autres mosaïques délicieusement kitsch. À voir autant qu'à boire.

🍸 Pour un verre dans un cadre chic ou au sommet d'un gratte-ciel, voir dans « Où manger ? Très chic » le *Sky Garden* (plan d'ensemble, I-J3-4, *320*) ; et le *Sushisamba* (plan d'ensemble, J3, *377*) : Heron Tower, 110 Bishopsgate, EC2N 4AY. Ⓜ Liverpool St.

Théâtre et concerts classiques

∞) 🎵 *Barbican Centre* (plan d'ensemble, I2-3) : Silk St, EC2Y 8DS. ☎ 020-7638-8891 ou 4141. ● barbican.org. uk ● Ⓜ Barbican ou Moorgate. Salle de concerts aussi, entre autres, du célèbre

London Symphony Orchestra. Concerts et spectacles pratiquement tous les soirs. En parallèle, programmation du *BITE (Barbican International Theatre Event)* : danse et surtout théâtre...

Marché

– *Leadenhall Market* (plan d'ensemble, I3) : l'accès principal se fait par Gracechurch St. ● leadenhallmarket. co.uk ● Ⓜ Bank ou Monument. Petites

échoppes ouvrant à des horaires différents, mais en général lun-ven 10h-17h. Ses origines remontent au XIVe s, ce qui en fait l'un des plus anciens marchés de Londres. Sublime halle dont l'architecture date de la fin du XIXe s. Fruits et légumes au détail, volaille, viande et poisson.

Galerie et musées

★★★ ♛ *Museum of London (plan d'ensemble, H3) : 150 London Wall, EC2Y 5HN. ☎ 020-7001-9844. ● museumo flondon.org.uk ● ⓜ St Paul's. Tlj 10h-18h (galeries fermées 20 mn avt). Fermé 24-26 déc. GRATUIT (expos temporaires payantes). Visite gratuite en anglais (40 mn) à 11h, 12h, 15h et 16h. Consigne gratuite. Cafétérias. Plan à dispo présentant le top 10 de la visite (en français).*

LES PREMIERS BRITANNIQUES SONT VENUS À PIED !
Aux alentours de 8 000 ans avant notre ère, l'actuelle Grande-Bretagne était encore reliée au continent. Les premiers habitants chassaient l'aurochs et taillaient le silex comme tout le monde. La formation de l'île ne se fit définitivement que 3 000 ans plus tard, empêchant ainsi toute migration. Peut-être le caractère insulaire des Britanniques s'est-il forgé à cette époque ?

Un musée incontournable, à la fois suffisamment ludique et varié pour intéresser les petits et très largement documenté pour satisfaire les grands. Il offre une vision plus didactique qu'artistique sur l'histoire de Londres, une sorte de génial résumé chronologique de la vie des Londoniens depuis plus de 10 millénaires.

– Après une entrée en matière tout en silex, bifaces et poteries avec la *période préhistorique,* place à Jules César, en 54 av. J.-C., dont le camp abrite aujourd'hui... l'aéroport d'Heathrow ! Les *salles « romaines »* s'intéressent autant à la cuisine et à la santé qu'à l'architecture et à la vie quotidienne. Pour s'en rendre compte, des intérieurs de maisons et d'ateliers ont été reconstitués en utilisant les nombreux objets d'époque découverts lors des fouilles, dont de très beaux outils, des vêtements (comme un bikini !), ou la très belle mosaïque de Bucklers Bury, mise au jour en 1880 près de Victoria Station.

Également une vitrine consacrée aux sculptures du *temple de Mithra* (découvert à Londres en 1954) ou une évocation du premier Grand Incendie en l'an 60 de notre ère (70 000 morts, à la suite des raids de la reine Boadicea, rebelle aux Romains). En passant, ne pas manquer de jeter un coup d'œil sur un pan de remparts d'époque visible à travers de larges fenêtres.

– Les sections suivantes s'intéressent à la *période de transition* entre la fin de l'époque romaine (datée vers 410) et l'aube de l'ère médiévale, marquée par l'arrivée des Saxons. Voici Lundenvic, « le port de Londres ». Période trouble, violente, hantée par les raids des Vikings, comme en attestent les nombreuses armes retrouvées dans la Tamise.

– On entre ensuite de plain-pied dans le *monde médiéval* avec l'arrivée aux affaires des Normands, et toutes sortes de joyeusetés comme la Grande Peste de 1348 (40 000 morts en 18 mois) ou celle de 1665, encore plus terrible (100 000 morts en 7 mois, soit 1/5e de la population). Maquette de la première *St Paul's Cathedral.*

Le *Grand Incendie* de 1666 (un an après la Grande Peste) qui réduisit en cendres les quatre cinquièmes de la ville, en 5 jours, modifia, on s'en doute, considérablement le visage de Londres. 13 200 maisons brûlées, 100 000 sans-abri (et seulement 6 morts !). Des toiles apocalyptiques et une vidéo permettent d'imaginer quel impressionnant bûcher ça a été !

– Les galeries suivantes relatent l'expansion de la ville et ses profondes mutations *de 1666 à nos jours.* Tout est passé en revue (l'industrialisation, l'évolution du mode de vie), avec force détails et une mise en scène moderne et interactive. Voir les joyeux jardins de plaisance du XVIIIe s. Heureusement pour Lady Ann Fans-hawe et sa robe en fils d'argent (aussi somptueuse qu'encombrante), le métro n'apparut qu'au XIXe s (le premier réseau au monde qui affichait 150 ans en 2013). Ne pas manquer non plus le superbe **Victorian Walk,** une rue typique entièrement reconstituée avec ses échoppes pittoresques et les mosaïques de James Powell (Ève flanquée d'un tigre et d'un paon), ou la section *Changing London,* qui passe en revue les dates clés : le premier escalator en 1898, les premiers Jeux olympiques de Londres en 1908 (déjà !), le Great Smog de 1952 (plusieurs dizaines de milliers de morts), l'invention de la minijupe par Mary Quant en 1955, l'arrivée de l'Eurostar en 1994, la construction du *Queen Elisabeth Olympic Park* pour les J.O. de 2012, etc.

Avant de partir, petit détour obligatoire pour admirer le **carrosse du maire de la City,** chef-d'œuvre de l'art rococo, en total contraste avec le Londres du XXIe s qui compte 50 communautés de plus de 10 000 personnes, où 300 langues sont parlées et 14 religions pratiquées !

🗡 **Barbican Centre** *(plan d'ensemble, I2-3) :* Silk St, au nord de Holborn et de la City. Lun-sam 9h-23h, dim à partir de 11h. ● barbican.org.uk ● Ⓜ Barbican. Ce vaste centre multiculturel affiche un visage résolument « brutaliste ». Le béton grisâtre et la brique sont laissés nus, ce qui donne cette impression d'inachevé un peu morose. Les Londoniens l'ont surnommé « la brosse à dents » ! Le *Barbican Centre* abrite une bibliothèque, une galerie d'art avec d'intéressantes expositions temporaires, un ciné, plusieurs bars-restos ainsi que d'insolites jardins suspendus. C'est aussi le temple de la musique classique avec, entre autres, les concerts du London Symphony Orchestra (voir « Théâtre et concerts classiques »).

🗡 **Twinings Museum** *(plan d'ensemble, G3) :* 216 Strand, WC2R 1AP. ☎ 020-7353-3511. ● twinings.co.uk ● Ⓜ Temple. Lun-ven 9h30-19h30, sam 10h-17h, dim 10h30-16h30. GRATUIT. Musée, c'est un grand mot. L'expo se résume à quelques panneaux maigrichons disposés à côté de l'espace de dégustation. Décevant. En revanche, la boutique de Thomas Twinings, qui figure parmi les premiers importateurs de feuilles de thé vers l'Angleterre depuis 1706, mérite une halte.

> **TIP FOR TEA**
>
> *On trouve dans le musée Twinings une drôle de boîte en bois, sorte de tirelire où sont inscrites les lettres TIP, pour* To Insure Promptness, *ce qui signifie « Garantir un service rapide » (aujourd'hui on dirait* ensure*). Les clients glissaient une petite pièce dans cette tirelire TIP pour remercier les employés. Le mot* tip *est entré dans le langage courant pour signifier... « pourboire ».*

Elle est installée depuis 1717 au même endroit, et Jane Austen s'y fournissait déjà. L'occasion de goûter et d'acheter plus de 200 thés différents (au sachet ou en vrac).

Monuments et balades

🗡 **Inns of Court** *(plan d'ensemble, F-G3) :* à la lisière de la City, un quartier très secret, réservé aux juristes ! Pour y aller, métro jusqu'à la station Temple. Les Inns of Court sont les quatre collèges d'avocats de Londres, établis depuis le XVIe s dans le quartier compris entre Holborn et Temple.

Les Inns of Court forment un micro-arrondissement indépendant, fonctionnant en circuit fermé. Ici vivent, étudient et plaident les avocats londoniens, qui trouvent sur place tout ce dont ils ont besoin : hébergement, centres d'étude, clubs privés et, bien sûr, pubs. D'ailleurs, *inns* signifie « auberges ». Ils ont leurs rites, leur langage, leur code vestimentaire, leur hiérarchie et leur règlement intérieur. Ainsi, tout le quartier des Inns est bouclé la nuit (à partir de 19h) !

Si **Lincoln's Inn** et **Gray's Inn** (vers Chancery Lane, *plan d'ensemble, G3*) méritent largement une visite pour leur enchevêtrement de bâtiments séculaires et de beaux jardins, le quartier de **Temple,** siège des deux dernières écoles, est sans doute le plus emblématique. On y accède par Fleet Street (au n° 16 ; *plan d'ensemble, G3*) ou, depuis le métro Temple *(plan d'ensemble, G4)*, remonter vers Blackfriars en longeant la Tamise et emprunter la petite ruelle qui grimpe sur la gauche (Middle Temple Lane).

La visite de ce lieu hors du temps est des plus intéressante, ne serait-ce que pour le charme du quartier bourré de ruelles soignées, de passages pittoresques, de jolis jardins, de vieilles cours et de bâtiments anciens. Les visiteurs sont les bienvenus, excepté en période d'examens.

Toutefois, la tranquillité légendaire des Inns est sérieusement mise à mal depuis le succès planétaire du *Da Vinci Code*. Car c'est au cœur de Temple qu'est dissimulée la désormais célèbre **Temple Church** *(plan d'ensemble, G3)*, accessible par Middle Temple Lane, depuis Fleet Street ! Pistant les traces des héros de Dan Brown et Ron Howard, de nombreux touristes auscultent les murs de la chapelle primitive du XIIe s, au plan circulaire caractéristique de l'ordre des Templiers, avant de s'engager dans la rotonde pour détailler les gisants. Le chœur à chevet plat est un ajout du XIIIe s, copieusement remanié au XIXe s. Le succès est tel que l'accès est désormais restreint et payant *(ouv lun-ven 11h-16h, slt 14h-16h jeu ; 4 £, gratuit moins de 18 ans).* Une publicité dont les juristes fréquentant les Inns se seraient probablement bien passés.

Moins populaire mais d'un intérêt historique notable, le beau bâtiment **Middle Temple Hall** (sur Middle Temple Lane) est célèbre pour sa salle Tudor, où Shakespeare fit jouer l'une de ses pièces.

🎭 **Royal Courts of Justice** *(plan d'ensemble, G3) :* Strand, WC2A 2LL (angle de Bell Yard). ☎ 020-7947-6000. Ⓜ Temple. Lun-ven 10h-16h30. Fermé le w-e. Visites guidées payantes (en anglais, ☎ 020-7947-7684 ; • rejtours@talktalk.net •). Brochure (en anglais) disponible à l'accueil. Inauguré en 1882 par la reine Victoria, un imposant ensemble de style néogothique, comprenant près de 1 000 pièces et 5 km de couloirs ! Passé le dispositif de sécurité, on peut jeter un coup d'œil à l'impressionnant hall de la Cour de justice, vaste comme une nef de cathédrale, et observer un procès civil depuis la galerie publique – sauf si la mention *private* est indiquée (plusieurs salles d'audience, emprunter les escaliers sur la gauche ou la droite). Amusant à voir, avec juges et avocats portant perruque. À noter qu'il n'y a pas de procès en août et septembre. Sinon, petite exposition à l'étage offrant un résumé de l'histoire du costume légal (perruques, capelines et tout le tremblement) qui n'a guère changé depuis ses origines.

🎭 **St Paul's Cathedral** *(plan d'ensemble, H3) :* Ludgate Hill, EC4. ☎ 020-7246-8357. • stpauls.co.uk • Ⓜ St Paul's. Tlj sf dim 8h30-16h (galeries à 9h30). Fermé 25 déc. Billet unique pour la totalité de la visite : 18 £ ; réduc. Possibilité de résa en ligne (réduc). Visites guidées (en anglais) à 10h, 11h, 13h et 14h, et audioguide multimédia en français, ts 2 inclus dans le prix. À l'époque romaine, un temple consacré à la déesse de la Chasse avait été construit à cet endroit. Du temps des Saxons, en 604, on y éleva une cathédrale

HÉROS ORDINAIRES

Entre St Paul's Cathedral et le Museum of London, un petit espace vert nommé Postman's Park a été aménagé en 1880. On y accède par Aldersgate ou Kind Edward St. Il abrite un curieux mémorial consacré aux héros... méconnus. Un mur couvert de plaques en céramique, qui rend hommage à ces anonymes qui ont donné leur vie pour en sauver une autre, lors d'un incendie, d'une noyade, ou même pour protéger un enfant d'un cheval qui s'était emballé. La plus récente date de 2009.

de bois dédiée à saint Paul. L'église fut incendiée et reconstruite plusieurs fois. Après un dernier désastre en 1087, les Normands entreprirent la construction d'une cathédrale en pierre, de style romano-gothique, qui dépassait largement en taille l'actuelle. Elle devint l'un des hauts lieux de la chrétienté. On venait de loin pour se recueillir ici, mais également pour voir la flèche la plus haute jamais construite à cette époque. En 1666, le Grand Incendie détruisit totalement l'édifice. On confia à Christopher Wren le soin de reconstruire la cathédrale : Saint Paul's représente l'apogée du savoir-faire de l'architecte. Faute de place à Westminster, c'est ici que se marièrent Charles et Diana en 1981.

On entre par le grand escalier de la façade ouest. Le portique, formé de colonnes corinthiennes géminées, est surmonté d'un tympan représentant la conversion de saint Paul.

Arrêtez-vous sous la coupole pour admirer le chœur. L'ensemble, avec les mosaïques, les stalles en chêne, le buffet d'orgue, le maître-autel à baldaquin (1958) et les grilles ouvragées, donne une impression de richesse pas forcément du meilleur goût. Derrière l'autel, la chapelle du Mémorial rend hommage aux 28 000 soldats américains qui étaient basés en Angleterre, morts durant la Seconde Guerre mondiale. Au bout du transept nord, superbes fonts baptismaux en marbre jaune du XVIIIe s.

Dans la **crypte** – la plus grande d'Europe –, 300 tombes et mémoriaux parmi lesquels ceux de l'amiral Nelson, du duc de Wellington, de Turner, Henry Moore, Lawrence d'Arabie, Christopher Wren, Churchill, etc. On trouve également un resto dans une belle salle voûtée (accès libre par l'extérieur, sur le flanc gauche). Maquettes de l'actuel édifice et de l'ancienne cathédrale du XIIe s. Elle était beaucoup plus belle, mais on ne va pas le dire trop fort.

Enfin, si vous êtes en forme, ne manquez pas de grimper au sommet du dôme. Il n'y a que 528 marches pour arriver jusqu'en haut, d'où la vue sur la City, par beau temps, est superbe. Trois niveaux en tout. Pour les moins sportifs, on peut déjà atteindre la **Whispering Gallery** en grimpant seulement 257 marches. Les plus valeureux poursuivront l'ascension jusqu'au **Stone Dome,** avant de grimper encore (escaliers en bois assez vertigineux) jusqu'au **Golden Dome,** tout en haut !

– À droite, en sortant de St Paul, **The Temple Bar** (une arche avec portails en bois) est le seul vestige de la muraille qui autrefois enserrait la cité. Maintes fois détruite, toujours reconstruite. Celle-ci fut commandée par Charles II à l'architecte Wren. Démontée pierre par pierre en 1870, elle ne fut remontée qu'en 2004 ! Elle symbolise de nouveau la limite entre Westminster et la City...

🏛 **Bank of England** (plan d'ensemble, I3) : *Threadneedle St, EC2R 8AH.* ☎ 020-7601-5545. ● *bankofengland.co.uk/museum* ● Ⓜ *Bank.* Les murs d'enceinte de 10 m de haut, équipés de caméras, signalent tout de suite la Banque d'Angleterre, dont les sous-sols regorgent d'or. Il fallut 45 ans (!) à son architecte, John Soane, pour achever les travaux. Pour ceux de nos lecteurs que les mécanismes bancaires passionnent, on trouve un musée sur le côté droit de l'édifice *(Bartholomew Lane ; lun-ven 10h-17h ; fermé j. fériés. GRATUIT).* Il présente un historique bien ficelé de la Banque d'Angleterre. Cadre somptueux.

🏛 **Royal Exchange** (plan d'ensemble, I3) : *face à la banque.* Beau bâtiment aux colonnes corinthiennes, inauguré au XIXe s. Cette Bourse royale de commerce est

pourtant bien plus ancienne et participa activement à l'enrichissement de la ville, à travers toutes sortes de transactions. Remarquez la sauterelle géante qui surmonte l'édifice. C'était l'emblème du fondateur des lieux, conseiller commercial de la Couronne, qui n'a pas hésité, selon la légende, à distribuer des lingots aux ouvriers pour que les travaux soient exécutés à temps ! La Bourse royale, supplantée par le Stock Exchange, s'est reconvertie dans les assurances.
Des expositions temporaires y ont lieu, ce qui permet d'admirer les vestiges du bâtiment antérieur (du XVIe s), dont une jolie cour où l'on peut boire un verre.

🎭 **Stock Exchange** (plan d'ensemble, H3) **:** 10 Paternoster Sq, à côté de St Paul's Cathedral. Ⓜ St Paul's. Ne se visite pas. C'est la Bourse de Londres : on y échange plus de titres qu'à Wall Street. Les milliards y sont toujours brassés mais dans une atmosphère plus morose que jadis !

🎭 **Lloyd's Building** (plan d'ensemble, I-J3) **:** Lime St, accès par Leadenhall St. Ⓜ Bank ou Monument. Ne se visite pas. Le groupement d'assurances le plus important au monde. On remarque tout de suite cette immense structure de verre et d'aluminium, qui fit hurler plus d'un conservateur de la City lors de sa construction. Ce bâtiment moderne est dû à Richard Rogers, l'un des deux architectes de Beaubourg, à Paris, et il y a, en effet, une ressemblance frappante. Le nom Lloyd's vient d'un

> ## SINISTRE CLOCHE
>
> La Lloyd's prend en charge tous les types d'assurances possibles : aussi bien les bugs informatiques, les jambes d'une danseuse, le World Trade Center en 2001 ou le temps qu'il fera à votre mariage. Le tintement fatidique d'une cloche, installée dans le hall principal, signalait jusqu'à récemment les naufrages. Et ces mauvaises nouvelles sont toujours aussitôt inscrites sur le « livre des sinistres », à la plume d'oie...

aubergiste du XVIIe s, chez qui se réunissaient armateurs et assureurs. D'ailleurs, ce bonhomme, qui s'appelait Edward Lloyd, fit bien des métiers mais ne fut jamais lui-même assureur...
À voir la nuit, illuminé de bleu. Le carrefour est un lieu hautement stratégique pour les amateurs d'architecture et de contrastes urbanistiques. Imaginez : d'un côté, la Lloyd's ; en face, le fameux Gherkin, au milieu, plantée fièrement comme un vestige du Grand Incendie, une vieille église gothique et, tout proche, le Leadenhall Market, datant du XIXe s...

🎭 **The Monument** (plan d'ensemble, I4) **:** Monument St. ☎ 020-7626-2717. ● themonument.info ● Ⓜ Monument. Juste à la sortie du métro. Tlj 9h30-18h (17h30 oct-mars) ; dernière admission 30 mn avt. Fermé 1er janv et 24-26 déc. Entrée : 4 £ ; réduc. Billet combiné possible avec Tower Bridge Exhibition. Colonne romaine de style dorique d'une soixantaine de mètres de haut, élevée par Christopher Wren pour fêter la fin du Grand Incendie (1666). Celui-ci se déclencha tout près d'ici, dans une boulangerie de... Pudding Lane (ça ne s'invente pas !). Les 61 m de hauteur correspondent à la distance entre le point de départ du feu (la boulangerie) et la colonne. En 1842, on ajouta au sommet une cage, car trop de gens l'utilisaient pour se suicider ! Possibilité de grimper au sommet où trône une urne de feu en bronze doré. Du haut des 311 marches, très beau panorama sur la Tamise et la Tower of London.

◎ 🎭🎭🎭 👣 **Tower of London** (plan d'ensemble, J4) **:** Tower Hill, EC3 N4AB. ☎ 0844-482-7777. ● hrp.org.uk/toweroflondon ● Ⓜ Tower Hill. Arrêt navette fluviale : Tower Pier. Mars-oct, mar-sam 9h-17h30, dim-lun 10h-17h30 ; nov-fév, mar-sam 9h-16h30, dim-lun 10h-16h30. Dernière admission 30 mn avt fermeture (prévoir min 2h de visite !). Fermé 1er janv et 24-26 déc. Entrée : 25 £ ; réduc, notamment en ligne. Guide officiel en français à la boutique, audioguides en français (4 £), et visites guidées gratuites (1h) en anglais ttes les 30 mn (dernier départ *à 15h30 l'été, 14h30 l'hiver). Visites nocturnes (« twilight tours » ; 1h30 ; env 25 £) à réserver sur le site ou par tél.*

Vraiment très cher... et pourtant, il y a toujours 2h de queue en août ! Ceux qui ne chavirent pas d'émotion devant les joyaux de la Couronne et n'ont aucune sensibilité médiévale peuvent toujours se contenter des superbes extérieurs, très photogéniques avec leur restauration victorienne à la « Walter Scott ». En famille, en revanche, la visite prend une tout autre dimension, car elle plaira à coup sûr aux enfants (et il existe un forfait famille assez attractif).

Ensemble fortifié très vaste, dont le cœur (la tour Blanche) a été construit dès la fin du XIe s par Guillaume le Conquérant à la suite de la bataille d'Hastings,

WHO'S WHO MACABRE

Au rang des célèbres prisonniers de la Tour de Londres, on compte les Bourgeois de Calais, le roi de France Jean II le Bon, et même Rudolf Hess, le comparse de Hitler, avant d'être jugé au procès de Nuremberg. Les deux femmes adultères d'Henri VIII, Ann Boleyn et Catherine Howard, furent exécutées dans la cour intérieure. Quant à Lady Jane Grey, reine pendant 9 jours à l'âge de 15 ans, elle ne connut pas un sort plus enviable. Vous marcherez sur les pas de Dickens qui, toute sa vie, fut obsédé par le souvenir de son père faisant de la prison pour dettes.

pour servir de palais royal et défendre la ville. Aux XIIIe et XIVe s ont été ajoutés deux enceintes concentriques, des bastions et des fossés pour en faire une forteresse imprenable. Tour à tour résidence royale, atelier de frappe pour la monnaie, ménagerie, observatoire et chambre du Trésor, c'est surtout comme lieu d'exécution pour les têtes couronnées et comme prison d'État que la « Tour sanglante » a acquis sa triste réputation. Les opposants à la royauté, quels qu'ils soient, y étaient incarcérés.

Aujourd'hui, on n'enferme plus et on n'exécute plus (le dernier prisonnier exécuté fut l'espion allemand Josef Jakobs, en 1941), mais les hallebardiers de la garde, les *Yeomen warders* (*the « Beefeaters »* ou buffetiers, autrement dit les gardiens du Buffet royal), sont toujours là. Un seul événement est venu troubler

THE BEEFEATERS

The Beefeaters, *ce sont les « mangeurs de viande ». Car les gardiens de la Tour étaient nourris de viande par le roi. Un privilège inouï au Moyen Âge. En échange, ces hommes protégeaient les biens de la couronne.*

leurs habitudes, ô combien réglées, à savoir l'arrivée dans leurs rangs d'une femme en 2007 ! Ils semblent participer à un jeu de rôles lorsqu'ils procèdent à la cérémonie des clés, tradition nocturne où les portes de la tour sont fermées précisément à 21h53. Aucun événement, aucune catastrophe n'a jamais pu empêcher son déroulement. Et cela dure depuis sept siècles ! Malheureusement, il faut écrire (longtemps à l'avance) pour y assister (gratuitement !). *God save the Queen !*

Par ici la visite

Au-delà des douves, on entre dans la cour extérieure par la tour du Mot-de-Passe **(Byward Tower).** Aussitôt à gauche, une première exposition retrace l'histoire de la frappe de la monnaie au château (on apprend notamment que c'est Isaac Newton *himself* qui fut chargé de calculer les méthodes les plus efficaces de production !). En face, dans la tour de la Cloche **(Bell Tower),** « Bloody Mary » fit enfermer sa demi-sœur Elizabeth, future reine d'Angleterre. Plus loin, à droite, la très large porte des Traîtres **(Traitors' Gate),** donnant sur la Tamise, servait à débarquer les prisonniers qui venaient d'être condamnés à Westminster. Passez en face sous la Tour sanglante **(Bloody Tower)** et sa salle des tortures pour entrer dans la cour intérieure. Son surnom est lié à un événement macabre de la monarchie anglaise : les enfants d'Édouard IV y furent, selon la légende, exécutés en secret sur ordre de leur oncle, le futur roi Richard III, afin d'assurer son accession au trône. Un jeu non moins macabre attend les visiteurs dans l'une des salles : après avoir soigneusement étudié les faits de l'époque, chacun est invité à voter pour désigner le véritable assassin.

Les joyaux de la Couronne

Au sous-sol du bâtiment Waterloo, là où les gens font la queue et se font photographier à côté du garde imperturbable. Il faut dire qu'ils sont nombreux, tous ceux qui viennent s'extasier devant ce trésor inestimable. Pas mal de bijoux de procession, pour le couronnement notamment, ou d'ornement, tout simplement, et de la vaisselle, bien pompeuse.

Un film rappelle que le couronnement d'Elizabeth II, en 1953, fut le premier de l'histoire retransmis à la télévision. Que de chemin parcouru depuis le premier couronnement, celui de Harold II, en 1066 ! Puis, au son de « *God Save the Queen* » de Purcell, on arrive aux plus beaux bijoux, après avoir franchi des portes de 2 tonnes : les couronnes. Pour écouler le flux de visiteurs, il a fallu installer un tapis roulant (estampillé du sceau de la reine !), limitant à quelques secondes le passage devant ces joyaux. Qu'on se rassure, des vidéos permettent, dans les salles précédentes, de les observer en détail, et vous pouvez toujours vous hisser jusqu'à la rampe supérieure, d'où l'on voit aussi bien. Ces joyaux ne sont pas antérieurs au milieu du XVIIe s, car, à la suite de l'exécution de Charles Ier et de l'instauration de la république en 1649, Cromwell décida de vendre les bijoux royaux. Parmi les objets les plus insolents, le sceptre royal de 1661 surmonté de l'*Étoile d'Afrique,* le plus gros diamant du monde (530 carats), un autre diamant stupéfiant rapporté du Penjab à la reine Victoria lors des conquêtes britanniques et, surtout, la fameuse couronne d'État en or massif (2,230 kg), éclairée par le rubis du Prince Noir et la deuxième *Étoile d'Afrique*. Très kitsch tout de même... Ces joyaux sont encore utilisés dans la vie « courante » de la famille royale, c'est pourquoi on peut voir de temps à autre des étiquettes « *in use* ».

La tour Blanche (White Tower)

Donjon carré très massif trônant au milieu de la cour intérieure. Cette architecture militaire normande réduite à sa plus simple expression est la partie la plus ancienne de la forteresse (XIe-XIIe s). Ce fut la résidence de Guillaume le Conquérant, avant de servir de prison. Magnifique *chapelle de Saint-Jean,* émouvante de simplicité, la plus ancienne de Londres. Une nef et un déambulatoire, surmontés de tribunes et d'une simple voûte en berceau, incarnent la pureté du début de l'art roman. Surtout, très belle collection d'armes, de canons et d'armures, dont l'impressionnante armure de Charles Ier, recouverte d'or ciselé. Admirer également *the line of Kings,* une galerie de rois en armure sur leurs chevaux (fabriqués avec des tonneaux !), le tout datant de 1660 (pour le couronnement de Charles II). Sur la trentaine d'origine, une douzaine de montures ont survécu.

Le palais médiéval et South Walk

Reconstitution de quelques salles pour revivre l'époque d'Édouard Ier et son père Henri III, au XIIIe s. C'était à la fois une résidence royale de luxe et une forteresse militaire. Notez la réplique du trône, de la chapelle de poche et de son lit *king size* ! Pouvait inviter pas mal de monde dans sa couche... Pourtant, Édouard Ier, toujours en déplacement, ne séjourna guère plus de 53 nuits au château pendant son règne !

ATTENTION, CORBEAUX DE GARDE !

Des corbeaux, de bon augure pour une fois, veillent sur les vieilles pierres. On dit que le royaume s'effondrera lorsqu'ils quitteront la tour. D'ailleurs, un décret royal de 1662 (!) fixe à six minimum le nombre de ces corbeaux. Pour éviter le pire, on les gave de nourriture... et on leur rogne le bout des ailes. Belles bêtes !

Le musée des Fusiliers royaux

Pour les fans du service militaire et des uniformes. Petit musée à la gloire du premier régiment de fusiliers royaux, évoquant toutes les campagnes, batailles et guerres, de Napoléon jusqu'à l'Irak, en passant par la Crimée ou l'Irlande du Nord. Bof !

La tour Beauchamp
Elle abrita de nombreux prisonniers. Amusez-vous à déchiffrer leurs graffitis gravés sur les murs au 1er étage. Un de nos compatriotes enfermé ici en 1571, Charles Bailly, fut particulièrement prolixe. Sur le *Tower green,* juste devant, furent exécutés trois reines, deux lords et deux ladies. Quant à la chapelle, on n'y accède qu'en suivant une visite guidée.

Les nouvelles armureries
Pour faire le plein de munitions... caloriques ! Ce beau bâtiment de brique abrite un café agréable.

À TABLE !

On savait vivre à la cour d'Édouard 1er. Pour satisfaire l'appétit féroce de ses 700 membres, les intendants devaient renouveler tous les 6 mois un stock de 1 500 bovins, 3 000 moutons et 1 200 cochons ! Quant à la bibine, pour le seul Noël de 1286, la commande s'éleva à 12 000 litres !

✕✕ **Tower Bridge** *(plan d'ensemble, J4) :* avec Big Ben, l'une des cartes postales les plus envoyées de Londres. Édifié en 1894 dans le style néogothique cher à la reine Victoria, ce pont servit à désengorger le trafic du London Bridge et à favoriser le développement de la capitale vers l'est. Avec un peu de chance, vous verrez la chaussée se lever en quelques secondes pour laisser passer un gros navire : environ 1 000 fois par an ; les horaires sont annoncés sur Internet. Au milieu des années 1970, un système de levage électrique a remplacé l'ancien système à vapeur, mais, bien sûr, on n'a pas touché à l'architecture d'origine du pont le plus célèbre du monde.

✕ **Tower Bridge Exhibition** *(plan d'ensemble, J4) :* ☎ 020-7403-3761. ● *tower bridge.org.uk* ● Ⓜ *Tower Hill. Entrée côté rive sud. Avr-sept, tlj 10h-18h30 ; oct-mars, 9h30-18h. Dernière admission 1h avt. Fermé 24-26 déc. Entrée : 9 £ ; réduc (notamment sur Internet) et forfait famille ; gratuit moins de 5 ans. Possibilité de billet combiné avec The Monument.* La visite donne accès à la passerelle qui permettait autrefois aux piétons de passer la Tamise pendant les incessantes manœuvres du pont. Quelques belles photos en noir et blanc retracent l'histoire de la construction du pont. On termine sur la rive nord, par la salle des machines. Vu le prix, la visite ne s'impose pas. D'autant que la traversée par la chaussée offre déjà de bons points de vue.

L'EAST END

Quel contraste entre la City, toute proche, et les quartiers populaires de l'East End, longtemps pauvres et cosmopolites, grouillants et colorés, héritiers directs des banlieues industrielles typiques du XIXe s britannique... Ces secteurs désormais très à la mode attirent les jeunes artistes, bobos, hipsters et alternatifs de tout poil, et voient fleurir chaque jour de nouvelles adresses branchées. L'East End a su toutefois conserver un charme qui lui est propre, mélange de dérive urbaine et de poésie prolétarienne. Un aspect authentique mêlé de culture moderne, accentué par ces innombrables graffs et collages qui ornent les murs du quartier, particulièrement photogéniques. Une balade à Spitalfields et Brick Lane est désormais un must, en particulier le dimanche, pour le marché aux puces toujours aussi populaire, l'occasion de faire de bonnes affaires dans un joyeux bain de foule.

D'autres coins, comme Hoxton et Hackney, plus au nord, accueillent une population encore plus mode ou bobo, notamment du côté du Regent's Canal. À l'Est, du nouveau et un changement radical de cap, depuis la construction du parc olympique, du côté de Stratford, dans l'espoir de booster ce *far* East End. Pour l'heure, passé l'euphorie de l'été 2012, cette zone moderne et sans vraiment d'âme peine à trouver un second souffle...

UN PEU D'HISTOIRE

Après le Grand Incendie de 1666, c'est ici que les plus démunis vinrent s'établir, attirés par les offres d'emploi des docks. Ils furent rejoints par des huguenots français victimes des persécutions religieuses, puis, au XVIIIe s, par des milliers d'émigrés écossais, gallois et irlandais. Devant l'afflux croissant de réfugiés, la demande de main-d'œuvre dans le port et les usines de textile cessa brutalement, entraînant un chômage puis une misère tels que l'East End acquit une réputation de quartier insalubre.

GIN MADNESS

Au XVIIIe s, l'essor des distilleries londoniennes favorisa l'alcoolisme. Ce que l'on appela par la suite la « folie du gin » entraîna l'East End dans la délinquance et le délitement des mœurs. Normal : tout le monde s'était mis à vendre des bouteilles, encouragé par les fabricants ! Une législation (votée en 1751) sur les alcools ramena un semblant d'ordre.

À la fin du XIXe s, l'East End voit arriver les juifs fuyant les pogroms russes. Grâce à la politisation des masses (Marx et Engels ont trouvé beaucoup d'écho dans le quartier), les prolétaires de l'East End découvrent la solidarité. Des millionnaires anglais, surtout influencés par Dickens, construisent des foyers ouvriers et lancent des projets ambitieux pour embellir les rues. Depuis, l'East End s'est bien assagi, mais il n'est pourtant pas figé. Chacun de ses îlots conserve une certaine cohérence ethnique, tout en continuant à établir une grande tradition d'hospitalité et de tolérance... Anciennement industriels et ouvriers, ces quartiers se transforment aujourd'hui sous la patte des agents immobiliers et des promoteurs. Les classes laborieuses cèdent peu à peu la place à des gens en quête de nouveaux territoires, des artistes en premier lieu. La réhabilitation des usines et des entrepôts accompagne ces mutations sociales, comme en témoigne la reconversion de l'ancienne *Truman Brewery* en bars et boîtes à la mode dans Brick Lane. Dans ce quartier justement, la communauté indienne, présente depuis longtemps, continue de tenir de nombreux restaurants et commerces malgré la *gentrification* accélérée, renouvelant sa clientèle avec les nouveaux venus.

SPITALFIELDS, BRICK LANE ET WHITECHAPEL

Un coin de Londres qu'on adore. Vieux quartiers sentant encore bon leur XIXᵉ s ouvrier... en plein développement cependant, car les trentenaires branchés de la capitale ont investi depuis quelque temps ces rues typiques. Résultat, si on n'y vient pas vraiment pour loger, voilà un coin où ça bouge le soir : tranquille en semaine, surpeuplé et ultrafestif les soirées de week-end, on se retrouve dans des bistrots et des boîtes parmi les plus originaux de Londres.
– N'hésitez pas à consulter le site très complet sur le quartier de Brick Lane, qui recense les événements au cours de l'année : • *visitbricklane.org* •

Où dormir ?

De prix moyens à plus chic (50-120 £ / 65-156 €)

🏠 *Hub by Premier Inn Spitalfields, Brick Lane* (plan Spitalfields, Brick Lane et Shoreditch, J3, **15**) : 86 Brick Lane, E1 6RL. ☎ 033-321-3104 (centrale de résa). • *hubhotels.co.uk* • ⓜ Liverpool St Station. Doubles à partir de 76 £. *Résa conseillée (promos) sur Internet.* 📶 Le 3ᵉ établissement de cette chaîne d'hôtels design à prix démocratiques, idéalement situé au cœur de Brick Lane. On retrouve la même déco contemporaine et tous les services à dispo. Voir le texte à Covent Garden dans le chapitre « Le Centre touristique ».

🏠 *Qbic Hotel* (plan Les Docklands, A1, **12**) : 42 Adler St, E1 1EE. ☎ 020-3021-3300. • *qbichotels.com* • ⓜ Aldgate East. Doubles env 70-110 £ selon période. 📶 Tout beau, ce nouveau concept d'hôtel appelé à un très grand succès ! Environnement idéal pour qui veut résider dans l'East End (donne sur un parc). Cadre intérieur surprenant, un poil décalé, plein d'idées et de couleurs. Sculptures et « inventions » contemporaines dans le hall, chambres à l'avenant, au design tout à la fois frais et cosy, avec de super matelas *organic* et tout le confort espéré : « *rain shower* », coffre, sèche-cheveux, TV écran plat, matériel high-tech... Superbe cafétéria proposant une excellente cuisine à prix fort abordables.

Où manger ?

Les quartiers populaires de Brick Lane et Whitechapel recèlent encore nombre de restos indiens ou bengalis. Le pire y côtoie le meilleur, notamment sur Brick Lane, mais le dépaysement est assuré.

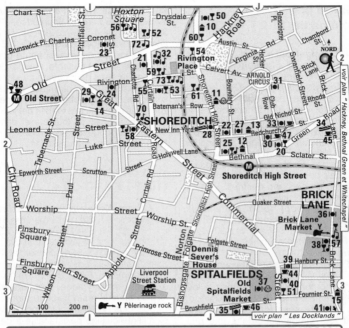

SPITALFIELDS, BRICK LANE ET SHOREDITCH

Sur le pouce
(moins de 10 £ / 13 €)

Beigel Bake *(plan Spitalfields, Brick Lane et Shoreditch, J2, 34) : 159 Brick Lane.* ☎ 020-7729-0616. Ⓜ *Shoreditch High St. Ouv 24h/24.* Cette petite boutique, une vraie légende, vous fera fondre de plaisir. Si vous dites « bagel », tout le monde vous enverra ici (il faut voir la queue le dimanche). Des bagels à emporter, bien frais (facile, vu le débit) et pour 3 fois rien. Goûter au *cream cheese* et au *salt beef bagel*. Également toutes sortes de *pies and pastries*. Et quelques délices sucrées.

I●I Pilpel *(plan Spitalfields, Brick Lane et Shoreditch, J3, 35) : 38 Brushfield St, E1 6AT.* ☎ 020-7247-0146. Ⓜ *Aldgate East ou Liverpool St. Lun-jeu 10h-21h, ven 10h-16h, dim 12h-18h. Fermé sam. Pitas env 5-6 £.* Ici, la star, c'est le falafel et les fans sont nombreux. Préparé chaque jour selon une vieille recette familiale, on le déguste sous forme de portions, ou tout simplement dans une *pita*. À moins de se composer son en-cas préféré à base de salades, houmous, guacamole ou feta. Simple, très bon et impeccable pour une pause rapide au comptoir, perché sur un tabouret haut. Ne pas manquer de goûter au *saabich* (houmous, aubergine, œuf dur, pois écrasés, taboulé et pickles).

I●I 𝕏 Pizza Union *(plan d'ensemble, J3, 265) : 25 Sandy's Row, E1 7HW.* ● *pizzaunion.com* ● Ⓜ *Liverpool St ou Aldgate East. Tlj 11h-23h. Plats 4-6,50 £.* Imbattable dans sa catégorie. Car pour une poignée de pounds, on obtient une grande pizza croustillante entièrement préparée à la commande, livrée en général en un temps record (on est appelé à tour de rôle par un *buzzer* donné à la caisse !) et au final plus que correcte. Au choix, une quinzaine de *toppings*. Beaucoup d'étudiants, d'employés et de familles ont flairé l'aubaine, et investissent sans façon les tables communes de l'immense salle à la déco industrielle brute, dont les vaste baies vitrées donnent sur Middlesex.

I●I Brick Lane Street Food *(plan Spitalfields, Brick Lane et Shoreditch, J2, 36) : Brick Lane St. Tlj 12h-15h.* Une ancienne usine (beau bâtiment de 1837 avec sa longue cheminée) abrite une foultitude d'appétissants stands de bouffe de tous les pays : cuisines éthiopienne, thaïe, birmane, srilankaise, mexicaine, vietnamienne, vénézuélienne et même des crêpes belges... Tables rugueuses à l'intérieur et dans la cour pour déguster les grosses portions pas chères. Franc succès !

Bon marché
(10-20 £ / 13-26 €)

I●I Lahore Kebab House *(plan Les Docklands, A1, 20) : 2 Umberston St, E1 1PY.* ☎ 020-7481-9737 ou 9738. Ⓜ *Aldgate East et Whitechapel. Dans une rue qui donne sur Commercial St, dans la partie sud de Whitechapel Rd. Tlj 12h-minuit. Plats 8-9 £.* Un poil excentré, mais typique. Prétend être le plus fameux resto halal du monde. Depuis plus de 40 ans, il propose une excellente cuisine pakistanaise à des prix toujours aussi modiques. Recettes du Penjab et grande variété de *nan, roti* et *paratha*. Même avec plus de 300 places sur 2 étages, vous pourrez être amené à attendre un poil, compte tenu des nombreux fans qui n'hésitent pas à faire le déplacement. Autant le savoir, extraordinairement bruyant aussi. Cuisine ouverte sur la salle, au cadre totalement neutre de cantine mais bien tenue.

I●I 𝕏 Leon *(plan Spitalfields, Brick Lane et Shoreditch, J3, 37) : 3 Crispin Pl, E1 6DW, dans le Spitalfields Market. Entrée sur Brushfield Rd ou Commercial Rd.* ☎ 020-7247-4369. ● *leon@leonrestaurant.co.uk* ● Ⓜ *Aldgate East. Tlj env 8h (9h le w-e)-22h (20h dim). Plats env 4-8 £.* Une chaîne de « fast-food naturels » ! Tonton Leon nous invite à sa table, avec ses bonnes petites recettes rapportées de voyages très méditerranéens. *Wraps*, burgers et salades sont bien faits et colorés, sans oublier les *smoothies*, fruits frais pressés aux mélanges parfois osés et les pop corn « *done properly* », le tout dans une ambiance décontractée. Terrasse vaste et déco rétro hétéroclite très sympa. Tout est fait pour manger en paix correctement ou pour déguster un *fair trade coffee*. À moins que vous ne soyez tenté par les tables de ping-pong réservées aux clients !

|●| Café 1001 (plan Spitalfields, Brick Lane et Shoreditch, J2, **38**) : *1 Dray Walk, 91 Brick Lane, E1 6QL (au niveau du pont de brique).* ☎ *020-7247-6166 et 9679.* ● *cafe1001.co.uk* ● **M** *Aldgate East. Tlj 6h-minuit (22h30 dim). Sandwichs et salades à partir de 3-4 £ et plats chauds env 4-5 £. Concerts live 10-25 £.* ☎ Un endroit un poil déjanté en plein milieu d'une ancienne brasserie. Atmosphère décontractée pendant la journée et super bon plan au petit déj ou le midi : on se sert comme à la cantine, et les plats sont d'un bon rapport qualité-prix. En revanche, changement de registre radical le soir. Entre les étudiants affalés sur les sofas de la mezzanine et ceux qui se déchaînent sur les rythmes ciselés par le DJ perché en surplomb de la salle, le *Café 1001* abandonne sa vocation de resto pour celle de bar. Concerts et *mix* (reggae, funk, techno... ils ont 1001 registres !) pratiquement chaque soir de la semaine dans le vaste *backroom*.

|●| 🏃 Poppie's (plan Spitalfields, Brick Lane et Shoreditch, J2, **39**) : *6-8 Hanbury St, E1 6QR.* ☎ *020-7247-0892 et 6172.* **M** *Liverpool St. Tlj 11h-23h (23h30 ven-sam et 22h30 dim). Fish & chips env 12 £ (moins cher à emporter). Back in the fifties,* dans cette échoppe géniale qui joue à fond la carte rétro : tables en formica, bibelots vintage, musique ad hoc, et des serveuses en tenue d'époque pour compléter la carte postale ! Ambiance garantie, d'autant que les fameux *fish & chips* sont vraiment à la hauteur, copieux, savoureux (le poisson frais est livré chaque matin), et servis dans de (fausses) feuilles de journaux pour la version à emporter ! A remporté le *National Fish & Chips Awards* en 2014. Incontestablement, notre meilleure adresse dans ce domaine. *Succursale au 30 Hawley Crescent, à Camden Town.*

|●| Canteen (plan Spitalfields, Brick Lane et Shoreditch, J3, **37**) : *2 Crispin Pl, E1 6DW, dans le Spitalfields Market.* ☎ *084-5686-1122.* ● *spitalfields@canteen.co.uk* ● **M** *Shoreditch.*

Lun-sam 8h (9h sam)-23h, dim 9h-22h. Plats env 10-16 £. Plusieurs adresses à Londres. On retrouve ici les grands classiques de la cuisine anglaise, préparés sans complication avec les produits du marché. *Sausage & mash, shepherd's pie, roast/fish of the day, welsh rarebit,* etc. Sans oublier le traditionnel *English breakfast,* servi à toute heure, quelques salades fraîches, *snacks, puddings* et autres cakes bien sucrés pour le *teatime.* Leur slogan : « *great British food !* » tient la route. La déco, quant à elle, joue plutôt dans le registre moderne scandinave, avec ses longues tables en bois clair, son mobilier design et ses baies vitrées. Grande terrasse également.

|●| St John Bread & Wine (plan Spitalfields, Brick Lane et Shoreditch, J3, **40**) : *94-96 Commercial St, E1 6LZ.* ☎ *020-7251-0848.* ● *reservations@stjohnrestaurant.com* ● **M** *Liverpool St. Ouv 9h-11h pour le petit déj, puis 12h-15h (16h le w-e) et 18h-23h (21h dim). Plats env 12-17 £.* C'est l'annexe à l'est du célèbre *St John* de Smithfield. La déco fait toujours dans le très sobre, façon cantine minimaliste, avec la boulangerie intégrée, des murs blancs et des tableaux noirs indiquant les bons p'tits vins de propriété. Bonne cuisine de brasserie un poil canaille et personnalisée, n'hésitant pas à remettre au goût du jour certains ingrédients oubliés en ou disgrâce. Une valeur sûre.

|●| Androuet (plan Spitalfields, Brick Lane et Shoreditch, J3, **37**) : *Old Spitalfields Market, 107b Commercial St, E1 6BG.* ☎ *020-7375-3168.* **M** *Liverpool St. Juste à l'entrée du marché, sur Commercial St. Tlj sf lun 12h-23h (23h30 jeu-sam et 22h30 dim). Formule déj 15 £. Sandwichs et plats env 8-20 £.* Le lieu incontournable pour un plat à base de fromage. Car vous êtes dans la partie resto d'une maison de grand renom (voir « Shopping »), qui utilise ses produits de première qualité pour élaborer raclettes, fondues, tartiflettes, soufflés, ou l'incomparable cheeseburger au saint-nectaire ou au bleu. On peut aussi se contenter d'un assortiment de fromages, ou tout simplement d'un sandwich à la raclette (seulement 4,50 £ à emporter). Vraiment bon, et servi avec le sourire par une équipe compétente en terrasse ou dans une minisalle à la déco baroque.

I●I **Hot Box** (plan Les Docklands, A1, **23**) : 46 Commercial St, E1 6LT. ☎ 020-7247-1817. ● hello@hotboxlondon. com ● Ⓜ Aldgate East. Lun-sam 18h-23h30 (1h jeu-sam), dim 11h30-17h. Considéré comme le temple londonien du BBQ. Grand espace de bois sombre, éclairages mesurés, longues tables conviviales pour de savoureuses smoked beef ou pork ribs à la cuisson idéale et aux sauces parfumées et goûteuses. Également de copieux dirty swine sandwiches, des saucisses fumées artisanales et une douzaine de bières de microbrasserie. Ne pas manquer non plus le sticky toffee pudding ! Au sous-sol, super cocktails au 46 & Mercy Bar. Seul petit bémol, le niveau sonore qui peut parfois atteindre des sommets !

I●I **Tayyab's** (plan Les Docklands, A1, **22**) : 83-89 Fieldgate St, E1 1JU. ☎ 020-7247-9543 et 6400. ● info@ tayyabs.co.uk ● Ⓜ Whitechapel. En sortant du métro, prendre à droite et tourner à gauche au niveau de l'immense cheminée de la fonderie. Tlj 12h-23h30. Plats env 7-15 £. Difficile de reconnaître le 1er café ouvert en 1972 par Mohammed Tayyab. Le restaurant, qui s'est largement agrandi avec les années, bénéficie aujourd'hui d'un cadre moderne, rythmé de toiles contemporaines et de luminaires design. On regrette cependant cette course à la branchitude : le service est désormais inégal aux heures d'affluence, et l'ambiance bruyante et affairée fait plus dans l'usine que dans le dîner romantique. Heureusement, la cuisine pakistanaise (principalement du Penjab) reste une référence, très épicée et bien maîtrisée. Spécialité de poulet ou agneau mariné et grillé. Venir de préférence en période creuse (le week-end, les files d'attente sont dantesques !) : on retrouve alors l'ancien Tayyab's, plus décontracté.

Prix moyens (20-30 £ / 26-39 €)

I●I **Chez Elles** (hors plan Spitalfields, Brick Lane et Shoreditch par J3, **41**) : 45 Brick Lane, E1 6PU. ☎ 020-7247-9699. ● chezellesbistro@gmail.com ● Ⓜ Aldgate East. Tlj sf lun. Mar-sam 12h-15h (16h30 sam), 17h30-22h30 ; dim 11h-17h. Formules express et déj 9,50-17,50 £ ; plats env 12-18 £. Bistrot coquet tenu par d'accueillantes Françaises. Déco classique de bon goût, en harmonie avec une carte aux accents d'outre-Manche : omelettes et croque-monsieur/madame, tarte feuilletée aux champignons sauvages, moules marinière, confit de canard... Le tout fort bien réalisé et savoureux. Vins au verre bien choisis. Le dimanche (jour du marché), petit déj et brunch toute la journée. Dans ce quartier essentiellement indien, une adresse qui dénote et où il est bien agréable, après les puces, de venir se requinquer.

Où prendre le thé ou un bon café ?
Où faire une pause sucrée ?

🍵 **Salvage Beaute** (plan Spitalfields, Brick Lane et Shoreditch, J3, **44**) : accès au 106 Commercial St, à l'angle de Hanbury. ☎ 020-7770-6028. Slt jeu-sam 11h-18h, dim 10h-17h. Cadre agréable pour ce petit salon de thé installé dans une ancienne halle du XIXe s qui abrite des stands de vêtements, sacs et objets vintage. Idéal pour une pause en pleine session shopping ! On y sert de délicieux thés parfumés et quelques pâtisseries fraîches préparées avec des produits bio. Le sponge cake et les scones servis avec clotted cream sont à se damner. Accueil discret et charmant. À consommer sur place ou à emporter.

🍵 **Brick Lane Coffee** (plan Spitalfields, Brick Lane et Shoreditch, J2, **45**) : 157 Brick Lane, E1 6SB. ☎ 020-7729-2667. Ⓜ Shoreditch High St. Tlj 7h-20h. Café tout en longueur fréquenté par une jeunesse relax confortablement calée dans des fauteuils hors d'âge. Bon *espresso*. Sert également des en-cas *organic* : soupes, falafels, etc. Tout est présenté sur le long tableau noir.

☞ **Verde & Co** *(plan Spitalfields, Brick Lane et Shoreditch, J3, 46) :* 40 Brushfield St, E1. ☎ 020-7247-1924. *Tlj 9h-17h30. Petit déj 6,95 £.* Très ancienne boutique de fruits et légumes reconvertie en *tearoom* et qui a conservé opportunément sa vénérable enseigne et des bribes de décor. C'est minuscule, intime et charmant à souhait pour un bon petit déj ou pour grignoter gâteaux, sandwichs et salades. Propose l'un des meilleurs *hot chocolate* de Londres (du *Marcolini*). Fait également épicerie fine.

Où boire un verre ? Où sortir ?

🍸 **The Ten Bells** *(plan Spitalfields, Brick Lane et Shoreditch, J3, 51) :* 84 Commercial St (et Fournier), E1 6LY. ☎ 020-7366-1721. 🖥 07530-492-986. Ⓜ *Shoreditch High St. En face du marché de Spitalfields. Tlj 12h-minuit (1h jeu-sam).* Date de 1753 avec son long comptoir de bois usé, vestige de la grande époque du marché. En fermant les yeux, pas trop de mal à l'imaginer plein de mandataires, portefaix, commerçants, dames de mauvaise vie et bruyants noceurs en bordée... Une grande et belle céramique au mur rappelle d'ailleurs ce temps-là. Les deux dernières victimes de *Jack the Ripper* y burent une pinte avant de faire sa tragique rencontre. Étonnant, alors que le quartier s'est largement « boboïsé », pub pas encore rénové, les quelques chaises dépareillées et divans défoncés semblant même flotter dans ce grand volume. Peu de monde en journée, on peut lire, écrire ses mémoires... En revanche, le soir, beaucoup plus fréquenté et assez *trendy*.

🍸 **Dirty Dick's** *(plan d'ensemble, J3, 557) :* 202 Bishopsgate, EC2M 4NR. ☎ 020-7283-5888. ● *dirtydicks@ youngs.co.uk* ● Ⓜ *Liverpool St. Tlj 11h-minuit (1h ven-sam, 22h30 dim).* 🛜 Écoutez donc l'histoire de Nathaniel Bentley, ce riche quincaillier dont la promise mourut la veille de leurs noces. Fou de désespoir, il ferma sa porte à double tour et se négligea totalement, s'enlisant un peu plus chaque jour dans une saleté repoussante. Après sa mort, un promoteur transforma la désormais célèbre demeure de *Dirty Dick's* en pub traditionnel. Aujourd'hui, les habitués et les touristes profitent des charmes de la maison, restaurée depuis belle lurette. Plusieurs salles obscures imbriquées les unes dans les autres : intime et populaire à la fois ! Bien sûr, possibilité de se restaurer.

🍸 🎵 Voir aussi dans « Où manger ? », le **Café 1001** *(plan Spitalfields, Brick Lane et Shoreditch, J2, 38).*

🍸 🎵 **93 Feet East** *(plan Spitalfields, Brick Lane et Shoreditch, J2, 57) :* 150 Brick Lane, E1 6QL. ☎ 020-7770-6006. ● *93feeteast.co.uk* ● Ⓜ *Shoreditch. Lun-jeu 17h-23h (concerts à partir du mer), ven-sam 17h-1h, dim 15h-22h30. Happy hours lun-ven 17h-20h. Entrée payante ou gratuite, selon programmation, souvent sur résa slt.* Dans une annexe de l'ancienne *Brasserie Truman*, un bar-boîte qui se partage entre différents espaces selon les performances du moment. Tout ce que la scène londonienne compte de nouvelles tendances musicales (et expérimentales !) passe par là. En été, on apprécie la vaste terrasse pavée pour boire un verre ou pour dévorer un barbecue.

Shopping

Alimentation

🛒 **Taj Store** *(plan Spitalfields, Brick Lane et Shoreditch, J2-3) :* 112 Brick Lane, E1 6RL. ☎ 020-7377-0061. Ⓜ *Liverpool St. Quasi au croisement avec Hanbury St. Tlj 9h-21h.* Un supermarché indien, tout simplement, mais super achalandé. De petites merveilles au rayon fruits et légumes, des variétés insoupçonnées de riz et de lentilles.

🛒 **A Gold** *(plan Spitalfields, Brick Lane et Shoreditch, J3) :* 42 Brushfield St,

L'EAST END

E1 6AG. ☎ 020-7247-2487. • info@ agoldshop.com • Ⓜ Liverpool St. Tlj 11h-16h (17h le w-e). Toutes les joies de la gastronomie anglaise, du thé au gin, en passant par les fromages fermiers, les *pork pies*, les *scotch eggs*, les biscuits, les chutneys, marmelades et autres douceurs du genre, dans cette adorable boutique vintage. Propose également des sandwichs à emporter préparés à la commande (env 5 £).

❀ **Androuet** (plan Spitalfields, Brick Lane et Shoreditch, J3, **37**) : Old Spitalfields Market, 107b Commercial St, E1 6BG. ☎ 020-7375-3168. 🖳 07850-936-489. • androuet.co.uk • Ⓜ Liverpool St. Juste à l'entrée du marché, sur Commercial St. Marjeu 12h-15h, 17h-23h ; ven-sam 12h-23h30 ; dim 12h-17h. C'est une succursale londonienne du célèbre fromager français (la maison affine depuis 1909). Mais ici, le savoir-faire n'est pas seulement au service des produits hexagonaux : près d'un quart des fromages sont britanniques (stilton, cheddar...), évidemment de première qualité, et à découvrir sans hésiter au resto (voir « Où manger ? »). Possibilité de mettre ses emplettes sous vide pour les rapporter sans encombre au pays.

Disques

❀ **Rough Trade East** (plan Spitalfields, Brick Lane et Shoreditch, J2) : Dray Walk, 91 Brick Lane, E1 6QL. ☎ 020-7392-7788. • roughtrade. com • Ⓜ Shoreditch High St. Lunjeu 8h-21h, ven 8h-20h, sam 10h-20h, dim 11h-19h. Des vinyles sur des mètres et des mètres, mais aussi des CD et quelques objets dérivés. L'espace en lui-même vaut le coup d'œil... très rock ! C'est une petite chaîne de disquaires indépendants, qui a fêté ses 40 ans en 2016. La marque est devenue mythique notamment en produisant des LP en exclusivité, de Björk aux Sex Pistols, en passant par les plus grandes pointures de la musique électronique ou hip-hop. On peut aussi y grignoter un bout (pas de vinyle, hein !) dans le coin cafét.

Vêtements, accessoires

❀ **Blitz Vintage Department Store** (hors plan Spitalfields, Brick Lane et Shoreditch par J2) : 55-59 Hanbury St, E1 5JP. ☎ 020-7377-0730. • blitzlon don.co.uk • Ⓜ Shoreditch High St. Dans une rue donnant sur Brick Lane. Tlj 11h-20h. 🛜 Le plus grand magasin vintage d'Europe, dit-on ! Plus de 1 000 m² sur 2 étages, où l'on trouve de tout d'occase, vêtements de marque, déco pour la maison, meubles, livres, etc. Il y a même un coin *coffee shop* utilisant une machine à café vintage ! Mais le plus agréable, c'est que le magasin est super bien ordonné, avec un vrai effort sur la déco. On est vite tenté.

❀ **Collectif** (plan Spitalfields, Brick Lane et Shoreditch, J3) : 69 Brushfield St, entrée aussi dans Spitalfields Market, E1 6AA. ☎ 020-7247-5604. • info@collectif.co.uk • Ⓜ Liverpool St. Tlj 10h30-19h (18h30 le w-e). Une des dernières boutiques avant d'arriver à l'église. Ici, place à *Fonzie* et toute la clique de *Happy Days* ! Les *baby dolls* devraient trouver la robe rêvée version 40's ou 50's, avec décolleté, taille de guêpe et joli jupon. Quelques articles plus sobres et sexy, de quoi jouer sur le registre de Dita Von Teese... Et des prix raisonnables.

❀ **The Laden Showroom** (plan Spitalfields, Brick Lane et Shoreditch, J2) : 103 Brick Lane, E1 6SE. ☎ 020-7247-2431. • laden.co.uk • Ⓜ Liverpool St. Lun-ven 11h-18h30, sam 11h-19h, dim 10h30-18h. Cet immense magasin de fringues pour femmes nous a tapé dans l'œil, car il accueille une soixantaine de créateurs indépendants et de jeunes stylistes à prix relativement abordables, travaillant de belles matières, et parce qu'on peut y dénicher de superbes vintages.

❀ **Rokit Vintage** (plan Spitalfields, Brick Lane et Shoreditch, J2) : 101 et 107 Brick Lane, E1 6SE. ☎ 020-7375-3864 ou 020-7247-3777. • rokit. co.uk • Ⓜ Liverpool St. Lun-ven 11h-19h, le w-e 10h-19h. Des fripes, des fripes et encore des fripes. Un choix incroyable. D'autres boutiques à Londres, notamment à Camden Market,

255 High St et à Covent Garden, 42 Shelton St.

☜ **Tatty Devine** *(plan Spitalfields, Brick Lane et Shoreditch, J2) :* 236 Brick Lane, E2 7EB. ☎ 020-7739-9191. ● *tattydevine.com* ● Ⓜ *Shoreditch High St. Lun-ven 10h-18h30, sam 11h-18h, dim 10h-17h.* Les modeuses dignes de ce nom connaissent forcément *Tatty Devine* ! Des bijoux insolites en plastoc, créations 100 % *British*, plutôt rock et aux couleurs pop, que l'on voit fleurir sur toutes les séries de mode. On peut y faire faire un collier avec son nom en relief ! Également au menu, sous forme de bracelets ou broches, dinosaures, homards ou encore squelettes de poissons de toutes les couleurs, qui ont beaucoup de succès. *Une autre boutique à Covent Garden, 44 Monmouth St.*

Marchés

– Brick Lane Market (plan d'ensemble, J2 et plan Spitalfields, Brick Lane et Shoreditch, J2) : le long de Brick Lane, mais surtout de Cheshire St et de Sclater St. Ⓜ *Bethnal Green, Shoreditch ou Liverpool St Station, puis 10 mn de marche. Dim 9h-17h.* Authentique et fréquenté par tous les Londoniens ! Pour l'ambiance, c'est de loin celui qu'on préfère. Le paradis des chineurs : antiquités, bibelots, disques, vêtements, un bric-à-brac invraisemblable ! À côté du carrefour de Sclater Street et Brick Lane, grand entrepôt sous les arcades de brique : des tonnes de fringues, chemises, vêtements et sacs en cuir, etc. De quoi faire plein de bonnes affaires, dans une atmosphère ultraconviviale.

– Old Spitalfields Market (plan d'ensemble, J2-3 et plan Spitalfields, Brick Lane et Shoreditch, J3) : entre Brushfield, Commercial et Lamb St. ● *visitspitalfields.com* ● Ⓜ *Liverpool St. Tlj 9h (11h sam)-17h.* Ce vieux marché a été entièrement rénové et accueille désormais toutes sortes de boutiques branchées et de restos de chaîne. Il ne faut pas le bouder pour autant : ambiance très sympa et rencontres garanties au hasard des étals qui remplissent encore les allées du marché couvert. Tout autour, quelques chouettes boutiques de fringues et de déco propices à une session shopping. Sans compter les boutiques vintage de Brick Lane, à deux pas !

– Petticoat Lane Market (plan Les Docklands, A1) : le dim (9h-14h), entre Middlesex et Goulston St, et ttes les rues adjacentes ; à Spitalfields ; sinon, lun-ven (10h-15h) dans Wentworth St. Ⓜ *Liverpool St ou Aldgate.* C'est le dimanche que la fête bat son plein. Beaucoup de fringues bon marché, de sacs, de chaussures, de bijoux de pacotille... Le tout saupoudré d'un nuage d'antiquités dans les rues avoisinantes. Très touristique, très *cheap* aussi, mais très vivant.

L'EAST END

Monuments, galerie et balade

🏹 **Dennis Sever's House** *(plan Spitalfields, Brick Lane et Shoreditch, J2) :* 18 Folgate St, E1 6BX. ☎ 020-7247-4013. ● *dennissevershouse.co.uk* ● Ⓜ *Liverpool St. Attention, ouv slt dim 12h-15h15 (12 £/pers), ainsi que certains lun 12h-14h (10 £). Enfin, « Nuit silencieuse » ts les lun et mer 18h-21h, avec visite à la bougie (45 mn) : env 17 £ ; résa obligatoire.* Une expérience unique sur les traces de Spitalfields. Dennis Sever, un artiste, reconstitua cet environnement pour vivre comme au XVIIIᵉ s. On a vraiment l'impression d'entrer à l'improviste dans une maison encore habitée, avec les odeurs, les couleurs, les lumières, mais aussi le mobilier. Parcours dans une dizaine de pièces aménagées dont l'extraordinaire grande pièce principale.

🏹🏹 **Spitalfields** *(plan d'ensemble et plan Spitalfields, Brick Lane et Shoreditch, J3) : derrière la gare de Liverpool St.* Ⓜ *Aldgate East.* À découvrir pour son marché, l'ambiance de sa rue principale (Brick Lane) et son coin de campagne du côté de Shoreditch. Aujourd'hui, une vague d'immigration indienne et pakistanaise a quasiment remplacé la population juive. Noter en passant le bel alignement de maisons avec façades en escalier sur **Hanbury Street,** une rue perpendiculaire à **Brick Lane.** Au nord de Brick Lane, quartier encore en pleine mutation. Nombreuses et intéressantes fresques murales et graffs, reflets d'une transition

PAMPHLETS ASSASSINS

Grub Street était une rue de l'East End, aujourd'hui disparue, où vivotaient des journaleux corrompus et maîtres chanteurs qui publiaient des libelles contre les puissants et nobles français. Les accusations étaient souvent violentes et fausses. Les Anglais ont toujours respecté la liberté de la presse, même de caniveau (encore aujourd'hui). Louis XVI et Marie-Antoinette en furent deux grandes victimes.

sociale et culturelle inachevée. Original, entre Commercial Street et Hollywell Lane (beau mural là aussi), une agence de pub s'est installée dans deux wagons perchés sur les toits.

Le dimanche matin, toujours sur Brick Lane, se tient l'un des plus authentiques marchés aux puces de Londres. Sur **Brushfield** se déroule le marché aux fruits et légumes de Spitalfields (vieilles enseignes des anciennes corporations de la laine, des marchands fruitiers, etc.). Encore quelques maisons caractéristiques du XIXe s derrière Brushfield Street. Notamment, au carrefour Widegate Street, Artillery Passage et Sandy's Row, un lambeau intact de Spitalfields, d'étroites et sombres ruelles qui ont échappé par miracle au Blitz et à la tourmente immobilière !

Lollipop Gallery (plan d'ensemble, J3) : 58 Commercial St, E1 6LT. ☎ 020-3620-2260. ● lollipopgallery.com ● Ⓜ Aldgate East. Tlj sf lun 11h-19h. Une galerie spécialisée dans le street art, les graffs et les tags. Un lieu superbe, mettant remarquablement en valeur les plus grands artistes de rue et ceux à devenir. Vente de livres et tirages. Organise également d'intéressants tours guidés.

Whitechapel (plan Hackney, Bethnal Green et Whitechapel, A-B2) : Ⓜ Whitechapel Station. De nombreux juifs russes s'installèrent ici dès 1881. Beaucoup de tailleurs et commerçants (Brady Street). Ce quartier fut aussi le témoin des crimes de Jack l'Éventreur, qui terrorisa les populations de Spitalfields et Whitechapel. Bien plus loin à l'ouest, sur Middlesex Street (plan d'ensemble, J3), marché de Petticoat Lane, tous les jours. Tout le secteur se restructure

D'OÙ VIENT BIG BEN ?

Sur Whitechapel Road (plan Les Docklands, A1), au n° 34, vous trouverez la Bell Foundry, créée en 1570, qui faisait de la concurrence à notre Villedieu-les-Poêles pour la fabrication des plus belles (et des plus grosses !) cloches du monde. Il s'agit là de la plus ancienne manufacture d'Angleterre. La cloche de Big Ben est tout droit sortie de ces usines en 1858.

rapidement, et les grands immeubles d'affaires poussent comme des champignons, ne laissant que de rares vestiges du passé. Cependant, dans le sud de Whitechapel, vers le resto Tayyab's, les rues perpendiculaires à Fieldgate St évoquent encore l'East End du XIXe s. Notamment, sur Parfett St et Myrdle St. Longues séries de maisons ouvrières aux lignes élaborées. Au coin s'élève la Fieldgate Mansion, architecture populaire traditionnelle sur trois étages, avec cage d'escalier ouverte sur la rue.

Whitechapel Art Gallery (plan Les Docklands, A1) : 77-82 Whitechapel High St, E1 7QX. ☎ 020-7522-7888. ● whitechapelgallery.org ● Ⓜ Aldgate East. Mar-dim 11h-18h (21h jeu). Fermé lun. GRATUIT (sf expos temporaires). Une belle galerie d'art contemporain hétéroclite : peinture, sculpture, photographie... Toujours des artistes de niveau international. En prime, très chouette cafétéria et librairie.

➤ **Balade sur les traces de Jack l'Éventreur :** les Anglais l'appellent « Jack the Ripper ». Il secoua l'opinion publique, en automne 1888, des deux côtés de la Manche. Il faut dire qu'il avait la détestable habitude de trancher la gorge des prostituées dans les quartiers de Whitechapel et de Spitalfields. Scotland Yard ne parvint jamais à démasquer le coupable, ne ménageant pourtant ni ses efforts ni son imagination. On photographia même les yeux des victimes, espérant que leur rétine avait conservé la dernière vision de l'assassin. On soupçonna bien l'avocat John Druitt qui se suicida en se jetant dans la Tamise en décembre 1888, ou encore le Polonais George Chapman qui fut pendu en 1903. On alla même jusqu'à suspecter un membre de la famille royale ! C'est ainsi que le « Ripper Case » entra dans la légende. Jusqu'à ce que Patricia Cornwell s'intéresse à son tour au personnage et publie son enquête sur l'enquête dans son ouvrage *Jack l'Éventreur* (Livre de Poche, n° 37007). Depuis, le cinéma s'est lui aussi emparé du mythe...

Comment faire la visite ?
Pour cette balade tout ce qu'il y a de moins romantique, le principal est de se mettre dans l'ambiance. Choisissez de préférence une soirée brumeuse, sans rater le dernier métro, histoire de ne pas jouer un remake, et imprégnez-vous de l'atmosphère de l'époque : le brouillard, les immeubles insalubres, les passages douteux, la réputation glauque du quartier. Un siècle plus tard, retour sur les lieux du crime.
– Il existe plusieurs **visites organisées** sur ce thème, notamment « Jack the Ripper Walk » : *tlj 19h30 (sf 24-25 déc). Rdv sans résa 15 mn avt la sortie de la station de métro Tower Hill. En principe, à 15h sam aussi. Compter 10 £/adulte ; réduc ; gratuit moins de 15 ans (si accompagné des parents).* ☎ *020-7624-3978.* ● *jackthe ripperwalk.com* ● Un guide vous fait découvrir, à la tombée de la nuit, les ruelles et sombres passages du quartier. Voir aussi la partie « Monuments et balades » dans la rubrique « Patrimoine culturel » du chapitre « Hommes, culture, environnement ».
– Sinon, pour mener votre enquête sans Sherlock, voici une **balade en boucle** *(6 km ; durée : 2h30)* :
Depuis la station de métro Whitechapel *(plan Hackney, Bethnal Green et Whitechapel, B2)*, rejoignez le **London Hospital** (construit en 1740) situé juste en face, de l'autre côté de l'avenue. La crypte de **St Philip's Church** abrite le *Royal London Hospital Archives and Museum (ouv mar-ven 10h-16h30 ;* ☎ *020-7377-7608 ; GRATUIT).* On y trouve le masque de Joseph Merrick, le tristement célèbre *Elephant Man* (John dans le film de David Lynch), ainsi que plein d'infos sur Jack the Ripper : un plan localisant sa quatrième victime et un couteau semblable à celui qu'il a utilisé. Retournez sur vos pas et retraversez Whitechapel Road pour rejoindre Winthrop Street, puis **Durward Street** (autrefois Buck's Row). Mary Ann Nichols, 42 ans et mère de cinq enfants, y fut trouvée par un portier, assassinée, le 31 août 1888 à 3h45 du matin. Sa gorge avait été deux fois tranchée et son ventre lacéré. Premier indice : l'assassin est un perfectionniste.
Plus à l'ouest, vers Brick Lane, au n° 29 de **Hanbury Street,** le corps de la deuxième victime, Annie Chapman, fut trouvé à 6h du matin, le 8 septembre 1888. Deuxième indice : c'est un noctambule, ça se confirme.
Encore plus à l'ouest, les deux dernières victimes de *Jack the Ripper* burent une pinte au pub *The Ten Bells* (voir « Où boire un verre ? » plus haut), à l'angle entre Commercial Street et Fournier Street, avant de faire sa tragique rencontre. Descendez Brick Lane pour rejoindre Whitechapel Road, puis Fieldgate Street et tout de suite à droite Plumbers Row, Coke Street, Commercial Road et, enfin, **Henriques Street** (autrefois Berner Street). La troisième victime, Elizabeth Stride, une Suédoise de 45 ans, fut découverte au niveau de l'école actuelle, le 30 septembre 1888. Troisième indice : c'est un homme aux (dé)goûts éclectiques : Anglaises, Scandinaves...
Revenez à Commercial Road pour rejoindre Aldgate High Street et Mitre Street. Les restes de la quatrième victime, Catherine Eddowes, furent identifiés ce même jour dans **Mitre Square.** Elle avait subi de nombreuses mutilations après sa mort. Traversez Duke's Place et Houndsditch pour arriver sur Stoney Lane et Middlesex

Street, connue autrefois sous le nom de Petticoat Lane. Continuez par Commercial Street et **Thrawl Street,** entre Fashion Street et Wentworth Street. La cinquième victime, Mary Jane Kelly, vivait au n° 18. Son propriétaire la renvoya, voyant son état d'ivresse avancé au milieu de la nuit. Elle retourna vers Buck's Row (voir le début de la balade) où elle eut la malchance de rencontrer Jack, à 2h du matin. Ce dernier crime marqua l'apothéose de cette macabre série. Le corps fut retrouvé entièrement dépecé.

SHOREDITCH ET HOXTON

- Pour se repérer, voir le plan d'ensemble détachable en fin de guide.
- Plan Spitalfields, Brick Lane et Shoreditch p. 221.

Shoreditch et Hoxton font partie aujourd'hui des incontournables des soirées londoniennes. En fait, pas grand-chose à voir concrètement dans cet ancien quartier industriel (curieux centre commercial installé dans des containers près de la station de métro Shoreditch High St), mais beaucoup à faire une fois passée l'heure du thé. Tous les oiseaux de nuit qui se respectent fréquentent les bars du quartier en fin de semaine ; on s'y amuse beaucoup, on y mange fort bien. Super pour le petit déj, idéal pour l'*after* ! À votre tour ! Au passage, au 380 Old Street, noter l'élégante architecture victorienne du Shoreditch Town Hall. Construit en 1866, il opéra comme mairie jusqu'en 1965.

Où dormir ?

Auberge de jeunesse
(moins de 35 £ / 45,50 €)

🏠 **The Dictionary Hostel** (plan Spitalfields, Brick Lane et Shoreditch, J2, **10**) : 10-20 Kingsland Rd, E2 8DA. ☎ 020-7613-2784. ● info@thedictionaryhostel.com ● thedictionaryhostel.com ● Ⓜ Old St. Env 16-35 £/pers en dortoir 4-12 lits, doubles à partir de 80 £. Petit déj inclus. 📶 Au cœur de l'action ! C'est ce qui définit d'abord cette AJ récente de 210 lits en plein Shoreditch. Pour le reste, tout n'est pas encore parfait, l'entretien est parfois inégal, mais le confort est correct : dortoirs et chambres basiques, cuisine à dispo, consigne, laverie. Quant à l'ambiance, elle est vraiment sympa, notamment grâce à ses petites terrasses conviviales à l'arrière, à sa cour intérieure et à son café festif investi par les DJs le vendredi et le samedi soir jusqu'à 3h du mat' !

De prix moyens...
à spécial coup de folie
(50-280 £ / 65-364 €)

🏠 **The Hoxton** (plan Spitalfields, Brick Lane et Shoreditch, I2, **14**) : 81 Great Eastern St, EC2A 3HU. ☎ 020-7550-1000. ● info@hoxtonhotels.com ● hoxtonhotels.com ● Ⓜ Old St. Un système de prix original : 49 £ si on réserve 5-6 mois à l'avance pdt les périodes creuses, après ça augmente... jusqu'à 249 £ plus la date se rapproche ! 📧 📶 L'immense hall partagé entre un bar, un resto et différents coins salon donnent une idée de la taille de l'hôtel : un espace ouvert et une vraie ruche ! Ambiance décontractée et branchée, en adéquation avec des chambres tendance et de bon confort, qui bénéficient même de 1h d'appels gratuits sur fixes vers l'Europe. Il faut reconnaître que l'un des fondateurs des *Pret A Manger* sait y faire aussi question hôtellerie. Et en plus, il offre un petit guide avec plan du quartier, fort bien fait. *Nouvelle adresse à Great Portland St, près de King's Cross.*

🏠 **The Boundary** *(plan Spitalfields, Brick Lane et Shoreditch, J2, 13) :* 2-4 Boundary St (entrée sur Redchurch St), E2 7DD. ☎ 020-7729-1051. ● info@ theboundary.co.uk ● theboundary. co.uk ● Ⓜ Shoreditch High St. Doubles 235-340 £. Moins cher le dim. Également des suites à partir de 360 £ le dim. ▭ 🛜 Niché dans un ancien entrepôt en brique rouge, un petit boutique-hôtel luxueux au concept très tendance, pour dormir branché : intimité garantie avec moins de 15 chambres, toutes décorées différemment en s'inspirant de grands courants stylistiques ou de maîtres du design (Bauhaus, Le Corbusier et Charlotte Perriand, Andrée Putman, etc). Très classe et hyper cosy. Bar et restos haut de gamme, notamment le *Rooftop*, avec terrasse panoramique sur le toit *(avr-sept slt)*, ou encore *Albion* (voir « Où manger ? »). Quant à l'accueil, il est personnalisé et charmant.

🏠 **Shoreditch Rooms** *(plan Spitalfields, Brick Lane et Shoreditch, J2, 12) :* Ebor St, E1 6AW. ☎ 020-7739-5040. ● reservations@shoreditchhouse. com ● shoreditchhouse.com ● Ⓜ Shoreditch High St. Large fourchette de prix : 100-280 £ selon saison et dispo. Pas de résa le sam soir, réservé aux membres. ▭ 🛜 Les rues quelconques du quartier cachent des adresses très chic comme celle-ci, à taille humaine, où le béton et la brique s'harmonisent parfaitement aux design les plus tendance. Esprit rétro marin et des chambres chaleureuses, tout confort, avec balcon pour les plus grandes. Et surtout plein de petits plus qui font la différence : les équipements soignés, les lits *king-size*, le spa, les 2 restaurants (avec *late menu* de 23h30 à 3h) et la piscine chauffée sur le toit ! *Rooftop restaurant* vraiment extra. Une adresse ouverte aux non-membres *(sf sam soir)* d'un club londonien branché, aux mêmes tarifs pour tout le monde. En revanche, ce n'est pas indiqué pour les familles, puisque les séjours sont limités à 2 personnes. Accueil très sympathique.

🏠 **Ace Hotel** *(plan Spitalfields, Brick Lane et Shoreditch, J2, 11) :* 100 Shoreditch High St, E1 6JQ. ☎ 020-7613-9800. ● frontdesk.ldn@acehotel.com ● acehotel.com ● Ⓜ Shoreditch High St. Doubles env 150-350 £ selon période. ▭ 🛜 C'est fait, Londres a son *Ace Hotel* ! Remarquablement situé. La déco est sans doute un peu moins déjantée que dans certaines autres adresses du groupe, mais cet hôtel ultrabranché est bien en phase avec Shoreditch : chambres rétro très tendance, avec mobilier vintage, œuvres d'art originales, coffre, frigo, TV écran plat et quelques vraies surprises comme un tourne-disque avec sa collec' de 33 tours ou une guitare à dispo ! Quelques chambres communicantes. Génial ! Parties communes dans le même esprit, et bon resto pour le brunch.

L'EAST END

Où manger ?

Très bon marché (moins de 10 £ /13 €)

🍽 Ⓘ●Ⓘ **Shoreditch Food Village** *(plan Spitalfields, Brick Lane et Shoreditch, J2, 28) :* 187 Shoreditch High St, E1 6HU. Ⓜ Shoreditch High St. Tlj 11h-23h. Dans une grande cour protégée, clean, aérée, plusieurs stands de *street food* offrant des petits mets de bonne qualité. En particulier, d'excellents *Freebird burritos*, la *Beirut street food*, de tendres steak-sandwichs argentins proposés dans un vieux tube Citroën, puis divers tacos et fajitas. Atmosphère vraiment déliée, diverses terrasses, musique discrète.

Ⓘ●Ⓘ **Cream** *(plan Spitalfields, Brick Lane et Shoreditch, J2, 28) :* 31 New Inn Yard (et Anning), EC2A 3EY. ☎ 020-7247-3999. Ⓜ Shoreditch High St. Service

*en continu 8h-16h (10h-16h le w-e).
Plats 8-12 £.* À deux pas du *Food Village.* Installé dans un ancien entrepôt (murs blancs, quelques plantes vertes), dans une rue peu passante. Voilà une petite adresse sans chichis offrant à prix modestes une cuisine aux couleurs méditerranéennes, d'une belle fraîcheur, au sens subtil des saveurs et accompagnée de bons petits légumes cuits juste comme il faut ! Goûter à la soupe aux artichauts et truffe ou à la polenta, *pecorino* et olives, mais la carte évolue volontiers suivant le marché.

|●| **Barber & Parlour** *(plan Spitalfields, Brick Lane et Shoreditch, J2, 33) :* 64-66 Redchurch St, E2 7DP. ☎ 020-3376-1777. ● info@barberandparlour. com ● Ⓜ *Shoreditch High St. Tlj 9h (10h dim)-23h (service continu jusqu'à 22h). Petit déj et snacks env 5-10 £ ; plats max 14 £.* 🛜 Un lieu branché à souhait qui combine un resto-bar, un salon de coiffure et barbier pour hipster, ainsi qu'un petit cinéma indépendant (*Electric Cinema,* comme celui de Notting Hill). Cadre très agréable dans cette grande salle d'angle avec larges baies vitrées, tables communes, banquettes et recoins pour prendre un café, un petit déj ou un repas léger dans une ambiance très cool, qui incite à prolonger la pause. Déco de bois clair, longues étagères couvertes de vaisselle (en vente) et grand comptoir avec cuisine ouverte. Brunch le week-end et *deli* à l'entrée (muffins, cookies, *banana bread,* jus de fruits et smoothies). Un vrai petit coup de cœur.

|●| **Waterhouse** *(plan d'ensemble, J1, 263) :* 10 Orsman Rd, N1 5QJ. ☎ 020-7033-0123. Ⓜ *Hoxton. Mar-sam 9h (11h mar)-15h, 18h-22h. Petit déj complet 5 £. Plats env 5,50-9 £ le midi, 13,50-16 £ le soir.* 🛜 Compte tenu de son emplacement de choix sur le quai, avec une salle sobre et lumineuse tout en baies vitrées et une terrasse en surplomb du Regent's Canal, les prix sont plus qu'attractifs. Voire imbattables pour le déjeuner ! Forcément, l'objectif de l'œuvre de bienfaisance qui gère le site est d'abord de venir en aide aux jeunes en difficultés. Le résultat est probant : carte courte pour de bons plats de saison de type

brasserie combinant influences britanniques et méditerranéennes, le tout bien présenté et servi avec le sourire. Ne pas manquer le délicieux *coconut and lime cheesecake* !

|●| **Meat Mission** *(plan Spitalfields, Brick Lane et Shoreditch, I2, 23) :* 14-15 Hoxton Market (accès par Coronet St), N1 6HG. ☎ 020-7739-8212. ● info@meatmission.com ● Ⓜ *Old St. Tlj 12h-minuit (23h dim). Burgers env 7-10 £.* Comme son nom l'indique, ancienne mission chrétienne, avec quelques témoignages comme les plaques de marbre gravées sur les murs. Assez contre-indiqué pour un dîner en amoureux. Mais si vous êtes sur le mode festif, c'est impec. Les salles sont vastes, décorées dans un style délirant religio-punk, avec des vitraux improbables et un comptoir en U à l'insolite décor de casquettes et bouteilles. Chaude ambiance et déluge de décibels garantis (jazz, rock, boogies d'enfer) ! Un choix incroyable de whiskies (y compris 5 japonais), bourbons, tequila et mezcal, rhums, bières et cidres à la pression... Côté nourritures terrestres, les burgers sont bons et variés, bien denses et *juicy,* tous faits à la demande. Et pour la photo souvenir, direction le confessionnal reconverti en photomaton !

|●| 🕺 **Haché** *(plan Spitalfields, Brick Lane et Shoreditch, J2, 21) :* 147 Curtain Rd, EC2A 3QE. ☎ 020-7739-8396. ● shoreditch@hacheburgers. com ● Ⓜ *Old St. Tlj 12h-22h30 (23h ven-sam et 22h dim). Burgers env 7,50-15 £.* Cadre tranquille, vaste et tamisé. Le spécialiste du burger a bien évolué. Si la viande est toujours aussi bonne (d'origine écossaise et cuite à son goût !), la carte propose désormais toutes sortes de créations plus originales : à l'agneau, au thon, au porc, et même au canard ! Et quitte à revoir tous les codes, on peut même choisir l'option sans pain, remplacé par une salade ! Pour les affamés, pas de panique, il y a toujours la brioche ou la *ciabatta...* Du burger gourmet en somme, en adéquation avec un cadre de bistrot sympa. Bondé (et assourdissant !) en fin de semaine.

|●| Voir aussi le **Dream Bags Jaguar Shoes** *(plan Spitalfields, Brick Lane et*

Shoreditch, *J2*, *50*), pour une bonne pizza dans une ambiance alternative. *Slt le soir jusqu'à 22h, cafét la journée.*

Bon marché
(10-20 £ / 13-26 €)

|●| The Blues Kitchen (plan Spitalfields, Brick Lane et Shoreditch, *J2*, *32*) : 134-146 Curtain Rd EC2A 3AR. ☎ 020-7729-7216. ● theblueskitchen. com ● *Lun-mer 12h-minuit, jusqu'à 1h jeu, 3h ven ; sam 11h-3h ; dim 11h-22h. Burgers 11 £.* Une adresse comme on les aime : immense entrepôt qu'on a laissé en l'état et pas daigné repeindre, plafond dégradé et plancher totalement usé, immenses figures du blues aux murs (dont le pionnier *Robert Johnson*), long comptoir en cuivre rouge séparant la partie resto (box sympas) de celle du bar (là aussi vite remplie !). Cette dernière recueillant d'ailleurs ceux qui n'ont pas réservé, mais ils sont plus proches de la scène. Près de 100 variétés de bourbon et le vendredi 17h-19h *chicken wings* gratuites. Côté cuisine, on lorgne nettement vers la cuisine du Sud. Goûter donc au *texan BBQ*. Plus simple, mais bon et copieux, le cheeseburger maison aux frites croustillantes. Animation d'enfer, superbes concerts, niveau sonore maximum. Ah, l'indémodable *Howling Wolf* en tendal musical !

|●| Burro e Salvia (plan Spitalfields, Brick Lane et Shoreditch, *J2*, *30*) : 52 Redchurch St, E2 7DP. ☎ 020-7739-4429. ● burroesalvia.co.uk ● ⓜ Shoreditch High St. *Tlj 12h-15h et dîner 18h-21h jeu-sam (11h-19h pour la boutique, jusqu'à 22h jeu-sam, 17h dim). Plats env 9-12 £.* Un vrai *pastificio* ! Chaque jour, dans la cuisine ouverte de cette boutique pimpante, des passionnés du sujet adeptes du *slow food* fabriquent les *pasta* dans les règles de l'art, avant de les cuisiner en fonction de recettes italiennes souvent héritées de la famille. C'est beau à voir, mais c'est très bon aussi, car le midi, on peut s'asseoir dans la petite salle de dégustation attenante et s'offrir une parenthèse ensoleillée autour de lasagnes savoureuses, de tagliolini parfumées, ou peut-être de gnocchis fondantes !

|●| ☆ Albion (plan Spitalfields, Brick Lane et Shoreditch, *J2*, *27*) : 2-4 Boundary St, E2 7DD. ☎ 020-7729-1051. ⓜ *Shoreditch High St. Tlj 8h-23h. Plats 11-15 £ ; sandwichs à partir de 6,50 £ et breakfast env 11 £.* 🛜 *Albion* symbolise bien le renouveau du quartier. Vous êtes ici chez Terence Conran, le célèbre designer anglais. Branché ? À peine, car l'excellent concept vise avant tout la convivialité. *Albion*, c'est donc un grand espace en longueur, élégant, lumineux, divisé entre une partie pour la boutique (légumes, épicerie fine et le pain de la maison), une autre pour la cuisine ouverte, et la dernière pour le café aux allures de brasserie contemporaine. Superbe décor du plafond. La carte est à son image : à la fois de bons breakfasts, des plats du jour bien vus, une cuisine française créative et aussi des classiques anglais, tous préparés dans les règles avec de bons ingrédients (ici, le *fish & chips* n'a rien de graillonneux !).

|●| Rochelle Canteen (plan Spitalfields, Brick Lane et Shoreditch, *J2*, *31*) : *Rochelle School, Arnold Circus, E2 7ES.* ☎ 020-7729-5677 et 5667. ● canteen@arnoldandhenderson. com ● ⓜ Shoreditch High St. Au sein même de l'école ; sonner à l'interphone « *Rochelle Canteen* ». *Lun-ven 9h-15h. Plats env 12-17 £.* Une perle rare que cette petite cantine nouvelle génération... Établie dans une ancienne école victorienne, la *Rochelle School* abrite aujourd'hui plusieurs lieux alternatifs, notamment le *Studio Block*, lieu de vie d'artistes contemporains. La *Canteen* se réduit à une grande salle basique tout en baies vitrées aménagée sous l'ancien préau, avec cuisine ouverte et une dizaine de tables. On se concentre sur l'assiette, car ici la cuisine est assurée par Arnold et Henderson, 2 passionnés de cuisine anglaise. Menu variant souvent avec des produits de saison d'une grande fraîcheur, une petite sélection de vins qui se marient bien et une atmosphère relax qui finit de vous convertir aux bancs de l'école !

|●| The Princess of Shoreditch (plan Spitalfields, Brick Lane et Shoreditch, *I2*, *29*) : 76 Paul St, EC2A 4NE. ☎ 020-7729-9270. ● info@theprincessofshoreditch.com ● ⓜ Old St. *Tlj 12h-23h (22h30 dim) ; service 12h-15h (16h* sam), 18h30-22h (en continu jusqu'à 21h dim). Au pub, plats env 13-19 £ ; au resto, env 12-20 £. 📶 Dans un vénérable bâtiment datant de 1742, l'un des *gastropubs* les plus courus du quartier. L'endroit reste très chaleureux, fréquenté par des habitués venus partager de belles pièces de bœuf, des joues de cochon grillées ou autres plats de fruits de mer. Pain maison, *ale* du mois et *black pudding* pas mal du tout. Le traditionnel *roast lunch* du dimanche est fameux. Cadre joyeusement rétro, parquets bien usés, tables en bois, longues banquettes de moleskine et vieux comptoir pour patienter, sous le vrou-vroutement des pales du ventilo. Spécialité de *wheat beers* (dont la fameuse *Gentleman Wit Camden*). Rançon du succès, c'est assez bruyant.

🍴 *Pizza East* (plan Spitalfields, Brick Lane et Shoreditch, J2, **25**)**:** Tea Building, 56 Shoreditch High St, E1 6JJ. ☎ 020-7729-1888. ● pizzaeast.com ● Ⓜ Shoreditch High St. À l'angle avec Bethnal Green Rd. Tlj jusqu'à minuit (1h jeu et 2h ven-sam). Pizzas 8-15 £. Situé dans un ancien entrepôt, ce vaste espace façon loft joue à fond la carte de la déco industrielle à la new-yorkaise (parquet usé, piliers de béton, tubulures, brique...). Très réussi dans son genre. Et, par conséquent, hyper *trendy* avec ses grandes tables conviviales, ses tables rondes aussi et son atmosphère affairée et bourdonnante. Quant aux pizzas, elles sont fines et croustillantes. Au sous-sol, rendez-vous au *Concrete*, une boîte brute de décoffrage (voir plus loin).

🍴 *Dishoom* (plan Spitalfields, Brick Lane et Shoreditch, J2, **22**)**:** 7 Boundary St, E2 7JE. ☎ 020-7420-9324. ● hello@dishoom.com ● Ⓜ Shoreditch High St. Tlj 8h (9h w-e)-23h (minuit jeu-sam). Plats 7-12 £. C'est la deuxième adresse du célèbre *Bombay Café* de Covent Garden (voir « Où manger ? » dans le centre touristique). Clin d'œil aux célèbres *Bombay Cafés* de Mumbai (créés par des immigrants zoroastriens venant d'Iran au début du siècle dernier, il y en eut presque 400 jusqu'en 1960, une trentaine aujourd'hui !). Si la cuisine est similaire, la déco n'a rien à voir : ici, l'immense espace a été revisité dans un style de café vintage

très réussi (des panneaux à l'ancienne interdisent notamment l'opium !), où l'atmosphère de grande brasserie cède la place à celle d'un salon cosy dans l'annexe tout en baies vitrées. *Autre adresse à King's Cross (5 Stable St, derrière la gare).*

De prix moyens à chic (20-40 £ / 26-52 €)

🍴 *Rivington Grill Bar* (plan Spitalfields, Brick Lane et Shoreditch, I-J2, **24**)**:** 28-30 Rivington St, EC2A 3DZ. ☎ 020-7729-7053. Ⓜ Old St. Ouv petit déj lun-ven 8h-11h ; lunch 12h-15h ; dinner 18h-23h (22h dim). Brunch le w-e 11h-16h. Full English breakfast env 13 £. Plats 12-32 £. Cadre sobre et élégant et, aux murs, des œuvres modernes pour bien cibler une clientèle d'amateurs de galeries d'avant-garde, tout autant que de gourmets. Superbe petit déj. Pour les repas, retour à une authentique cuisine anglaise familiale à partir de bons produits de saison, à l'image du poulet du Devon ou simplement de l'indéboulonnable *fish & chips*. Long bar où l'on peut déguster en continu des burgers. Un peu cher, mais bien fait.

🍴 *Fifteen* (plan d'ensemble, I1-2, **175**)**:** 13-15 Westland Pl, N1 7LP. ☎ 020-3375-1515. Ⓜ Old St. Resto tlj 12h-15h, 18h-22h, 21h dim (horaires cuisine). Le midi en sem, menus 19-24 £. Sinon, à la carte, plats 15-25 £. C'est le resto emblématique du petit prodige de la gastronomie londonienne, Jamie Oliver (Jamie O pour les intimes). Emblématique, parce que le concept est généreux : chaque année, une promo de jeunes en difficulté fait ses classes ici, 15 en tout, d'où le nom. Tous les profits sont d'ailleurs reversés à l'école hôtelière qu'il a créée. En revanche, ce n'est plus Jamie qui est aux commandes. La cuisine britannique est plus classique, voire rustique, préparée avec les meilleurs ingrédients en fonction de la saison, et proposée selon le principe des petites assiettes à partager. C'est très bon mais cher (et les quantités se révèlent hélas souvent bien faibles !).

On est loin de la trattoria excentrique d'origine. Sinon, *cocktail bar* également, avec moult bières sophistiquées et cocktails originaux. *Gin masterclass*, le 2ᵉ et dernier mardi du mois de 18h à 19h30. Histoire du gin, dégustation et leçon pour la fabrication de délicieux cocktails (35 £/pers, quand même). À articuler, bien sûr, avec le dîner si l'on veut !

l●l *Les Trois Garçons* (plan Spitalfields, Brick Lane et Shoreditch, J2, **20**) : 1 Club Row, E1 6JX. ☎ 020-7613-1924. ● info@lestrois garçons.com ● Ⓜ Shoreditch High St. Déj slt jeu-ven 12h-14h, dinner tlj sf dim 18h-21h30 (22h30 ven-sam). Plats env 16-30 £. Véritable pionnier dans ce quartier désormais incontournable, ce resto délicieusement excentrique fait aujourd'hui figure d'institution. Il occupe un ancien pub dont il a gardé l'essentiel du charme (superbes glaces gravées et dorées). Plus un décor extravagant, théâtral presque, mélange éclectique et opulent d'objets beaux ou kitsch, élégant mobilier et chandeliers d'argent, sous l'œil inquiétant d'une ménagerie d'animaux empaillés. Et dans l'assiette, une cuisine française inspirée... chère et appréciée des stars du showbiz. Vin au verre pas donné du tout, qualité de service fluctuante, mais en tout cas, une adresse idéale pour amoureux romantiques.

Où boire un bon café ?

☛ *Allpress Espresso* (plan Spitalfields, Brick Lane et Shoreditch, J2, **47**) : 58 Redchurch St, E2 7DP. ☎ 020-7749-1780. ● coffee@allpress. co.uk ● Ⓜ Shoreditch High St. Tlj 8h (9h le w-e)-17h. Il suffit de jeter un coup d'œil au torréfacteur en pleine action pour se faire une idée de la maison : ici, on mise sur la qualité, depuis la sélection des grains jusqu'au café fraîchement moulu. Cadre contemporain et néanmoins chaleureux. Atmosphère décontractée qui fidélise étudiants et promeneurs, au coude-à-coude autour des grandes tables communes en bois. Sandwichs, gâteaux, yaourts et soupes du jour pour les petites faims.

☛ *Shoreditch Grind* (plan Spitalfields, Brick Lane et Shoreditch, I2, **48**) : 213 Old St, EC1V 9NR. ☎ 020-7490-7490. Ⓜ Old St. Lun-jeu 7h-23h, ven jusqu'à 1h ; sam 8h-1h et dim 9h-19h. La devanture de ce café au look rétro annonce un beau programme : *sex, coffee & rock'n'roll !* Les bobos et branchés du quartier fréquentent assidûment cette petite chaîne de cafétérias dont on trouve plusieurs adresses à Londres, notamment à Soho et à Covent Garden. Toujours le même esprit vintage, de savoureux cafés, des formules pour le petit déj, des pizzas et snacks le soir et même une carte de cocktails, histoire de jouer sur tous les fronts ! On y vient donc à toute heure, pour un café, une petite faim ou un verre entre amis, sur fond de musique rock... forcément !

☛ Voir aussi, plus haut, *Barber & Parlour* (plan Spitalfields, Brick Lane et Shoreditch, J2, **33**).

Où boire un verre ? Où sortir ?

♟ l●l *Dream Bags Jaguar Shoes* (plan Spitalfields, Brick Lane et Shoreditch, J2, **50**) : 32-36 Kingsland Rd, E2 8DA. ☎ 020-7729-5830. ● jaguars hoes.com ● Ⓜ Shoreditch High St ou Hoxton Rail. Tlj 12h-1h, parfois 3h selon l'actu (entre autres les Basement Parties). Le nom fait référence aux enseignes de ces ex-boutiques de fringues... Voici un bar alternatif fondé par un collectif d'artistes en tout genre, musiciens, photographes, dessinateurs... Expos variées et déco éclectique très réussie aux fresques colorées. Au sous-sol, les concerts programmés certains soirs font toujours le plein. Cocktails et bières à prix honnêtes (on conseille la « blanche »). De quoi fidéliser la foule interlope du quartier. En prime, on peut y manger une bonne pizza à pâte fine et croustillante.

♟ ♪ *Callooh Callay* – C Cantone (plan Spitalfields, Brick Lane et

Shoreditch, J2, 59) : 65 Rivington St, EC2A 3AY. ☎ 020-7739-4781. ● *cal loohcallaybar.com* ● Ⓜ *Old St. Tlj 18h-minuit (1h jeu-sam).* LE bar à cocktails branché de Shoreditch, l'un des musts des soirées londoniennes (6 à 9 £). Il recèle bien des merveilles... Déco excentrique, mais passez la porte de l'armoire et vous pénétrez dans un monde encore plus psychédélique. Question cocktails et whiskies, la maison prend les choses très au sérieux, entre étonnant et détonnant. A gagné en 2012 le prix du meilleur « Cocktail Menu » au monde, à nouveau nominé en 2013 et 2014. *Snacks* et autres petits plats généreux et bien tournés.

🍸 *The Old Shoreditch Station (plan Spitalfields, Brick Lane et Shoreditch, J2, 60) :* 1 Kingsland Rd. ☎ 020-7613-5604. Ⓜ *Shoreditch High St ou Hoxton Rail. Lun-sam 8h-23h (1h ven-sam), dim 10h-23h.* Ancienne station de métro. Pour se détendre et surtout boire un excellent café, équitable et fraîchement moulu. Bonnes bières également. Tamisé et musique supportable. On aime bien la petite pièce à côté, son sol bien usé, ses profonds canapés de cuir rouge pour twitter tranquille. Quelques *cakes* à grignoter.

🍸 *Happiness Forgets (plan Spitalfields, Brick Lane et Shoreditch, J2, 56) :* 8-9 Hoxton Sq, N1 6NU. ☎ 020-7613-0325. ● *reservations@ happinessforgets.com* ● Ⓜ *Old St. Tlj 17h30 (18h dim)-23h.* Planqué en sous-sol façon *speakeasy,* ce petit bar sans façon et chaleureux est un incontournable pour les amateurs de cocktails. En plus des classiques, il propose régulièrement de nouvelles créations originales, présentées en détail par une équipe tout sourire. Goûter au *Perfect Storm* ou au *Tokyo Collins !* Impeccable pour se mettre en jambes avant d'attaquer la tournée des clubs.

🍸 *The Barley Mow (plan Spitalfields, Brick Lane et Shoreditch, J2, 55) :* 127 Curtain Rd (et Rivington), EC2A 3BX. ☎ 020-7729-3910. Ⓜ *Old St. Ouv 11h30 (14h le w-e)-23h30.* L'un des derniers vrais pubs de quartier, résistant vaillamment à la *gentrification.* Petit, intime et bien rugueux, avec une nombreuse clientèle bohème 25-35 ans appréciant la belle sélection de *ales* et

la chaleureuse atmosphère. Animation différente chaque soir (genre quiz le mardi soir vers 19h30). *Good crack, good company,* comme on dit !

🍸 ● *Electricity Showrooms (plan Spitalfields, Brick Lane et Shoreditch, J2, 52) :* 39 A Hoxton Sq, N1 6NN. ☎ 020-7739-3939. ● *info@electricityshowrooms.com* ● Ⓜ *Old St. Tlj 12h-minuit (1h ven-sam). DJ (pop, rock...) en sous-sol ven-sam, entrée gratuite.* Possibilité de grignoter *chicken wings* et burgers. Fait tout l'angle d'une rue. Ancien bureau des services de l'électricité dont on a gardé quelques témoignages d'activité et les grands volumes. Super musique rock. Très prisé, même en semaine.

🍸 *The Princess of Shoreditch (plan Spitalfields, Brick Lane et Shoreditch, I2, 29) :* 76 Paul St, EC2A 4NE. ☎ 020-7729-9270. ● *info@theprincessofshoreditch.com* ● Ⓜ *Old St. Tlj 12h-23h (22h30 dim).* N'hésitez pas à pousser la porte de ce *gastropub* qui propose une petite bière du mois toujours bien choisie.

🍸 Voir aussi *Shoreditch Grind (plan Spitalfields, Brick Lane et Shoreditch, I2, 48)* pour sa carte de cocktails.

🍸 *Bar Kick (plan Spitalfields, Brick Lane et Shoreditch, J2, 54) :* 127 Shoreditch High St, E1 6JE. ☎ 020-7739-8700. ● *admin@cafekick.co.uk* ● Ⓜ *Shoreditch High St. Tlj 12h-23h (minuit jeu et 1h ven-sam). Dîner à partir de 18h.* Un bar décalé qui a réussi à se nicher dans une ancienne boutique-entrepôt et en a conservé le volume. Vieux zinc, plancher déglingué, mobilier dépareillé, décor dans les tons reggae, staff et clientèle jeunes. Ça rappelle les grands troquets des années 1950, surtout avec les baby-foot hors d'âge dans la salle. Les jours de match de foot, on vous raconte même pas l'ambiance ! Super musique pas trop tyrannique. Bon choix de bières et honnête cuisine aux heures des repas. Prix fort abordables. *Même maison, même ambiance top au 43, Exmouth Market à Clerkenwell.*

🍸 ● 🎵 *Bedroom Bar (plan Spitalfields, Brick Lane et Shoreditch, J2, 73) :* 68 Rivington St, EC2A 3AY. ☎ 020-7739-5706. ● *comedyca fetheatre.co.uk* ● *Tlj sf dim 16h-1h*

(3h ven-sam). Concerts live ven-sam (5 £ après 23h) et mar (blues sessions), sinon DJs. Réputé également pour son comedy club ven-sam (8-10 £) et lun (gratuit). Happy hours 16h-19h. C'est pas trop grand, chaleureux, petite scène intime. Excellente programmation musicale. Bons cocktails. Possibilité de se restaurer jusqu'à 22h.

Ψ I●I Strongroom *(plan Spitalfields, Brick Lane et Shoreditch, J2, 53) :* 120-124 Curtain Rd, EC2A 3SQ. ☎ 020-7426-5103. ● *strongroombar. com* ● **M** *Old St. Lun-mer 9h-minuit (23h lun), jeu-ven 9h-1h (2h ven), sam 12h-2h, dim 12h-22h. Brunch le w-e 12h-16h.* Dans une pittoresque cour pavée, ce bar chaleureux de djeun'z est lié à l'un des plus gros studios d'enregistrement de Londres (Grace Jones, Babyshambles, etc.). Fond musical rock et blues. Plusieurs salles à différents niveaux. Possibilité de grignoter burgers fort pas doux et des *mezze* à partager. Bière de Plzen livrée directement, garantie fraîche et non pasteurisée. Parfois, *comedy show*. Très agréable terrasse sous le lierre aux beaux jours.

Ψ ♪ The Shoreditch *(plan Spitalfields, Brick Lane et Shoreditch, J2, 61) :* 145 Shoreditch Hight St, E1 6JE. ☎ 020-7739-3440. ● *reservations@ sbg-london.com* ● **M** *Shoreditch High St. Tlj 12h-2h (23h dim).* Happy hours *14h-20h (4 bières ou 2 cocktails pour 10 £).* Façade vintage et cadre intérieur kitsch à souhait dans les tons roses (décor d'ombrelles, vieilles banquettes élimées en plastique, couleurs pétantes...). Animations musicales de temps à autre, DJs le week-end, tous les genres de musique : classiques 1980's, 1990's, disco, hip-hop, house... *(ven gratuit, sam gratuit jusqu'à 22h, 10 £ après).* Conseillé de réserver. Bon choix de cocktails, *street food,* sandwichs, quelques plats classiques.

Ψ ♪ I●I The Book Club *(plan Spitalfields, Brick Lane et Shoreditch, J2, 58) :* 100-106 Leonard St, EC2A 4RH. ☎ 020-7684-8618. ● *wearetbc.com* ● **M** *Old St et Shoreditch High St. Lun-mer 8h-minuit, jeu-sam 8h (10h sam)-2h, dim 10h-minuit. Lunch 12h-16h (ts les plats à moins de 10 £). Entrée : gratuite jusqu'à 21h, puis dans les 10 £.* ☞ Un ancien entrepôt de l'époque victorienne relooké au goût du jour, avec tables en formica et chaises d'école en guise de mobilier, et même une salle pour les tournois de ping-pong ! De grands oculus dans les parois permettent de plonger dans les autres salles et donnent une respiration aux lieux. On y vient pour consulter ses mails, grignoter nachos, fajitas et autres assiettes à partager, ou pour déguster des cocktails (y compris au pichet !). Bon petit déj et excellent *bar food* jusqu'à 22h. La nuit venue, DJ au bar le jeudi, sinon on descend d'un étage pour se bouger sur toutes sortes de musiques. Dimanche soir, programmation acoustique plus cool.

Ψ The Loungelover *(plan Spitalfields, Brick Lane et Shoreditch, J2, 20) :* 1 Whitby St, E1 6JU. ☎ 020-7012-1234 ou 0872-148-0023. ● *info@ loungelover.co.uk* ● **M** *Shoreditch High St. Mar-jeu 18h-minuit, ven-sam 17h-1h. Fermé dim-lun.* Snacks à grignoter 3-8,50 £. Happy hours *jusqu'à 20h.* C'est ici que Madonna *herself* a fêté ses 47 printemps. Genre de vaste hangar aménagé de façon ultrasophistiquée par les proprios du resto *Les Trois Garçons* (voir « Où manger ? »). Baigné par une musique *lounge, chill out,* et décoré selon leurs origines, ici un vase chinois, une tête de bouddha ou d'hippopotame, là des meubles design scandinaves, et des rangées de bons vins français entre deux ! C'est baroque, et un peu, beaucoup, passionnément kitsch dans les tons roses et assez classe à la fois. En tout cas, on s'y délecte de fameux cocktails.

Spécial *nightclubbers*

La plupart des adresses mentionnées plus haut dans « Où boire un verre ? Où sortir ? » proposent aussi de la musique, généralement plutôt en fin de semaine. Le choix est plus que vaste à Shoreditch !

♪ ♫ **The Blues Kitchen** (plan Spitalfields, Brick Lane et Shoreditch, J2, **32**) **:** 134-146 Curtain Rd EC2A 3AR. ☎ 020-7729-7216. ● theblueskitchen. com ● Lun-mer 12h-minuit, jeu 12h-1h, ven 12h-3h, sam 11h-3h, dim 11h-22h. Lieu déjà super pour boire un verre et se restaurer (voir plus haut), mais aussi réputé pour ses concerts live (surtout blues, mais aussi soul, rock et funk). Vendredi et samedi, super DJs jusqu'à 3h. Même maison qu'à Camden.

♪ ♪ **Concrete** (plan Spitalfields, Brick Lane et Shoreditch, J2, **25**) **:** 56 Shoreditch High St, E1 6JJ. ☎ 020-7749-1883. ● concretespace.co.uk ● Ⓜ Shoreditch High St. Jeu-sam à partir de 21h (jusqu'à 1h jeu, 2h ven-sam). Entrée : gratuite avt 22h ; sinon env 5-15 £. Au sous-sol du Pizza East (voir « Où manger ? »), cadre brut de décoffrage et ambiance résolument industrielle pour cette scène bien connue du quartier. Quelques tablées en aggloméré, des trucs sympa à grignoter et basta, c'est parti pour une soirée DJ (souvent des pointures) ou groupe hip-hop, garage, house... Programmation béton et des tarifs plus que mesurés (encore moins cher en réservant par Internet).

♫ **333 Mother** (plan Spitalfields, Brick Lane et Shoreditch, J2, **72**) **:** 333 Old St, EC1V 9LE. ☎ 020-7739-5949. ● 333mother.com ● Ⓜ Old St. Tlj 22h-3h pour le bar, 19h-3h (4h30 le w-e) pour le club. Entrée gratuite dim-jeu, 5 £ ven-sam. L'un des plus vieux clubs

du quartier, où la foule de clubbers se partage en fonction de l'humeur entre le bar à l'étage avec ses DJs, et le vaste club en sous-sol : électro, funk, soul, hip-hop...

♀ ♪ ♫ **Zigfrid** (plan Spitalfields, Brick Lane et Shoreditch, J2, **56**) **:** 11 Hoxton Sq, N1 6NU. ☎ 020-7613-1988. ● office@zigfrid.com ● zigfrid.com ● Ⓜ Old St. Tlj 12h-1h (3h ven-sam, 0h30 dim). Entrée : 7-20 £. Happy hours 16h-19h (dim tte la journée). Brunch sam-dim 12h-16h et Sunday Roast dim tte la journée. Pizzas 7-9 £, burgers, sandwichs, nachos... Décor underground néo-rétro, très éclectique, et des concerts live dans une salle en sous-sol ou des performances de DJ avec une bonne dose de musique électronique, de rock et de house. Coins et recoins partout, et une belle terrasse donnant sur la placette.

♀ ♪ **The Old Blue Last** (plan Spitalfields, Brick Lane et Shoreditch, J2, **70**) **:** 38 Great Eastern St, EC2A 3ES. ☎ 020-7739-7033. ● theoldbluelast.com ● Ⓜ Shoreditch High St. Lun-ven 9h-minuit (1h jeu, 2h ven), sam-dim 12h-2h. Gratuit ou non. Un pub qui a de la gueule avec sa façade en arrondi et ses curieux animaux empaillés. Soirées DJ au rez-de-chaussée ou groupes live à l'étage quasi tous les soirs, mais c'est principalement le jeudi au samedi que l'électro fait saturer les amplis. Un des musts de Shoreditch, d'autant que l'accès est souvent libre.

Où manger sur le pouce ? Où boire un verre ? Où sortir vers Dalston ?

〰 **Dalston Farmshop :** 20 Dalston Lane, E8 3AZ. ● farmlondon.weebly. com ● Ⓜ Dalston Junction. Sam-dim 11h-17h. Bon lunch toujours préparé à la demande. Les champignons poussent dans la cave, les légumes dans une serre dans la cour (à côté du poulailler !) et, dans la salle, les aquariums partagent l'espace avec des plants de salades, tous connectés afin de tendre vers l'autosuffisance. Londres n'en finit pas d'étonner ! Mais ce café-ferme n'est pas qu'un concept

écolo, puisqu'on peut s'y attabler pour goûter soupes, salades et sandwichs élaborés avec la production maison, ou avec des produits locavores en cas de pénurie. Une curiosité.

〰 ⻌ **Dalston Eastern Curve Garden :** 13 Dalston Lane, E8 3DF. ● dalstongarden.org ● Ⓜ Dalston Junction. Bus nos 30, 38, 56, 242 et 277. Ouv en fonction des saisons, tlj 11h-18h, en principe plus tard en été. Coincé entre les immeubles, ce jardin communautaire fait figure d'îlot de résistance ! On y cultive des fleurs, on y organise des fêtes de quartier, on y déjeune sur le pouce de soupes, quiches et salades maison, avant de revenir pour siroter un thé en regardant jouer les enfants. Produits venant essentiellement d'Hackney et de l'East End, ça c'est du circuit court... Génial !

♼ ♪ ♫ *Dalston Superstore :* 117 Kingsland High St, E8 2PB. ☎ 020-7254-2273. ● dalstonsuperstore.com ● Ⓜ Dalston Junction ou Dalston Kingsland Rail. Tlj de 10h (12h lun) jusque tard. Brunch tte la journée, grande variété de burgers. À priori, en passant devant, on n'imagine pas le côté déjanté de ce petit bar-club, devenu un incontournable du circuit gay. Longue salle, comptoir, ici on consomme de la bière et non des cocktails raffinés. On vient pour danser et s'amuser, sur des sets enflammés de DJs, aussi branchés garage que pop ou acid house.

Soirées à thème toutes les semaines ou presque (sauf lundi-mardi). Et que ça pulse !

♼ ♪ ♫ *Passing Clouds :* 1 Richmond Rd, E8 4AA. ☎ 020-7241-4889. ● passingclouds.org ● Ⓜ Dalston Kingsland Rail. Lun-jeu 19h-0h30, ven-sam jusqu'à 3h30, dim 14h-0h30. Dans une ancienne imprimerie, sur 2 étages. Musique live. Afro, jazz, reggae et plein d'autres formes d'expression musicale. Bien vérifier le programme sur le site pour l'affiche, les horaires varient. Consos pas trop chères.

♪ *Vortex :* 11 Gillett Sq, N16 8AZ. ☎ 020-7254-4097(résa lun-ven 11h-19h). ● vortexjazz.co.uk ● Ⓜ Dalston Kingsland. Possibilité de se restaurer, brunch le w-e. Ce club de jazz reçoit des pointures du monde entier. Programmation pointue. Musique live tous les soirs. Ne pas manquer de consulter le programme avant d'y aller.

Shopping

◈ *Sister Ray* (plan Spitalfields, Brick Lane et Shoreditch, J2, **11**) : 100 Shoreditch High St, E1 6JQ. ☎ 020-7729-3142. Ⓜ Shoreditch High St. Au sein du Ace Hotel. Tlj 10h-20h (19h dim). Le plein de vinyles, mais également des CD. Quelques pièces rares. Autre boutique à Soho.

Galerie et musée

※ᐠ *Rivington Place* (plan Spitalfields, Brick Lane et Shoreditch, J2) : Rivington Pl, EC2A 3BA. ☎ 020-7749-1240. ● rivingtonplace.org ● Ⓜ Old St et Shoreditch High St. Mar-mer et ven 11h-18h, jeu 11h-21h, sam 12h-18h. Fermé dim-lun, j. fériés et 24 déc-2 janv. GRATUIT. La première galerie publique consacrée aux arts visuels et à la photo, dans un but d'éducation populaire. Une superbe architecture extérieure à damiers, et des espaces de rêve pour de très intéressantes expos, principalement de photos. Abrite également la Stuart Hall Library (arts visuels contemporains, tlj sf w-e et lun, 10h-13h, 14h-17h, et sur rdv). Gentille petite cafétéria.

ᐠ *Geffrye Museum* (plan d'ensemble, J1) : Kingsland Rd, E2 8EA. ☎ 020-7739-9893. ● geffrye-museum.org.uk ● Ⓜ Old St et Hoxton. Tlj sf lun et j. fériés 10h-17h. Period Gardens ouv avr-oct. GRATUIT. Audioguide en anglais 3 £. En plus, une petite section de l'hospice restaurée comme à l'origine en visite guidée une quinzaine de fois dans l'année (3 £, voir jours et heures sur le site internet). Installé dans une ancienne et vaste almshouse (hospice) du XVIIIe s, dont on peut admirer l'élégante architecture horizontale en U enserrant un jardin au cordeau, avec sa chapelle au milieu. Abrite aujourd'hui un intéressant musée de l'habitat des classes moyennes de 1600 à nos jours. Reconstitutions de salles à manger, arts de la table, modes de vie... tout est détaillé de façon fort documentée, avec le mobilier original et agrémenté de tableaux. Rien que l'évolution des chaises en dit long, du lourd fauteuil en chêne sculpté à la chaise suédoise à monter soi-même. Au

L'EAST END

milieu du parcours, la chapelle dans son état d'origine avec ses *pews* (box). Expos temporaires thématiques également. Boutique et cafétéria dans une agréable partie moderne. Visite du « jardin des herbes » en saison. Une véritable oasis de paix et verdure.

BETHNAL GREEN, HACKNEY ET LE PARC OLYMPIQUE

L'EAST END

Passé Shoreditch et sa vie nocturne suractive, replongée dans l'ex-East End populaire en rejoignant **Bethnal Green et Hackney**. Des parcs et *fields*, un canal sur lequel circulent de ravissantes péniches et même une vraie ferme urbaine. Le mythe de la ville à la campagne devenu réalité, avec les grands travaux engendrés par le parc olympique 2012, plus à l'est encore. Résultat : les immeubles industriels d'autrefois sont réhabilités à tour de bras et investis par les jeunes couples qui ne peuvent plus s'offrir un logement en hyper centre. Vous mettez les pieds dans une zone encore méconnue des touristes car dépourvue de centres d'intérêt particuliers, mais que l'on aime beaucoup pour son ambiance, tout simplement. Décidément, Londres n'en finit pas de nous surprendre...

Où dormir ?

⌂ *Town Hall Hotel & apartments* *(plan Hackney, Bethnal Green et Whitechapel, B1, 10)* : Patriot Sq, E2 9NF. ☎ 020-7871-0460. • reser vations@townhallhotel.com • town hallhotel.com • Ⓜ Bethnal Green. Env 160-360 £ la nuit, selon confort et période. 📶 Prenez un imposant bâtiment edwardien de 1910, déménagez la mairie qu'il abritait et repensez entièrement l'édifice. Cela donne un hôtel plein de majesté, aux volumes étonnants, où le passé figé (comme cette émouvante salle de délibération) et le contemporain s'accommodent fort bien. Une centaine de vastes et superbes chambres, studios et appartements (1 à 2 chambres) tout confort, au design respectueux des lieux, dotés de cuisines et salles de bains ultramodernes. Décor edwardien parfois rehaussé de blanc lumineux du plus bel effet, certaines chambres remarquablement personnalisées. Piscine chauffée, salle de fitness et un restaurant de grande classe mené par un chef étoilé, le *Viajante.* Vu les tarifs, on lui préfère sa version bistrot, le *Corner Room,* à la carte simplifiée mais inventive et délicieuse.

Où manger ? Où boire un verre ?

|●| 🍷 ♪ *Star of Bethnal Green* (plan Hackney, Bethnal Green et Whitechapel, A2, 29) : 359 Bethnal Green Rd. ☎ 020-7458-4480. Ⓜ Bethnal Green. Repas 15-18 £ max (lun lunch special 10 £). Vieux pub populaire réinvesti par les bobos locaux. Grand volume, plancher usé jusqu'à la moelle, comptoir en bois ciselé et mobilier de récup... pour une cuisine quasiment de *gastropub.*

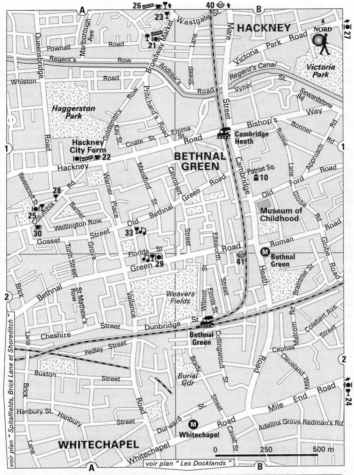

HACKNEY, BETHNAL GREEN ET WHITECHAPEL

🛏	**Où dormir ?**		**28** Royal Oak
	10 Town Hall Hotel & apartments		**29** Star of Bethnal Green
🍽 ❘●❘ 🍷	**Où manger ?** **Où boire un verre ?**	☕	**Où prendre le thé ou un bon café ?**
	21 L'Eau à la Bouche		**30** Cake Hole
	22 Frizzante Café	🍷 🎵	**Où sortir ?**
	23 Off Broadway		
	24 Forman's		**33** Bethnal Green Working Club
	25 Brawn	⚙	**Shopping**
	26 Pub in the Park, E5 Bakehouse		
	27 The Empress		**40** Burberry
			41 Chrome & Black

Bons produits, cuisson à la demande (côtes d'agneau tendres et rosées parfaites), appétissantes croquettes maison, copieux *reuben* à 8 £ (bœuf salé, fromage et pickles), salades friponnes... Délicieuses petites entrées. Et à des prix fort modérés. Animation culturelle presque tous les jours, type quiz, vendredi musique et danse jusqu'à 2h, samedi soirée « fun », jeudi toute la journée cocktails à moitié prix, etc.

I●I 🍴 L'Eau à la Bouche *(plan Hackney, Bethnal Green et Whitechapel, A1, 21)* : 35-37 Broadway Market, E8 4PH. ☎ 020-7923-0600. ● food@labouche.co.uk ● Lun-ven 8h-19h, le w-e 8h30 (9h30 dim)-17h. Salades, quiches et sandwichs 5-6 £. 🛜 Mention spéciale pour cette épicerie fine française installée dans un salon de thé (ou l'inverse). Hyper appétissant et hyper fréquenté le week-end par les amateurs de bonnes choses. Très bien pour un e-mail à envoyer et un sandwich à déguster devant la vitrine ou accoudé à la table commune, avant d'aller faire son marché. Fromages cocorico bien *smelly* et superbe sélection de gâteaux.

🍴 E5 Bakehouse *(hors plan Hackney, Bethnal Green et Whitechapel, par A-B1, 26)* : Arch 395, Mentmore Terrace, E8 3PH. ☎ 020-8525-2890. ● info@e5bakehouse.com ● À 5 mn dans le prolongement de Broadway Market, dans la rue parallèle à Martello St (qui longe le parc). Tlj 7h-19h. Lunch 12h-15h. En-cas env 4-6 £. Pourtant nichée sous l'une des arches du chemin de fer, cette boulangerie artisanale ne désemplit pas. C'est même devenu une halte incontournable pour tous les amateurs de pains bio, qui profitent de leur visite pour s'installer à l'une des tables et déjeuner d'un sandwich, de toasts ou de gâteaux délicieux, tous préparés avec les meilleurs ingrédients (confiture maison, miel de petits producteurs). Hype à souhait et bien représentatif du renouveau du quartier.

I●I 🍴 Frizzante Café *(plan Hackney, Bethnal Green et Whitechapel, A1, 22)* : 1 Goldsmith's Row, E2 8QA. ☎ 020-7739-2266. ● info@frizzanteltd.co.uk ● Tlj sf lun 10h-15h (16h sam-dim et j. fériés). Petit déj env 8 £, plats env 8,50-11 £ le midi. Pâtes au pesto maison 7,50 £, poulet au grain entier 32 £. Si la récolte est bonne, le café de l'improbable *Hackney City Farm* (voir plus bas « Balades nature ») cuisine les légumes de son potager. Sinon, les ingrédients proviennent quand même de fermes du coin, et permettent d'élaborer des petits déj bien costauds (saucisses maison) et des plats du jour rustiques, à savourer sans façon dans une vaste salle façon hangar reconverti, au mobilier de récup un peu déglingué et envahie de promeneurs et de familles en goguette. Très chaleureux.

I●I 🍴 Brawn *(plan Hackney, Bethnal Green et Whitechapel, A1, 25)* : 49 Columbia Rd, E2 7RG. ☎ 020-7729-5692. Ⓜ Shoreditch High St ou Hoxton. Tlj sf lun midi et dim soir 12h-15h (16h dim), 18h-22h30 (23h jeu-sam). Formule déj 10 £. Plats 12-15 £. Menu dim midi 28 £. Ils sont nombreux à faire le détour pour profiter de la belle atmosphère de ce bistrot de compétition. Le cadre est simple et sans façon, à l'image de la solide sélection de charcuterie et de la cuisine bien réalisée aux accents britanniques, français ou plus méditerranéens en fonction de l'humeur et des saisons. Spécialité de ragoût de queue de bœuf aux escargots. Quant à la carte des vins, très branchée nature, elle est tout simplement brillante ! Il faut dire que c'est la même équipe qu'à *Terroirs* ou au *Green Man* (voir « Où manger ? » dans le centre historique) qui fait la sélection ! Super accueil.

🍴 Royal Oak *(plan Hackney, Bethnal Green et Whitechapel, A1, 28)* : Columbia Rd. ☎ 020-7729-2220. Ⓜ Shoreditch High St. Tlj 12h-23h. Populaire vieux pub de quartier. Comme son nom l'indique, tout en panneaux muraux en bois, comptoir en U, atmosphère tamisée et une chaleureuse et bruyante animation. Bonne sélection de vins au tableau noir.

🍴 Off Broadway *(plan Hackney, Bethnal Green et Whitechapel, A1, 23)* : 63-65 Broadway Market, E8 4PH. ☎ 020-7241-2786. ● offbroadway.co.uk ● Ⓜ Haggerston. Lun-ven 16h-23h, le w-e 10h-23h. Pub sympa à expérimenter en début de parcours le soir. On y croise pas mal de stars.

Y *Pub in the Park* (hors plan Hackney, Bethnal Green et Whitechapel, par A-B1, **26**) : 19 Martello St, E8 3PE. ☎ 020-7923-3398. ● pubonthepark.com ● À 3 mn dans le prolongement de Broadway Market, par le parc. Tlj 12h-minuit (1h ven-sam). 🛜 C'est sans doute le plus grand *beer garden* de l'est londonien. Facile, la maison est plantée au bord du London Fields ! Terrasses par conséquent géniales, souvent bondées, et carrément festives le week-end quand la sono lâche son déluge de décibels. Sinon, salle chaleureuse s'il fait frisquet, et tables de ping-pong à dispo pour les amateurs. Bonne cuisine aussi, le chef n'allant chercher ses légumes que dans les fermes labellisées... Réputé pour son *Sunday Roast*. Super ambiance jeune et décontractée. Le sport y est roi, bien entendu !

I●I *The Empress* (hors plan Hackney, Bethnal Green et Whitechapel, par B1, **27**) : 130 Lauriston Rd, E9 7LH. ☎ 020-8533-5123. ● empresse9.co.uk ● Tlj jusqu'à 22h (21h30 dim) ; fermé lun midi. Cadre contemporain tamisé et longues banquettes de moleskine pour ce *gastropub* proposant une fort belle cuisine aux accents inspirés et à base de bons produits. Légumes bien choisis, cuissons maîtrisées et sens inné des saveurs. Goûter au chevreau braisé aux lentilles et anchois ou à la pintade aux chanterelles et cresson. Grand choix de bières dont la Camden Gentleman Wit. Service jeune impeccable. On regrettera peut-être un poil le niveau sonore élevé, mais dans *gastropub*, il y a le mot « pub » !

L'EAST END

Où prendre le thé ou un bon café ?

☛ *Cake Hole* (plan Hackney, Bethnal Green et Whitechapel, A1, **30**) : 82 Columbia Rd, E2 7QB. ☎ 01277-215-968. ● louise@cakeholecafe.co.uk ● Ⓜ Shoreditch High St ou Hoxton. Café ouv ven-sam 12h-18h, dim 8h30-17h. Encore une de ces adresses insolites dont les Britanniques ont le secret. Car il s'agit d'abord d'une boutique rétro à souhait, *Vintage Heaven*, spécialisée dans la vaisselle ! Et ça tombe bien, car certains des services à thé ont retrouvé une seconde jeunesse dans le café planqué au fond du magasin, où les habitués et les chineurs d'un jour font un sort dans la bonne humeur aux bons gâteaux maison et aux *scones* savoureux.

Où manger près du parc olympique ?

I●I Y *Forman's* (hors plan Hackney, Bethnal Green et Whitechapel, par B2, **24**) : Stour Rd, Fish Island, E3 2NT. ☎ 8525-2365. ● formans.co.uk ● Ⓜ Hackney Wick (ligne Overground, puis 10 mn à pied) ou Puddling Mill Lane (DLR, puis 15 mn à pied). Jeu-ven 19h-23h ; sam 10h-14h, 19h-23h ; dim 12h-17h. Plats 12-20 £, brunch dim env 10 £. L'un des spécialistes anglais du poisson fumé s'est installé dans cette zone industrielle, face au stade olympique. Existe depuis 1905. Le boss, Louis Forman, acheta en 1935 le plus gros saumon écossais jamais pêché (35 kg !). C'est toujours la même famille qui tient la boîte. Accès peu aguichant il faut bien le dire, mais vue imprenable sur le parc olympique. Un complexe moderne resto-usine-expo d'art moderne, avec salle contemporaine tout en baies vitrées, des terrasses et une galerie permettant d'observer les fumoirs à saumon. Dans l'assiette, du poisson fumé on ne peut plus frais, bien sûr, mais aussi une cuisine britannique soignée. Une pause idéale pour ceux qui parcourent la *Greenway* à pied ou à vélo (voir plus loin, « Balades nature »).

Où sortir ?

Y ♫ *Bethnal Green Working Club* (plan Hackney, Bethnal Green et Whitechapel, A1, **33**) : 44-46 Pollard Row, Tower Hamlets, E2 6NB.

☎ 020-7739-7170. Ⓜ *Bethnal Green ou Shoreditch High St. Slt le w-e (ven-sam à partir de 20h et sam et dim ap-m jusqu'à 17h).* Une adresse avant tout pour visiteurs de longue durée et expats ! Ultime témoignage du passé ouvrier du quartier. Cette bâtisse en brique très fin XIXe s, isolée dans un quartier moderne, abrite l'un des derniers clubs ouvriers de Londres. En sous-sol,

vaste salle, banquettes de moleskine patinées, décor années 1950 inchangé. En temps normal, rien de spécial, ça ronronne et ça papote devant une *stout* entre quelques vieux prolos nostalgiques. Guetter plutôt les animations spéciales thématiques (une à deux par mois), là c'est vraiment *fun* (genre soirées dansantes disco ou électro, bals costumés, karaoké, bingo...).

Shopping

🛍 **Burberry** *(hors plan Hackney, Bethnal Green et Whitechapel, par B1, 40) :* 29-31 Chatham Pl, E9 6LP. ☎ 020-8985-3344 et 8328-4287. Ⓜ *Bethnal Green. Du métro, prendre le bus n° D6, 254 ou 106 (en face du musée) ; descendre à Hackney/Town Hall, prendre Morning Lane à 100 m, puis la 3e à droite. Sinon, en train, descendre à la gare de London Fields Station. Lun-sam 9h-19h, dim 11h-17h.* Très excentré, mais magasin d'usine incontournable pour les amateurs du fameux imprimé à carreaux : parapluie, carré en soie, le trench tendance... Seuls les accessoires (encore plus lors des soldes) permettent réellement de faire de bonnes affaires. Avis des consommateurs assez contrastés (pas toutes les tailles, ni tous les modèles !). Ne pas y aller avec une envie précise... et cela reste tout de même très cher.

🛍 **Chrome & Black** *(plan Hackney, Bethnal Green et Whitechapel, B1-2, 41) :* Gales Gardens, Arch 8, E2 0EJ. ☎ 020-7033-4029. ● chromeandblack. com ● *Lun-sam 10h-18h, dim 11h-16h.* Au bout d'une étroite ruelle collée au chemin de fer, presque secrète, c'est la plus grosse boutique de bombes à peinture *(spray paint)* de Londres. C'est ici que viennent se fournir tous les graffeurs et fous de tags (ne rêvez pas d'y rencontrer *Bansky,* de toute façon personne connaît son visage !). On y trouve aussi magazines, livres sur le *street art,* affiches, gadgets, T-shirts, DVD pour apprendre et se lancer dans le graff... En outre, les expats qui s'installeraient dans l'East End pourront chiner tout à côté, dans les boutiques de meubles d'occase de la ruelle.

Musée et balades nature

🎨 🧍‍♂️ **Bethnal Green Museum of Childhood** *(plan Hackney, Bethnal Green et Whitechapel, B1) :* Cambridge Heath Rd, E2 9PA. ☎ 020-8983-5200. ● museumofchildhood.org.uk ● Ⓜ *Bethnal Green. Bus n°s 8, 106, 254 et 388. À 100 m de la station de métro, en remontant vers le nord. Tlj 10h-17h45. Fermé 1er janv et 24-26 déc.* GRATUIT. Cet immense et très beau bâtiment de 1860 aux allures de grande halle accueille les collections de jouets du *Victoria and Albert Museum.* Un large panorama de l'évolution du jouet dans le monde depuis

LA NAISSANCE DE TEDDY BEAR

Lors d'une partie de chasse en 1902, le président Théodore Roosevelt refuse de tuer un ourson. Le lendemain, un illustrateur du Washington Post fait son miel de cette anecdote et croque le président tenant chaleureusement l'animal par l'épaule. Puis un confectionneur de jouets obtient du président l'autorisation de commercialiser un petit ours en peluche portant son surnom... Teddy. Teddy bear était né et allait faire des générations d'arctophiles (les collectionneurs de nounours).

le XVIIe s. Du cheval à bascule aux jeux vidéos, en passant par le théâtre animé ou la voiture à pédales, ce voyage dans le temps permet aussi de découvrir, dans un joyeux brouhaha, le monde de l'enfance britannique avec ses illustres personnages comme Paddington, Kermit la grenouille ou Peter Rabbit. Présentation générale plutôt vieillotte avec des vitrines d'un autre âge. Intéressantes expos temporaires. Nombreux jouets à disposition.
I●I Cafétéria sympathique.

➤ **Du marché aux fleurs au Broadway Market** (plan Hackney, Bethnal Green et Whitechapel) : si vous faites la balade un dimanche matin, ne manquez pas le **marché aux fleurs de Columbia Road** (Ⓜ Hoxton ; plan Hackney, Bethnal Green et Whitechapel, A1), ancienne rue ouvrière devenue bobo avec boutiques *trendy* et chères (nombreuses galeries d'art), et un petit côté Disneyland quand même. Beaucoup de monde, superbe ambiance et... ça sent bon ! Quelques vestiges de rues ouvrières dans le prolongement, présentant un bel habitat horizontal (notamment sur *Barnet Grove*). HLM de qualité aussi, comme les *Guinness Trust* datant de 1892. En continuant vers le nord, la rue débouche sur **Haggerston Park** et l'amusante **Hackney City Farm** (mar-dim 10h-16h30), une véritable ferme au cœur de la ville (Londres en compte une quinzaine !) avec les cochons dans leur fange, les moutons et les chèvres gambadant dans un champ, l'incontournable basse-cour en semi-liberté et le potager à l'arrière des dépendances bien rustiques... Génial avec des enfants, d'autant que c'est gratuit ! Continuer sur **Goldsmith's Row** où se tient un marché de livres d'occasion le dimanche. Puis traverser le Regent's Canal pour rejoindre **Broadway Market,** une rue bordée de cafés et restos. Le samedi, ambiance extra lors du marché, très fréquenté. Impeccable pour un déjeuner sur le pouce, compte tenu de la quantité de stands de nourriture de tous les horizons, pas chers et à tendance bio.

➤ **Le Regent's Canal** (plan Hackney, Bethnal Green et Whitechapel, A-B1) : une balade que l'on peut coupler avec la précédente. Du pont de Broadway Market, emprunter le chemin de halage. Vers l'ouest, **Haggerston** est à 1 mile, le quartier d'**Islington** à 2 miles. Cyclistes et coureurs s'en donnent à cœur joie dans ce paysage bucolique où l'on croise pénichettes et écluses, tout cela au milieu d'immeubles réhabilités. Une face cachée de ces quartiers Nord à la mode, et l'on comprend pourquoi. Vers l'est, direction **Victoria Park** puis le **parc olympique** et la coulée verte (Greenway), situés à 1,75 mile de Broadway Market. La balade, très agréable dans l'ensemble, est toutefois un peu moins glamour lorsque l'on parvient à l'extrémité du Victoria Park, à proximité du parc olympique. Mais le développement du secteur devrait permettre de rendre ces quais longtemps délaissés et mal entretenus un peu plus rieurs.

➤ **La coulée verte et le parc olympique :** une balade aménagée pour longer le parc olympique 2012 (et même le traverser). À prendre depuis les stations de métro West Ham (ligne *DLR*) ou Hackney Wick à l'autre bout (côté ouest). Les plus courageux peuvent aussi la rejoindre depuis le Regent's Canal (voir plus haut). Vue imprenable sur le stade olympique, bien sûr, et l'**Orbit,** cette drôle de tour métallique de 115 m, emblème des JO 2012 (accessible au public). Une « œuvre d'art » monumentale de 20 millions de livres sterling, financée par un certain M. Mittal, patron indien de l'entreprise... Arcelor Mittal, bien connue des Français pour d'autres raisons. Pour les petites faims, le fumeur de saumon *Forman's* a ouvert un restaurant face au site (voir « Où manger près du parc olympique ? »). Pour le shopping, rendez-vous à Stratford, à l'entrée est du parc où fut construite pour les Jeux 2012 la plus vaste galerie commerciale d'Europe.

L'EAST END

LES DOCKLANDS

● Plan Les Docklands, de Tower Bridge à Thames Barrier p. 248-249

Au sud de l'East End et dans le prolongement de la City, on entre dans un nouveau royaume, celui de la mégalomanie des promoteurs immobiliers, que le gouvernement Thatcher rêvait de transformer en City de l'an 2000. Bienvenue aux Docklands !
Pour visiter les Docklands, prendre la « *DLR* », la ligne de métro Docklands Light Railway, à la station Bank ou Tower Gateway. Implantée le long de la Tamise, cette ancienne vaste zone portuaire, qui recouvre plusieurs quartiers, de la Tower Bridge aux Royal Docks au-delà de Greenwich, servait autrefois de point d'ancrage pour les bateaux faisant la navette avec les Indes. Fini tout cela. Place à une minipole (on dit bien méga !) composée d'un centre d'affaires, de gratte-ciel, de centres commerciaux, d'un port de plaisance, de résidences cossues et de sa propre ligne de métro. Bref, un mélange Manhattan-Silicon Valley ou, pour prendre une image parisienne, une brochette La Défense/Bercy/Marne-la-Vallée !

Où dormir ?

▲ **YHA London Thameside** (plan Les Docklands, A1, **10**) **:** 20 Salter Rd, SE16 5PR, Rotherhithe. ☎ 0845-371-9756. ● thameside@yha.org.uk ● yha.org.uk ● ♿ ⓜ Rotherhithe. Bus n° 381 (fonctionne également de nuit) depuis Trafalgar, Waterloo ou London Bridge. Selon période, à partir de 16 £ en dortoirs 6-10 lits, 55 £ la double. Réduc moins de 18 ans, pour les membres et sur Internet. ▭ 🛜 Cette vaste AJ (320 lits) moderne est très excentrée, mais elle a l'immense avantage d'avoir presque toujours un lit de libre pour les étourdis qui auraient oublié de réserver ailleurs. Pas de panique toutefois, le métro n'est jamais qu'à 5 mn à pied et le quartier est si pépère et résidentiel qu'on peut vous garantir un séjour au calme. Chambres et dortoirs classiques et clairs, tous *en suite* et impeccables. Et comme les équipements sont corrects (cuisine équipée, cafétéria, laverie, parking à vélo, *lockers*), l'entretien soigneux et l'accueil chaleureux, cette option se révèle tout à fait intéressante.

Où manger ? Où boire un verre ?

– Tout ce qu'il faut pour grignoter sur le pouce dans le centre commercial au pied de la tour du Canary Wharf (plan Les Docklands, B-C1).

I●I Le **Museum of London Docklands** (plan Les Docklands, B1) abrite un resto très correct : **Rum & Sugar** (☎ 020-7538-2702 ; tlj sf lun midi et dim soir ; le midi, plats et sandwichs env 7-12 £). Cadre agréable, style colonial et docks avec vaste salle lumineuse ou terrasse donnant sur une grande allée piétonne. Service efficace et sympathique.

De prix moyens à chic (20-35 £ / 26-45,50 €)

I●I ⟡ **Butler's Wharf Chop House** (plan Les Docklands, A1, **21**) **:** The Butler's Wharf Building, 36 E Shad Thames, SE1 2YE. ☎ 020-7403-3403.

● _bwchophouse@danddlondon.com_ ●
Ⓜ _Tower Hill (puis traverser le pont) ou
Bermondsey. Côté bar, tlj 8h-17h, 18h-
23h (en continu le w-e) ; côté resto, tlj
12h-15h (16h le w-e), 18h-23h (22h
dim). Au bar, plats env 12-16 £ ; au
resto, plats env 15-35 £. Menus déj dim
28-34 £._ Cette belle brasserie moderne
et lumineuse, sise en bord de Tamise
avec vue sur le Tower Bridge, est l'une
des nombreuses adresses estampil-
lées Conran. Les spécialités anglaises
se trouvent en bonne place dans une
carte éclectique. Les sauces sont
excellentes, la présentation soignée et
le service impeccable. Clientèle chic et
atmosphère quelque peu compassée.
Quelques tables en terrasse, au bord
de l'eau, qui s'arrachent bien évidemment dès que pointe un rayon de soleil.
|●| ♟ **Prospect of Whitby** _(plan Les
Docklands, A1, **24**) :_ 57 Wapping
Wall, E1W 3SH. ☎ 020-7481-1095.
Ⓜ _Wapping, sortie 1, tourner à droite
et suivre la rue sur 500 m. Tlj 12h-23h
(minuit ven-sam et 22h30 dim)._ Un
pub historique (encore !) mis en valeur
par une belle façade de pierre. Le
plus vieux pub des rives de la Tamise
(1520), qui s'appela _Devil's Tavern_ du
fait des métiers douteux de la clientèle (pirates, contrebandiers, tueurs
et voleurs de toutes espèces...). Le
célèbre juge Jeffreys y assistait, une
pinte à la main, aux pendaisons des
pirates qu'il avait condamnés. Dickens,
lui, préférait dîner tranquillou à l'étage
en griffonnant quelques lignes. Les
boiseries racornies et le dallage hors
d'âge hérités du XVIᵉ s n'ont guère
changé... Hyper touristique (des cars
l'incluent dans leurs tournées !), mais la
vue sur la Tamise est splendide depuis

la terrasse et les balcons suspendus
au-dessus des flots. Au bar, plats de
pub abordables et très corrects.
|●| ♟ **The Mayflower** _(plan Les Dock-
lands, A1, **25**) :_ 117 Rotherhithe St,
SE16 4NF. ☎ 020-7237-4088.
Ⓜ _Rotherhithe. Du métro, prendre
Railway Ave, qui longe la station et
débouche sur le pub. Lun-sam 11h-
23h, dim 12h-22h30. Plats env 11-15 £._
Sur la rive sud, un pub du XVIIᵉ s où les
passagers du _Mayflower_, en route pour
l'Amérique, éclusèrent leur dernier gor-
geon... Intérieur digne des romans de
pirates, avec force boiseries patinées,
recoins sombres et cheminées. Mais si
c'est bien le point de départ du _May-
flower_, il ne reste pas grand-chose du
pub de l'époque... même si la rumeur
prétend qu'une partie des matériaux
proviendrait du célèbre navire ! On
se consolera avec la belle vue sur la
Tamise depuis la charmante terrasse.
|●| ♟ **Dickens Inn** _(plan Les Dock-
lands, A1, **26**) :_ Saint Katharine's
Way, E1W 1UH. ☎ 020-7488-2208.
Ⓜ _Tower Hill. Entrée du Saint Katharine Dock en contrebas à gauche du
Tower Bridge. Lun-sam 11h-23h, dim
12h-22h30._ Le vaste et beau bâtiment,
tout de brique et de bois, donne sur
le quartier des docks, joliment réhabilité. Le tableau est pittoresque, avec
des bateaux de plaisance au milieu
des immeubles. C'est l'endroit le
plus agréable que nous ayons trouvé
ici pour prendre un verre, dans une
immense salle aux allures de taverne
très chaleureuse l'hiver, en terrasse et
dans le _beer garden_ l'été. Également
2 étages, aux balcons largement fleuris, réservés, l'un à une pizzeria, l'autre
à un restaurant classique.

Théâtres

♟ ∞ **Wilton's Music Hall** _(plan Les
Docklands, A1, **30**) :_ 1 Graces Alley,
E1 8JB. ☎ 020-7702-2789 et 3468-
5670. ● wiltons.org.uk ● Ⓜ _Aldgate
East, Tower Hill ou Shadwell. Lun-
ven 12h-23h, sam 17h-23h. Accès gratuit au bar, spectacles payants._ Ni plus
ni moins que le dernier pub-music hall
de la ville, qui vous replonge direct au
XIXᵉ s, où l'on donna le premier _French_

cancan londonien. Atmosphère unique
composée par le pittoresque dédale
d'escaliers et de salles, agrémentées
de colonnes en bois torsadées, de
balcons, balustrades et parquets d'un
autre âge... et même d'une table de
ping-pong complètement anachronique ! C'est l'acteur londonien David
Suchet (Hercule Poirot, ça vous dit
quelque chose ?) qui œuvra beaucoup

L'EAST END

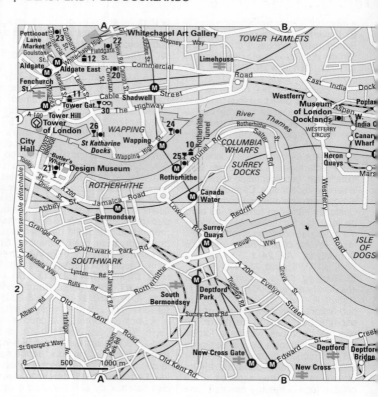

🛏	**Où dormir ?**	🍽	**Où manger ?**
			Où boire un verre ?
	10 YHA London Thameside		
	11 Premier Inn London City		**20** Lahore Kebab House
	12 Qbic Hotel		**21** Butler's Wharf Chop House

pour la résurrection de ce site génial, où l'on offre une programmation de qualité (théâtre, musique, danse, poésie, cinéma...). Un endroit à découvrir sans modération.

∞ ⴕⴕ **The Albany** (hors plan Les Docklands, par B2) : Douglas Way, Deptford, SE8 A4G. ☎ 020-8692-4446. ● thealbany.org.uk ● Ⓜ New Cross (East London Line, à prendre depuis Whitechapel). Un des lieux qui vibrent le plus à Londres. Très bon théâtre pour enfants notamment.

Musées et balades

ⴕⴕ Au-delà du Tower Bridge, sur la rive sud, le **Butler's Wharf** ou **Shad Thames** (plan Les Docklands, A1) est un quartier de docks en pleine résurrection, à

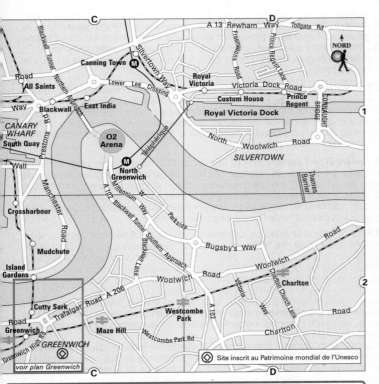

Site inscrit au Patrimoine mondial de l'Unesco

LES DOCKLANDS,
DE TOWER BRIDGE À THAMES BARRIER

22 Tayyab's		**26** Dickens Inn
23 Hot Box		∞ **Théâtre**
24 Prospect of Whitby		**30** Wilton's Music Hall
25 The Mayflower		

l'initiative de l'omniprésent Terence Conran. Les prix de l'immobilier atteignent ici encore des sommets vertigineux. Les amateurs d'urbanisme et d'architecture seront comblés. La réhabilitation du Butler's Wharf est emblématique du nouveau Londres avec ces anciens entrepôts en brique reliés par des passerelles métalliques. Chaque année, de nouveaux bâtiments sont rénovés et le circuit s'étend bien au-delà du Design Museum.

✹ Design Museum (plan Les Docklands, A1) **:** 28 Shad Thames, Butler's Wharf, SE1 2YD. ☎ 0207-403-6933. ● designmuseum.org ● Ⓜ Tower Hill. Traverser le Tower Bridge et longer la Tamise sur 200 m. Tlj 10h-17h45 (dernier ticket 30 mn avt). Fermé 25-26 déc. Entrée : env 14 £ ; réduc ; gratuit moins de 6 ans. Un café au rdc, le Design Museum Café ; un resto au 1er étage, le Blue Print. Un bel espace contemporain au bord de la Tamise, avec très belle vue sur le London Bridge, dédié à la gloire du design industriel, des années 1900 à nos jours. Expositions temporaires autour d'un thème, d'un produit ou d'un créateur. On s'intéresse, par exemple, à l'évolution des formes pour des produits aussi banals que la chaise, le téléphone ou l'aspirateur. Intéressant en général, mais l'entrée est quand même très chère, dommage ! Heureusement, la boutique vaut la visite à elle seule. En tout cas, les Anglais font bien de se demander pourquoi leur bouilloire ressemble à une bouilloire.

🎭🎭 **St Katharine Docks** *(plan d'ensemble, J4 ; plan Les Docklands, A1) :* près du Tower Bridge, rive nord. Ⓜ *Tower Hill ou Tower Gateway.* Un vieux coin du port joliment transformé en luxueuse marina. Enclave de charme. Architecture récente au look ancien. Au milieu des voiliers, quelques vieux navires, histoire de faire bonne figure. On peut prendre un pot dans le gigantesque pub *Dickens Inn* (voir « Où boire un verre ? » plus haut).

🎭 **Canary Wharf Tower** *(plan Les Docklands, C1) :* nous voici au cœur du centre d'affaires des Docklands. Symbole des lieux : la Canary Wharf Tower, building de verre haut de 244 m pas spécialement gracieux, surmonté d'une pyramide, soit 272 m au total. Construit en 1991 par César Pelli. On ne peut pas y monter, mais on peut admirer la station de métro, imaginée par Norman Foster (encore lui), aussi large que la tour est haute ! Une vraie prouesse artistique.

🎭🎭 🏃 Si vous avez le temps, une annexe géniale du *Museum of London* mérite largement le détour – le **Museum of London Docklands** *(plan Les Docklands, B1) :* West India Quay, E14 4AL. ☎ 020-7001-9844. ● *museumoflondon.org.uk* ● Ⓜ *Canary Wharf. DLR : West India Quay. Indiqué depuis le métro et face à une église sur... péniche ! Tlj 10h-18h. Fermé 24-26 déc. GRATUIT. Visites guidées gratuites (en principe à 14h15). Expos temporaires.*

Vaste musée consacré à la Tamise, son port, son histoire, ses acteurs... Le bâtiment servait à entreposer le sucre et les épices en provenance des Indes. Ces docks, datant de l'époque georgienne, étaient, en leur temps, les plus grands du monde !

– La visite chronologique commence au **3ᵉ étage.** Par le biais d'une splendide scénographie, ludique et aérée (pas mal d'animations interactives pour les enfants), on découvre Londinium et l'importance du commerce du **temps des Romains,** puis les attaques *vikings,* et la conquête du *Strand* qui n'était encore qu'une plage longeant la Tamise. Quelques vestiges significatifs, comme ce baril datant de 50 apr. J.-C., encore dégorgeant de goudron.

Viennent ensuite la **Renaissance,** le développement du commerce avec les Amériques, l'Inde et la France. Puis le **XVIIIᵉ s,** avec une augmentation sans précédent des échanges et des transactions, imposant une réorganisation totale des ports et rendant du même coup les adorables Saint Katharine Docks totalement obsolètes. C'est la naissance des « *Legal Quays* » (que l'on appellera « docks » seulement après qu'Albert Dock leur eut laissé son nom). Dès lors, tout s'accélère. De nombreuses industries s'implantent le long de la Tamise, et on assiste à l'émergence de nouvelles classes sociales. Épopée de la chasse à la baleine fort bien évoquée. Comme dans tout musée anglais qui se respecte, un quai et des entrepôts grandeur nature ont été reconstitués avec soin. On s'y croirait : odeurs et cris des mouettes. On est frappé par tant de misère, et pourtant, il faut bien comprendre que tout l'argent brassé à la City provenait des richesses accumulées ici.

– Une section captivante offre également un regard nouveau sur **l'esclavage et le commerce triangulaire.** Le but est bien de donner à réfléchir et de permettre à chacun de faire le lien entre le commerce et l'esclavage, de comprendre l'urgence actuelle à démocratiser les échanges et à développer un commerce plus équitable. On découvre, entre autres, l'existence d'un certain Olaudah Equiano (1745-1797), symbole de l'ascension sociale des Noirs, ou encore l'importance des femmes dans la lutte pour l'abolition de l'esclavage et dans l'émergence de l'idée de commerce équitable *(fair trade).* Cette lutte politique étant le prélude de l'engagement, de l'indépendance des femmes et donc du féminisme...

– Au **2ᵉ étage,** continuation de l'expansion du port de Londres. Reconstitution remarquable d'une ruelle du quartier, avec pubs (où l'on peut s'asseoir !), boutiques... Notez ces incroyables images d'entrepôts remplis à ras bord de peaux de tigres et de léopards.

– La dernière partie est consacrée à l'***histoire contemporaine des Docklands.*** Vie des marins bien rendue (et celle des femmes de marins, pas vraiment rose !). Intéressante section sur l'organisation des dockers, les grandes grèves (notamment celle de 1889, fondatrice du mouvement syndical). Pour finir, les docks pendant la Seconde Guerre mondiale et leur inévitable réhabilitation ces dernières années.

Un musée très riche, on l'aura compris. Mieux vaut bien maîtriser l'anglais.

➤ ***Thames Path :*** très chouette balade pédestre sur les bords de la Tamise. C'est un sentier à suivre depuis les sources du fleuve dans les Costwolds (Kemble, Gloucestershire) jusqu'au barrage de Greenwich (Thames Barrier), sur 300 km, voire au-delà. La partie londonienne s'étend sur environ 40 miles (64 km) et croise notamment le degré zéro du méridien à Greenwich. Brochures fort bien faites, par sections *(gratuites et téléchargeables sur Internet,* ● *walklondon.org.uk* ●*).*

L'EAST END

SOUTHWARK, SOUTH BANK ET WATERLOO

- Pour se repérer, voir le plan d'ensemble détachable en fin de guide.

 Contrairement à Paris, où la ville s'est développée de façon égale sur les deux rives, Londres a longtemps ignoré le sud de la Tamise (sauf les quartiers résidentiels de l'ouest, comme Putney ou Wimbledon), l'immense district de Southwark. Bombardé en 1940, déserté par les habitants, mutilé par la reconstruction, cette zone est désormais en pleine expansion, soutenue par une volonté urbanistique de rompre avec le bétonnage à tout-va. La réhabilitation des docks (South Bank) mérite une exploration approfondie. Avec l'aménagement de la promenade le long de la Tamise (le Royal Mile, qui court de Lambeth Bridge, face à Westminster jusqu'à Butler's Wharf, au-delà du Tower Bridge) et ses innombrables restos et bars séduisants, tout ce secteur est même devenu très à la mode. Londoniens et touristes y affluent pour profiter de ses innombrables attractions : l'immense roue du *London Eye,* les quais colorés du *Gabriel's Wharf,* le célèbre *Globe Theatre,* théâtre shakespearien, ou encore le gratte-ciel *The Shard.* La silhouette élancée de cette spectaculaire flèche de verre, parmi les plus hauts édifices d'Europe, domine les quartiers de Borough (connu pour son marché couvert) et de Bermondsey, eux aussi en plein essor, avec un esprit village vraiment agréable... On n'oublie pas le *Millenium Bridge,* cette élégante passerelle qui enjambe le fleuve et relie la City à la « Tate ». Ce dernier musée, consacré à l'art contemporain, symbolise d'ailleurs le renouveau de ce quartier et l'extraordinaire capacité de Londres à se réinventer sans cesse, à faire du neuf avec du vieux. 🛈 Nombreuses infos pratiques sur le quartier en visitant les sites ● *visitbankside. com* ● et ● *southbanklondon.com* ●

Où dormir ?

Studios et appartements

🏠 La chaîne *Go Native* propose des studios et appartements à louer à 10 mn à pied du métro London Bridge. ☎ 020-7221-2028. ● enquiries@gonative.com ● gonative. com ● Mêmes prestations sur l'ensemble des 3 sites pour des logements modernes, fonctionnels et tout confort (2-4 pers ; loc de 1 nuit à 1 an 📶 Promos sur Internet). Déco moderne de bois blond, parquet, cuisine laquée tout équipée avec lave-vaisselle et lave-linge. Tout le nécessaire pour les familles (lit bébé). On aime bien aussi les petites touches colorées, les belles salles de bains carrelées avec douche à l'italienne et l'équipement TV/DVD. Ménage 1 fois par semaine. Le tout dans un quartier agréable et vivant.

🛏 **Go Native Tower Bridge** (plan d'ensemble, J5, **81**) : 4 Maltings Pl, 169 Tower Bridge Rd, SE1 3LF. ☎ 020-7313-3886. Compter 140-165 £. On y trouve le siège de la compagnie. Les logements se répartissent entre 2 espaces : la partie moderne et, surtout, la partie ancienne, notre préférée, dans une ancienne vinaigrerie, avec le charme en plus des vieilles pierres rouges et des colombages pour certains.

🛏 **Go Native Bermondsey Street** (plan d'ensemble, J5, **80**) : 190 Bermondsey St, SE1 3TQ. ☎ 020-7313-3886. Compter 200-230 £. Les étages supérieurs ont droit en arrivant à une vue sur Londres (mais pas depuis les chambres).

🛏 **Go Native London Bridge** (plan d'ensemble, J5, **82**) : 203 Long Lane, SE1 4PN. ☎ 020-7313-3886. Lumineux. Un peu moins charmant que les autres, mais fait très bien l'affaire !

Auberges de jeunesse et *student halls*

🛏 **St Christopher's Inns** (plan d'ensemble, I5, **126**) : réception au Village, 161-165 Borough High St, SE1 1HR. ☎ 020-7939-9710. ● vil lage@st-christophers.co.uk ● st-chris tophers.co.uk ● Ⓜ London Bridge ou Borough. Env 15-30 £/pers en dortoirs, selon période et capacité. Doubles à partir de 55 £. Le w-e et pdt les fêtes, les prix grimpent. Promos sur Internet. Petit déj continental (léger) inclus. 🖥 📶 Cette chaîne internationale d'AJ aligne pas moins de 3 adresses sur Borough High Street. Le Inn fut le premier de cette chaîne à Londres. Ce n'est pas vraiment son confort (dortoirs basiques de 4 à 22 lits au Village, 4 à 8 lits dans les autres adresses, plus quelques doubles) qui explique son succès, mais le concept porteur du « Beds & Bars ». Les auberges

sont couplées à des bars (les Belushi Bars), où les résidents bénéficient de réductions sur les boissons, les plats (histoire de garder le cap !) et les soirées concerts. Grosse ambiance lors des soirées à thème organisées dans le night-club ! Bruyant, évidemment, mais les jeunes routards se couchent rarement avant la fin de la fiesta. Notez que seul le Village dispose d'une salle commune (avec écran vidéo géant). Pour vos objets de valeur, coffres payants (à code) ou casiers gratuits (avoir son cadenas). Enfin, sachez que The Oasis, la 3e option de la chaîne, est réservé aux femmes. Partout, accueil jeune et sympa, et ambiance fraternelle.

🛏 **Friendship House** (plan d'ensemble, H5, **102**) : 3 Belvedere Pl, SE1 0AD. ☎ 020-3740-2396 et 020-7803-0950. ● friendship@lhalondon. com ● lhalondon.com ● Ⓜ Borough. Dans une impasse perpendiculaire à Borough Rd. Single en suite 35,50 £ (211 £/sem). Env 28,50 £/pers en chambre double et env 139 £/sem si on loue plus de 14 nuits. Pas de résas, sf 1 sem à l'avance. Très moderne, ce vaste complexe étudiant de 180 lits (en chambres simples ou doubles) se distingue par ses lignes sobres et ses espaces aérés. Ça change des habituels blockhaus ! Évidemment, la déco est à l'image de la maison, aseptisée mais très fonctionnelle. Bon confort (chambres en suite nickel avec TV et frigo) et équipements satisfaisants (salons communs, cuisine à chaque étage, laverie, local à vélos...).

🛏 **The Walrus Hostel** (plan d'ensemble, G5, **97**) : 172 Westminster Bridge Rd, SE1 7RW. ☎ 075-4558-9214 et 020-7928-4368 (bar). ● thewal rushostel@gmail.com ● walrussocial. com ● Ⓜ Waterloo ou Lambeth North. Env 20-30 £/pers en dortoir, avec petit déj. 📶 L'immeuble fait dans le vintage, mais ce n'est pas voulu ! Environ 68 lits. Dortoirs corrects de 4-12 lits. Seule la proximité du chemin de fer conduit ceux qui ont le sommeil léger à se doter de bouchons d'oreilles. Alors ? L'intérêt de cette auberge, c'est sa situation stratégique, à 3 mn des transports et à 10 mn de Big Ben. Ajoutez à cela une cuisine de poche, un pub super cosy avec de grandes baies façon vitraux et de confortables banquettes. Il permet de faire de chouettes rencontres. Généreux *happy hours* de 17h à 19h. Super équipe qui assure une bonne ambiance fraternelle (a obtenu le « *Best Staff Award* » en 2013)... et on passe sur les défauts.

De bon marché à prix moyens (moins de 90 £ / 117 €)

â **Tunehotels.com** (plan d'ensemble, G5, **83**) : 118-120 Westminster Bridge Rd, SE1 7RW. Pas de tél. ● fd.westminster.uk@tunehotels. com ● tunehotels.com ● Ⓜ Lambeth Bridge. Doubles à partir de 60 £ (selon période). Le concept des hôtels lowcost fait des petits. Plus vous réservez tôt, moins c'est cher. Bâtiment sans charme, mais bon, c'est secondaire. Quant aux chambres, pas bien grandes, elles sont cependant modernes et bien conçues, dans un style compact efficace. Tout est en option, de la télé au sèche-cheveux en passant par les serviettes et le ménage en deçà de 3 nuits. Vous avez quand même un lit inclus dans le prix ! Attention, certaines chambres sont sans fenêtre (les moins chères), bien vérifier à la réservation.

De plus chic à très chic (90-120 £ et plus / 117-156 €)

â **London City Hotel** (plan d'ensemble, I5, **75**) : 200 Borough High St, SE1 1JX. ☎ 020-7378-0415. ● welcome@ london-city-hotel.co.uk ● london-city-hotel.co.uk ● Ⓜ Borough. Juste audessus de la sortie du métro, réception à l'étage. Doubles env 90-170 £ selon période. 🛜 Réduc à partir de 3 nuits. Ce petit hôtel familial ne possède d'autre intérêt que celui d'offrir une vingtaine de chambres fonctionnelles, confortables et pimpantes. C'est déjà beaucoup. Certaines d'entre elles, accessibles via le petit café au rez-de-chaussée, donnent sur l'arrière et sont par conséquent très calmes. Propre donc, bien situé et pas trop cher, c'est presque un exploit à Londres ! Excellent accueil.

â **Citizen M Bankside** (plan d'ensemble, H4, **41**) : 20 Lavington St, SE1 0NZ. ☎ 020-3519-1680. ● citizenm.com ● Ⓜ Southwark. Doubles env 110-200 £ selon période. 🖥 🛜 Petite chaîne d'hôtels design, implantée au cœur de Londres. Proche de la Tate. Plus de 190 chambres très fonctionnelles et au confort irréprochable, pas immenses, mais aux prestations de qualité : déco soignée, salle de bains nickel, et toutes sortes de petits plus high-tech, comme le contrôle électronique des lumières, de la TV, et des stores ! Accueil sympa et serviable.

â **Premier Inn Southwark** (plan d'ensemble, I4, **394**) : Anchor, Bankside, 34 Park St, SE1 9EF. ☎ 0871-527-8676. ● london.southwark.pti@ premierinn.com ● premierinn.com ● Ⓜ London Bridge. Doubles env 130-150 £ en sem, à partir de 80 £ le w-e. Réduc sur Internet. 🛜 (payant). Hôtel de chaîne, ultrafonctionnel et confortable, mais qui, pour une fois, est à taille humaine et ne manque pas de charme. Il occupe un bâtiment de brique typique du quartier. Les salles de bains font un peu penser à des cabines de bateau. Lits *king size* partout. Rapport qualité-prix digne d'intérêt, à condition d'éviter les chambres du rez-de-chaussée, plus exposées au bruit.

â **Premier Inn County Hall** (plan d'ensemble, F-G5, **44**) : County Hall, 334 Belvedere Rd, SE1 7PB. ☎ 0871-527-8648. ● premierinn.com ● 🛗 Ⓜ Waterloo. Doubles à partir de 100 £. Réduc sur Internet. 🛜 La chaîne d'hôtels que l'on ne présente plus a opportunément investi une partie de l'ancien County Hall, un bâtiment historique idéalement situé, face à Big Ben et au bord de la Tamise. Plus de 300 chambres, pas la grande intimité donc, mais elles sont modernes, nickel, souvent spacieuses, fonctionnelles et confortables. Literie de qualité. Un rapport qualité-prix franchement avantageux, surtout pour les chambres avec vue.

Spécial coup de folie

â **Bermondsey Square Hotel** (plan d'ensemble, J5, **84**) : Bermondsey Sq, Tower Bridge Rd, SE1 3UN.

☎ 020-7378-2450. • *bermondseys quarehotel.co.uk* • Ⓜ *London Bridge. Doubles env 150-460 £ selon catégorie et période. Intéressantes promos sur Internet.* ▭ 🛜 Un boutique-hôtel qui joue la carte du design et de l'insolite, avec une ambiance très *sixties*. Couleurs pop et acidulées dans certaines, blanc immaculé pour d'autres.

Superbes salles de bains. Confort total (Apple TV dans toutes les chambres). Les plus chères ont même un hamac sur la terrasse, voire un jacuzzi, avec vue splendide sur le toit et Londres. Agréable grill-bar avec terrasse. Bref, le grand luxe sans tapage, dans un esprit bien dans l'air du temps.

Où manger ? Où prendre un petit déj ?

Pas mal d'options pour tous les budgets dans ce quartier en plein essor, des restos de chaîne (certains de qualité) aux petits cafés branchés, en passant par les restos tendance autour de South Bank et Bermondsey. Ne pas manquer de jeter un œil aussi aux pubs cités plus loin, dans « Où boire un verre ? Où sortir ».

Du côté de London Bridge

Sur le pouce (moins de 10 £ / 13 €)

🍽 **Bermondsey Street Coffee** *(plan d'ensemble, J5, 467)* : 163-167 Bermondsey St, SE1 3UW. ☎ 020-7403-7655. Ⓜ *London Bridge. Lun-ven 7h-19h, le w-e 8h-19h. Sandwich env 5 £.* 🛜 Un bon plan dans le quartier pour s'offrir un café équitable ou un thé accompagné d'un muffin ou d'un cookie bio. Pour la pause *lunch*, soupe maison et sandwichs frais bien préparés. À emporter ou à déguster sur place, tranquillement installé dans les canapés ou autour des quelques tables. Accueil relax, revues et journaux à dispo, grand tableau avec les petites annonces du coin, une vraie petite ambiance à la cool, quoi !

Borough Market : nombreux stands de *street food* et petits restos aux alentours. Sandwichs bio, boulangeries à l'ancienne, fruits et légumes frais... de quoi se caler pour pas cher dans ce quartier si attachant et en plein renouveau. La raclette de la boutique *Kappacasein* a beaucoup de succès *(11h-17h jeu, 11h-18h ven, 8h-17h sam).* Au *Green Market,* goûter aux délicieux *cheesecakes* et autres

douceurs chez *Artisans Foods.* Pas mal de stands de fromage (ah, les *drunken cheeses,* fromages de caractère au raisin). On y trouve aussi l'annexe locale de **Konditor and Cook** (voir texte plus loin, secteur Waterloo).

Fish ! Kitchen *(plan d'ensemble, I4, 276)* : *Cathedral St, Borough Market, SE1 9AL.* ☎ 020-7407-3801 ou 3803. • *info@fishkitchen.com* • Ⓜ *London Bridge. Dim-mar 11h-15h, mer 11h-17h, jeu-sam 11h-18h (20h ven).* Fish & chips 9 £ *(5 choix de poisson livrés chaque jour).* La version *take-away* du resto voisin *Fish !* Même qualité, mais prix divisés presque par 2. En revanche, c'est seulement à emporter. Pour éviter la queue, possibilité de commander par téléphone (CB acceptées).

Locanda del Melo *(plan d'ensemble, J5, 392)* : *218 Long Lane, SE1 4QB.* ☎ 020-7403-7513. • *info@ finefoods1.co.uk* • Ⓜ *London Bridge. Tlj sf dim l'hiver, déj 12h-15h30 et dîner 18h30-22h (22h30 sam). Dim en saison 10h-16h. Résa conseillée le w-e. Sandwich env 5 £.* 🛜 Vieille boutique de coin de rue rénovée (en respectant son charme) pour en faire une épicerie fine de produits italiens (petits producteurs). Dans ce cadre délicieusement *Old England,* vous dégusterez les lasagnes du jour, ou d'excellents sandwichs et paninis préparés avec vos ingrédients préférés (et le pain de chez *Ticino,* le voisin, bon boulanger italien lui aussi). Derrière, une minuscule salle tranquille et intime pour se détendre devant un bon *espresso.* À emporter, de délicieux fromages comme le *pecorino sardo* (brebis), le *capralpina* (chèvre) et toute la charcutaille traditionnelle italienne.

Tsuru (plan d'ensemble, H4, 619) : 4 Canvey St, SE1 9AN. ☎ 020-7928-2228. Ⓜ Southwark. Dans la rue piétonne d'un petit centre commercial entre Southwark St et Summer St. Lun 11h-15h30, mar-ven 11h30-21h, sam 12h-21h. Boxes 4,25-7,25 £ à emporter, un peu plus sur place. Une chaîne de petits snacks japonais. Celui-ci est situé à deux pas de la Tate. 2 gros avantages : une fraîcheur à toute épreuve (il suffit de jeter un coup d'œil à la cuisine ouverte où l'on prépare sushis, sashimis et autres délices en direct), et des lunch boxes bien commodes, à emporter ou à consommer sur place (quelques tables hautes dans une salle minimaliste et sur une terrasse). Simple et bon.

Tout le long de la Tamise (avec une grosse concentration vers South Bank), on retrouve les traditionnelles chaînes et franchises. Du bon (EAT, Pret A Manger et Canteen) et du moins bon.

Bon marché (10-20 £ / 13-26 €)

Ⓘ Market Porter (plan d'ensemble, I4, 191) : 9 Stoney St, SE1 9AA. ☎ 020-7407-2495. Ⓜ London Bridge. À l'angle de Park St. Pub lun-ven 6h-8h30 et 11h-23h, sam 12h-23h (22h30 dim) ; cuisine lun-jeu 12h-15h, ven-dim 12h-17h. Plats env 10-16 £, snacks et bar menu env 8-11 £. Coincé entre la voie ferrée et les halles du Borough Market, ce pub à l'ancienne n'a pas cédé grand-chose aux effets de mode et aux sirènes de la consommation. Les amoureux d'Harry Potter noteront que l'établissement fut transformé en·librairie pour le film. En bas, pub classique, souvent envahi par une foule d'habitués, qui déborde largement dans la rue. À l'étage, salle surannée avec cheminée, mobilier cossu et tapisserie d'époque. On y mange une cuisine de pub solide et généreusement servie, à l'image de ses bons plats du jour (pas de bar food le samedi) et de ses fromages venus de chez Neal's Dairy, le super fromager d'à côté. Bons choix de sandwichs élaborés.

Ⓘ 👫 Wagamama (plan d'ensemble, I4, 170) : 1 Clink St, SE1 9BU. ☎ 020-7403-3659. Ⓜ London Bridge. Sous les arcades du pont de chemin de fer. Tlj 11h30-23h (22h dim). Env 8-14 £. En face de Vinopolis. Très haut de plafond, murs en brique nus, cadre sobre... très zen, tout ça ! De la vitrine où sont installés quelques tabourets, vue sur St Paul. On retrouve toutes les spécialités de cette chaîne de cuisine asiatique : curries, teppanyaki, copieux pork ramen, etc. Voir en détail les textes sur les autres Wagamama, notamment dans le chapitre « Bloomsbury, King's Cross, Saint Pancras et Euston ».

Ⓘ Tapas Brindisa (plan d'ensemble, I4, 296) : 18-20 Southwark St, SE1 1TJ. ☎ 020-7357-8880. Ⓜ London Bridge. Tlj 11h-23h30 (22h dim). Tapas chaudes slt le soir (tte la journée dim). Petit déj tlj 10h (9h sam)-11h sf dim. Tapas env 4-13 £, planche de charcuterie env 18 £. Un grand bar à tapas chaleureux et toujours bondé, même en début de semaine (très bruyant donc). Belle sélection de charcuteries régionales espagnoles, avec jambon de Téruel, chorizo, salchichón, pain et huile. Bien pour une faim moyenne et fort bien présenté. Certaines tapas pas excessivement copieuses, mais toujours à base de bons produits. En revanche, ce n'est pas donné et l'addition prend vite de l'embonpoint si l'on n'y prend garde ! Terrasse aux beaux jours.

Ⓘ Tas Pide (plan d'ensemble, H-I4, 177) : 20-22 New Globe Walk, SE1 9DR. ☎ 020-7928-3300. Ⓜ Southwark ou London Bridge. Tlj 12h-23h30 (22h30 dim). Theatre menu 19 £, pide 8-10 £, carte 12-14 £. Dans un cadre élégant et chaleureux qu'on n'imagine pas de l'extérieur (charpente, bois sculpté, verres gravés...), on se régale d'une cuisine originaire d'une contrée magique de Turquie, l'Anatolie. On redécouvre la mezze avec des falafels croustillants, on enchaîne avec l'incik, un agneau rôti au four, et on termine par un voluptueux baklava. À moins de se laisser tenter par les pide, variante turque de la pizza, à la pâte ultrafine et à la garniture parfumée (une quinzaine de variétés). Service plein de gentilles attentions, agrémenté de concerts certains soirs.

Ⓘ Sans oublier les restos de la Tate Modern (voir plus loin ; plan d'ensemble, H4) : dim-jeu 10h-17h30, ven-sam

10h-21h30. Plats env 10-15 £ (15-20 £ le soir). Afternoon tea 15-20 £. On grimpe directement au 6e étage... Vue époustouflante sur Londres. On peut aussi se contenter de prendre un café au comptoir qui court tout le long de l'immense baie vitrée. Au 1er étage, cafétéria un peu moins chère, mais cadre moins sensationnel, on s'en doute, avec tout de même Saint-Paul en arrière-plan.

De prix moyens à plus chic (20-40 £ et plus / 26-52 €)

I●I *Garrison Public House* (plan d'ensemble, J5, **701**) : 99-101 Bermondsey St (au coin de Whites Ground). ☎ 020-7089-9355. ● info@thegarrison.co.uk ● Ⓜ London Bridge. Lun-ven 8h-15h, 18h-22h ; le w-e 9h-16h, 18h-22h (21h30 dim). Plats env 10-25 £. Un *gastropub* charmant, avec ses murs lambrissés dans les tons beige et gris, son décor rétro et son mobilier de (pseudo) récup... Cuisine ouverte où l'on prépare avec soin des plats classiques, parfois un brin revisités. Également quelques sandwichs élaborés et un beau petit déj (conseillé le *smoked haddock* et son œuf poché).
I●I *Village East* (plan d'ensemble, J5, **295**) : 171 Bermondsey St, SE1 3UW. ☎ 020-7357-6082. ● info@villageeast.co.uk ● Ⓜ London Bridge. Tlj 12h-15h (sam-dim brunch 9h-16h), dîner 18h-22h30 (22h dim). Plats env 12-25 £. Tables bien mises, bar rutilant (et sièges rembourrés), box confortables, banquettes en cuir moelleux et briques confèrent à cette brasserie moderne un charme indéniable, dans un quartier qu'on adore. Salles sur 2 niveaux. Cuisine gourmande. Service extra. Une belle adresse, toujours pleine le soir.
I●I *Pizarro Restaurant* (plan d'ensemble, J5, **82**) : 194 Bermondsey St, SE1 3TQ. ☎ 020-7378-9455. ● pizarrorestaurant.com ● Ⓜ London Bridge. Tlj 12h-22h45 (21h45 dim ; dernière commande). Résa conseillée. Formules lunch en sem et petit déj dim. Plats env 12-25 £. Long comptoir à l'espagnole, pour siroter un bon verre de vin en picorant de délicieuses tapas, et belle salle de resto dans un esprit contemporain, mêlant bois clair et quelques objets typiques. Atmosphère bourdonnante le soir en fin de semaine, où il faut prendre patience pour dégoter une table. Il faut dire que ce célèbre chef concocte une cuisine ibérique remarquable, finement travaillée avec de délicieux produits du cru. L'addition grimpe vite, mais on se régale de gambas sautées à l'ail, de côtelettes d'agneau à la castillane ou de porc *ibérica*... Pour les petites faims et les budgets plus restreints, cap sur le *José Tapas Bar, au n° 104 de la même rue.*
I●I *Fish !* (plan d'ensemble, I4, **276**) : Cathedral St, SE1 9AL. ☎ 020-7407-3803. ● info@fishkitchen.com ● Ⓜ London Bridge. Lun-ven 11h30-23h, sam 9h-23h, dim 10h-22h30 (brunch jusqu'à 14h). Résa vivement conseillée. Plats env 12-24 £, menu (3 plats) env 30 £. Ici, on joue carte sur table ! Le concept est clair : du poisson, et encore du poisson... Cette volonté de transparence se retrouve aussi bien dans la structure translucide, genre aquarium chic de verre et de métal, que dans la cuisine ouverte, offerte aux regards des convives. Selon les arrivages (la maison possède sa propre poissonnerie !), une douzaine de poissons au choix et cuisinés selon vos goûts (cuisson et assaisonnement). *Fish & chips* parfait et bien copieux. Malgré un brouhaha généralisé, l'adresse reste prisée, surtout sa belle terrasse au pied des vénérables tours gothiques de la cathédrale de Southwark.

Du côté de Waterloo

Sur le pouce (moins de 10 £ / 13 €)

🍞 *Konditor and Cook* (plan d'ensemble, G4, **275**) : 22 Cornwall Rd, SE1 8TW. Ⓜ Waterloo. ☎ 020-7633-3333. Lun-ven 7h30-18h30, sam 8h30-14h30. Cette petite boulangerie de compétition a tout pour plaire : une façade à croquer, des gâteaux *so British and so good* et quelques *snacks* délicieux à emporter, servis encore chauds par une équipe dynamique et souriante. Soupes, salades, *pie* du jour, *jacket potatoes, lunchbox* : de quoi faire son marché les yeux fermés, avant d'aller savourer le tout sur les berges de la Tamise. Mêmes fournisseurs que Jamie Oliver et Rick Stein, c'est tout dire ! Côté sucreries, de merveilleux brownies ! Leurs *HASH brownies* ne contiennent aucune substance illicite, seulement des *Hazelnuts, Almonds, Spices et Honey...* On adore aussi celui au caramel et beurre salé. Les gâteaux sont aussi une tuerie : nos préférés, le *Lemon Chiffon*, le *Curly Whirly* et le *Iced Lemon Magic Cake. Plusieurs autres adresses en ville, notamment au Borough Market ou sur Chancery Lane (46 Grays Inn Rd).*

|●| 🛒 **Greensmiths** *(plan d'ensemble, G5, 583)* : 27 Lower Marsh (et Frazier), SE1 7RG. ☎ 020-7921-2970. Ⓜ *Waterloo. Tlj sf sam 8h-18h, dim 8h-20h.* C'est une boucherie-boulangerie-marchand de légumes, faisant également boutique de produits fins, charcuteries diverses, haggis... Salle proprette en mezzanine sous atrium, longues tables en bois blanc pour de bons petits déj, sandwichs, salades et « *platters* » (viandes froides, fromages, charcutaille...). Produits ultra frais venant de petits producteurs, tous spécialistes.

|●| **The Paperworks** *(plan d'ensemble, H5, 585)* : 48-50 Newington Causeway, SE1 6DR. ☎ 020-7403-6164. Ⓜ *Elephant & Castle ou Borough. Jeu-sam 17h-23h, sam-dim 14h ou 17h-23h selon événement culturel.* Un nouveau complexe de *street food*, entre voie de chemin de fer et entrepôts. Vaste espace avec une étrange cabane au milieu. Terrasses sous grand vélum. Nourriture solide : *curry Wurst* (comme à Berlin), *spaetzl*, chili con carne... Le jeudi, festival de hot-dogs (5 £ avec un cocktail). Souvent concerts, animation musicale, performances également. *Elephant in the Garden Festival*, chaque année (en mars en principe). En été, beaucoup de monde.

De bon marché à prix moyens (10-30 £ / 13-39 €)

|●| 🛒 **Scooter Caffé** *(plan d'ensemble, G5, 582)* : 132 Lower Marsh, SE1 7RG. ☎ 020-7620-1421. Ⓜ *Waterloo. Tlj 8h-23h.* 🛜 Jolie devanture rouge pour ce tout petit café. Mobilier chiné, capharnaüm d'objets, tableaux, photos vintage et vénérables scooters... Musique tendance jazzy, toujours cool. Même le café torréfié maison est dispensé par une illustre machine à café italienne datant de 1957 ! Bons sandwichs, snacks et pâtisseries. Très sympa de se relaxer en écrivant ses cartes postales dans cette adresse authentique en diable et cosy à souhait. Le soir, on s'y retrouve pour prendre un verre entre habitués du quartier.

|●| **Anchor & Hope** *(plan d'ensemble, G5, 304)* : 36 The Cut, SE1 8LP. ☎ 020-7928-9898. ● *info@ancho randhopepub.co.uk* ● Ⓜ *Southwark. Lun 17h-23h, mar-sam 11h-23h ; lunch 12h-14h30, dinner 18h-22h30 ; dim 12h30-15h. Menus lunch 15-17 £, plats 14,80-16,80 £ (dinner 14,80-27 £).* « L'Ancre et l'Espoir » ravit tous les suffrages pour sa cuisine de *gastropub* inventive élaborée avec les meilleurs ingrédients et sa magnifique sélection de vins, le tout à des prix encore abordables. Filets de poisson, joue de porc à l'espagnole, lapin sauvage ou encore pigeon braisé aux bacon, cèpes et vin rouge... La déco hyper sobre, à l'extérieur comme à l'intérieur, laisse toute sa place au contenu de l'assiette. On peut aussi venir prendre un verre et un en-cas le long du chaleureux comptoir, surtout s'il n'y a plus de place au resto. Car c'est le seul grand défaut de l'endroit : la réservation n'est pas possible (sauf le dimanche) et il faut très souvent attendre pour obtenir une table.

|●| **Skylon** *(centre 1, G4, 239)* : à l'étage du Royal Festival Hall, Belvedere Rd, SE1 8XX. ☎ 020-7654-7800. Ⓜ *Waterloo. Lun-sam 12h-1h (derniers repas à 23h), dim 12h-22h30. Menus du grill lun-ven 12h-16h, 18-21 £.* Le meilleur emplacement qui soit, au 1er étage de ce grand complexe de

concerts, avec baies vitrées lumineuses et hauts plafonds. Une adresse à laquelle on ne penserait pas d'emblée mais pourtant bien connue des amateurs de panorama. Vaste salle chic et une cuisine sans surprise mais

correcte, menée à la baguette. La carte du restaurant est trop chère, mais en se limitant à celles du *Grill*, on s'en tire avec une addition acceptable, et la vue reste la même !

Où manger une glace ? Où faire une pause sucrée ?

♥ **Gelateria 3 Bis** *(plan d'ensemble, I4, 191)* : 4 Park St, SE1 9AB. ☎ 020-7378-1977. ● *info@gelateria3bis.co.uk* ● Ⓜ *Londonbridge. Lun-mer 8h-18h, jeu-sam 8h-19h, dim 10h-18h.* Juste à côté de *Neal's* le fromager. Pas besoin de traverser l'Europe pour goûter à de vraies *gelati* ! Car cette charmante boutique est une antenne d'une excellente maison basée à Rimini ! Alors on s'attable sans hésiter pour se régaler de glaces artisanales onctueuses, crémeuses à souhait, aux parfums

toujours renouvelés, et élaborées avec les meilleurs ingrédients (beaucoup proviennent directement d'Italie et le lait des meilleures vaches anglaises). Essayez la « figue et mascarpone », hummm ! Vrai café. Approuvé par *Slow Food*, ça va de soi ! Irrésistible.
☛ Voir aussi plus haut **Konditor and Cook** *(plan d'ensemble, G4, 275)*, pour leurs délicieux gâteaux et brownies ; et le **Scooter Caffé** *(plan d'ensemble, G5, 582)*, pour une pause très cosy.

Où boire un verre ? Où sortir ?

🍸 Voir aussi **Tapas Brindisa** *(plan d'ensemble, I4, 296)*, décrit plus haut dans « Où manger ? ».
🍸 **Bermondsey Arts Club** *(plan d'ensemble, J5, 256)* : 102A Tower Bridge Rd, SE1 4TP. ☎ 020-3302-0610. ● *bermondseyartsclub.co.uk* ● Ⓜ *London Bridge. Mar-sam 19h-2h. Cocktail 9,50 £ ; snacks env 3,50 £.* C'est la grande vogue à Londres, des bars à cocktails installés dans d'anciennes toilettes publiques de l'époque victorienne, en sous-sol. Celui-ci est franchement petit et intime, propice à un verre en amoureux, en début ou fin de soirée. Cadre délicieusement rétro, avec son carrelage en damier noir et blanc, ses boiseries art déco et son comptoir joliment éclairé, où le barman officie avec talent. Quelques classiques à la carte, mais surtout des créations originales, parfois détonnantes ! Beaucoup de monde en fin de semaine, dans ce cas l'ambiance y est nettement plus animée.
🍸 **The George Inn** *(plan d'ensemble, I4, 395)* : 77 Borough High St, SE1 1NH. ☎ 020-7407-2056. ● *hello@george-southwark.co.uk* ● Ⓜ *London Bridge. Tlj 11h-23h (22h30 dim). Plats*

env 10-15 £. Il fut un temps où Charles Dickens et William Shakespeare y avaient leurs habitudes ; aujourd'hui, on croise surtout d'heureux touristes et les cols blancs du secteur. Ce pub historique de 1542, propriété du *National Trust*, fut reconstruit en 1676 après le terrible incendie qui ravagea Londres. Il a gardé tout son charme. Le dernier à avoir conservé ses galeries extérieures, comme en arboraient quasi tous les pubs au Moyen Âge (le *Blitz* lors de la Seconde Guerre mondiale aura fait une hécatombe de pubs). Dissimulée dans une vaste cour pavée tranquille (avec la flèche du *Shard* en fond de tableau, quel contraste !), cette immense bâtisse chaulée hérissée de grosses lanternes abrite une enfilade de petites salles confortables. Cuisine de pub correcte et bonnes bières, bref, une halte de choix fort pittoresque... Terrasse chauffée.
🍸 **The Roebuck** *(plan d'ensemble, I5, 257)* : 50 Great Dover St, SE1 4YG. ☎ 020-7357-7324. ● *info@theroebuck.net* ● Ⓜ *Borough. Tlj 11h-23h (22h dim) ; service 12h-14h30 (16h sam), 17h-22h ; dim en continu 12h-21h.* Belle ambiance dans ce pub

établi dans une maison victorienne à l'angle de la rue, avec quelques tables en terrasse, sympa aux beaux jours. Grande salle haute de plafond, colonnades, illustres parquet et comptoir en bois, pas mal d'espace aussi pour se retrouver entre amis, dans un esprit très convivial. Beaucoup de monde et de bruit à la sortie des bureaux ou lors des soirées à thème (ciné, petits concerts, etc.). Bon accueil, chaleureux à l'image des lieux. Classique carte de *pub grub* et quelques plats plus élaborés, parfaits pour accompagner une bonne *lager*.

♟ **The Anchor** *(plan d'ensemble, I4, 394)* : 34 Park St, SE1 9EF. ☎ 020-7407-1577 Ⓜ London Bridge. Tlj 11h (12h dim)-23h (minuit jeu-sam). Une étape indispensable, pour le souvenir surtout. Car ce vénérable pub chargé d'histoire échappa au Grand Incendie de 1666 (mais pas à celui du Southwark quelques années plus tard) et fut miraculeusement épargné par les bombes du *Blitz*. Aujourd'hui, il peut en raconter des choses : construit sur une tombe romaine à laquelle succéda un cimetière de la peste, baptisé *The Anchor* en 1665, car il faisait pub et boutique de marine, il reçut les acteurs du *Globe*

Theatre tout à côté et probablement Shakespeare ! Le pub possède toujours son vénérable aspect extérieur de brique usé et patiné, mais il a fini par perdre un peu de son cachet au fil des rénovations. Balcons tout du long de la bâtisse et terrasse géniale, surplombant la Tamise au pied du pont de chemin de fer. Bien sûr, possibilité de se restaurer (traditionnels *fish & chips, pie and mash*, burgers divers, etc.).

♟ ♪ **The Gladstone Arms** *(plan d'ensemble, I5, 407)* : 64 Lant St, SE1 1QN. ☎ 020-7407-3962. Ⓜ Borough. Lun-jeu 12h-23h, ven-sam 13h-minuit, dim 13h-22h30. ● thegladpub.com ● 🛜 De la rue principale, on repère la bâtisse en brique uniquement grâce à la fresque peinte sur le mur. Tant mieux. La petite salle coquette aux bibelots rétro supporterait mal la foule. Ici, on partage les sofas et les tables rondes avec une ribambelle d'habitués, qui picorent des *pies* bio en jouant aux échecs ou au Scrabble... sauf les soirs de concert ! Dans ces cas-là, on joue un peu plus des coudes, mais l'ambiance reste tout aussi chaleureuse. Consulter le programme sur leur site. *Lounge* relax au 1er étage.

Spécial *nightclubbers*

♫ **Ministry of Sound** *(plan d'ensemble, H5, 465)* : 103 Gaunt St, SE1 6DP. ☎ 020-7740-8600. ● ministryofsound.com ● Ⓜ Elephant and Castle. Ven 23h-6h, sam 23h-7h. Entrée : 15-25 £. Cette légende de la nuit

londonienne depuis 1991 est plus que jamais sur le devant de la scène ! Il suffit de voir la liste des DJs invités (pas moins de 4 *dance floors*) pour s'en convaincre... Beaucoup, beaucoup de monde.

Cinémas

■ **BFI IMAX Cinema** *(plan d'ensemble, G4)* : 1 Charlie Chaplin Walk, SE1 8XR. ☎ 0330-333-7878. ● bfi.org.uk ● Ⓜ Waterloo. Juste en face de la sortie de Waterloo Station. Abrite l'un des plus grands écrans d'Europe (26 m x 20 m).
■ **BFI Southbank** *(plan d'ensemble,*

G4) : Belvedere Rd, SE1 8XT. ☎ 020-7928-3232. ● bfi.org.uk ● Ⓜ Waterloo. En bord de Tamise, les vastes bâtiments abritent une médiathèque, une galerie, des bars, une boutique. Lieu vivant et convivial. Intéressante programmation de vieux films.

Shopping

⊛ **Neal's Yard Dairy** *(plan d'ensemble, I4, 191)* : 6-8, Park St, SE1 9AB. ☎ 020-7367-0799. ● nealsyarddairy.co.uk ● Ⓜ London Bridge. Tlj sf dim

9h-18h. Encore plus beau, encore plus grand qu'à Covent Garden ! Cette incontournable boutique spécialisée dans l'affinage et la vente de fromages fermiers fait la part belle aux fromages anglais, gallois, écossais et irlandais. L'occasion de découvrir, si vous n'êtes pas encore convaincu, que l'Angleterre est aussi « l'autre pays du fromage »... Elle travaille avec plus de 70 producteurs. Son centre d'affinage est à deux pas, dans les vénérables entrepôts victoriens en brique, sous la voie de chemin de fer, bénéficiant idéalement d'une atmosphère cool et humide. Accueil gentil comme tout ; on se fera un plaisir de vous guider et de vous faire goûter. Et puis d'autres produits :

huiles, chutneys, biscuits, *piccalilli* traditionnel, etc. Un rêve de gourmand !

✸ **Radio Days** *(plan d'ensemble, G5, 192)* : 87 Lower Marsh, SE1 7AB. ☎ 020-7928-0800. Ⓜ *Waterloo. Tlj sf dim 10h-18h.* Boutique spécialisée dans le joli vintage, les babioles insolites, les objets dérisoires ou décalés, les *comics* (genre MAD), vieux journaux, superbes robes de bal, vénérables chapeaux refourgués par la reine... Pour tous les goûts, tous les fantasmes ! Accueil charmant.

Marchés

– **Borough Market** *(plan d'ensemble, I4)* : Southwark St. ● boroughmarket. org.uk ● Ⓜ *London Bridge. Mer-jeu 10h-17h, ven 10h-18h, sam 8h-17h.* Un des plus beaux marchés alimentaires de Londres. Très bobo, mais bien pittoresque tout de même. Beaucoup de petits producteurs, pas mal de bio, et que du bon ! C'est ici (entre autres) que la star de la « télécuisine » anglaise, Jamie Oliver, vient s'approvisionner.

– **Bermondsey Market** *(plan d'ensemble, J5)* : ven mat, sur Abbey St. Ⓜ *Borough ou London Bridge.* Beaucoup de professionnels. Antiquités, bijoux, porcelaines, etc. Beau mais pas donné.

– **Bermondsey Farmers Market** *(plan d'ensemble, J5)* : sam 10h-14h, au Bermondsey Sq. Ⓜ *Borough ou London Bridge.* Petits producteurs de fruits, légumes... massivement bio.

Monuments, galeries et musées

🎯🎯🎯 👣 **Imperial War Museum** *(plan d'ensemble, G5)* : Lambeth Rd, SE1 6HZ. ☎ 020-7416-5000. ● iwm.org.uk ● Ⓜ *Lambeth North ou Elephant and Castle. Tlj 10h-18h. GRATUIT (expos temporaires payantes). Cafétéria, librairie-boutique et consignes.*
Entièrement repensé à l'occasion du centenaire de la Première Guerre mondiale, ce musée remarquable est un incontournable dans son genre. Outre la quincaillerie habituelle (avions de chasse, tanks et fusées), il présente des expos sur différents thèmes – parfois inattendus, comme les histoires d'amour pendant la guerre, le sort des enfants, la propagande, ou encore les opérations high-tech de la guerre du Golfe. D'entrée, dans le grand hall, dessiné par le cabinet d'architecture du célèbre Norman Foster, quelques pièces emblématiques captent le regard, comme un Spitfire suspendu dans les airs, une fusée V2 (l'ancêtre des missiles balistiques) ou encore le fameux char T34, utilisé par l'Armée Rouge lors de la Seconde Guerre.
Le musée aborde tous les conflits qui ont déchiré le XXᵉ s (et il y en a !). Passionnantes sections sur la Première Guerre mondiale, très documentées et étoffées de reconstitutions soignées. La visite est une véritable plongée dans l'expérience de la guerre, avec sons et lumières, et une présentation interactive permet à toutes les générations de faire la visite à son rythme et à son niveau. Bien entendu, la bataille de Ypres (le Verdun anglais) est largement évoquée avec l'emploi du gaz moutarde et la trêve de Noël de 1914, ainsi que la vie quotidienne en Angleterre durant la guerre, ou l'histoire des bataillons. Les enfants pourront même revêtir l'uniforme de leur choix ou s'imaginer dans une tranchée. Ne pas manquer non plus l'exposition qui retrace l'histoire de l'espionnage britannique de 1909 à nos

SOUTHWARK, SOUTH BANK ET WATERLOO

jours (les fameux services MI5 et MI6). On est immanquablement accueilli par un certain Bond... James Bond. Voir la fameuse machine à coder allemande *Enigma*. Sa découverte par les troupes alliées fut l'un des tournants décisifs de la Seconde Guerre mondiale.

Le musée propose, par ailleurs, une poignante évocation de l'Holocauste, très complète mais surtout digne et sobre. Et c'est là qu'on prend toute la mesure de ce musée intelligent qui n'exalte pas la guerre, mais invite les visiteurs à s'interroger sur ce qui conduit à un conflit, et ses conséquences. Remarquable.

Également des projections de films et, certains soirs, des exposés, conférences ou reportages sur des sujets d'histoire ou d'actualité. À la sortie, un morceau du mur de Berlin.

🏴🎐 🏃 *London Eye* *(plan d'ensemble, F5)* **:** *South Bank, Jubilee Gardens, SE1. Résas :* ☎ *0871-781-3000.* ● *londoneye.com* ● Ⓜ *Waterloo. Tlj 10h-20h30 (21h30 la 1re quinzaine d'avr, 21h de mi-avr à fin juin et 21h30 juil-août). Fermé quelques jours en janv pour la maintenance et le 25 déc. Tarif : env 22 £ ; 14 £ enfant ; gratuit moins de 4 ans. Résa quasi obligatoire par tél ou Internet (tarifs préférentiels ; retrait sur place 15 mn avt). Sinon, billetterie en face, dans le County Hall. Billets combinés également avec les attractions de South Bank (London Dungeon, Sealife Aquarium, etc.).* Elle tourne, elle tourne, la grande roue construite par *British Airways* et sponsorisée par Coca Cola. En face de Westminster, elle projette ses reflets dans la Tamise en envoyant ses visiteurs au septième ciel à 135 m d'altitude, pour goûter aux joies d'un panorama incomparable. L'expérience est précédée par un petit show en 4D, puis dure environ 30 mn et permet, par temps clair, de distinguer les paysages jusqu'à une quarantaine de kilomètres.

🏃 🏃 *Sealife Aquarium* – *London* *(plan d'ensemble, F5)* **:** *County Hall, Riverside Building, sur la rive sud, à deux pas du Westminster Bridge.* ☎ *0871-663-1678.* ● *sealife.co.uk* ● Ⓜ *Westminster. Tlj 10h-19h (20h l'été) ; dernière admission 1h avt. Entrée : env 26,50 £ ; réduc sur Internet, enfants et forfait famille ; gratuit moins de 4 ans. Billets combinés avec le London Eye, Madame Tussauds et le London Dungeon.* Un site agréable, notamment grâce à une déco soignée et très ludique, qui plaît particulièrement aux enfants (reproduction de l'épave d'un galion, d'un environnement précolombien, squelette de baleine reposant au fond du grand bassin...). Sur 3 niveaux sont présentées différentes espèces provenant des principaux océans, ainsi que la vie dans les milieux coralliens, la mangrove, la forêt tropicale, etc. Parmi les musts, la reconstitution de la banquise avec ses pingouins, et le tunnel qui traverse l'aquarium des requins ! Impressionnant...

🏃 *London Dungeon* *(plan d'ensemble, F5)* **:** *County Hall, SE1 7PB.* ☎ *0871-423-2240 et 0871-663-1670 (groupes et scolaires).* ● *thedungeons.com* ● Ⓜ *Waterloo ou Westminster. Lun-ven 10h (11h jeu)-17h, le w-e 10h-18h. Horaires fluctuants pdt les vac et j. fériés. Entrée : 28,95 £ ; réduc enfants et sur Internet ; forfait famille et tickets combinés avec les attractions de South Bank.* Ne cherchez pas de donjon, tout se passe en sous-sol. Et qu'est-ce qui attire les foules malgré le prix prohibitif ? Le spectacle, pardi ! Car il ne s'agit pas d'un « musée des horreurs », mais d'un véritable show : à pied et en bateau (façon train fantôme !), les visiteurs sont conduits par petits groupes tout le long d'un circuit reconstituant habilement les venelles les plus sordides du vieux Londres, le tout rythmé par des saynètes jouées par une vingtaine de comédiens, sur le thème « torture, maladie et sorcellerie médiévales ». Des exemples ? On y voit les victimes de Jack l'Éventreur, des pendus, des lépreux, des accessoires de sorcières et toutes les formes de sadisme, avant de finir entre les mains de l'affreux Sweeney Todd. Évidemment, tout s'achève par un procès et l'exécution des visiteurs. Un genre de manoir hanté XXL version gore : mieux vaut avoir le cœur bien accroché.

🏴🎐 🏃 *The Vaults* *(plan d'ensemble, G5)* **:** *Leake St ; accès par York Rd au nord ou Lower Marsh au sud.* ☎ *020-7401-9603.* ● *thevaults.com* ● Ⓜ *Waterloo. Horaires fluctuants selon événements. GRATUIT.* Un nouveau lieu culturel multidisciplinaire établi dans les voûtes souterraines, sous la gare de Waterloo ! Déjà, le tunnel par lequel on y accède, imprégné des odeurs de bombes de peinture, arbore une incroyable concentration de *street art* et graffs, des murs au plafond, renouvelés presque quotidiennement (vous êtes sûr de croiser quelques artistes de talent à l'œuvre lors de votre passage). Toutes sortes d'activités réjouissantes au cours de l'année, notamment le *Vault Festival* (fin janvier-début mars), avec expos, concerts, ateliers pour les enfants, etc. On y trouve aussi un resto très convivial (grandes tables communes dans une salle voûtée), une petite galerie d'art, un théâtre avec une programmation éclectique, une salle d'*escape game* appelée *Goosebumps* (littéralement « chair de poule » !), pour les adultes et les enfants, des ateliers de peinture avec modèle vivant tous les lundis et mardis soir, des soirées cirque à Noël *(Midnight Circus)*, etc.

🏹🏹🏹 🏃 *Tate Modern (plan d'ensemble, H4) :* Bankside, SE1 9TG. ☎ 020-7887-8888. • tate.org.uk ● Ⓜ *Southwark ou Blackfriars. Accès possible depuis la City par la passerelle pour piétons dans l'axe de St Paul's Cathedral. Tlj 10h-18h (22h ven-sam) ; dernière admission 45 mn avt. Fermé 24-26 déc. GRATUIT (expos temporaires payantes). Bon plan : 2 entrées pour le prix d'une aux expos temporaires sur présentation de votre billet d'Eurostar. Intéressant guide multimédia (en français) : 4 £. Visites guidées gratuites tlj à 11h, 12h, 14h et 15h.*
– Bon plan : une navette (payante) relie la Tate Modern à la Tate Britain. Départs ttes les 40 min. Prix : 47,50 £ ; réduc avec la Travelcard.

Depuis son inauguration par la reine en 2000, cette mythique coqueluche des musées londoniens, consacrée à l'art moderne et destinée à rivaliser avec le Centre Pompidou à Paris, le MoMA à New York et le Guggenheim à Bilbao, ne désemplit pas. Plus de 45 millions de visiteurs en plus de 10 ans ! Il faut dire que sa conception est vraiment audacieuse.

Imaginez une centrale électrique construite dans les années 1940, un gros parallélépipède disgracieux de brique rouge, coiffé d'une cheminée d'usine, voué à la pioche des démolisseurs et finalement transformé par le génie d'architectes suisses en un superbe hall d'exposition de 34 000 m² et de 35 m de haut, complété bientôt par une pyramide déstructurée. C'est ça, la Tate Modern !

Herzog et de Meuron ont réussi la prouesse de faire littéralement fusionner le passé industriel du bâtiment avec les collections exposées.

À l'intérieur, attention au choc esthétique : on entre par l'impressionnante salle des turbines, aux dimensions dignes d'une nef de cathédrale. Cet espace en pente douce de 150 m de long, qui abritait les génératrices, est aujourd'hui le lieu de rendez-vous des visiteurs ! C'est là aussi que sont présentées les œuvres monumentales d'artistes contemporains de renommée internationale, tels que Louise Bourgeois, Ai Weiwei, Olofur Eliasson et, récemment, Abraham Cruzvillegas.

Et c'est sans compter la *nouvelle extension* ultracontemporaine, un bâtiment de 7 étages (plus 3 en sous-sol) reliés par une passerelle intérieure, qui permet d'exposer une grande partie des œuvres restées en réserve. Son ouverture en juin 2016 marque un nouveau tournant pour la Tate Modern, qui devient l'un des plus grands musées d'art contemporain.

Par ici la visite

Le *bâtiment principal* compte six étages : les 2e, 3e et 4e étages sont partagés entre les *sections permanentes et les expos temporaires,* tandis que la salle des machines, au rez-de-chaussée, n'accueille que des *expos temporaires* (installations, films et performances pour cette dernière). Les autres niveaux sont réservés aux salles pédagogiques, aux auditoriums, à des cafés, à un restaurant tout en haut (voir plus haut « Où manger ? ») et à des boutiques. La structure industrielle est atténuée par un éclairage tamisé, des planchers de bois brut et des coins lecture judicieusement disposés. Les vastes baies vitrées offrent d'extraordinaires points de vue sur la Tamise et le Millenium Bridge.

Impossible de mentionner des œuvres précises, celles des expos permanentes changent elles-mêmes régulièrement... Le concept est souple et original : les œuvres sont réunies autour de thèmes qui permettent les rapprochements les plus audacieux. D'autres mettent en lumière les grands courants artistiques du XXᵉ s *(Structure and Clarity)*, ou ceux de l'abstraction apparus après la Seconde Guerre mondiale *(Transformed Visions)*. Quant au thème *Energy and process*, il s'intéresse à un courant radical italien des années 1960 et 1970, l'*arte povera*.

Dans le désordre et au hasard des accrochages, vous croiserez des à-plats de Mark Rothko, des collages de Kurt Schwitters, des sculptures de Joseph Beuys, Epstein, Henry Moore, Giacometti, César et Arman, des tableaux de Matisse, Mondrian, Miró, Picasso, Dalí, de Chirico, Magritte, Yves Klein, Jackson Pollock, Kirchner, Rothko et on en passe. Les réserves de la Tate Modern sont inépuisables et d'une rare richesse ! Elles sont désormais mises en valeur dans la nouvelle extension que s'est adjointe la Tate au sud de l'ancienne usine, avec plusieurs étages dévolus aux expos permanentes, un autre pour les activités pédagogiques et scolaires et, bien sûr, une cafétéria plus un resto chic et choc dans un cadre design. De quoi passer quelques heures de visite stimulante, et revenir au gré d'une balade le long de la Tamise, histoire d'explorer de fond en comble ce haut lieu de l'art contemporain.

🎭🎭 🏃 *Shakespeare's Globe Theatre* (plan d'ensemble, H4) : *21 New Globe Walk, Bankside, SE1 9DT.* ☎ *020-7902-1400 et 020-7401-9919 (tickets).* ● *sha kespearesglobe.com ●* Ⓜ *Southwark. Tlj 9h-17h (visite guidée à partir de 9h30). Fermé 24-25 déc. Entrée : 1,5 £ ; réduc ; gratuit moins de 5 ans. Compter 40 mn de visite guidée, puis musée avec audioguide en français (gratuit). Attention : pdt la saison théâtrale (en principe de mi-avr à mi-oct), les visites de l'ap-m sont annulées pour ne pas gêner les répétitions.* Sur place plusieurs cafés, bar (tlj jusqu'à 0h30) et brasserie (lun-sam 12h-14h30, 18h-22h30 ; dim 12h-18h). Belle vue sur la Tamise.

POURQUOI *THE GLOBE* ?

Est-ce parce qu'il a une forme circulaire que Shakespeare surnomma son théâtre The Globe ? That is the question. Eh bien non ! Vous remarquerez les fresques au-dessus de la scène, symbolisant le paradis. Quant aux dessous des planches, elles cachaient à l'époque les effets spéciaux et donc l'enfer avec toutes sortes d'explosions et fumées artificielles. Entre les deux, la scène, le théâtre de la vie, en résumé... le monde (globe en anglais).

Face à la Tamise se dresse un véritable mythe : le *Globe*, théâtre du légendaire William Shakespeare. Bon, d'accord, il ne s'agit pas du bâtiment d'origine. Le premier, construit en 1599, fut détruit en 2h par un incendie accidentel en 1613 lors d'une représentation *d'Henri VIII*. Quant au deuxième, il fut démoli en 1644 lorsque les puritains prirent la décision de fermer tous les théâtres. Mais tout de même... ce théâtre circulaire à ciel ouvert datant de 1997 a fière allure, aussi fidèle à l'original que possible : murs de torchis, galeries, colombages, magnifique charpente en bois, et même, détail insolite, un toit de chaume. C'est le seul de Londres, puisqu'ils sont formellement interdits depuis le Grand Incendie de 1666. Un autre théâtre, au toit fermé cette fois-ci, a ouvert en 2014 pour répondre aux vœux de celui qui fut à l'origine de la reconstruction du *Globe*, Sam Wanamaker. Celui-ci avait toujours milité pour que l'on construise deux théâtres complémentaires. Le nouveau est donc une reconstitution soignée d'une salle typique du XVIIᵉ s de style jacobéen, coiffée d'un plafond aux peintures en trompe l'œil et conçue pour des représentations aux chandelles. Atmosphère !

Au XVIIᵉ s, on ne comptait pas moins de quatre théâtres dans le quartier. Les vestiges de l'un d'eux, *The Rose*, ont été mis au jour lors de récentes fouilles (c'est ce même *Rose* qui avait été reconstruit en studio pour les besoins du film *Shakespeare in love*). La visite comprend le musée (tout sur le théâtre shakespearien, depuis le règne de la grande Élisabeth jusqu'à nos jours, dans une muséologie moderne et interactive très réussie) et un tour guidé du théâtre. On apprend,

par exemple, qu'on ne jetait pas des tomates à l'époque aux acteurs, mais des oranges, parce que ça sentait meilleur ! D'autant que les centaines de spectateurs massés debout devant la scène ne sentaient pas non plus la rose : pas de toilettes, l'alcool coulant à flots et de l'ail à croquer en guise de friandise !
Durant la saison théâtrale, on ne saurait que trop recommander d'assister à une représentation d'une pièce de Shakespeare (debout en général au *Globe*, comme à l'époque, à moins de préférer le confort du théâtre couvert).

🎭 🏃 *Golden Hinde* (plan d'ensemble, I4) : *Saint Mary Overie Dock, Cathedral St.* ☎ *020-7403-0123. • goldenhinde.com • Ⓜ London Bridge. Tlj 10h-17h30 ; horaires fluctuants en fonction des visites guidées, contées et d'animations en tout genre. Entrée : 7 £ ; réduc.* Ce bateau est la réplique fidèle d'un navire de guerre du XVIe s, avec lequel le redoutable Sir Francis Drake fit le tour du monde de 1577 à 1580. Il rapporta des trésors incomparables et fit flotter le pavillon anglais sur des eaux jamais encore explorées par ses compatriotes. Il est aujourd'hui connu comme le corsaire britannique ayant remporté le plus grand nombre de duels, et n'est pas étranger à la défaite de l'Invincible Armada en 1588. Visite vraiment rapide mais intéressante pour les passionnés d'histoire maritime et très appréciée des enfants. On devine les conditions de vie des quelque 60 hommes d'équipage en déambulant dans les cales et en lisant une petite brochure explicative.

🎭 *Clink Prison Museum* (plan d'ensemble, I4) : *1 Clink St, Bankside, SE1 9DG.* ☎ *020-7403-0900. • clink.co.uk • Ⓜ London Bridge. Juil-sept, tlj 10h-21h ; oct-juin, lun-ven 10h-18h, le w-e 10h-19h30. Entrée : 7,50 £ ; réduc.*
C'est dans une ambiance de recueillement assurée par des chants d'église que l'on visite cette prison du XIIe s. Détruite en juin 1780 pendant les émeutes

> ## APPORTEZ DES ORANGES !
> *Le prêtre jésuite John Gerard, incarcéré pour catholicisme à Clink Prison, taillait des crucifix dans la peau des oranges qu'on lui apportait. Puis il écrivait des lettres avec leur jus et faisait passer ce courrier. Ce moyen de communication lui permit d'organiser avec succès son évasion et de mourir peinard à Rome à l'âge respectable de 73 ans !*

dites « de Gordon », elle a vu défiler maintes générations de scélérats de tout poil, de filles de peu de vertu, de dangereux hérétiques, mais surtout de pauvres hères endettés. Pour peu que vous lisiez l'anglais (mais la salle des tortures est on ne peut plus explicite !), vous apprendrez quantité de charmants détails sur le système carcéral du Moyen Âge. Par exemple, les prisonniers devaient payer pour leur détention, les femmes étaient souvent enfermées en compagnie de leurs enfants (ceux-ci, non coupables, pouvaient sortir et aller mendier), certains prisonniers engraissaient des rats d'égout afin d'ajouter un peu de viande à leur pitoyable menu...
C'est moins gore – et moins cher – que le London Dungeon et, autant le dire, beaucoup plus informatif, même si le site est petit et la visite rapide. Bien qu'un effort pédagogique soit à noter à l'égard des enfants, certaines reconstitutions (à l'aide de mannequins) peuvent néanmoins se révéler impressionnantes.

🎭🏃 *The View from The Shard* (plan d'ensemble, I4) : *South Bank, 40 Bermondsey St, SE1 3UD.* ☎ *0844-499-7111. • theviewfromtheshard.com • Ⓜ London Bridge. Tlj, avr-fin oct 10h-22h (dernier accès à 21h30) ; nov-mars 10h-19h (22h jeu-sam), dernière entrée 1h avt la fermeture. Fermé 25 déc. Résa conseillée à l'avance pour éviter l'attente et bénéficier de tarifs réduits. Billet (cher !) : 30,95 £ (25,95 £ si résa en avance) ; réduc 4-15 ans.*
La vue touristique la plus haute d'Europe, depuis le 72e étage de cette tour inaugurée en février 2013, un pointu élongué de 310 m (du même ordre que la tour Eiffel) se terminant par 4 pièces de verre inégales formant un éclat (*shard* en anglais).

La tour est occupée par des bureaux, des appartements et un hôtel, *Shangri-La*. Dessiné par Renzo Piano, c'est le nouveau symbole d'un Londres en grand mouvement... Au bout de 3 ans de travaux (la grue a grandi avec l'édifice jusqu'au sommet !) et 600 millions d'euros d'investissements, cette tour éminemment controversée en raison de son impact visuel radical sur la ligne d'horizon londonienne a vite éclipsé le minuscule *Cornichon (The Gherkin)*, de l'autre côté de la Tamise, avec ses 180 m, et même le London Eye, qui offrait pourtant déjà un joli panorama du haut de ses 135 m.

Des ascenseurs ultrarapides (6 m/s), des téléscopes interactifs et un grand moment d'émotion tout là-haut sur la terrasse du 72e étage, entre le sifflement du vent et la vue à 60 km à la ronde. Admirez les méandres de la Tamise, la coupole de Saint Paul, l'arche de Wembley au loin...

¶¶ ⚘ ⟲ *HMS Belfast (plan d'ensemble, J4) :* Tooley St, SE1. ☎ 020-7940-6300. ● *iwm.org.uk* ● Ⓜ *London Bridge. Tlj 10h-18h (17h nov-fév) ; dernière admission 1h avt. Fermé 24-26 déc. Entrée : 16 £ ; réduc ; gratuit moins de 5 ans. Audioguide (inclus) en français. Cafétéria (dans la cale).*

Ancré sur la Tamise, à deux pas du superbe Tower Bridge, ce beau croiseur, lancé en 1938 à Belfast, aux célèbres chantiers navals *Harland & Wolf* (ceux du *Titanic*), fut l'un des premiers à bombarder les défenses allemandes des plages Gold et Juno le 6 juin 1944... et le seul à avoir échappé à la casse, après avoir dûment arrosé les troupes chinoises lors de la guerre de Corée. Il prit sa retraite en 1963 après avoir couvert plus de 500 000 miles...

Aujourd'hui, on a la chance de pouvoir le visiter de fond en comble. Et quelle chance ! Annexe de l'Imperial War Museum, il cherche d'abord à témoigner des conditions de vie à bord à l'époque. Les moindres recoins sont accessibles (sur 9 niveaux) et, en jetant un œil au plan détaillé, on mesure vite les méandres de cette miniville flottante : batteries d'artillerie, dortoirs, cabinet de dentiste, infirmerie (avec salle d'opération !), carré des officiers, salle des machines, cuisines, bibliothèque, chapelle, cellule d'isolement (à l'arrière, là où ça tangue le plus)... On explore, on se perd, on se repère à force, tandis que des mannequins hyper réalistes donnent vie à l'ensemble, sans parler des sons, des odeurs, des lumières des radars dans la salle de contrôle... Parfait pour une visite en famille.

⚘ *Fashion and Textile Museum (plan d'ensemble, J5) :* 83 Bermondsey, SE1 3XF *(dans une rue perpendiculaire à Tooley St).* ☎ 020-7407-8664. ● *ftmlondon.org* ● Ⓜ *London Bridge. Mar-sam 11h-18h (20h jeu), dim 11h-17h. Fermé les lun fériés. Entrée : 9 £ ; réduc ; gratuit moins de 12 ans.* Cet atelier et lieu d'exposition appartenant à Zandra Rhodes, fameuse styliste britannique, a ouvert ses portes dans un quartier dévolu au design vestimentaire et à la création artistique. Intéressantes expos temporaires entièrement consacrées à la mode et aux créateurs.

⚘ *White Cube Gallery (plan d'ensemble, J5) :* 144-152 Bermondsey St, SE1 3TQ. ☎ 020-7930-5373. ● *whitecube.com* ● Ⓜ *London Bridge. Mar-sam 10h-18h, dim 12h-18h. GRATUIT.* Peinture, vidéo, collages et autres œuvres d'art plastique trouvent toujours une place de choix dans cette galerie réputée. Expos temporaires renouvelées chaque mois.

LES AUTRES QUARTIERS DU GRAND LONDRES

AU NORD

CAMDEN TOWN

● Plan *p. 269*

Au nord de Londres, le quartier de Camden Town est évidemment célèbre pour son marché aux puces, encore plus folklorique et « fringues » que Portobello. Question hébergement, ce n'est pas le point de chute idéal pour explorer la ville. On y vient d'abord pour observer toute la foule d'excentriques urbains *typically* londoniens et pour la vie nocturne toujours aussi électrique et éclectique. Grosse affluence les vendredi et samedi soir, nombreux groupes live et chaude ambiance dans les bars et clubs (ne pas manquer de consulter le programme de *Time Out*). Une étape indispensable dans tout séjour londonien pour découvrir le *swinging London* du troisième millénaire !

➤ *Pour y aller :* très rapidement accessible en bus ou en métro (Ⓜ Camden Town ou Chalk Farm). Et pourquoi ne pas prendre l'un de ces bateaux qui partent de Bloomfield Rd (Ⓜ Warwick Ave) et suivent le canal jusqu'à Camden Town ?

Où dormir ?

Auberge de jeunesse (moins de 35 £/ pers / 45,50 €)

ⓐ Ⅰ●Ⅰ *St Christopher's Camden* (plan Camden Town, B3, **1**) : 48-50 Camden High St, NW1 0LT. ☎ 020-7388-1012 et 8600-7500. ● bookings@st-christophers.co.uk ● st-christophers.co.uk ● Ⓜ Mornington Crescent. Bar ouv jusqu'à minuit en sem et dim, 2h ven-sam. En dortoir mixte ou séparé 6-10 lits en moyenne 26 £/pers, moins cher selon période et promo, avec petit déj. 1 seule double avec sdb à partir de 60 £. Tarifs réduits sur Internet. 📶 Comme à son habitude, cette chaîne bien connue de *youth hostels* privées mêle ambiance festive et qualité des prestations. Au rez-de-chaussée, le désormais classique *Belushi's Bar*, à l'atmosphère très américaine, toujours bondé le soir et servant quelques plats à prix doux. À l'étage, bien défendus par des cartes magnétiques, une poignée de dortoirs (total : 60 lits), sans double vitrage, petits et basiques mais acceptables et flanqués de douches et w-c pas trop mal tenus. Au sous-sol, petite salle commune avec sofas, TV. Un bémol : pas de cuisine... mais réductions au bar pour les résidents et un micro-ondes (ça peut toujours servir !).

Prix moyens (50-90 £ / 65-117 €)

🛏 **Camden Lock Hotel** (plan Camden Town, A2, **2**) : 89 Chalk Farm Rd, NW1 8AR. ☎ 020-7267-3912. ● reservations@camdenlockhotel. co.uk ● camdenlockhotel.co.uk ● Ⓜ Chalk Farm. À deux pas des entrepôts du marché aux puces. Doubles 88-98 £, avec petit déj.

Réduc si vous réservez par e-mail à l'avance. 📶 Voilà un petit hôtel (environ 33 chambres) sans prétention, où l'on est bien accueilli, avec son café rutilant au rez-de-chaussée. Oh, rien d'exceptionnel, chambrettes un peu exiguës mais assez coquettes. Évitez si possible celles qui donnent sur le carrefour.

Spécial coup de folie (plus de 185 £ / 240,50 €)

🛏 |●| **York and Albany** (plan Camden Town, B3, **3**) : 127-129 Parkway, NW1 7PS. ☎ 020-7387-5700 et 7388-3344 (resto). ● yandarecep tion@gordonramsay.com ● gordon ramsay.com ● Ⓜ Camden Town. Doubles à partir de 235 £. Promos sur Internet. 📶 Resto 12h-15h et 19h-23h. Plats 17-33 £. Dormir chic à Camden ? Original. C'est pourtant le défi qu'a relevé Gordon Ramsay, l'un des chefs les plus prestigieux d'Angleterre. Son hôtel-boutique donne l'impression d'un pub élégant et cossu : au rez-de-chaussée, le bar et le restaurant, mais aussi son *deli* (voir « Où manger ? ») et, à l'étage, une dizaine de chambres tout confort et très soignées. Certaines sont décorées dans un style ancien, avec des bibelots de prix et du mobilier

LE GRAND LONDRES

🛏	Où dormir ?		
	1	St Christopher's Camden	
	2	Camden Lock Hotel	
	3	York and Albany	

🍴 |●|	Où manger ?		
	3	Pizza at York & Albany	
	10	Lemonia	
	11	Greenberry	
	12	Haché	
	16	The Queens	
	22	L'Absinthe	
	50	Marché	

🍦	Où manger une bonne glace ?	
	27	Marine Ices

🍸♪🎵	Où boire un verre ? Où écouter de la musique ? Où danser ?	
	23	The Grand Union
	24	Black Cap

	25	The Blues Kitchen
	26	Proud
	28	The Enterprise
	50	The Cuban

♪∞🎵	Spécial *nightclubbers*	
	13	The Forge
	20	The Underworld
	30	HMV Forum
	31	Jazz Café
	32	Lock 17-Dingwalls
	33	KoKo
	34	Green Note

🛍	Shopping	
	13	Fresh Coffee Roasted
	41	Ray Man Eastern
	42	British Boot Company
	43	Escapade

🕺	À voir. À faire	
	50	Marché aux puces de Camden Town

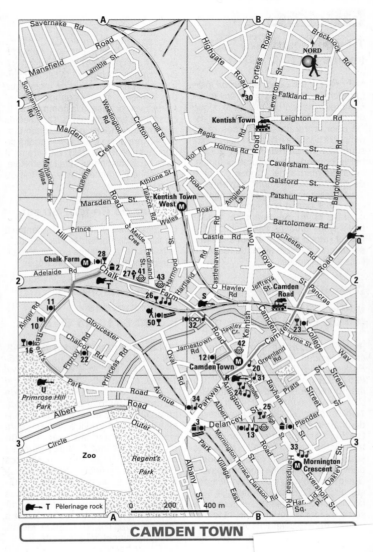

CAMDEN TOWN

ad hoc, d'autres sont résolument contemporaines. On aime bien celle dans la tour ronde. La suite donne sur l'arrière, avec sa petite terrasse privée. Tapis épais, parquets grinçants, lits à baldaquin, tout ce qu'il

faut pour un en amoureux. réputation, tinguée. Bar et un vrai zin (avec des pizz

lun.-
22h3
Quelque
B2, **12** : 24
☎ 020-7485-

Où manger ?

Très bon marché (moins de 10 £ /13 €)

I●I Le week-end, le *marché* (plan Camden Town, A-B2, **50**) est envahi de nombreux stands de cuisine exotique qui rivalisent pour titiller vos papilles. De quoi reprendre des forces et se remplir la panse à moindres frais. Ceux situés dans le **Stables Market,** sous la partie couverte (nourritures chinoise, indienne, marocaine...), nous ont paru de qualité extrêmement moyenne. Il existe des gargotes plus engageantes, côté canal, près du cabaret *Dingwalls* : cuisines chypriote, libanaise, argentine... Dans tous les cas, suivez votre flair (et votre bon sens) et installez-vous sur un coin de table avant de repartir à l'assaut des puces...

De bon marché à prix moyens (10-20 £ / 13-26 €)

I●I **Pizza at York & Albany** (plan Camden Town, B3, **3**) : 127-129 Parkway, NW1 7PS. ☎ 020-7255-9254. **Ⓜ** Camden Town ou Mornington Crescent. Lun-sam 7h-23h, dim service continu 12h-21h. Pizza 11,50 £, plats 6-14,50 £. Une adresse de charme derrière laquelle se trouve Gordon Ramsay, un cuisinier anglais très cathodique. Installé dans les écuries d'un ancien relais de poste dont il a conservé les anciens pavés. Quelques tables à peine dans ce *deli* aux allures d'épicerie d'antan. Ça sent bon les cakes ou les pizzas tout juste sortis du four au feu de bois, et le plateau de fromages anglais vous calerait une équipe de rugby, le tout exécuté sous vos yeux avec des produits frais. Sinon, « sandwichs ouverts », burgers, ~~c~~lamars... Également un bar vaste et ~~chale~~ureux (11h-minuit, 0h30 ven-sam, ~~22h~~ dim) ainsi qu'un restaurant. ~~Quelques~~ tables en terrasse.

~~I●I Haché~~ (plan Camden Town, ~~B2,~~ ~~I~~nverness St, NW1 7HJ. ~~☎ 020-~~9100. ● camden@

hacheburgers.com ● **Ⓜ** Camden Town. Tlj 12h-22h30 (23h ven-sam, 22h dim). Burgers 7,50-11 £. Haché ? Avec ce nom pas possible, il fallait un challenge à la hauteur : rien de moins que des burgers... pour « connoisseurs » ! Après avoir précisé, à la commande, la cuisson, le type de pain, la sauce et les accompagnements, le fameux hamburger s'avère digne d'éloges. Produits de qualité supérieure, frais, parfaitement cuits et assaisonnés. Affaire familiale, atmosphère vraiment relax, ça fait du bien !

Autour de Regent Street

On aime bien cette rue résidentielle du village de *Primerose Hill,* élégante et tranquille, à distance convenable du barnum agité et bruyant des Puces !

De bon marché à prix moyens (10-30 £ /13-26 €)

I●I **Lemonia** (plan Camden Town, A2, **10**) : 89 Regent's Park Rd. ☎ 020-7586-7454. **Ⓜ** Chalk Farm. Tlj 12h-14h30 et 18h30-22h. Menus déj 10,50 et 12,95 £. Depuis plus de 30 ans, le resto grec de Camden, immuable dans la qualité de sa cuisine et de son service (les serveurs vieillissent lentement avec le resto et ont le contact facile). Clientèle d'habitués. Beaucoup de plantes vertes, très spacieux, lumineux aux beaux jours, apprécié des familles nombreuses (ici, on aime les enfants). Cuisine aux accents méditerranéens, ça va de soi, poissons bien préparés (14,50-17,50 £). Menus du midi vraiment intéressants.

I●I **Greenberry** (plan Camden Town, A2, **11**) : 101 Regent's Park Rd. ☎ 020-7483-3765. **Ⓜ** Chalk Farm. Dim-lun 9h-15h, mar-sam 9h-22h. Menus 13,50-15,50 £, plats 13-18 £. Resto-brasserie sans prétention au cadre simple, très populaire, *packed* le dimanche (résa conseillée). Il offre une cuisine avec une touche personnelle de qualité régulière. Produits toujours de saison traités avec le souci de préserver goûts et parfums, fraîcheur absolue. Brunch du week-end également apprécié. Pain, gâteaux et glaces maison.

|●| 🍸 ***The Queens*** *(plan Camden Town, A2,* ***16****) : 49 Regent's Park Rd, NW1 8XD. ☎ 020-7586-0408. Ⓜ Chalk Farm. Face au parc de Primrose Hill. Repas lun-ven 12h-15h, 18h-22h ; le w-e 12h-21h. Plats élaborés 8-14 £.* Un beau pub classique un rien classieux, fréquenté par les promeneurs du Regent's Park et les notables du quartier. Au 1er étage, la salle de restaurant cosy à l'ambiance décontractée et un balcon donnant sur le parc. Bonne nourriture sans surprise et assiettes bien présentées, en 2 tailles ou à partager. Belle sélection de gâteaux.

De prix moyens à plus chic (20-30 £ /26-39 €)

|●| ***L'Absinthe*** *(plan Camden Town, A2,* ***22****) : 40 Chalcot Rd, NW1 8LS ☎ 020-7483-4848. • absinthe07@hotmail.co.uk • Ⓜ Chalk Farm. Tlj sf dim soir. Plats 12-20 £, petit déj et brunch 6-8 £.* En retrait de l'agitation du marché, une atmosphère provinciale se dégage de cet accueillant bistrot 100 % cocorico. Quelques tables au rez-de-chaussée ou en sous-sol avec nappes à carreaux comme il se doit. À la carte, escargots, bœuf bourguignon, confit de canard ou la spécialité, une incontournable crème brûlée à l'absinthe. À accompagner de vins finement choisis, l'autre argument choc de la maison.

Où manger une bonne glace ?

🍦 ***Marine Ices*** *(plan Camden Town, A2,* ***27****) : 61 Chalk Farm Rd. ☎ 020-7428-9990. Tlj 11h-19h (plus tard en été).* Depuis 1931, plus haut dans le quartier, Gaetano Mansi a longtemps régalé son monde (et au-delà) avec ses bonnes recettes de glaces à l'italienne. Ses petits-enfants ont créé ce nouveau lieu pour perpétuer la tradition : méthodes artisanales, ingrédients naturels, sorbets aux vrais fruits. Belle sélection de *sundays* également, milk-shakes, gaufres belges et *chocolate brownies.* Et (vraie) cerise sur le brownie, un choix de cafés extra...

Où boire un verre ? Où écouter de la musique ? Où danser ?

🍸 |●| ***The Grand Union*** *(plan Camden Town, B2,* ***23****) : 102-104 Camden Rd, NW1 9EA. ☎ 020-7485-4530. • camden@gugroup.co.uk • grandunionbars.com • Ⓜ Camden Rd. Lun-mer, dim 12h-minuit, jeu 12h-1h, ven-sam 12h-1h30.* Happy hours *sur les cocktails 16h-20h. Burgers 10 £, petits plats (2 pour 9,50 £),* platter *d'assortiments 13,50 £.* Possibilité de grignoter d'excellents burgers (et originaux : certains sont même servis sans pain !) et copieuses salades. Bonne musique (genre années 1970 et 1980, souvent *extra loud* !), ambiance conviviale et beau cadre bourgeois : papier peint à grosses fleurs, miroirs, festival de lustres et lampes baroques, moelleuses banquettes alignées le long de la grande verrière. Cependant, malgré son isolement, le *Grand Union* est un refuge à peine plus calme que le reste du quartier. *Live sessions* le jeudi à 20h. Dimanche, cocktails à 5 £ toute la journée et quiz à 20h. D'autres adresses à Londres, notamment à Brixton.

🍸 ♩ ♫ ***Black Cap*** *(plan Camden Town, B3,* ***24****) : 171 Camden High St, NW1 7JY. ☎ 020-7485-0538 et 7428-2721. • theblackcap.com • Ⓜ Camden Town. Lun-mar 12h-1h, mer-jeu 12h-2h, ven et sam 12h-3h. Entrée : 2-5 £. Gratuit dim.* L'un des plus vieux cabarets et *dance bars* du circuit homo, toujours très populaire et animé. C'est aussi l'un des plus anciens pubs de Camden (1751), avec des tas d'histoires et de légendes sur son compte ! Les soirs en fin de semaine, c'est un véritable défilé d'excentriques aux looks et aux maquillages les plus fous. Parfois, concours de drag-queens (certaines sont même derrière les platines !). Pub séparé à l'étage, bien plus sage.

♪ ♪ ♫ Proud (plan Camden Town, A2, 26) : Horse Hospital, Chalk Farm Rd, NW1 8AH. ☎ 020-7482-3867 et 7839-4942. ● proudcamden. com ● ⓜ Camden Town ou Chalk Farm. Ven-dim, DJs rock metal surtout. Cette ancienne clinique pour chevaux transformée en galerie photos/bar/night-club/resto ne manque pas de panache avec ses box devenus des recoins-salon. La salle d'expo (tlj 11h-17h) fait office de dance floor le soir. Super programmation, surtout le mercredi avec le Club Kamikase où l'on célèbre les Clash, Libertines, Red Hot Chili Peppers, Muse et tant d'autres... Ici, pas de course à la célébrité, on met plutôt en selle les DJs qui se lancent. Le dimanche à partir de 15h, même esprit pour les solos à la guitare, dans une ambiance bien sympa.

♪ ♪ The Blues Kitchen (plan Camden Town, B3, 25) : 111-113 Camden High St, NW1 7JN. ☎ 020-7387-5277. ● theblueskitchen.com ● ⓜ Camden Town. Tlj 12h-minuit (1h mer-jeu et dim, 3h ven-sam). Musique ts les soirs, tarifs et horaires variables. ☎ Soul, rock, blues... l'Amérique côté musique dans ce grand pub aux banquettes de skaï beiges et plafonds à caissons, également connu pour ses whiskies :

plusieurs dizaines de bouteilles, dont des raretés comme ce William Heavenhill à 50 £ le godet ! Une adresse anti-coup de blues, idéale pour bien commencer la soirée et croquer dans le burger du mois.

♪ |●| The Enterprise (plan Camden Town, A2, 28) : 2 Haverstock Hill (coin Chalk Farm Rd), NW3 2BL. ☎ 020-7485-2659. ● info@camdenenterprise. com ● ⓜ Chalk Farm. Tlj 12h-23h (minuit jeu, 1h ven-sam). Burgers et pub grub 8 £. Bons Sunday Roast et sandwichs. On aime bien ce vieux pub rugueux et patiné, offrant par journée de soleil son atmosphère tranquille et lumineuse. Aux premiers frimas, le feu crépite dans la cheminée près de la petite bibliothèque. Le soir, autre ambiance, quand la musique conquiert l'espace, belle animation ! Concerts live quasi tous les soirs (sauf lundi-mardi). Vers 18h30-19h, parfois gratuits (ou tickets max 3-6 £). Réputé pour donner sa chance aux jeunes groupes. Retransmission des grands matchs (foot et rugby).

♪ |●| The Cuban (plan Camden Town, A2, 50) : Stables Market, Chalk Farm Rd, NW1 8AH. ☎ 020-7424-0692 et 0333-240-2000. ⓜ Camden Town ou Chalk Farm. À l'intérieur des Puces. Tlj 12h-2h (23h dim). Cette grande salle chaleureuse, rendant évidemment hommage au Che, recueille les saturés de fausses antiquités et les lecteurs épuisés en général. Confortables fauteuils pour déguster mojito, daïquiri, margarita et autres cocktails. En revanche, cuisine vraiment pas à la hauteur du Commandante et service pouvant se révéler franchement lent et peu motivé !

Spécial *nightclubbers*

♪ HMV Forum (plan Camden Town, B1, 30) : 9-17 Highgate Rd, NW5. ☎ 020-7428-4099 ou 0844-847-2405 (résas et achat des billets). ● kentishtownforum.com ● ⓜ Kentish Town. Entrée selon notoriété du groupe. Existe depuis 1934, de style Art déco ! C'est LA salle (2 400 places) où les jeunes groupes doivent passer pour prétendre à une parcelle de gloire

« rock'n'rollesque ». Ce qui n'empêche pas les grosses cylindrées de revenir faire un tour de piste pour le plaisir... Bonne vue sur la scène du rez-de-chaussée comme de la mezzanine.

♪ Jazz Café (plan Camden Town, B2-3, 31) : 5 Parkway, NW1 7PG. ☎ 020-7485-6834 (infos) et 0844-847-2514 (tickets) ou 0870-060-3777. ● thejazzcafelondon.com ●

Ⓜ *Camden Town. Ouv à partir de 19h. Résa conseillée. Entrée payante.* Cette ancienne boîte de jazz très célèbre a revu sa programmation : désormais, en plus des concerts classiques (pas mal de grosses pointures), on a toutes les chances de tomber sur de la soul, du funk et du hip-hop. On y a même vu MC Solaar, the SOS Band ou encore Boy George (pas le même soir) ! Le samedi soir est même dévolu aux soirées *I love the eighties,* très étudiantes, très disco. Salle de resto (pas terrible) sur la mezzanine.

♪ |●| **Green Note** *(plan Camden Town, A-B3, 34) :* 106 Parkway, NW1 7AN. ☎ 020-7485-9899. ● *greennote.co.uk* ● Ⓜ *Camden Town. Mer-sam 19h-23h (minuit ven-sam) ; dim 14h-17h30, 19h-23h. Entrée : à partir de 7 £.* Créé il y a 10 ans par 2 passionnés de musique World. Ici, c'est l'ambiance qui compte. Pas mal d'habitués fréquentent ce petit bar un peu *roots,* au parquet et aux meubles en bois qui en ont vu d'autres, où chaque soir des groupes ou des chanteurs solos s'essaient au jazz, au *bluegrass* ou à la country. Chaleureux, relax et pas compliqué, comme la cuisine végétarienne qui permet de se sustenter entre deux tours de chants.

♪ |●| ∞ **Lock 17-Dingwalls** *(plan Camden Town, A-B2, 32) :* Middle Yard, Camden Lock, NW1 8ALF. ☎ 020-7428-5929. ● *dingwalls.com* ● Ⓜ *Camden Town. Au début de Chalk Farm Rd, à gauche après le pont au-dessus du canal. Spectacle tlj.* Comedy ven-sam, sinon musique live *(rock, punk). Entrée : 5-15 £.* Les Anglais appellent cela un *comedy club,* un genre de café-théâtre en beaucoup plus grand et plus élaboré. Possibilité de se restaurer. 3 salles : *le Market Bar,* le *Canalside Bar* et le *Dingwalls Club.* Avec des animations régulières comme les *Roll on Fridays* (de 1 à 3 £), les soirées *We are Wild* le dernier mercredi de chaque mois (gratuit) et tous les lundi *Free Live Music.* Et après ? On danse jusqu'à l'aube sur l'un des 3 *dance floors,* jusqu'à 2h30 les vendredi et samedi.

♪ **The Underworld** *(plan Camden Town, B2, 20) :* 174 Camden High St, NW1 0NE. ☎ 020-7482-1932.

● *theunderworldcamden.co.uk* ● Ⓜ *Camden Town. Tlj. Concert à partir de 18h-19h. Entrée : 5-18 £. Pour les* club nights *du w-e, 5 £ avt 23h30 !* Sous l'immense pub *World's End* (face au métro Camden Town), une boîte sans déco notable mais connue pour ses « soirées délire », avec des groupes live déclinant la famille des *metal* au complet : folk, death, heavy, indie... et même *extreme metal* !

♪ ♫ |●| **The Forge** *(plan Camden Town, B3, 13) :* 3-7 Delancey St, NW1 7NL. ☎ 020-7383-7808. ● *forgevenue.org* ● Ⓜ *Camden Town. Tlj sf lun 10h-minuit (1h ven-sam, 22h30 dim). Possibilité de se restaurer (mar-dim 18h-22h et brunch le w-e 10h-15h). Happy hour 17h-18h (2 cocktails pour 10 £).* Un petit nouveau sur le chemin des amateurs de musique de Camden. Et celui-ci a de la ressource ! Beaucoup de musique du monde, classique, jazz, funk, soul. On y a même vu une comédie musicale pour enfants ! Lieu très ouvert (dans tous les sens du terme !), sur plusieurs niveaux, et un mur végétal spectaculaire.

♪ ♫ **KoKo** *(plan Camden Town, B3, 33) :* 1 A Camden High St, NW1 7JE. ☎ 020-7388-3222 et 0844-847-2258. ● *koko.uk.com* ● Ⓜ *Mornington Crescent. Horaires et droit d'entrée selon groupe ; réduc étudiants certains jours.* Ancien théâtre créé en 1900 (Chaplin y a joué) devenu cinéma en 1913, théâtre à nouveau de 1945 à 1965, puis salle de concerts (dans les années 1970, concerts mémorables des Rolling Stones – en 1964 avec album enregistré –, des Sex Pistols et des Clash) et, enfin, night-club ! On y a vu Madonna en 1983, dont ce fut le 1er concert en Grande-Bretagne, Eurythmics, The Cure, les Babyshambles, Roxy Music, Amy Winehouse ou Vanessa Paradis. Dans la vaste fosse qui fait office de *dance floor* ou dans les différents étages, bonne ambiance, bonne musique, bonnes *vibes,* le tout dans un décor magistral.

– Voir également nos adresses dans la rubrique précédente, « Où boire un verre ? ». Elles proposent toutes *music* et, parfois, *dancing* le soir.

LE GRAND LONDRES

Shopping

Outre les innombrables stands du marché aux puces de Camden, le quartier abrite quelques bonnes adresses alternatives pour faire son shopping.

🕸 **British Boot Company** (plan Camden Town, B2, **42**) : 5 Kentish Town Rd, NW1 8NH. ☎ 020-7485-8505. ● brit boot.co.uk ● Ⓜ Camden Town. Tlj 10h-19h. C'est minuscule, mais c'est pourtant LA boutique originelle de Dr. Martens depuis plus de 160 ans. Leur devise : « Si nous ne l'avons pas, c'est que ça n'a pas été fabriqué. » Toutes les vedettes de la musique s'y sont chaussées, de même que les bobbies de la Metropolitan Police. On y voyait souvent les Sex Pistols, les Clash, Morrissey, Madness, les Pogues, les Ramones, Robbie William et tant d'autres... Visite impérative pour les amoureux de ces chaussures indestructibles. Pas donné, mais les fins de séries sont parfois soldées. Et puis celles vendues moins chères au marché sont souvent des contrefaçons !

🕸 **Escapade** (plan Camden Town, A2, **43**) : 45-46 Chalk Farm Rd, NW1 8AJ. ☎ 020-7485-7384. Ⓜ Chalk Farm. Lun-ven 10h-19h, sam 10h-18h, dim 12h-17h. Pour vos futures fêtes, un choix incroyable de masques, costumes, tenues sexy... Tous les genres : rappeur, punk, 60's hippy chicks, 70's retro, Capone, déesse égyptienne, « cuir » et les costumes des séries TV. Également bijoux et gadgets divers. Masques vénitiens pas si chers que ça !

🕸 **Ray Man Eastern** (plan Camden Town, A2, **41**) : 54 Chalk Farm Rd, NW1. ☎ 020-7692-6261. Ⓜ Chalk Farm. Lun 13h-17h, mar-sam 10h30-18h, dim 13h-17h. Pour les fans de world music, cette petite boutique aligne une sélection éclectique d'instruments d'Orient, d'Afrique et d'Amérique latine, à des prix raisonnables : gongs chinois, harpe birmane, tambourins marocains, sitars pour gauchers, ukulélés, clochettes tibétaines... Choix très impressionnant !

🕸 **Fresh Coffee Roasted** (plan Camden Town, B3, **13**) : 11 Delancey St, NW1 7NL. ☎ 020-7387-4080. Ⓜ Camden Town. Tlj sf dim 9h30-17h30 (14h30 jeu). George Constantiniou torréfie son propre café dans cette boutique depuis 1978 et fournit bon nombre de clients et d'amateurs. Rien ne semble avoir changé. Si vous passez dans les parages, suivez l'odeur et passez une tête dans cette boutique d'un autre âge. Accueil adorable.

À voir. À faire

🏹🏹🏹 **Marché aux puces de Camden Town** (plan Camden Town, A-B2, **50**) : tlj 10h-18h, mais plus animé le w-e. Au bord de l'eau, très vivant, on l'appelle le Camden Lock ou Dingwalls Market. Passer allègrement la première partie de Camden High (plan Camden Town, B3), non sans admirer le délire fantasmagorique de la décoration des façades... Disquaires, boutiques de fringues branchées ou friperies has been, salons de piercing et tatouages, souvenirs laids, gadgets de mauvais goût ou inutiles... Un peu plus loin, il y a le marché proprement dit, coincé entre le canal et Camden High Street, dont 90 % des antiquités sont plus jeunes que vous. Nombreux stands de vêtements psychédéliques, rastas ou gothiques, objets d'Asie, affiches de films, bouquins et beaucoup de gadgets seventies. Ne pas hésiter à s'enfoncer dans le dédale de ruelles, près du chemin de fer, là où sont installées les boutiques les plus délirantes au cœur des anciennes halles (Stables Market). Repérez le forgeron géant et vous y êtes !

– Un incontournable, le **Cyberdog,** immense espace futuriste gardé à l'entrée par deux robots gigantesques faisant office d'atlantes, où la techno pulse à fond et où vous trouverez de superbes tenues de l'espace pour frimer dans les raves les plus déjantées. Hors de prix, mais même les vendeurs, les danseuses (si, si !) et le DJ derrière ses platines cosmiques valent le coup d'œil...

– Les pin-up dans l'âme ou fans de rockabilly des années 1940 et 1950 ne manqueront pas la boutique **Collectif** *(3 autres adresses, notamment à Spitalfields),* située au pied des chevaux émergeant du pont (!) qui vend à prix honnêtes des modèles rétro conçus et créés à Londres. Les robes *baby-doll* ou cintrées à pois sont un must l'été. Quant aux fétichistes de tout poil et autres accros de heavy metal, ils trouveront à côté leur compte au **Black Rose.** Également des entrepôts de meubles design des années 1960-1970. Pour se reposer les gambettes dans un lieu agréable et paisible, **Cuban Café,** sous l'œil de velours et l'engagement de fer du Che.

HAMPSTEAD ET HIGHGATE

● Plan *p. 277*

À quelques kilomètres du centre de la capitale et pourtant si loin dans l'esprit, Hampstead et Highgate, séparés par le grand parc Hampstead Heath, sont d'anciens villages que l'urbanisation a englobés au début du XXᵉ s dans le « Grand Londres ». Ils ont su garder un caractère villageois et résidentiel, facilité par la configuration des ruelles (surtout à Hampstead), qui épousent les reliefs de la colline. Les touristes ne s'y aventurant guère, ils sont toujours aussi authentiques avec leurs cottages georgiens du XVIIIᵉ s, leurs maisons blanches de style victorien et leurs pubs en embuscade au débouché des venelles pavées. Ce charme inné attire, depuis des siècles, artistes, écrivains et penseurs en mal d'isolement et de quiétude : Robert Louis Stevenson, John Constable, George Orwell, le poète John Keats et, plus récemment, Elton John, Jeremy Irons ou Sting. Karl Marx a même « choisi » de mourir et de reposer ici (en 1883).

Comment y aller ?

➢ **En métro :** par la Northern Line, descendre à Hampstead (direction Edgware) pour le quartier du même nom, à Archway ou Highgate (direction High Barnet ou Mill Hill East) pour le quartier de Highgate. Dans tous les cas, pensez à récupérer, en sortant du métro, une *street map,* très utile pour vous repérer. Si vous avez l'intention de visiter les deux quartiers, on vous conseille de commencer par Hampstead et de finir par Highgate, en traversant le parc. Déjà parce que, dans ce sens, ça descend (et que dans l'autre, ça monte sec), et surtout parce qu'il vaut mieux s'attarder dans le quartier de Hampstead, nettement plus attrayant, avant de traverser tranquillement Hampstead Heath où l'on vient avec bonheur respirer le bon air de la campagne...

Où dormir ?

Auberges de jeunesse (moins de 35 £ / 45,50 €)

🛏 **Palmers Lodge** *(hors plan Hampstead, par A2, 10) :* 40 College Crescent, Swiss Cottage, NW3 5LB. ☎ 020-7483-8470. ● palmerslodges. co.uk ● Ⓜ Swiss Cottage. 180 lits en dortoirs 2-28 lits. Env 18-30 £/pers. Quelques chambres doubles (ou twin) avec leur propre sdb 70-105 £/nuit, avec petit déj. Parking gratuit sur la place. 🛜 À 2 stations de Baker Street et à 5 de Westminster, autant dire que cette auberge de jeunesse n'est pas bien loin du centre. Et ce n'est pas là son moindre attrait. Installée dans un authentique manoir victorien, elle possède un charme fou. Même les dortoirs ont du cachet ! Les lits superposés doubles (dortoirs conçus pour des couples !) et fermés à l'aide de petits rideaux de toile blanche nous replongeraient presque en pleine Renaissance. Très théâtral tout ça ! Les dortoirs aménagés sous les combles ont gardé leurs poutres apparentes. Le réfectoire n'est pas en reste, vu que les repas sont servis dans les anciennes cuisines du manoir, celles-ci ayant conservé une grande partie de leur décor d'origine (cheminée, céramiques...). Excellente ambiance : bar sur place (un genre de petit pub), salon TV, billard, jeux de fléchettes, barbecue aux beaux jours sur l'une des terrasses. Dommage toutefois qu'il n'y ait pas de cuisine en accès libre (on se contente d'un micro-ondes, ou des repas servis le soir). Pas d'adhésion, ni de limite d'âge. À noter que la maison possède un autre *hostel*, le *Hillspring Lodge* (233 Willesden Lane, NW2 5RP ; ☎ 020-7099-2435 ; ● reception@hillspringlodge.co.uk ● palmerslodges.co.uk ● Ⓜ Willesden Green). Sis dans un bâtiment moderne et sans charme, c'est un point de chute propre, fonctionnel, confortable... mais excentré.

Où manger ?

N'oubliez pas que les pubs cités plus loin servent aussi souvent des plats de bonne qualité, notamment le traditionnel *carvery lunch* du dimanche.

Très bon marché
(moins de 10 £ / 13 €)

|●| 🍷 🧑‍🤝‍🧑 *Giraffe* (plan Hampstead, A2, 20) : 46 Rosslyn Hill, NW3 1NH. ☎ 020-7435-0343. ● smiles@giraffe.net ● Ⓜ Hampstead. Tlj 7h30 (9h le w-e)-22h. Brunch et plats 6-9 £. 🛜 Burgers, brunch, salades, jus de fruits frais... c'est la formule gagnante pour ce tout petit café coloré, très apprécié des familles. Normal, comme tout le quartier, il est *children-friendly* ! Nombreuses adresses à Londres, notamment à Marylebone et Kensington.

|●| 🍷 🧑‍🤝‍🧑 *Brew House* (hors plan Hampstead, par B1) : Kenwood House, Hampstead Heath, NW3 7JR. ☎ 020-8341-5384. Ⓜ Highgate. Avr-sept 9h-18h (19h30 les soirs de concert), oct-mars de 9h à la tombée de la nuit. Plats 5-10 £. Nichée dans les anciennes remises de ce beau manoir de Kenwood House, la *Brew House* est le salon de thé typique des monuments historiques britanniques. La cuisine ne fait donc pas dans le créatif, mais ses soupes du jour, gâteaux maison et *today's special* bien typiques se goûtent fort bien sur la très belle terrasse luxuriante. Délicieusement champêtre. D'autant plus que l'on peut emporter le tout et s'offrir un pique-nique dans le magnifique parc qui s'étire à perte de vue.

De bon marché
à prix moyens
(10-30 £ / 13-39 €)

|●| 🍷 *The Horseshoe* (plan Hampstead, A2, 21) : 28 Heath St, NW3 6TE. ☎ 020-7431-7206. Ⓜ Hampstead. Lun-jeu 8h-23h, ven 8h-minuit, sam 10h-minuit, dim 12h-22h30. Plats 8-25 £. Menu le midi 8 £ avec verre de vin. 🛜 Ce pub nouvelle génération, à la déco moderne pseudo-industrielle, fait le plein à chaque service (voire avant et après). Car la cave abrite une brasserie de poche, une vraie, qui fait le bonheur des amateurs de *real ale*, tandis qu'en cuisine chefs et marmitons composent chaque jour un menu plein de bonnes idées et toujours bien réalisé. Ça change des *pub grub* étouffe-chrétiens ! Accueil un peu speed.

|●| *La Cage Imaginaire* (plan Hampstead, A2, 25) : 16 Flask Walk, NW3 1HE. ☎ 020-7794-6674. ● mail@la-cage-imaginaire.co.uk ● Ⓜ Hampstead. Dans une petite rue perpendiculaire à

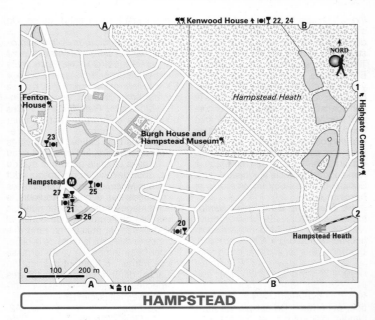

Kenwood House ↟ ⦿ ⛾ 22, 24

NORD

Hampstead Heath

Fenton House ⚘

23 ⛾⦿

Highgate Cemetery ⚘

Burgh House and Hampstead Museum ⚘

Hampstead Ⓜ
27 ⛾⦿
21 ⦿⛾
25 ⛾⦿
26 ☕

20 ⦿⛾

Hampstead Heath

0 100 200 m

A ↤ ⌂ 10 B

HAMPSTEAD

LE GRAND LONDRES

⌂	Où dormir ?	25	La Cage Imaginaire
	10 Palmers Lodge		et The Flask
⦿⛾	Où manger ? Où boire un verre ?	☕⛾	Où prendre le petit déj ou le thé ?
	20 Giraffe		
	21 The Horseshoe		26 Ginger & White
	22 Spaniards Inn		27 Louis of Hampstead –
	23 The Holly Bush		Hungarian Confectionery
	24 The Flask		

Hampstead High St. Tlj 12h-23h. Menu-carte 23 £ pour 3 plats ; formule 2 plats 14 £ le midi, 19 £ le soir. 🛜 *Un resto chic et français, aux prix serrés, niché dans une maison victorienne fort coquette. Une petite salle intime à l'atmosphère feutrée, propice aux confidences amoureuses. Les plats classiques (bons poissons notamment) sont élaborés avec de bons produits, la cuisson est soignée et les portions sont très correctes. Si l'on ajoute l'accueil chaleureux du personnel, on obtient une adresse à tous points de vue séduisante.*

Pubs

De bon marché à prix moyens (10-30 £ / 13-39 €)

⛾ ⦿ *Spaniards Inn (hors plan Hampstead, par B1, 22) : Spaniards Rd,* *NW3 7JJ.* ☎ *020-8731-8406.* Ⓜ *Hampstead. Dans la rue qui longe au nord le parc de Hampstead Heath. Du métro, bus n° 603 (en sem slt) ; sinon bus n° 210 depuis les stations de métro Archway ou Golders Green (ou alors un peu de marche depuis Hampstead, arrêt « Spaniards*

Inn »). *Lun-ven 12h-23h, sam 9h-23h, dim 11h-23h. Plats 10-15 £.* 🛜 Pub vieux de 500 ans, le plus célèbre de Hampstead. Le bandit de grand chemin Dick Turpin y préparait ses mauvais coups et Byron, Keats, Dickens ou Bram Stocker y trouvaient l'inspiration entre 2 bières. Bref, malgré ses multiples rénovations et transformations, ce mythe résiste encore aux siècles et offre un véritable saut dans le temps : plafonds bas, poutres mal dégrossies et vrai feu de bois ne décevront pas les amateurs de romans d'aventures. Vaste jardin ombragé à l'arrière, très apprécié aux beaux jours. Bons petits plats de pub améliorés et bières locales.

🍴 I●I *The Holly Bush (plan Hampstead, A1, 23)* : *22 Holly Mount, NW3 6SG.* ☎ *020-7435-2892.* ● *info@ hollybushpub.com* ● Ⓜ *Hampstead. Du métro, tourner à droite et prendre les petits escaliers à gauche, juste avt l'église. Tlj 12h-23h (22h30 dim) ; service 12h-15h, 18h-22h ; dim 12h-18h. Réserver dim. Plats 6-24 £.* 🛜 Attention, perle rare ! On est plongé dans l'Angleterre profonde en entrant dans ce pub hors d'âge, perché en haut de la colline de Hampstead. Vieilli dans son jus depuis le milieu du XIXᵉ s, il abrite 4 belles salles remplies de souvenirs, des recoins sombres pour les amoureux et de grandes tables patinées pour les familles ou les virées entre amis. Clientèle d'habitués qui se retrouvent autour de la cheminée en hiver. La cuisine est à l'image des lieux, rustique et généreuse, notamment le *carvery lunch* du dimanche, fameux. Sinon, spécialités de saucisses et de *pies,* et toutes sortes de sandwichs. Pour les amateurs, la *real ale* et les bières artisanales valent le détour.

Demander à tester avant de goûter. On adore !

🍴 I●I *The Flask (hors plan Hampstead, par B1, 24)* : *77 Highgate West Hill, N6 6BU.* ☎ *020-8348-7346.* ● *the flaskhighgate@london-gastros.co.uk* ● Ⓜ *Highgate ou Archway (mais assez loin du métro dans les 2 cas). Tlj 12h-23h (22h30 dim). Plats 11-16 £.* 🛜 Ces pubs de la ceinture de Londres ont vraiment du charme. Tout en préservant ses bois patinés et ses vitres en cul de bouteille, le *Flask* a fait peau neuve dans un style bobo pas mal du tout, pour devenir un gastro qui vaut le détour. Multiples recoins, cheminées et plafonds bas dégagent toujours le même magnétisme, ce petit quelque chose de chaleureux et de convivial qui maintient la maison au rang des bonnes escales sur la route de la bière. Et par beau temps, sa vaste terrasse ne se refuse décidément pas, car on organise dans la bonne humeur des barbecues. La même terrasse, chauffée en hiver, fait la joie des fumeurs.

🍴 *The Flask (plan Hampstead, A2, 25)* : *14 Flask Walk, NW3 1HE.* ☎ *020-7435-4580.* ● *flask@youngs.co.uk* ● Ⓜ *Hampstead. Lun-jeu 11h-23h, sam 12h-minuit, dim 12h-22h30.* Voici une solide institution locale appréciée du voisinage depuis 1950. À l'avant, *public room* conviviale et large comptoir où officie le maître des lieux, puis 2 grandes salles sous verrière avec cheminée, boiserie, papier peint et moquette fleurie comme il se doit. Le lieu idéal pour siroter tranquillement une bonne bière, en goûtant l'atmosphère très populaire. Doisneau aurait sûrement fait des merveilles en tirant le portrait des mamies et des papys fringants qui fréquentent les lieux... Fait aussi resto.

Où prendre le petit déj ou le thé ?

🍴 *Ginger & White (plan Hampstead, A2, 26)* : *4a-5a Perrins Court, NW3 1QS.* ☎ *020-7431-9098.* ● *info@ gingerandwhite.com* ● *Lun-ven 7h30-17h30, le w-e 8h30-17h30. Petits déj 3-9 £.* 🛜 Un vrai coup de cœur à l'heure du brunch, pour cet adorable petit café spécialisé dans les *breakfasts all day...* Pas de *full English breakfast*

mais toutes sortes de recettes traditionnelles habilement revisitées : *scones* au cheddar et piment, œufs brouillés au saumon, toasts à la banane, *carrot cake,* gâteau polenta-citron, etc. La carte change d'un week-end à l'autre. Seul invariable, le pot de Marmite pour tartiner vos toasts ! Petite terrasse dans la rue piétonne.

☞ ⏁ *Louis of Hampstead – Hungarian Confectionery (plan Hampstead, A2, 27) :* 32 Heath St, NW3 6TE. ☎ 020-7435-9908. Ⓜ Hampstead. Tlj 9h-18h. Un salon de thé resté intact depuis 1963. Déco vieillotte et kitsch à souhait, avec boiseries patinées, banquettes en moleskine et moquette fleurie. Plateau croulant de pâtisseries hongroises qui défient l'apesanteur. Idéal pour accompagner les thés corsés ou le cappuccino bien crémeux. Même le service est old fashion... à l'image de sa clientèle.

Monuments et balades

Hampstead était, traditionnellement, un quartier d'artistes et d'intellectuels. Il est toujours très prisé par quelques stars du théâtre ou du cinéma britanniques en mal de tranquillité ou en quête d'air pur, de calme et d'élégance. Le quartier est, en effet, un havre de paix avec de jolies maisons anciennes. Vu les prix de l'immobilier, il est aussi devenu un repaire de riches financiers. Bishop Avenue (dans le prolongement de Spaniards Road, vers East Finchley) est d'ailleurs surnommée « the millionaires' row », voire « the billionaires' row ». Des magnats du pétrole ou de l'industrie s'y sont installés en nombre. On y trouve les maisons les plus chères du monde. Pas toutes du meilleur goût ! Heureusement, le vieux Hampstead a conservé tout son charme.

🏛 *Burgh House and Hampstead Museum (plan Hampstead, A1) :* New End Square, NW3 1LT. ☎ 0020-7431-0144. Ⓜ Hampstead. Mer-ven et dim 12h-17h. GRATUIT. Ce joli musée retrace toute l'histoire du quartier ; quelques salles vite visitées mais qui fournissent quantité d'anecdotes passionnantes et restituent parfaitement l'atmosphère bohème et arty du village de Hampstead. C'est aussi l'occasion de visiter une belle demeure de 1704, restée dans son jus. Café sur place, Angleterre oblige !

🏛 *Fenton House (plan Hampstead, A1) :* Windmill Hill, NW3 6SP. ☎ 020-7435-3471. ● nationaltrust.org.uk ● Ⓜ Hampstead. Ouv de fin fév (ou début mars) à fin oct (ou début nov), mer-dim 11h-17h. Entrée : 6,50 £ ; réduc. En sortant du métro, prendre en face Holly Bush Hill. La maison est devant soi en arrivant à la fourche, ceinte par un charmant jardin à l'anglaise. Ses buissons de roses et ses parterres d'orchidées font d'ailleurs le bonheur d'une colonie d'abeilles, dont le miel est en vente à l'accueil ! Dans cette grande demeure en brique rouge de la fin du XVIIe s, intérieur anglais tel qu'on se l'imagine : mobilier de style Régence, broderies, bibelots et porcelaines d'époque à faire tomber par terre les mamies anglaises. Nous, ça nous laisse plus sceptiques. En revanche, la belle collection de clavecins et d'épinettes des XVIIe et XVIIIe s mérite toute l'attention des mélomanes.

🏛🏛 Après les ruelles escarpées du vieux Hampstead, il faut aller savourer la tranquillité de *Hampstead Heath,* cette lande verdoyante qui fait la liaison entre Hampstead et Highgate. Un véritable coin de campagne à quelques kilomètres du centre ; sauvage et formidablement préservé. Les bois touffus, les étangs au bord desquels on se donne des rendez-vous galants et les grandes étendues de pelouses doucement vallonnées sont très prisés par les Londoniens du dimanche. Le matin, été comme hiver, ce sont les baigneurs téméraires que l'on croise aux abords des ponds. Car rien de tel qu'un plongeon dans l'eau glacée des étangs pour bien commencer sa journée ! L'un d'entre eux est même exclusivement réservé à la gent féminine. De Parliament Hill au sud du parc, vue dégagée sur les environs. En marchant en direction du nord, on arrive dans le domaine de Kenwood, où des concerts ont lieu en plein air en été, dans un cadre très bucolique, tout près de Kenwood House.
Hampstead Heath est également l'un des points les plus élevés de Londres ; c'est le rendez-vous de tous les amoureux de cerfs-volants le dimanche matin, quand

il ne pleut pas. C'est évidemment un lieu idyllique pour un pique-nique. Les Londoniens en profitent, été comme hiver, au moindre rayon de soleil.

Pas mal d'animations sont proposées, toute l'année, en plus des concerts, comme des marches commentées ou des découvertes-nature.

🐾🦚 **Kenwood House** (hors plan Hampstead, par B1) : Hampstead Lane, NW3 7JR. ☎ 020-8348-1286. ● english-heritage.org.uk ● Ⓜ Hampstead (puis marche à pied) ou Archway (puis bus n° 210). Tlj 10h-17h. GRATUIT. Visite guidée possible de la Laiterie. Au nord de la lande, cette belle et vaste demeure aristocratique du XVIIIᵉ s, dessinée par le célèbre architecte britannique Robert Adam (connu pour le Charlotte Square d'Édimbourg et Hopetoun House près de South Queensferry), se distingue par ses remarquables façades de stucs à l'antique. Elle abrite la *Donation Iveagh,* une collection prestigieuse de peinture (Turner, Gainsborough, Constable, Reynolds, Van Dyck, Frans Hals, Vermeer, Rembrandt, Rubens, etc.). Plus incongrue, mais néanmoins remarquable, une collection de boucles de chaussures ! La bibliothèque est très originale avec sa riche décoration, ses deux absides et son plafond voûté orné de stucs.

🍸 Magnifique cafétéria aménagée dans les communs. Superbe terrasse (voir plus haut la **Brew House** dans « Où manger ? »).

🦚 **Highgate Cemetery** (hors plan Hampstead, par B1) : Swain's Lane, N6 6PJ. ☎ 020-8340-1834. ● highgatecemetery. org ● Ⓜ Archway. Tlj 10h (11h le w-e)-16h30. Entrée pour la partie est (plan à dispo, visite guidée possible : 7 £) : 4 £ ; gratuit moins de 16 ans ; et pour

> ## IL S'EN RETOURNE DANS SA TOMBE
>
> *La tombe de Karl Max, pourfendeur du capitalisme est... payante ! Tout fout le camp !*

la partie ouest (visite guidée obligatoire, sur résa en sem) : 12 £ à heure fixe (13h45 en sem, sf l'hiver ; ttes les 30 mn 11h-15h le w-e). Grandiose entrée « égyptienne » de la partie ouest et conférence des guides vraiment captivante. Plein d'anecdotes intéressantes, souvent insolites. Riches et pittoresques tombeaux victoriens que le bon peuple allait admirer en famille au XIXᵉ s... D'ailleurs, quand on commence à aimer l'exubérance de ce cimetière, dont les tombes et les monuments funéraires se perdent dans une végétation romantique, on devient vraiment anglais. Karl Marx y repose dans la partie est. Sur sa tombe, un énorme buste au goût très stalinien !

DANS LES ENVIRONS DE HAMPSTEAD

🦚 **Freud Museum :** 20 Maresfield Gardens, NW3 5SX. ☎ 020-7435-2002. ● freud.org.uk ● Ⓜ Finchley Rd. Bien indiqué en sortant du métro. Mer-dim 12h-17h. Entrée : 7 £ ; réduc. Audioguide en français 2 £. Une belle maison où papa Sigmund passa ses derniers mois, jusqu'à sa mort en 1939. D'origine juive, le père génial de la psychanalyse avait dû fuir l'Autriche, annexée par Hitler un an plus tôt. Installé ici, Freud reconstitua le célèbre intérieur de sa demeure viennoise : divan, bien sûr, bureau, bibliothèque... et une collection insolite d'antiquités égyptiennes, grecques et romaines. Un vrai cabinet de curiosités ! Une petite présentation vidéo et quelques textes, où Freud lui-même évoque les grandes étapes de sa vie, éclairent la personnalité du grand homme, sans oublier bien sûr une petite section sur l'interprétation des rêves, un joli jardin anglais pour les beaux jours, et quelques expositions temporaires.

AU NORD-OUEST

THE MAKING OF HARRY POTTER – WARNER BROS STUDIO TOUR

🎬 *Situé à **Leavesden, Watford**, à 33 km au nord-ouest de Londres (par la M1).* ● *wbstudiotour.co.uk* ● *RÉSA OBLIGATOIRE ! Pas de billets vendus sur place. Adulte : 33 £ ; enfant 25,50 £ ; forfait famille 101 £. Vestiaire gratuit (ouf !).* Les pauvres moldus, sans voiture et à fortiori sans balai, devront se contenter de portoloins en commun (train depuis Euston ou Clapham Junction, jusqu'à Watford Junction, puis navette gratuite jusqu'aux studios). Possibilité de forfaits comprenant l'entrée et le transfert en bus depuis Victoria Station ou Baker Street : *certains forfaits comprennent même l'A/R en Eurostar depuis Paris.* ● *warnerbros.fr/achat/ studio-tour-harry-potter.html* ● Compter donc une bonne grosse demi-journée pour la visite et le transplanage.

Commençons par les choses qui fâchent : le prix ! Cette attraction à vocation familiale affiche des tarifs plus que prohibitifs, et on serait tenté de ne la conseiller qu'à ceux qui ont lu *Harry Potter* plus de 15 fois ou vu les films plus de 130 fois (si, si, on en connaît !).

Les fans, les vrais, casseront leur tirelire et vivront quant à eux un rêve éveillé... Ils pourront visiter les studios où furent tournés les sept (huit en réalité) épisodes de la saga. Aménagés dans un aérodrome désaffecté où furent également fabriqués des moteurs d'avion Rolls Royce, ces studios accueillent depuis mars 2012 les décors, les costumes, les accessoires, le tout à profusion et magnifiquement scénographié. Chose rare sur un tournage, le scénario n'était pas connu d'un épisode à l'autre, J. K. Rowling n'ayant pas encore écrit la fin quand débuta, en 2000, le tournage des premiers épisodes. Tout fut donc conservé précieusement, en prévision, au cas où...

Il faut avouer qu'au début de la visite (« à l'américaine »), on a parfois envie de « stupéfixer » le guide ! Heureusement, passé les premières salles, la visite devient libre (ou audioguidée) et force est d'avouer que la magie opère. Les fans seront émus aux larmes en découvrant des lieux mythiques comme la grande salle de Poudlard, la rue de Traverse, le bureau de Dumbledore, la cabane de Hagrid, la chambre à coucher de Harry Potter, etc. De nombreux secrets de tournage seront dévoilés, et ce n'est pas là le moindre intérêt. Sans jamais briser le rêve et l'enchantement, on découvre, émerveillé, maquettes, effets spéciaux, grimages et autres créatures fantasmagoriques. Voilà de quoi émerveiller les plus blasés !

Évidemment, le marketing forcené peut agacer, et on peut regretter les différents suppléments (par exemple, pour la dégustation de bière au beurre). Immense boutique à la sortie (assez fascinante !) pour faire le plein de chocogrenouilles, de bêtises de Berthe Crochue ou de pastilles de gerbe !

À L'OUEST

WINDSOR CASTLE

🎬🎬🎬 👫 ☎ *020-7766-7304.* ● *royalcollection.org.uk* ● *Tlj 9h45-17h15 (16h15 nov-fév) ; dernière admission 1h30 avt. Compter ½ journée. Fermé certains jours, lors des réceptions et cérémonies officielles (vérifier avt de faire le déplacement !). Entrée : 20 £ ; réduc, audioguide (en français, 1h30) compris. Tarif réduit lorsque les* State Apartments *sont fermés (rare). Noter que le billet est valable 1 an (le faire tamponner à la sortie). Attention, St Georges Chapel est fermée à 16h et le dim, sf si vous participez à la totalité du culte. À 11h, relève de la garde (tlj sf dim avr-juil, sinon 1 j. sur 2). Parcours d'activités thématiques disponibles pour les enfants pdt vac scol, sinon demander le kit de visite avec coloriages. Evensong (messe chantée) par le chœur de la chapelle Saint-George tlj à 17h15. Gratuit, car c'est un office religieux.*

Bon à savoir : on peut sortir faire une pause à l'heure du déj dans un des restos de la ville (bracelet à prendre à la sortie).

UN PEU D'HISTOIRE

Paraît-il la plus grande forteresse du monde encore habitée, l'équivalent en surface de 268 courts de tennis. La reine y séjourne le week-end et courant juin tous les ans. À cette occasion, l'étendard royal flotte au-dessus du donjon (la *Round Tower*), à la place du drapeau britannique. L'architecture de la propriété a de quoi surprendre, avec sa superbe silhouette médiévale tout en tours

> ### RIEN NE SE PERD
>
> *Pendant la Révolution française, le château de Versailles fut saccagé et le mobilier vendu aux enchères par la Convention. Les plus belles pièces furent discrètement rachetées par le roi d'Angleterre. Porcelaines et meubles français ornent toujours le château de Windsor et le palais de Buckingham.*

crénelées et mâchicoulis que l'on voit de loin. Entièrement remanié au XIVe s par Édouard III, puis à l'époque victorienne, Windsor n'a plus rien à voir avec la modeste forteresse de bois construite par Guillaume le Conquérant pour surveiller l'accès de Londres, il y a 1 000 ans... Seule l'imposante *Round Tower* rappelle l'emplacement de la première motte et du donjon normand. Au-dessous, un puits de 55 mètres permettait d'approvisionner le château. Pratique en cas de siège ! Observez aussi ces meurtrières, hautes et larges, qui permettaient de tirer en l'air et sur les côtés rapidement.

L'aile sud du château brûla en 1992, une *annus horribilis,* selon les propres mots de la reine ! S'ensuivit une vive polémique médiatico-politique : il fut pour la première fois question de reconsidérer les sommes énormes allouées par l'État à la reine... Qu'à cela ne tienne, la Couronne daigna payer la moitié de la facture (qui s'élevait à 50 millions de livres), mais le tarif de visite pour les touristes est depuis sacrément élevé (pour le remboursement), et près de 5 ans de travaux furent nécessaires pour rendre à Windsor son aspect d'origine.

Comment y aller ?

À 20 miles (32 km) à l'ouest de Londres.
➢ *En train :* accès direct de Waterloo Station en 50 mn-1h, puis 5 mn de marche. Trajet moins long de Paddington Station (35 mn), mais avec changement à Slough (facile). Trains ttes les 20 mn (dim ttes les 45 mn). Billet A/R 7-16 £ selon période de pointe (départ et arrivée de la même gare). Même si l'on n'est plus dans le périmètre de Londres, n'oubliez pas de montrer votre Oyster

Card éventuelle, au moment de l'achat du billet, pour ne pas repayer sur la partie du trajet déjà couverte par la carte.
➢ *En bus :* avec la compagnie *Green Line* de Victoria Coach Station *(plan d'ensemble D6).* Moins cher que le train, mais compter au moins 1h15 sans les embouteillages...
➢ *Par la route :* sortie nº 6 sur la M 4, sortie nº 3 sur la M 3. Pas de parking, se garer en ville.

Visite

La visite du château n'est autorisée que dans la partie nord. C'est largement suffisant, vu les proportions de l'ensemble. Outre les deux cours intérieures dont le **Quadrangle** où la reine accueille les grands de ce monde et le beau panorama sur la Tamise depuis les terrasses, on visite (avec les intéressants commentaires de l'audioguide) :

– **La chapelle Saint-George :** *attention, ferme à 16h, mais* evensong *(messe chantée) tlj à 17h15. Gratuit, car c'est un office religieux.* Immense et superbe, ce chef-d'œuvre en soi constitue certainement la pièce maîtresse du château. Il abrite les sépultures de 10 monarques, dont George V, Henri VIII, Charles Ier (sans sa tête !), George VI et, depuis 2002, son épouse, la reine mère (ainsi que la princesse Margaret qui fut le premier membre de la famille royale incinéré, faute de place auprès de ses parents, dans ce bien modeste caveau). La chapelle date du XVe s et présente une voûte cintrée en éventail, fourmillant de détails. Un miroir évite de se tordre le cou. Dans le coin gauche, dos au portail, noter le monument assez poignant de réalisme, évoquant la mort en couches, en 1817, de la princesse Charlotte. Sa main dépasse du linceul. La couronne revint à sa cousine, une certaine... Victoria. Dans le chœur, stalles en bois, finement ciselées, attribuées à chaque membre de l'ordre de la Jarretière *(order of the garter),* avec leurs emblèmes. De la vraie dentelle (on parle des stalles, bien sûr !). À la sortie, spectaculaire *Albert memorial,* une chapelle en marbre dédiée au petit-fils de Victoria.

– **State Apartments :** la partie principale du château ouverte à la visite. Au rez-de-chaussée, collections de services en porcelaine pour le moins... chargés ! À l'étage, le majestueux **Grand Escalier** permet d'accéder au **Grand Vestibule** (tête de tigre en or, belle panoplie d'armes anciennes et la balle qui tua Nelson à Trafalgar le 21 octobre 1805), la chambre de **Waterloo** où se fête chaque année l'anniversaire de cette victoire britannique (portraits des diplomates, tous peints par le même artiste), la **chambre du roi,** avec baldaquin et tentures vertes (Napoléon III et Eugénie y dormirent), différents salons et cabinets décorés de toiles de maîtres (Rubens, Van Dyck, Holbein... la couronne en possède

LE GRAND LONDRES

DÉCORATION SEXY

En 1348, lors d'un bal, une jeune comtesse perdit sa jarretière et le roi Édouard III s'empressa de la lui remettre. Exaspéré par les éclats de rire dans son dos, il eut alors cette réplique : « Honni soit qui mal y pense, tel qui rit aujourd'hui demain s'honorera de la porter... » Ce qui fut dit fut fait, les plus éminents seigneurs du royaume se voyaient désormais obligés d'arborer une jarretière ! L'ordre de la Jarretière, ce club très fermé des meilleurs chevaliers anglais, existe toujours. Ils sont 24, auxquels s'ajoutent la reine et le prince de Galles. Seule la reine est autorisée à porter la jarretière... au bras.

7 000 !), la **salle de bal** de la reine, la **salle du trône** de la Jarretière... Voir surtout le **Saint George's Hall,** vaste salle magnifiquement restaurée depuis l'incendie où sont visibles les blasons de tous les chevaliers de la Jarretière (au plafond, ceux des traîtres sont recouverts de blanc !). Un banquet somptueux s'y tient tous les ans en juin : une seule table et... 160 couverts parfaitement alignés. C'est de la petite salle suivante **(lantern lobby),** hexagonale, qu'est parti l'incendie de 1992. Remarquez l'amusante armure d'Henri VIII. De profil, on réalise qu'il était franchement rondelet !

– **Les George IV's Apartments (Semi-State Apartments),** datant des années 1820 et dans le prolongement des *State Apartments,* ne sont accessibles que d'octobre à mars. Très endommagé par l'incendie, un des plus beaux (et des plus riches) décors du château a retrouvé son panache d'antan. Très belles vues sur la campagne depuis les fenêtres.

– **La maison de Poupée (Dolls House) :** adorable petit palais construit pour la reine Marie (petite-fille de Victoria) en 1921. Tout y est miniaturisé au 1/12e, de nombreux artistes ont offert une réplique d'un livre ou d'un tableau. Un chef-d'œuvre du genre, car rien ne manque : électricité, système de plomberie opérationnel... et même un service complet en argent dressé dans la salle à manger ou encore le dernier gadget en vogue à l'époque, un aspirateur ! Également en exposition, une sélection de vêtements et d'accessoires de poupée français ainsi qu'une Traction Avant !

– Après la **Grand Reception Room** aux superbes volumes (ça ne se voit pas, mais les lattes du **parquet carbonisé** en 1992 furent tout simplement... retournées, pour la restauration), dans **The Drawings Gallery,** expo par roulement d'une sélection de chefs-d'œuvre provenant de la collection royale.

– **La Grande Cuisine (Great Kitchen) :** en fonctionnement depuis 750 ans, la cuisine de Windsor est ouverte au public en visites guidées seulement, certains jours de l'année, sur réservation.

DANS LES ENVIRONS DE WINDSOR CASTLE

🏃 Si vous avez du temps, le fameux **Eton College** est à 15-20 mn à pied du château. Fondée au XVe s., c'est la 3e université britannique la plus prestigieuse, après Oxford et Cambridge. Elle est surtout réputée pour son système de bourse destiné aux élèves les moins fortunés. De ses bancs prestigieux sont sortis de nombreuses célébrités, parmi lesquelles 18 premiers ministres, George Orwell, John Le Carré et... le prince Harry (cherchez l'intrus !). ☎ 01753-370-100. ● eton college.com ● Visites guidées Pâques-oct.

🏃 🏃 **Legoland :** Winkfield Rd, Windsor SL4 4AY. ☎ 0871-2222-001 (depuis la France) ou 0845-373-2640 (0,03 £/mn + coût de l'opérateur). ● legoland.co.uk ● À 3 km de Windsor et à 1h de Londres sur la B 3022, par les autoroutes M 4 et M 3, ou par le train jusqu'à Windsor, puis navette vers Legoland. Sinon, bus n° 702 de la compagnie Green Line (☎ 0844-801-7261, ● greenline.co.uk ●) ; départ derrière Victoria Coach Station. Horaires variables. En hte saison, tlj 10h-19h, sinon ferme à 17h ou 18h. Fermé l'hiver. Entrée hyper chère : plus de 50 £ et 46 £ pour les enfants ; réduc très importante en réservant sur le site internet (plus de 7 j. à l'avance). Restauration possible sur place, et même nuit à l'hôtel Lego, avec chambres à thème (aventures, chevalier, pirates, etc.), hors de prix bien sûr ! D'autant que le parking n'est pas gratuit, à partir de 5 £ la journée. No comment... Fondée en 1932 par un Danois, la société Lego (du danois leg godt, qui signifie « bien joué ») a ouvert plusieurs parcs d'attractions de par le monde. La petite brique y est, bien sûr, à l'honneur et en dizaines de millions d'exemplaires. En tout, plus de 800 bâtiments qui ont demandé des années de travail aux dizaines d'experts-monteurs en Lego. Et le parc crée toujours de nouvelles attractions (plus de 50 en tout), mettant l'accent sur sa vocation à la fois créative, éducative et ludique.

AU SUD-EST

GREENWICH

● Plan p. 287

◎ Au sud-est de Londres, sur la rive droite, Greenwich (au fait, on ne prononce pas le « w » !) se présente comme un adorable village, bien préservé, très animé le week-end. Si vous séjournez plusieurs jours dans la capitale, on ne peut que vous inciter à faire ce charmant petit détour sur les bords de la

Tamise. Le site a si peu changé depuis les siècles passés, quand il était un lieu de villégiature royale et l'un des sujets de prédilection des peintres Turner ou Canaletto... Prévoir une bonne demi-journée de visite pour ce quartier dominé par le *Cutty Sark*, un majestueux trois-mâts rouvert récemment à la visite (il avait brûlé partiellement en 2007, en pleins travaux de restauration). Également au programme, l'ancien hôpital maritime, une église du XVIIIe s flanquée de son romantique cimetière, un splendide musée de la Marine et, à 5 mn à pied, un parc royal (encore un !), célèbre pour son observatoire.

ET PARIS PRIT L'HEURE DE BERLIN

Conséquence imposée par l'occupation allemande. Résultat, Paris est en décalage d'une heure avec Londres alors que les deux capitales sont sur le même fuseau horaire (Greenwich). Et rien n'a changé depuis 70 ans !

➤ Ne pas hésiter à traverser la Tamise par le tunnel qui part du *Cutty Sark*. En 10 mn, on se retrouve à Island Gardens. Très beau panorama sur Greenwich (cher à Canaletto), et on peut prendre le métro à partir de là (arrêt « Island Gardens »).

Comment y aller ?

➤ **En métro :** la solution la plus simple. Emprunter la ligne Docklands Light Railway *(DLR)* en direction de Lewisham. Départs env ttes les 10 mn ; compter 15-20 mn depuis Bank (ou de Tower Hill, mais il faudra alors changer à Shadwell) pour l'arrêt « Cutty Sark », le plus central. Greenwich est en zone 2.

➤ **En bus :** n° 188 (à prendre notamment à Russell Sq).

➤ **En bateau :** moyen le plus original pour s'y rendre avec les navettes du *Commuter River Service* (genre de bateau-bus public). ● *thamesclippers. com* ● Départs ttes les 20 mn des ports situés au niveau du London Eye ou de la Tower of London (entre autres),

grosso modo 7h-minuit. Durée : env 30 mn. Compter 12 £ l'A/R ; réduc, notamment avec la *Travelcard* et l'*Oyster Card.* Évidemment, ce n'est pas à proprement parler une croisière. Pour des balades avec des commentaires en anglais, il faut s'adresser aux compagnies touristiques, comme *Thames River Service* (☎ 020-7930-4097 ; ● *thamesriverservices.co.uk* ●) ou *City Cruises* (☎ 020-7740-0400 ; ● *citycruises.com* ●). Horaires moins étendus et prévoir sur place env 12,50-15,50 £ l'A/R et 9,50-12 £ le trajet simple, selon la distance ; réduc sur Internet. Autre possibilité : prendre un ticket « River Red Rover » pour une utilisation illimitée à la journée. Prix : 20 £.

LE GRAND LONDRES

Adresse utile

🏛 @ **Greenwich Tourism Information Centre** (plan Greenwich, A2) : Pepys House, 2 Cutty Sark Gardens, SE10 9LW. ☎ 0870-608-2000. ● *visit greenwich.org.uk* ● Derrière l'entrée du *Cutty Sark*. Ⓜ Cutty Sark. Tlj 10h-17h.

Fermé 24-26 déc. Propose 2 visites guidées payantes/j. (à 12h15 et 14h15), durée : 1h30. 📶 Le passage obligé avant d'explorer Greenwich. Liste des hébergements, expo sur la ville et sa riche histoire, ainsi qu'un café.

Où dormir ?

Si on arrive en voiture, c'est un très bon plan de loger à Greenwich pour

éviter de se fourvoyer dans le centre de Londres. Greenwich est à 20 mn d'Oxford Street par la *DLR*, mais attention, le dernier train est à 0h30 ! (23h30 le dimanche...). Idéal pour ceux qui recherchent le calme.

Très bon marché (moins de 35 £ / 45,50 €)

⚓ *St Christopher's Inns* (plan Greenwich, A3, **10**) : 189 Greenwich High Rd, SE10 8JA. ☎ 020-8600-7500 ou 020-8858-3591. ● st-christophers.co.uk ● À deux pas de la ligne DLR, station Greenwich. Lits en dortoir 8-23 £ selon période et promo, avec petit déj. 🖥 🛜 Moins cher que ses homologues du centre de Londres, ce membre de la chaîne d'AJ *St Christopher's* se démarque également par sa petite taille (à peine 80 lits au total). Pas le grand confort cela dit (micro-ondes à dispo en guise de cuisine, dortoirs basiques de 6 à 8 lits superposés avec sanitaires en commun pas toujours nickel), mais salon TV, laverie et pas de couvre-feu. Et même un dortoir réservé à la gent féminine, hélas plus cher *(16-24 £ la nuit)*.

De prix moyens à très chic (50-120 £ et plus / 65-156 €)

⚓ *Number 37* (plan Greenwich, A2-3, **11**) : 37 Burney St, SE10 8EX. ☎ 020-8265-2623. ● info@burney. org.uk ● burney.org.uk ● Doubles env 95-110 £, avec petit déj. 🛜 Le *B & B* à son meilleur : la maison pimpante est dans une rue paisible à deux pas du parc et des transports, les chambres sont soignées et hyper cosy (la plus petite a ses toilettes privées sur le palier mais est nettement moins chère, tandis que la plus grande bénéficie d'un accès à un jardinet), et l'accueil est exemplaire. On se sent aussitôt à l'aise, reçu comme un ami avec un thé et toutes sortes de gentilles attentions, comme les peignoirs dans les salles de bains. Super !

⚓ *Number 16* (plan Greenwich, A2, **12**) : 16 Saint Alfege Passage, SE10 9JS. ☎ 020-8853-4337. ● info@st-alfeges.co.uk ● st-alfeges. co.uk ● Juste derrière l'église. Double env 125 £, avec petit déj. Parking payant. 🛜 Robert accueille ses hôtes avec grand plaisir dans l'une des 3 chambres *en suite* de son adorable petite maison remplie d'un bric-à-brac de qualité, glané au hasard des brocantes. Notre préférée : la double avec lit à baldaquin. 2 autres jolies chambres (1 double et 1 simple) aux meubles chinés là aussi. Elles ne sont pas bien grandes, mais on s'y sent bien. On vous conseille de réserver au plus tôt. Accueil sans pareil, comme à la maison.

⚓ *Hôtel Ibis* (plan Greenwich, A2, **15**) : 30 Stockwell St, SE10 9JN. ☎ 020-8305-1177. ● h0975@accor.com ● ibishotel.ibis.com ● Doubles env 80-150 £ selon capacité, saison et événements. Petit déj en sus. Parking payant. 🖥 🛜 (payants). Cet hôtel de chaîne tout en brique offre des chambres conventionnelles impeccables, de bon confort mais évidemment sans surprise côté déco. Il a, en revanche, l'avantage d'être très bien situé, de ne pas être trop grand, et abrite au rez-de-chaussée un café-brasserie coquet, bien agréable pour le petit déj ou le *tea-time*. Accueil multilingue efficace et très sympa.

Où manger ? Où boire un verre ?

De bon marché à prix moyens (10-30 £ / 13-39 €)

🍽 *Heaps Sausages* (plan Greenwich, A2, **22**) : 8 Nevada St, SE10 9JL. ☎ 020-8293-9199. ● info@heapssausages. com ● Lun-jeu 9h-17h, ven 9h-22h, sam-dim 9h-19h. Env 4-10 £. Une curiosité ! Car il s'agit avant tout d'une maison célèbre pour ses saucisses artisanales aux recettes originales. Le labo est d'ailleurs visible depuis la petite salle, où l'on a opportunément aménagé quelques tables pour accueillir les amateurs de hot-dog ou de saucisse-purée. Bon, pas trop cher et bien typique ! Bien aussi pour le petit déj ou pour ses sandwichs à emporter dans le parc tout proche.

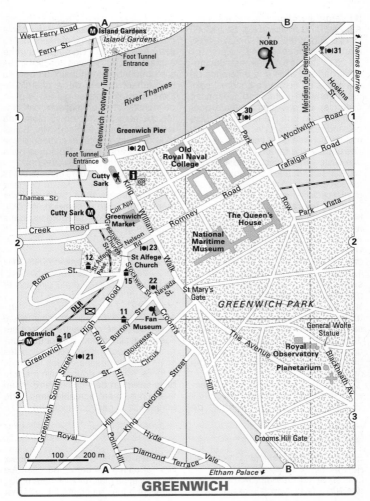

GREENWICH

■	**Adresse utile**
🛈 @	Greenwich Tourism Information Centre

🛏	**Où dormir ?**
10	St Christopher's Inns
11	Number 37
12	Number 16
15	Hôtel Ibis

⦿ 🍷	**Où manger ?** **Où boire un verre ?**
20	Byron
21	Inside
22	Heaps Sausages
23	Jamie's Italian
30	Trafalgar Tavern
31	Cutty Sark Tavern

|●| ***Jamie's Italian*** *(plan Greenwich, A2, **23**) : 17-19 Nelson Rd, SE10 9JB. ☎ 020-3667-7087. Tlj 12h-23h (22h30 dim). Sandwichs env 4 £, plats env 10-20 £.* Jamie's Oliver est décidément partout. Mais à la différence de ses restos du centre de Londres, celui de Greenwich comprend 3 espaces distincts : un *deli* bien pratique pour composer un bon pique-nique à base de sandwichs frais et de desserts gourmands, un café cosy impeccable pour une pause, et la trattoria installée dans une vaste véranda façon jardin d'hiver, où l'on sert tous les classiques de la maison (*pasta* bien apprêtée, burger original, spécialités italiennes revisitées...). Chacun y trouvera son compte !

|●| 🍸 ***Trafalgar Tavern*** *(plan Greenwich, B1, **30**) : Park Row, SE10 9NW. ☎ 020-8858-2909. Tlj 12h-23h (minuit ven-sam). Cuisine jusqu'à 21h30 (16h dim). Plats env 14-22 £.* Bar menus *12-16 £.* 📶 Ce pub élégant déroule ses salles, ornées de marines et de portraits d'amiraux, directement le long de la berge. Génial les jours de tempête, lorsqu'on savoure sa bière bien au chaud en observant le ballet des flots en furie. Cuisine de pub pas donnée mais correcte côté brasserie, beaucoup trop chère dans la partie restaurant.

🍸 |●| ***Cutty Sark Tavern*** *(plan Greenwich, B1, **31**) : Ballast Quay, SE10 9PD. ☎ 020-8858-3146. À l'angle de Lassell St. Lun-sam 11h-23h (22h pour la cuisine), dim 12h-22h30 (21h pour la cuisine). Sandwichs (sf dim) env 6-8 £, plats env 10-15 £.* Une vraie taverne à matelots où, l'hiver, les habitués s'accoudent aux tonneaux tout en se réchauffant auprès de la cheminée. L'été, c'est la terrasse qui fait le plein de touristes et de promeneurs, car stratégiquement perchée en surplomb de la Tamise. Rustique et convivial. Salles plus cossues à l'étage, coiffées d'une charpente apparente. Quelques plats de pub classiques et très corrects.

|●| Sinon, quelques bars et restaurants de chaîne sur le *pier.* Qualité culinaire pas toujours garantie, mais on aime bien ***Byron*** *(plan Greenwich, A1, **20**),* un spécialiste des hamburgers, dans un cadre gentiment rétro américain. *Tlj 11h30-22h (22h30 ven-sam). Compter 7-11 £.*

|●| ***Inside*** *(plan Greenwich, A3, **21**) : 19 Greenwich South St, SE10 8NW. ☎ 020-8265-5060. Fermé dim soir et lun. Formules déj mar-ven 14-18 £ ; plats env 12 £ sam midi, sinon env 15-18 £.* Cadre clean et minimaliste mais, ici, on se concentre surtout sur l'essentiel : la cuisine, d'inspiration britannique, modernisée avec de subtiles saveurs bien dosées et des légumes soignés. Musique douce, pain maison, belle sélection de vins au verre et, au final, un moment agréable dans cette adresse semi-gastronomique.

Marché

– ***Greenwich Market*** *(plan Greenwich, A2) : plusieurs accès dans Greenwich Church St. ☎ 020-8293-3110. Mar-dim 10h-17h30. Marché aux antiquités jeu, plus le w-e au niveau de la tour-horloge.* Sympa comme tout avec ses enfilades de stands et de boutiques, ses terrasses de cafés, sa clientèle bigarrée et sa marchandise hétéroclite. Fripes, fringues de créateurs, artisanat du monde, produits du terroir, déco, brocante... on trouve de tout.

Monuments et balades

👥 🚸 ***Cutty Sark*** *(plan Greenwich, A1-2) : sur le pier. ☎ 020-8858-4422. • rmg.co.uk • Tlj 10h-17h. Dernière entrée 1h avt fermeture. Fermé 24-26 déc. Ferme à 15h le 31 déc et n'ouvre qu'à 12h le 1er janv. Entrée : 13,50 € (possibilité de billet combiné avec le Royal Observatory et les expos du moment).* L'un des emblèmes maritimes britanniques, auquel on a redonné vie de la plus belle manière qui soit. Imaginez un fier clipper, ces trois-mâts du XIXe s destinés à sillonner à grande vitesse les routes commerciales du globe, planté sur son quai et toisant les gratte-ciel du Londres moderne en face. Il officia jusqu'en 1952. Victime d'un grave incendie en 2007, il fallut plusieurs années de restauration pour que l'on puisse à nouveau admirer sa splendeur, monter sur le pont, explorer ses entrailles et, surtout, passer en dessous, puisqu'il a été rehaussé de 3 m, en cale sèche ! Il faut dire que les Britanniques aiment cajoler leurs bateaux fétiches (comme la *Mary Rose,* à Portsmouth) et leur ont même donné un sexe : on dit toujours « she » quand on parle d'un bateau !

UNE HISTOIRE EMBALLANTE

Au début du XXe s, pour des questions de coût et de commodité, Thomas Sullivan, un marchand américain, eut l'idée d'expédier son thé dans des petits sacs en soie plutôt que dans des boîtes métalliques. Les feuilles étaient donc destinées à être déballées à l'arrivée, mais les clients ne se posèrent pas plus de questions et, au lieu de cela, ils les firent infuser directement dans leurs sacs. Le sachet de thé était né !

Au programme de la visite, des écrans tactiles et des effets sonores amusants (vous entendrez certainement les animaux embarqués à bord pour nourrir l'équipage), une évocation de l'activité commerciale menée par le *Cutty Sark,* avec la Chine ou l'Australie. Et un détail amusant : le vaisseau s'enfonçait plus quand il transportait de la laine que du thé ! Voir les couchettes rudimentaires où l'on dormait en chien de fusil, le quartier des officiers, le mess, les cuisines... Sur le pont, pour peu qu'il pleuve ou qu'il vente (ça peut arriver), on s'y croirait ! Enfin, la visite se termine sous la coque dorée, faite de cuivre et de zinc. Impressionnante collection de figures de proue au passage, étonnamment naïves, voire kitsch. Et pompon bas pour Hercule Linton, le designer de cette œuvre d'art des mers.

🏹 **The Old Royal Naval College** *(plan Greenwich, A-B1) : au bord de la Tamise.* GRATUIT. On doit ces colossaux bâtiments baroques, facilement reconnaissables à leurs deux coupoles, à Christopher Wren. C'est l'une des vues emblématiques depuis la Tamise, immortalisée par Canaletto en son temps. Tour à tour palais, puis hôpital maritime et, enfin, collège royal de la Marine. Accès possible aux parties extérieures ainsi qu'à la **chapelle** de style néoclassique *(tlj 10h-17h)*, richement ornée. Du Wedgwood à grande échelle. Voir également le **Painted Hall** *(tlj 10h-17h)* où fut exposée la dépouille de Nelson après Trafalgar. Une salle à manger peinte du sol au plafond ! Il fallut 19 ans à James Thornhill pour achever cette œuvre étonnante.

🏹 **Queen's House** *(plan Greenwich, B2) : dans l'enceinte du parc royal.* ☎ 020-8858-4422. ● *rmg.co.uk* ● *Tlj 10h-17h. Dernière entrée 30 mn avt fermeture. Fermé 24-26 déc. Ferme à 15h le 31 déc et n'ouvre qu'à 12h le 1er janv.* GRATUIT. Abrite les collections de peinture du Musée maritime – constituées principalement de portraits de souverains, marins et héros divers et variés –, ainsi qu'une courte exposition sur l'histoire de Greenwich... Un peu soporifique.

UN ROI PAS CHIEN

Queen's House, cette villa de style palladien, est signée par l'un des grands architectes du début du XVIIe s, Inigo Jones. Elle était destinée à devenir la résidence d'été de la reine Anne de Danemark, offerte par son mari, le roi James, pour s'excuser d'avoir insulté la pauvre femme après qu'elle eut tué son chien à la chasse ! Mais la malheureuse mourut avant la fin des travaux...

🏹🏹 ⛵ **National Maritime Museum** *(plan Greenwich, B2) : à côté de Queen's House.* ☎ 020-8858-4422. ● *rmg.co.uk* ● *Tlj 10h-17h (20h jeu pour les galeries du rdc) ; dernière entrée 30 mn avt la fermeture. Fermé 24-26 déc. Ferme à 15h le 31 déc et n'ouvre qu'à 12h le 1er janv.* GRATUIT. D'emblée, le rez-de-chaussée vous plonge au cœur du sujet avec la superbe barge d'apparat dorée à l'or fin du prince de Galles Frédéric, réalisée en 1732 pour naviguer sur la Tamise : elle annonce la richesse des collections et la muséographie exemplaire. Voir également la poupe de l'*Implacable,* le navire français qui défia Nelson à Trafalgar, ou cette belle collection de figures de proue. Sur différents niveaux, les vastes galeries évoquent tour à tour le temps des croisières transatlantiques, les grandes batailles navales, les explorateurs des pôles, le trafic des esclaves... Tout cela repris sous un autre angle dans la super *Children's Gallery* ! Mais ne manquez pas la section *Nelson, Navy, Nation,* qui retrace l'évolution de la Royal Navy depuis le débarquement des troupes de Guillaume d'Orange en 1688, qui incita l'Angleterre à renforcer sa flotte, jusqu'à la fin de guerres napoléoniennes, en 1815, avec un focus sur l'ascension de son héros emblématique, Nelson. Le véritable joyau de cette collection est d'ailleurs la tunique de l'amiral, déchirée à l'épaule gauche par la balle mortelle et imbibée de son sang, conservée pieusement, comme une relique... Les Anglais vouent un véritable culte au vainqueur de Trafalgar.

🏃🏃 🚶 *Royal Observatory (plan Greenwich, B3) : dans le parc royal, au sommet de la colline.* ☎ 020-8858-4422. ● *rmg. co.uk* ● *Tlj 10h-17h ; dernière admission 30 mn avt. Fermé 24-26 déc. Ferme à 15h le 31 déc et n'ouvre qu'à 12h le 1ᵉʳ janv. Entrée : 7,70 £ (supplément pour le planétarium) ; possibilité de tickets combinés avec le* Cutty Sark *et les expos du moment ; réduc. Audioguide en français payant.* Site ravissant, composé de plusieurs bâtiments (payants ou non), et qui offre, en prime, un

Ô TEMPS, PRENDS TON ENVOL

Au sommet de l'observatoire, vous verrez un curieux ballon rouge surmonté d'une croix (Time Ball), *qui monte tous les jours à 12h55 à mi-chemin, puis à 13h tapantes au sommet. Cette « balle » fut installée en 1833 pour permettre aux marins de régler leurs montres avec précision... Auparavant, un système moins pratique avait été mis au point : une* time lady *se rendait chaque jour au port pour donner l'heure exacte affichée à Greenwich !*

superbe panorama sur les Docklands. Dans la cour d'entrée de l'observatoire même *(accès payant),* le célèbre méridien, symboliquement représenté sur le sol par un tracé lumineux, qui se poursuit en dehors de la cour (et qui donc est gratuit !). Chevauchez-le, et dites-vous qu'à cet instant précis, vous avez un pied dans l'hémisphère ouest et l'autre à l'est ! On le voit également très bien à travers la grille (pour ceux qui ne souhaitent pas payer le billet d'entrée assez dissuasif, même si l'expo ne manque pas d'intérêt).

Zone violette (payante)

– *Flamsteed House :* nommée ainsi en référence au premier astronome royal, chargé par Charles II d'établir une carte du ciel suffisamment précise pour servir à la navigation. C'est dans ce petit observatoire du XVIIᵉ s, construit par Christopher Wren (l'architecte de Saint Paul's Cathedral), que le scientifique s'installa, de même que ses 14 successeurs. À tout de ces petits châteaux pour savants fous qu'on voit dans certains vieux films de science-fiction !
On y découvre les différentes pièces à vivre meublées comme à l'époque. Amusant : dans la salle octogonale où l'on observait les étoiles, le grand télescope est simplement fixé aux barreaux d'une échelle. Les curieux en seront d'ailleurs pour leurs frais, car la lunette ne montre aucun astre, mais Pluto (le chien de Mickey !). L'inimitable humour anglais...
– *Bâtiment méridien :* bâtiment étonnant, les murs étant constitués d'un assemblage de panneaux s'ouvrant sur commande pour mieux admirer le ciel... Nombreux instruments de mesure, certains très anciens et, surtout, dans le dôme au-dessus de la boutique, le plus grand télescope à réfraction d'Angleterre, vieux d'un siècle et toujours en forme. On verra, enfin, une petite exposition sur le temps, sa « domestication » et ses implications dans notre quotidien...

Zone rose (gratuite)
Appréciez l'**Altazimuth** (1899), construit spécialement pour accueillir un télescope sous son dôme. Puis place aux **Weller Astronomy Galleries** avec la météorite Gibéon, vieille de 4,5 milliards d'années. Alors, ça fait combien de 0 ? Plusieurs courtes expos aussi pour se poser des questions existentielles (Qu'est-ce que l'Univers ? Où vont les étoiles mortes ?). De là, vous pouvez rejoindre le **Peter Harrison planétarium** *(payant)*.

🍴 **Fan Museum** *(plan Greenwich, A2-3)* **:** *12 Crooms Hill, SE10 8ER.* ☎ *020-8305-1441.* ● *thefanmuseum.org.uk* ● *Mar-sam 11h-17h, dim 12h-17h. Congés : sept. Entrée : 4 £ ; réduc. Mar et dim à 14h15 et 15h45 (2 services),* afternoon tea *servi dans l'orangerie env 6 £.* Petit musée craquant comme une maison de poupée, entièrement consacré aux éventails (et non pas aux « fans » de Robbie Williams ou de Lady Di !), un peu à la manière d'un cabinet de curiosités. Il s'agit de la plus grande collection au monde, avec pas moins de 4 000 modèles en réserve, exposés principalement par roulement en fonction du thème du moment.

DANS LES ENVIRONS DE GREENWICH

● Plan Les Docklands, de Tower Bridge à Thames Barrier *p. 248-249*

🍴 **The O2 Arena** *(plan Les Docklands, C1)* **:** *Peninsula Sq, SE10 0DX.* ● *theo2. co.uk* ● Ⓜ *North Greenwich (Jubilee Line).* Il s'agit du dôme le plus grand du monde, recouvert d'une toile de 100 000 m² et inauguré pour célébrer l'an 2000. Événements sportifs, concerts à grande échelle... et tout l'attirail de restos qui va avec. Les touristes qui font l'effort de venir jusque-là peuvent emprunter un téléphérique (jolie vue !) pour gagner la gare et les docks de Royal Victoria de l'autre côté de la Tamise. Ils peuvent aussi s'amuser à crapahuter sur le dôme, en toute sécurité et en famille *(● upattheo2.co.uk ●)*.

🍴 🚶 **Thames Barrier** *(le grand barrage de la Tamise ; plan Les Docklands, D1-2)* **:** *à l'est de Greenwich. Infos auprès de la compagnie* Thames River Service *:* ☎ *020-7930-4097 ou* ● *thamesriverservices.co.uk* ● *Slt avr-fin oct. Compter 12 £ l'aller simple et 15,50 £ l'A/R au départ de Westminster slt (pas de Greenwich). Plusieurs départs/j.* Il s'agit de sept portes monumentales en acier, dont la forme en coquille rappelle celle du célèbre opéra de Sydney. Cette barrière, érigée en 1982, doit empêcher la Tamise de sortir de son lit en cas de crue. L'idée de sa construction remonte à 1953, année où des inondations catastrophiques ont noyé 2 000 Londoniens. Le barrage lui-même ne se visite pas.

AU SUD

BRIXTON

Ce quartier populaire et vivant a perdu depuis pas si longtemps que ça son image de « coupe-gorge », repaire de dealers et théâtre de violentes émeutes dans les années 1980. Ce que chantaient les Clash dans *Guns of Brixton*. Artistes et gays sont venus s'y installer en nombre et cohabitent sans heurt avec la communauté afro-antillaise. L'identité du quartier est toujours étroitement liée à la musique : nombreux magasins de disques, adresses branchées et folles soirées avec des concerts live endiablés jusqu'à pas d'heure...

Les *nightclubbers* se rendront notamment au *Brixton 0₂ Academy* (● o2academybrixton.co.uk ●), orienté rock et musique black, rap et funk en tête, le grand théâtre de Brixton avec une capacité de presque 5 000 personnes et l'endroit le plus chaud du sud de Londres. Autre incontournable, le *Fridge Bar* (● fridgebar.com ●), un night-club nouvelle génération à l'atmosphère funky, pour ne pas dire sulfureuse, proposant, selon les soirs, R'n'B, hip-hop, rétro, techno... Et il y en a d'autres ! Brixton, c'est aussi un marché haut en couleur et un « village », repaire de bobos et de hipsters. En pleine « gentrification », Brixton est *the new place to be in London* !

C'est aussi à Brixton, sur Stansfield Road, que le petit Bowie David vit le jour. Dans des styles très différents, Van Gogh vécut un moment ici, ainsi que John Major, Premier ministre conservateur de 1990 à 1997, qui y a passé une partie de son enfance, après que son paternel eut fait faillite ! Décidément, Brixton accueille des destinées pour le moins variées...

Sinon, aucune difficulté pour se repérer : la majorité des restos, bars et boîtes se concentrent dans un petit périmètre autour de la station de métro.

➤ Pour y aller en métro, prendre la Victoria Line (arrêt « Brixton »).

Marché

– **Brixton Market :** *tlj à partir de 8h (10h dim) ; attention, les parties alimentaires couvertes ferment vers 16h-17h, le reste à peine plus tard.* L'essentiel de l'animation se concentre dans les réjouissantes allées couvertes de *Market Row* (le « Village »), ou dans celles qui se blottissent sous les arcades de la voie ferrée, le long d'*Atlantic Avenue.* On y trouve de tout : marché aux puces, mais aussi de nombreux stands exotiques avec légumes, viandes, des *take-away* pas chers, de vieux disques, des ventes militantes du *Socialist Worker* ; on y fait des rencontres, on y écoute les harangues enflammées des orateurs d'un jour. Le tout sur fond de Bob Marley et dans une ambiance de souk. Y aller le matin, comme pour la plupart des marchés. Également un pittoresque marché de rue toute la journée sur *Electric Avenue,* sur fond d'élégants immeubles (tous de même style) aux fenêtres ouvragées. Riches étalages des magasins d'alimentation. Exotisme garanti. Même les bouchers font du poisson halal, et les nombreux poissonniers ne sont pas vraiment une espèce en voie de disparition... Vêtements pas chers du tout. La providence des petits budgets !

Où manger ?

Très bon marché
(moins de 10 £ / 13 €)

|●| Dans **Brixton Village,** la partie couverte du marché, on trouve, pour se restaurer, toute une panoplie de restos aux terrasses (douillettes et chauffées) toutes plus accueillantes les unes que les autres. L'ambiance est plus bobo, la clientèle décontractée y venant en famille se régaler de petites popotes plus ou moins bio, plus ou moins *veggie*, et plus ou moins exotiques. Convivial, bohème, pittoresque et à prix doux ; on adore !

Cet endroit tout particulièrement : |●| **Honest :** Unit 12, Brixton Village, SW9 8PR. ☎ 020-7733-7963. ● brixton@honestburgers.co.uk ● Lun 12h-16h, mar-sam 12h-22h30, dim 12h-22h. Plats 8-10 £. 🛜 Notre adresse préférée pour les burgers ! Même principe et même qualité qu'à Soho (voir « Où manger dans le centre touristique ? »). À accompagner comme il se doit de la bière locale, brassée à Brixton, la *B, Electric IPA.* En cas d'affluence, on s'inscrit sur la liste d'attente et l'on va boire un verre au bar (français) voisin en attendant qu'on nous appelle. Sympa, on vous dit !

AU SUD-OUEST

HAMPTON COURT PALACE

🏃🏃🏃 ☎ 0844-482-7777 *(en Grande-Bretagne) et 0044-20-3166-6000 (depuis l'étranger).* ● *hrp.org.uk* ● *Tlj 10h-18h (16h30 nov-mars) ; dernière admission 1h avt fermeture. Fermé 24-26 déc. Entrée : mars-oct 21 £, nov-fév 18,20 £ pour les adultes, audioguide en français compris ; réduc (notamment sur Internet). Pass annuel permettant un accès illimité aux sites de Kensington Palace, Hampton Court Palace, Tower of London, Banqueting House et Kew Palace : à partir de 48 £ par adulte ; forfait famille. Les jardins ferment à la tombée de la nuit : accès aux jardins seuls (Pâques-Toussaint) et au labyrinthe 7,70 £ ; 4,40 £ pour le labyrinthe slt. Activités pour les enfants (quiz, costumes Tudor, rencontre avec Henri VIII, etc.). Compter ½ journée.*

Château à deux faces, l'une Tudor en brique rouge, l'autre néopalladienne, d'un grand intérêt architectural vu les nombreux remaniements que ses hôtes successifs (des têtes couronnées) lui ont fait subir. Intérieurs fastueux et mobilier superbe, tapisseries et peintures appartenant à la collection royale. S'il fait beau, les jardins, l'autre merveille du palais, vous raviront. On vient depuis des lustres à Hampton Court rien que pour se perdre dans son célèbre labyrinthe végétal. Et puisqu'il est question de labyrinthe, un petit conseil : pensez à demander les deux plans, celui du palais et celui des jardins ! En bref, l'entrée est certes un peu chère, mais on trouve à Hampton Court largement de quoi passer une belle journée. C'est aussi un excellent moyen de se familiariser avec l'histoire anglaise.

Comment y aller ?

À 25 km au sud-ouest de Londres, lové dans une boucle de la Tamise.

➢ **En train :** accès en 30 mn depuis la gare de Waterloo ou en 20 mn depuis Wimbledon (plus pratique si vous résidez dans l'ouest de Londres) jusqu'au terminus Hampton Court. Accès également possible par Vauxhall, voire Clapham Junction. Dans tous les cas, prendre un *Day Travelcard* pour 1-6 zones qui vous permettra de faire l'A/R (compter env 14 £). Si vous possédez l'*Oyster Card,* n'oubliez pas de la montrer au moment de l'achat du billet, pour ne pas repayer sur la partie du trajet déjà couverte par la carte.

➢ **En voiture :** le palais est situé sur l'A 308, code postal KT8 9AU. De la M 25, sortie 10. Parking payant (1,60 £/h).

➢ Les plus courageux pourront venir **à vélo** en longeant la Tamise : 29 miles, soit 47 km, depuis le London Bridge par le Thames Path.

Visite

Entrée majestueuse du palais avec sa façade rouge de style Tudor, crénelée de blanc et ornée de fines cheminées en brique et de tourelles.

La cour de l'Horloge constitue le centre du château, elle sert de point de départ à l'ensemble des circuits dans un dédale de corridors parfois traversés de courants d'air en cas de frimas. C'est ça aussi la vie de château ! C'est en tout cas dans cette cour que l'on retire son audioguide. On le recommande d'autant plus qu'il est gratuit (et en français).

L'histoire du palais est émaillée de différents rois et reines qui y ont traîné leurs guêtres (lignées Tudor, Stuart puis Hanovre) et de remaniements

LE GRAND LONDRES

architecturaux, jusqu'à l'incendie du 31 mars 1986 qui a marqué les esprits. La réouverture n'eut lieu qu'en 1992. Ce palais fut construit au début du XVIe s pour servir de résidence au cardinal Wolsey, archevêque d'York et ministre d'Henri VIII. « Une maison un peu trop luxueuse pour un catho ! », se dit le roi, mort de jalousie, qui lui confisqua son jouet. Le souverain agrandit la demeure pour le plaisir de ses nombreuses femmes. Voici un aperçu des différents circuits, susceptibles de changements :

LE SOLEIL A RENDEZ-VOUS AVEC LA TERRE

Dans la cour de l'Horloge, observez cette étrange horloge astronomique datant d'Henri VIII : elle donne l'heure, la date, les phases de la Lune, ainsi que les marées au London Bridge ! Toujours aussi bizarre : Copernic n'étant pas encore né, c'est le Soleil qui tourne autour de la Terre.

The Baroque Story

Le troisième et dernier grand remaniement du palais fut entrepris à la fin du XVIIe s par Guillaume III d'Orange et sa femme Mary II Stuart. Ils choisirent Christopher Wren pour son inégalable style néo-Renaissance. Le but était de faire aussi bien que Versailles ! Heureusement, il manqua d'argent pour redécorer tout le palais, et la mort de Mary II de la variole en 1694, puis celle de Guillaume d'Orange en 1702 freinèrent ses projets. Il ne put s'attaquer qu'à l'aile orientale. Une animation futée de 13 mn permet d'apprécier l'évolution de la façade en fonction des travaux. Après eux, un autre couple s'attacha à modifier la déco du château, George II et son épouse Caroline, à qui l'on doit bon nombre de restaurations dont celle de Windsor.

Young Henry VIII's story (1509-1532)

Tyrannique, homme à femmes, gros ? Le portrait du roi Henri VIII (1491-1547) dressé ici essaie de présenter les choses sous un autre angle et s'attache aux premières années de règne. Le monarque, couronné à l'âge de 18 ans en 1509, se révélait alors plutôt charismatique, athlétique et éclairé. Bon, c'est quand même lui qui, plus tard, inventa l'anglicanisme pour avoir le droit de divorcer. Six mariages ! Chronologiquement : un divorce, une exécution, une mort naturelle, une répudiation, encore une exécution ; la dernière lui survécut. Il eut trois descendants qui tous régnèrent. D'abord Edouard VI, puis Marie Tudor, dite « Bloody Mary ». Cette dernière rétablit le catholicisme et fit enfermer sa demi-sœur, Élisabeth Ire, laquelle régna ensuite presque 50 ans et rétablit l'anglicanisme. Bonjour les repas de famille !

Henri VIII's apartments (1509-1547, période des Tudors)

Entrée sous le porche d'Ann Boleyn. C'est la partie la plus ancienne du palais, celle que l'on préfère aussi. Le dépouillement des pièces attire l'attention sur les beautés architecturales de la période Tudor. Le **Great Hall** est orné d'un superbe plafond en bois sculpté et ajouré. Tapisseries flamandes racontant l'histoire d'Abraham. Dans l'antichambre suivante, la **Great Watching Chamber,** plafond cloisonné et orné de pendentifs. Dans la **Galerie hantée,** notre bon roi Henri VIII avait fait enfermer ici sa cinquième femme (Catherine Howard) avant de la faire exécuter dans la Tour de Londres. Selon la légende, son esprit erre encore dans le palais... Accès à la tribune de la **chapelle royale** (1535) d'où l'on profite d'une belle vue sur le retable et sur le superbe plafond de bois (en chêne, couleurs bleu et or), orné de 60 anges ailés. On peut y lire la devise « Dieu et mon droit » avec le « N » à l'envers, comme on l'écrivait à l'époque.

The Georgian Story (1714-1737)

On y accède depuis les précédents appartements. Enfilade de pièces, celles des derniers monarques à avoir habité à Hampton Court : George I et surtout la reine Caroline et son époux George II (dont l'appétit sexuel est de notoriété publique, voyez sa nombreuse descendance !). Dans la *galerie de la Communication,* qui relie les appartements du roi à ceux de la reine, ne pas manquer les joues rosées des *Beautés de Windsor* par l'Anglais Peter Lely, des dames de la cour de Charles II. Une manière d'affrioler le roi avant ses visites nocturnes.

Aux murs, des copies (parfaites) des cartons de Raphaël. Les originaux ont été offerts par la reine Caroline au Victoria and Albert Museum. Depuis la *Drawing room,* vue sur les somptueux jardins. Dans la *Guard Chamber,* on procédait au tri entre courtisans et espions (pas toujours facile !), tandis que George I fut couronné dans la *Presence Chamber.* Enfin, outre la fastueuse *Queen's Gallery,* on faisait la queue pour assister deux fois par semaine au repas du roi dans la *Public Dining Room,* où la cuisine française était plus que jamais à la mode.

The Cumberland Art Gallery

Un musée dans le Palais avec, dans ces 4 pièces, une sélection de la collection de peintures des Windsor (l'une des plus riches au monde, répartie dans les 13 résidences royales), allant de 1500 à 1900. Présentées par roulement, ces œuvres révèlent les goûts des souverains, bien sûr, mais racontent aussi les rouages du monde politique, les allégeances, les traits de la société, etc. Alors qu'on oublie parfois de les admirer en traversant les pièces, les tableaux sont ici intelligemment mis en scène. Ne pas manquer l'adorable cabinet de Wolsey *(Wosley closet)* du XVIe s, de style typiquement Tudor où Henry VIII aimait se retirer. Ni la *Canaletto room* avec les célèbres vues de Venise du XVIIIe s.

William III's apartments (1689-1702)

Entrée sous la colonnade de la cour de l'Horloge. Après l'impressionnant escalier et ses peintures murales, une enfilade de pièces très hautes de plafond. Les baldaquins sont largement plus hauts que larges ! Ces appartements reviennent de loin après l'incendie qui eut lieu dans cette aile du palais en 1986. Les restaurateurs ont rendu leur splendeur à ces pièces décorées par Wren jusqu'à l'écœurement (voyez cette mosaïque d'armes !). Plafonds en trompe-l'œil et panneaux de cheminée en bois de tilleul ou de chêne sculpté, somptueuses tapisseries et peintures. La sombre salle à manger nous ramène sur terre, là où Guillaume d'Orange dînait seul après la mort de la reine Mary II.

Henry III's Kitchens (1509-1547)

Il fallait bien des cheminées gigantesques et des passe-plats aussi longs qu'un comptoir pour nourrir tout ce petit monde (jusqu'à 800 personnes !). De belles pièces de viande et des *pies* alléchantes plus vraies que nature rendent la visite plus réaliste. Il y a même les odeurs. Et pourtant, il ne reste en fait qu'une petite part de ce qui fut un complexe gigantesque. Ne pas manquer non plus le *wine cellar* et ses rangées de tonneaux de vin. Ailleurs dans le Palais, la *chocolate kitchen* est également visible, là où Thomas Tosier, le chocolatier personnel de George I et de George II concoctait des boissons nouvellement à la mode !

Mantegna's Triumphs of Caesar

Juste à droite, après l'entrée de la Grande Cour (attention, pas toujours ouvert), on peut admirer les *Triomphes de César,* neuf toiles imposantes peintes en 1485 par Mantegna, un des maîtres de la Renaissance italienne. Éléphants, musiciens, trophées de guerre... Grand souci du détail dans le traitement des costumes, des armes et des monuments.

Les jardins

Aussi plaisants et somptueux que le palais qu'ils entourent. Les dessinateurs se sont largement inspirés des jardins de Le Nôtre à Versailles. Splendides au printemps avec les jonquilles en fleur. Près de l'orangerie, petit coucou à la *Great vine,* la plus grande treille du monde, paraît-il, formée d'un seul cep de vigne qui pousse depuis plus de 200 ans dans une serre ! Terrain de jeu de paume *(Royal Tennis Court),* l'ancêtre du tennis, et balade possible en carriole à cheval. Ne pas manquer non plus les adorables *Privy Gardens, Rose Garden, Pond Gardens,* etc.

Le labyrinthe (maze)

C'est le plus ancien labyrinthe végétal connu, construit pour Guillaume III à la fin du XVIIe s. Le plan des 800 m de parcours est affiché à l'entrée. Jerome K. Jerome le mentionne dans *Trois hommes dans un bateau,* et si vous vous perdez, ce qui est déjà arrivé à l'ours Paddington, suivez sa méthode : faites-vous des repères avec de la marmelade !

Où manger ?

I●I Vu le temps que prend la visite, il vous faudra sans doute déjeuner sur place. Pas de problème, comme d'habitude, on a pensé à tout ! On trouve une cafét' plutôt modeste dans les anciennes cuisines (*Privy Kitchen,* qui propose des recettes inspirées des Tudors) et un self agréable dans les jardins, le ***Tiltyard Café*** (suivre la direction du labyrinthe). Frais, pas mauvais du tout (humm les *pies*) et à prix raisonnables.

Sinon, le pique-nique est autorisé.

KEW GARDENS

⬦ 🗡🗡🗡 🏃‍♀️ À 15 km au sud-ouest de Londres, au bord de la Tamise, en zone 4 du métro. ☎ 020-8332-5655. ● kew.org ● Ⓜ *Kew Gardens* (à 30 mn du centre de Londres par la District Line, direction Richmond ou par la London Overground depuis le nord de Londres). À l'arrivée, franchir la voie ferrée et suivre en face Lichfield Rd sur 500 m. Également accessible en train depuis Waterloo (descendre à gare de Kew Bridge) et en bus (lignes n°s 65, 391, 237 et 267). Tlj avr-août 10h-18h30 (19h30 le w-e et vac scol) ; ferme plus tôt le reste de l'année (horaires variables). Fermé 24-25 déc. Les serres ferment 30 mn à 1h avt les grilles. Entrée : 15 £ ; réduc ; gratuit moins de 16 ans accompagnés par un adulte. Différents types de visites guidées, certaines gratuites à 11h et 14h (durée : 1h). Inscription 15 mn avt. Départ à Victoria Plaza. Le sujet varie au gré du temps, des saisons, de la nature et de la spécialité du guide. Sinon, se procurer le plan avec les immanquables du moment (seasonal highlights) et 2 parcours indicatifs (30 mn et 2h30). Des festivals ont lieu selon saison, notamment le Festival of Lights à Noël.

Visite

Une visite à ne pas manquer... Ce superbe jardin botanique se révèle d'une extraordinaire variété : 90 000 végétaux sur pas moins de 120 ha, le Jardin des plantes de Paris fait figure de square à côté ! C'est le résultat de la « collectionnite » aiguë dont souffraient les aristocrates anglais au XIXe s. Kew est aujourd'hui un parc d'agrément mais surtout un centre de recherche botanique de renommée mondiale. On y recueille notamment des spécimens de toute la flore britannique. Les graines suivent un traitement spécial qui leur permet de résister à des températures de - 20 °C et d'être conservées plus de 200 ans ! La période idéale pour visiter Kew Gardens est, bien sûr, le printemps, lorsque les rosiers et les rhododendrons sont en fleur. Mais le bel aménagement de la nature, où les changements surprenants de paysages rappellent que rien n'est laissé au hasard, permet de se promener toute l'année sans jamais se lasser, sous le bal des avions qui ne passent pas très haut ici. Un spectacle en soi ! Jardin japonais avec pagode, pinède, bambouseraie, roseraie, minitemple romantique... rien ne manque. Au sud-ouest du parc, on passe brusquement d'une forêt de conifères à une forêt de feuillus. De là, vue sur la « Tamise à

la campagne », calme et bucolique, et sur *Syc...*
austère. Les plus aventureux ne manqueron...
Walway, un parcours dans la canopée.

Les serres
Ne manquez pas de les visiter. Immens...
elles qui ont fait la renommée de Kew...
& Rock Garden en forme d'arche, vo...
– **Princess of Wales Conservat...**
10 zones climatiques différentes...
picale : c'est l'occasion d'admire...
spécialités de Kew), des cactus géants...
d'incroyables plantes carnivores.
– La **Palm House,** plus ancienne, abrite une fore...
les espèces de palmiers du monde. À découvrir depuis l...
sous-sol, des aquariums présentent des coraux multicolore...
– La **Temperate House,** la plus grande (4 800 m² et 42 m de ha...
aussi des plantes tropicales, des bambous et des rhododendrons géa...
y voir le *Chilean wine palm,* la plus grande plante d'intérieur du monde. D...
cette serre, on trouve l'**Evolution House** ou comment la vie est apparue sur Terr...
Noter que ces deux serres sont fermées pour rénovation jusqu'en 2018.

298 | LES AUTRES QUA...
Où manger ?...

N'oubliez pas...
ce serait dommag...
pelouses sont...
d'accès. Sinon...
sieurs endroit...
Un self-...
ment dans...
de 10h à 1...
dins. P...
mais...

Les galeries d'art
Installée dans un bâtiment moderne, la **Shirley Sherwood Gallery** présente l'évolution des plantes à travers les arts picturaux des XVIIIe et XIXe s (peintures, dessins, etc.). Une approche originale et didactique de la taxonomie ! Et de magnifiques œuvres au final. Peut être fermée le lundi entre deux expos. Dans la galerie adjacente, une autre collection tout à fait inattendue : 832 tableaux de **Marianne North** (1830-1890), tous consacrés aux plantes et fleurs du monde entier ! Cette routarde talentueuse de l'époque victorienne a parcouru cinq continents et 17 pays de 1871 à 1885, et en a rapporté cet album de voyage tout à fait saisissant, ainsi que toutes sortes d'échantillons de bois exotiques. C'est elle qui a financé la construction de ce bâtiment à l'ancienne et a agencé l'ensemble de ses œuvres entre elles. Un coup de cœur !

Spécial enfants
Pour les enfants, plusieurs espaces de jeux interactifs et très bien faits : *Climbers and Creepers* (une incursion dans des galeries creusées par une souris), *Treehouse Towers* (toboggans et compagnie), *Badger Sett* (un tunnel de 1 m de haut creusé cette fois-ci par un blaireau)... Également un *Kid's Kew guide* à se procurer aux entrées ou dans les boutiques du parc.

Kew Palace
Pour les fans de résidences royales, dans le parc même, près de l'Orangerie : *ouv fin mars-oct, tlj sf lun 9h30-17h. Entrée : env 6 £.* ● hrp.org.uk ● *On vous rappelle l'existence d'un pass annuel qui permet un accès illimité pdt 1 an aux sites de Kensington Palace, Hampton Court Palace, Tower of London, Banqueting House et Kew Palace : à partir de 48 £ par adulte ; forfait famille.* Ce palais mimi avec sa façade saumon servit d'asile au roi George III lorsqu'il devint fou. À l'intérieur, collection de jouets royaux dont une merveilleuse maison de poupée ayant appartenu aux filles du roi.

CRAZY GEORGE

On a longtemps pensé que George III était devenu fou à la fin de sa vie. Il était en réalité peut-être atteint de la porphyrie, une maladie dont certains symptômes sont de type psychiatrique. Le nom de la maladie vient du porphyre, roche magmatique, rouge comme le marbre, car l'un des premiers signes typiques de la crise reste la coloration des urines en rouge.

Où boire un verre ?

votre pique-nique, ge, d'autant que les complètement libres , restos ou selfs à plu- s du parc.

service se trouve notam- l'*ancienne Orangerie.* *Ouv* squ'à 1h avt fermeture des jar- atique et dans un beau cadre, il ne faut pas s'attendre à de la grande cuisine. C'est le plus grand bâtiment d'architecture classique du jardin (28 m de long et 10 m de large).

|●| 💃 Dans le même coin, les familles optent plutôt pour le *White Peaks,* un resto conçu pour accueillir les enfants.

🍸 À l'entrée, à côté de la boutique, le café *Victoria* offre une terrasse exté- rieure aux beaux jours.

DANS LES ENVIRONS DE KEW GARDENS

💃💃 Si vous êtes venu jusqu'ici, ça vaut le coup de reprendre le métro jusqu'à la prochaine station (Richmond), puis de prendre le bus n° 371 ou le n° 65 jusqu'à l'entrée piétonne Petersham Gate pour voir la nature livrée à elle-même dans *Richmond Park (en voiture : Holly Lodge, TW10 5HS) :* ☎ *030-0061-2200.* ● *royal parks.org.uk* ● *Ouv de 7h en été (7h30 en hiver) à la tombée de la nuit. GRATUIT. Plan téléchargeable sur Internet.* Cet immense domaine en grande partie boisé servait de terrain de chasse à Charles Ier. C'est le plus vaste parc royal de Londres avec ses 1 000 ha. Pas loin de 650 daims et des cerfs y vivent en liberté. Balade très sympa et vue superbe sur les méandres de la Tamise du haut de *Richmond Hill,* le panorama le plus peint des îles Britanniques. Le domaine est sillonné de pistes cyclables, et autant dire que cette partie du Grand Londres est la plus huppée.

COMMENT Y ALLER ?

EN AVION

Les compagnies régulières

▲ AIR FRANCE

Rens et résas au ☎ *36-54 (0,35 €/mn – tlj 6h30/22h), sur* ● *airfrance.fr* ●*, dans les agences Air France et dans ttes les agences de voyages. Fermées dim.*

➢ Air France dessert Londres 11 fois/j. : 7 vols depuis Roissy-Charles-de-Gaulle vers Heathrow et 4 vols depuis Orly vers London-City. Air France propose des tarifs attractifs toute l'année. Pour consulter les meilleurs tarifs du moment, allez directement sur la page « Meilleures offres et promotions » sur ● *airfrance.fr* ● *Flying Blue,* le programme de fidélisation gratuit d'Air France-KLM, permet de cumuler des miles et de profiter d'un large choix de primes. Cette carte de fidélité est valable sur l'ensemble des compagnies membres de *Skyteam.*

▲ BRITISH AIRWAYS

☎ *0825-825-400 (0,18 €/mn).* ● *ba. com* ●

➢ Au départ de Paris (Roissy-Charles-de-Gaulle ou Orly), British Airways propose 10 vols/j. à destination de Londres (Heathrow ou Gatwick).

➢ British Airways dessert également Londres en direct depuis plusieurs villes de province (Angers en été, Bergerac en été, Biarritz, Bordeaux, Chambéry en hiver, Grenoble en hiver, Lyon, Marseille, Nice, Quimper en été, Toulouse) et Genève.

En complément d'un billet, British Airways propose aussi, sur Londres et toute la Grande-Bretagne, des séjours à la carte très compétitifs (du *B & B* aux cartes de métro, location de voitures, spectacles, etc.). Plus d'infos sur ● *baholidays.com* ●

▲ KLM

Résas : ☎ *0892-702-608 (0,35 €/mn), sur* ● *klm.fr* ●*, dans les agences Air France et dans ttes les agences de voyages.*

➢ Plusieurs vols/j. au départ de Bordeaux, Clermont-Ferrand, Lyon, Marseille, Nantes, Nice, Pau, Rennes, Strasbourg et Toulouse via Amsterdam, depuis lequel KLM dessert Londres-Heathrow avec 11 vols/j. et London-City avec 9 vols/j.

▲ SN BRUSSELS AIRLINES

Pour tt rens : ☎ *0892-640-030 (0,34 €/ mn depuis la France) ou* ☎ *0902-51-600 (0,75 €/mn en Belgique).* ● *brussel sairlines.com* ●

➢ Liaisons à destination de Londres (aéroport de Heathrow) via Bruxelles depuis Bordeaux, Lyon, Marseille, Montpellier, Nantes (en été), Nice, Toulouse et Genève.

Les compagnies *low-cost*

Plus vous réservez vos billets à l'avance, plus vous aurez des chances d'avoir des tarifs avantageux. Des frais de dossier ainsi que des frais pour le paiement par carte bancaire peuvent vous être facturés. En outre, les pénalités en cas de changement de vols sont assez importantes. Il faut aussi rappeler que plusieurs compagnies facturent maintenant les bagages en soute et limentent leurs poids. En cabine également le nombre de bagages est strictement limité (attention même le plus petit sac à main est compté comme un bagage à part entière). À bord, c'est service minimum et tous les services sont payants (boisssons, journaux). Attention également au moment de la résa par Internet à décocher certaines options qui sont automatiquement cochées (assurances, etc.). Au final, même si les prix de base restent très attractifs, il convient de prendre en compte les frais annexes pour calculer le plus justement son budget.

▲ EASYJET

☎ 0820-420-315 (1,35 € l'appel, puis 0,12 €/mn). ● easyjet.com ●
➤ Départs de Roissy-Charles-de-Gaulle, Ajaccio, Bastia, Biarritz, Bordeaux, Grenoble, Marseille, La Rochelle, Lyon, Montpellier, Nice, Nantes, Toulouse et Strasbourg pour Londres-Luton, Londres-Stansted, Londres-Gatwick. Également des vols depuis Bâle-Mulhouse, Bruxelles et Genève.

▲ FLYBE

☎ + 44 (0) 207 308 0812 (en Angleterre). ● flybe.com ●
➤ Permet de relier Londres-Southend depuis Caen et Rennes.

▲ RYANAIR

☎ 0892-562-150 (0,34 €/mn). ● ryanair.com ●
➤ Billets à prix réduits vers Londres-Luton et Londres-Stansted avec des vols quotidiens et directs au départ de Brive, Dinard, Nîmes, Perpignan, Poitiers et Tours.

LES ORGANISMES DE VOYAGES

– Ne pas croire que les vols à tarif réduit sont tous au même prix pour une même destination à une même époque : loin de là. On a déjà vu, dans un même avion partagé par deux organismes, des passagers qui avaient payé 40 % plus cher que les autres. De plus, une agence bon marché ne l'est pas forcément toute l'année (elle peut n'être compétitive qu'à certaines dates bien précises). Donc, contactez tous les organismes et jugez vous-même.
– Les organismes cités sont classés par ordre alphabétique, pour éviter les jalousies et les grincements de dents.

EN FRANCE

▲ GAELAND ASHLING

– Paris : 126, rue de Charenton, 75012. ☎ 0825-12-30-03 (0,15 €/mn + prix appel). Lun-ven 9h30-18h30, sam 10h-17h. Et dans ttes les agences de voyages. ● gaeland-ashling.com ●
Trois destinations phares pour ce tour-opérateur spécialisé sur l'ouest de l'Europe (la Grande-Bretagne, l'Écosse et l'Irlande). L'équipe est composée de fanas de la Grande-Bretagne, qui connaissent très bien la destination. En Grande-Bretagne, sélection rigoureuse d'hôtels en Angleterre, au pays de Galles ou en Écosse. Du week-end à Londres (hôtels toutes catégories) aux B & B ou manoirs de charme dans le reste du pays, les hôtels ont été sélectionnés en privilégiant le charme et la qualité, du plus familial au luxe.

▲ NOUVELLES FRONTIÈRES

Rens et résas au ☎ 0825-000-747 (0,15 €/mn + prix de l'appel), sur ● nouvelles-frontieres.fr ●, dans les agences de voyages Nouvelles Frontières et Marmara, présentes dans plus de 180 villes en France.
Depuis plus de 45 ans, Nouvelles Frontières fait découvrir le monde au plus grand nombre à la découverte de nouveaux paysages et de rencontres riches en émotions. Selon votre budget ou vos désirs, plus de 100 destinations sont proposées sous forme de circuits, de séjours ou de voyages à la carte à personnaliser selon vos envies. Rendez-vous sur le Web ou en agence où les conseillers Nouvelles Frontières seront à votre écoute pour composer votre voyage selon vos souhaits.

▲ NOVO.TRAVEL

Rens et résas : ☎ 0899-18-00-18 (1,35 € l'appel + 0,34 €/mn). ● novo.travel ● Lun-ven 10h-12h et 14h-18h.
Spécialiste des voyages en autocar à destination de toutes les grandes cités européennes. Week-ends, séjours et circuits en bus toute l'année, grands festivals et événements européens. Formules pour tout public, individuel ou groupe, au départ de toutes les grandes villes de France.

▲ VOYAGEURS EN IRLANDE ET DANS LES ÎLES BRITANNIQUES (ANGLETERRE, ÉCOSSE, IRLANDE)

Le spécialiste du voyage en individuel sur mesure.

AIRFRANCE
FRANCE IS IN THE AIR

AU DÉPART DE PARIS
LONDRES

JUSQU'À
7 VOLS
PAR JOUR

● *voyageursdumonde.fr* ●
– *Paris : La Cité des Voyageurs, 55, rue Sainte-Anne, 75002.* ☎ *01-42-86-16-00.* Ⓜ *Opéra ou Pyramides. Lun-sam 9h30-19h. Avec une librairie spécialisée sur les voyages.*
– *Également des agences à Bordeaux, Grenoble, Lille, Lyon, Marseille, Montpellier, Nantes, Nice, Rennes, Rouen, Strasbourg, Toulouse, à Bruxelles et Genève.*

Parce que chaque voyageur est différent, que chacun a ses rêves et ses idées pour les réaliser, Voyageurs du Monde conçoit, depuis plus de 30 ans, des projets sur mesure. Les séjours proposés sur 120 destinations sont élaborés par leurs 180 conseillers voyageurs. Spécialistes par pays et même par région, ils vous aideront à personnaliser les voyages présentés à travers une trentaine de brochures d'un nouveau type et sur le site internet, où vous pourrez également découvrir les hébergements exclusifs et consulter votre espace personnalisé. Au cours de votre séjour, vous bénéficiez des services personnalisés Voyageurs du Monde, dont la possibilité de modifier à tout moment votre voyage, l'assistance d'un concierge local, la mise en place de rencontres et de visites privées, et l'accès à votre carnet de voyage via une application iPhone et Androïd.

Voyageurs du Monde est membre de l'association ATR (Agir pour un tourisme responsable) et a obtenu sa certification Tourisme responsable AFAQ AFNOR.

Comment aller à Roissy et à Orly ?

Toutes les infos sur notre site ● *routard.com* ● à l'adresse suivante : ● *bit.ly/aeroports-routard* ●

EN BELGIQUE

▲ CONNECTIONS

Rens et résas : ☎ *070-233-313.* ● *connections.be* ● *Lun-ven 9h-19h, sam 10h-17h.*
Fort d'une expérience de plus de 20 ans dans le domaine du voyage, Connections dispose d'un réseau de 30 *Travel shops* dont un à Brussels Airport. Connections propose des vols dans le monde entier à des tarifs avantageux et des voyages destinés à des personnes désireuses de découvrir la planète de façon autonome. Connections propose une gamme complète de produits : vols, hébergements, location de voitures, autotours, vacances sportives, excursions,

▲ NOUVELLES FRONTIÈRES

● *nouvelles-frontieres.be* ●
– *Nombreuses agences dans le pays dont Bruxelles, Charleroi, Liège, Mons, Namur, Waterloo, Wavre et au Luxembourg.*
Voir texte dans la partie « En France ».

EN SUISSE

▲ STA TRAVEL

☎ *058-450-49-49.* ● *statravel.ch* ●
– *Fribourg : rue de Lausanne, 24, 1701.* ☎ *058-450-49-80.*
– *Genève : rue de Rive, 10, 1204.* ☎ *058-450-48-00.*
– *Genève : rue Vignier, 3, 1205.* ☎ *058-450-48-30.*
– *Lausanne : bd de Grancy, 20, 1006.* ☎ *058-450-48-50.*
– *Lausanne : à l'université, Anthropole, 1015.* ☎ *058-450-49-20.*
Agences spécialisées notamment dans les voyages pour jeunes et étudiants. 150 bureaux STA et plus de 700 agents du même groupe répartis dans le monde entier sont là pour donner un coup de main *(Travel Help)*.
STA propose des tarifs avantageux : vols secs *(Blue Ticket)*, hôtels, écoles de langues, *work & travel*, circuits d'aventure, voitures de location, etc. Délivre la carte internationale d'étudiant et la carte Jeune.

▲ TUI - NOUVELLES FRONTIÈRES

– *Genève : rue Chantepoulet, 25, 1201.* ☎ *022-716-15-70.*
– *Lausanne : bd de Grancy, 19, 1006.* ☎ *021-616-88-91.*
Voir texte dans la partie « En France ».

AU QUÉBEC

▲ TOURS CHANTECLERC

● *tourschanteclerc.com* ●

COMMENT Y ALLER ?

Tours Chanteclerc est un tour-opérateur qui publie différentes brochures de voyages : Europe, Amérique du Nord, Amérique du Sud, Asie et Pacifique Sud, Afrique et le Bassin méditerranéen en circuits ou en séjours. Il s'adresse aux voyageurs indépendants qui réservent un billet d'avion, un hébergement (dans toute l'Europe), des excursions ou une location de voiture. Également spécialiste de Paris, le tour-opérateur offre une vaste sélection d'hôtels et d'appartements dans la Ville Lumière.

Voir aussi au sein du guide les agences locales que nous avons sélectionnées.

EN TRAIN

En Eurostar

➤ Eurostar relie directement jusqu'à 18 fois/j. en sem *Paris-Gare du Nord à Londres-Saint Pancras International* en 2h15, par le tunnel sous la Manche. IMPORTANT : se présenter à l'enregistrement au moins 30 mn avt le départ, muni d'une carte nationale d'identité ou d'un passeport en cours de validité.

Avec la mise en service des nouveaux trains e320 sur le trajet Paris-Londres, les passagers profitent à bord du wifi gratuit et illimité et d'une plate-forme de divertissements. En connectant leur téléphone, tablette ou ordinateur portable au wifi, ils ont accès à plus de 300h de séries télévisées et de films. Au programme également : actualités, jeux, espace dédié aux enfants et carte de géolocalisation en temps réel.

Eurostar relie aussi :
➤ *Paris et Ashford* (1h40 de trajet).
➤ *Paris et Ebbsfleet* (2h05), dessert le Kent et la péninsule à l'est de Londres.
➤ *Lyon et Londres* (4h40)
➤ *Avignon et Londres* (6h).
➤ *Marseille Saint-Charles et Londres* (6h27)
➤ *Lille et Londres* (1h20).
➤ *Lille et Ashford* (env 1h).
➤ *Calais-Frethun et Londres* (env 1h).
➤ *Bruxelles et Londres* (2h).

Les billets Eurostar sont disponibles à partir de 78 € l'A/R en classe Standard (tarif soumis à conditions) et 239 € (190 € le w-e) en classe Standard Premier (avec repas et vins servis à la place).

Eurostar est la première compagnie ferroviaire proposant des voyages neutres en CO_2, sans surcoût pour les voyageurs. À travers le programme « Voyage Vert », Eurostar propose à ses clients un voyage encore plus respectueux de l'environnement et s'engage à réduire les émissions résiduelles de CO_2. En plus de former les conducteurs à une éco-conduite spécifique, on a équipé tous les nouveaux trains de compteurs d'énergie haute technologie pour suivre et gérer la consommation sur le trajet.

Pour vous rendre en Eurostar à Londres ou Ashford au départ de la province, rien de plus simple : Eurostar propose des liaisons directes quotidiennes depuis Marseille, Avignon et Lyon. Depuis les autres régions de province en France, Eurostar propose des prix comprenant le trajet en train jusqu'à Lille ou Paris, puis le voyage en Eurostar. Des promotions pour des voyages A/R sont proposées au départ de nombreuses villes de province.

Réductions

De nombreuses promotions tout au long de l'année au départ de Paris et de Lille avec A/R dans la journée, pendant le week-end, etc.

Gardez bien vos billets d'Eurostar ! L'offre « *Eurostar 2 FOR 1* » est un partenariat culturel unique entre Eurostar et une sélection de galeries et musées de Londres, Paris, Lille, Bruxelles, Lyon et Marseille.

– *Comment ça marche ?* C'est simple. Lorsque vous voyagez avec Eurostar, il vous suffit de présenter votre billet de train aux galeries et musées listés plus bas pour bénéficier de deux entrées pour une. Pour Londres, l'offre s'applique aux expositions payantes, l'entrée générale dans les musées étant gratuite. Cette offre est soumise à conditions.

COMMENT Y ALLER ?

– À savoir : l'offre est valable dans la ville de destination des voyageurs. Par exemple, si vous voyagez de Paris à Londres, vous pouvez bénéficier de deux entrées pour une pour toutes les expositions payantes des galeries et musées londoniens listés plus bas. Une pièce d'identité peut vous être demandée.

L'offre est valable pendant 5 jours à compter de la date de départ indiquée sur le billet. Seule une personne doit être en possession d'un billet Eurostar pour profiter de l'offre deux entrées pour une.

– Dans quels musées et galeries puis-je profiter de cette offre ? La National Gallery, la National Portrait Gallery, la Tate Modern, la Tate Britain, le British Museum, la British Library, le Science Museum, la Royal Academy of Arts et le Victoria and Albert Museum.

Renseignements et réservations

– Internet : ● *eurostar.com* ●
– Téléphone : ☎ 36-35 (0,34 € TTC/ mn hors surcoût éventuel de votre opérateur) ou ligne directe Eurostar ☎ 0892-35-35-39 (tarif local).
– Également dans les gares, les boutiques SNCF et les agences de voyages agréées.

Pour préparer votre voyage

– e-billet : réservez, achetez et imprimez votre e-billet sur Internet.
– m-billet : plus besoin de support papier, vous pouvez télécharger le code-barres de votre voyage correspondant à votre réservation directement dans votre smartphone, à l'aide de l'application SNCF Direct.
– Billet à domicile : commandez votre billet par téléphone ou sur Internet, Eurostar vous l'envoie gratuitement à domicile. Vous réglez par carte de paiement (pour un montant minimum de 1 € sous réserve de modifications ultérieures) au moins 4 jours avant le départ (7 jours si vous résidez à l'étranger).
– Cartes de transport : il est possible d'acheter votre carte de transport (*Oyster Card,* voir « Transports » dans « Londres utile ») à bord de l'Eurostar, dans les voitures bar-buffet, ou sur le site internet d'Eurostar.

Une autre façon de réserver vos billets

▲ **TRAINLINE**
Une nouvelle façon simple et rapide d'acheter vos billets de train sur le web, mobile et tablette. Réservez pour voyager en France et dans plus de 20 pays européens. Consultez les tarifs et les horaires dans une interface claire et sans publicité. Captain Train compare les prix de plusieurs transporteurs européens pour vous garantir le meilleur tarif.
Réservations et paiements sur ● *train line.fr* ● et sur mobile avec l'application Trainline pour iPhone et Android. Et pour répondre à vos questions : ● *gui chet@trainline.fr* ●

En train, puis bateau

Les lignes ferroviaires ne desservent plus les gares maritimes françaises. On conseille donc cette formule aux habitants du Nord, aux claustrophobes (sous le tunnel) et à ceux qui ont vraiment le temps. Dorénavant, il faut prendre le train pour Calais, Boulogne ou Dieppe. À l'arrivée, des navettes sont assurées avec les gares maritimes d'embarquement. Pour les traversées, se reporter à la rubrique « En bateau ». Côté britannique, de nombreux trains relient les villes portuaires à Londres.

EN VOITURE

Avec la navette Eurotunnel via le tunnel sous la Manche

Le terminal est situé sortie n° 42 sur l'A 16 à Calais et vous arrivez directement sur la M 20 sans avoir à quitter votre véhicule.
Vous embarquez dans la navette au volant de votre véhicule, ce qui en fait un service idéal pour les personnes à mobilité réduite ou avec des petits.

Durant les 35 mn de traversée à bord de votre véhicule, vous pouvez vous détendre et consulter votre guide préféré pour préparer votre escapade !

Et pour que toute la famille soit du voyage, sachez que les animaux et « leur puce » sont les bienvenus à bord (voir plus loin le paragraphe consacré au voyage avec les animaux de compagnie dans la rubrique « Avant le départ » du chapitre « Londres utile ») !

– *Fréquence :* les départs se font 24h/24. Réservez votre billet à l'avance sur Internet pour obtenir les meilleurs tarifs.

– *Billet :* sur place, lorsque vous avez réservé, des bornes automatiques vous permettent d'imprimer votre titre de transport et de gagner du temps !

– *Tarifs :* à partir de 32 € l'aller pour la voiture et ses passagers.

– *Rens et résas :* ● eurotunnel.com ● *ou auprès du centre d'appels au* ☎ *0810-63-03-04 (prix d'un appel local).*

EN BATEAU

De France

▲ **BRITTANY FERRIES**
Rens et résas : ☎ *0825-828-828 (0,15 €/mn + prix de l'appel),* ● *brittany ferries.fr* ●
6 lignes directes vers le sud de l'Angleterre :
➢ *Roscoff-Plymouth :* 6h de traversée. Jusqu'à 2 départs/j.
➢ *Saint-Malo/Portsmouth :* 9h de traversée. 1 départ/j.
➢ *Cherbourg-Poole :* 4h de traversée (plus long la nuit). 1 départ/j.
➢ *Caen/Ouistreham-Portsmouth :* 5h45 de traversée. Jusqu'à 3 départs/j.
➢ *Le Havre-Portsmouth :* 1 à 2 départs/j. Compter 5h30 de traversée. Un autre bateau, le *Normandie Express,* plus rapide (3h45 de trajet), de mi-mars à fin oct.
➢ *Cherbourg-Portsmouth :* 1 à 2 départs/j. avr-sept. Compter 3h de traversée.
Propose aussi des excursions et de nombreuses formules week-end et court séjour tout compris.

▲ CONDOR FERRIES
☎ *0825-135-135 (0,15 €/mn + prix de l'appel).* ● *condorferries.uk* ●
Navires à grande vitesse, pouvant accueillir plus de 750 passagers.
➢ *Saint-Malo/Poole* (via Jersey et Guernesey) *:* à partir de 5h30 de traversée. Avr-oct, plusieurs départs le mat et retours en fin d'ap-m. Horaires variables selon saison, se renseigner.
➢ *Saint-Malo/Portsmouth* (via Jersey ou Guernesey) *:* à partir de 7h de traversée. Plusieurs départs/sem.
➢ *Cherbourg/Portsmouth* (direct) *:* départ dim matin slt. Env 5h.

▲ DFDS SEAWAYS
– *Dieppe :* quai Gaston-Lalitte, 76120. ☎ *0825-304-304 (0,15 €/mn + prix de l'appel).* ● *dfdsseaways.fr* ●
Propose plusieurs liaisons quotidiennes :
➢ *Dieppe-Newhaven :* 2-3 traversées/j.
➢ *Dunkerque-Douvres :* 12 traversées/j. en sem et 8 traversées/j. le w-e.
➢ *Calais-Douvres :* 10 traversées/j.
Bateaux rapides, transport voitures et piétons, horaires à disposition sur le site internet. Plein de promos en ligne également.

▲ P & O FERRIES
– *Résa centrale :* ☎ *0820-900-061 (0,15 €/mn + prix de l'appel).* ● *pofer ries.com* ● Lun-sam 9h-17h30 ; fermé dim.
➢ P & O Ferries assure jusqu'à 24 traversées/j. entre *Calais et Douvres* (traversée en 1h30).
➢ *Zeebruge/Hull :* 10h30 (1 traversée/nuit).

EN BUS

▲ **EUROLINES**
☎ *08-92-89-90-91 (0,34 €/mn + prix* | *appel), tlj 8h-21h, dim 10h-18h.* ● *euro lines.fr* ●

COMMENT Y ALLER ?

– Paris : 55, rue Saint-Jacques, 75005. Lun-ven 9h30-18h30, sam 10h-13h et 14h-17h. Nº d'urgence : ☎ 01-49-72-51-57.

Vous trouverez également les services d'Eurolines sur ● routard.com ● Eurolines propose 10 % de réduc pour les jeunes (12-25 ans) et les seniors. 2 bagages gratuits par personne en Europe et 40 kg gratuits pour le Maroc. Gare routière internationale à Paris : 28, av. du Général-de-Gaulle, 93541 Bagnolet Cedex. Ⓜ Gallieni.

Première low-cost par bus en Europe, Eurolines permet de voyager vers plus de 600 destinations en Europe et au Maroc avec des départs quotidiens depuis 90 villes françaises. Eurolines propose également des hébergements à petits prix sur les destinations desservies.

Pass Europe : pour un prix fixe valable 15 ou 30 jours, vous voyagez autant que vous le désirez sur le réseau entre 51 villes européennes. Également un minipass pour visiter deux capitales européennes (7 combinés possibles).

En bus via Eurotunnel

Toujours avec Eurolines, voir plus haut.

AVANT LE DÉPART

Adresses utiles

En France

🛈 VisitBritain, office de tourisme de Grande-Bretagne : ● visitbritain. com ● *Pas d'accueil du public, infos sur Internet slt.* Un site internet très riche avec des thématiques d'exploration du pays (des jardins aux sites de tournage de films). Également sur ● *visitbritainshop.com* ●, vente de cartes de métro, billets *Heathrow Express, Original London Sightseeing Tours,* billets avec transport pour le *Harry Potter Studio Tour,* ou tickets pour Madame Tussauds et *London Pass.* Possibilité également d'acheter des billets coupe-file pour les plus grandes expositions, des places de spectacles, de comédies musicales, des plans, guides, cartes, etc.

■ **Consulat de Grande-Bretagne :** 16, rue d'Anjou, 75008 Paris. ☎ 01-44-51-31-00. ● *ukinfrance.fco.gov.uk/fr* ● Ⓜ *Madeleine. Lun-ven 9h30-13h.*

■ **The British Council :** 9, rue de Constantine, 75007 Paris. ☎ 01-49-55-73-00. ● *britishcouncil.fr* ● *RER C : Invalides. Lun-ven 9h-17h30. Fermé j. fériés, à Noël et début août.* Pour son atmosphère feutrée et aimable, très anglaise. Pas de méthodes d'anglais ; il faut déjà parler la langue. Journaux, livres, renseignements, discothèque.

Loisirs

■ **W. H. Smith :** 248, rue de Rivoli, 75001 Paris. ☎ 01-44-77-88-99. ● *whsmith.fr* ● Ⓜ *Concorde. Lun-sam 9h-19h, dim 12h30-19h.* La branche française de la célèbre librairie anglaise. On y trouve tous les classiques. Vente également sur leur site internet.

– Voir aussi notre rubrique « Sports et loisirs » dans « Hommes, culture, environnement ».

En Belgique

🛈 Visit Britain : ● *visitbritain.com* ● *Pas d'ouverture au public. Infos slt par tél lun-ven 10h-17h, Internet ou voie postale.* Informations touristiques par téléphone, vente sur Internet de *passes* (châteaux, jardins, manoirs) et de tickets pour les spectacles à Londres.

■ **Ambassade de Grande-Bretagne :** av. d'Auderghem, 10, Bruxelles 1040. ☎ 02-287-62-11. ● *ukinbelgium.fco. gov.uk* ● *visa4uk.fco.gov.uk* ● *Lun-mar, jeu-ven 9h-17h30.*

■ **British Council :** Leopold Plaza, rue du Trône, 108, Bruxelles 1050. ☎ 02-227-08-40. ● *britishcouncil.be* ● *Pas d'accueil du public, infos par tél lun-ven 10h-13h.* Informations sur les cours d'anglais dans les écoles privées en Grande-Bretagne et en Belgique. Donne également des adresses d'organismes pour travailler au pair, trouver un job...

En Suisse

🛈 Visit Britain : ● *visitbritain.com* ● *Pas d'accueil du public.*

■ **Ambassade de Grande-Bretagne :** Thunstrasse 50, 3005 Berne. ☎ 031-359-7700. *Lun-ven 9h-12h30 et 13h30-16h30.*

Au Québec

■ **Consulat de Grande-Bretagne :** 2000, av. McGill College, suite 1940, Montréal (Québec), H3A 3H3 ☎ (514) 866-5863. ● *ukincanada.fco.gov. uk* ● *Lun-ven sur rdv slt, 9h-16h.* Ne délivre pas de visa. Pour cela, les ressortissants étrangers doivent se rendre à Ottawa auprès du *Haut Commissariat de la Grande-Bretagne : 80, Elgin St, Ottawa (Ontario), K1P 5K7.*

Toutes les démarches d'obtention de visa sont possibles sur le site internet du consulat.

Formalités

– Pour les ***ressortissants de l'Union européenne, passeport*** ou ***carte nationale d'identité*** (un permis de séjour en France ou un permis de conduire ne suffisent pas), valable au minimum 3 mois après le retour. Pour les mineurs accompagnés ou pas de leurs parents, une carte nationale d'identité (ou un passeport) et une lettre manuscrite signée des parents autorisant le mineur sont nécessaires. Attention cependant à un projet de loi visant à rétablir la sortie du territoire. Si vous voyagez avec un enfant ne portant pas votre nom de famille, mieux vaut se renseigner avant ! La Grande-Bretagne ne faisant pas partie de l'*espace Schengen,* ni de l'Union européenne depuis 2016 suite au référendum sur le Brexit, des changements sont certainement à prévoir aux frontières.
● *visitbritain.com/fr/Travel-tips/Customs-and-immigration/* ● *service-public.fr* ●
– ***Attention : les ressortissants hors Union européenne*** doivent se renseigner au service des visas du consulat de Grande-Bretagne (voir plus haut) et à leur propre consulat... En cas d'urgence, s'adresser au consulat de Grande-Bretagne dans les ports.
– ***Pour la voiture :*** permis de conduire national, carte grise, carte verte et n'oubliez pas le F (ou le B ou le CH) à l'arrière du véhicule.
– ***Bagages en Eurostar :*** si vous avez des canifs ou couteaux sur vous, ils vous seront confisqués. Les consignes de sécurité sont quasi similaires à celles adoptées dans les aéroports.
– ***La légendaire quarantaine des animaux*** a été abolie en 2000. Malgré tout, chiens, chats et... furets (!) adorés devront montrer patte blanche : puce électronique, traitement contre les vers et vaccin contre la rage 21 jours avant le départ. Ces informations doivent être consignées dans un passeport européen (pour les animaux en provenance de l'Union européenne). Pour toute info : site du consulat de Grande-Bretagne (voir plus haut) ou ● *eurotunnel.com* ● (rubrique « Votre voyage »).
– Seuls les visiteurs de plus de 17 ans sont autorisés à importer ou exporter du ***tabac*** ou de l'***alcool*** (800 cigarettes maximum).

> Pensez à scanner passeport, carte d'identité, éventuellement visa, carte de paiement, billets d'avion, billets de train et vouchers d'hôtel. Ensuite, adressez-les-vous par e-mail, en pièces jointes. En cas de perte ou de vol, rien de plus facile pour les récupérer dans un cybercafé. Les démarches administratives en seront bien plus rapides.

Assurances voyage

■ ***Routard Assurance :*** *c/o AVI International, 40-44, rue Washington, 75008 Paris.* ☎ *01-44-63-51-00.* ● *avi-international.com* ● Ⓜ *George-V.* Depuis plus de 20 ans, Routard Assurance en collaboration avec AVI International, spécialiste de l'assurance voyage, propose aux voyageurs un contrat d'assurance complet à la semaine qui inclut le rapatriement, l'hospitalisation, les frais médicaux, le retour anticipé et les bagages. Ce contrat se décline en différentes formules : individuel, senior, famille, light et annulation. Pour les séjours longs (2 mois à 1 an), consultez le site. L'inscription se fait en ligne et vous recevrez, dès la souscription, tous vos documents d'assurance par e-mail.

■ **AVA :** *25, rue de Maubeuge, 75009 Paris.* ☎ *01-53-20-44-20.* ● *ava.fr* ● ⓜ *Cadet.* Un autre courtier fiable pour ceux qui souhaitent s'assurer en cas de décès-invalidité-accident lors d'un voyage à l'étranger mais surtout pour bénéficier d'une assistance rapatriement, perte de bagages et annulation. Attention, franchises pour leurs contrats d'assurance voyage.

■ **Pixel Assur :** *18, rue des Plantes, BP 35, 78601 Maisons-Laffitte.* ☎ *01-39-62-28-63.* ● *pixel-assur. com* ● *RER A : Maisons-Laffitte.* Assurance de matériel photo et vidéo tous risques (casse, vol, immersion) dans le monde entier. Devis en ligne basé sur le prix d'achat de votre matériel. Avantage : garantie à l'année.

ARGENT, BANQUES, CHANGE

La Grande-Bretagne utilise la *sterling pound.* La livre sterling est divisée en 100 *pence.* Pièces de 50 p, 20 p, 10 p, 5 p et 1 *penny,* et pièces de 1 livre et de 2 livres avec plusieurs dessins symbolisant les différents pays composant la Grande-Bretagne.

En 2016, avant le référendum sur le Brexit, le cours de la livre sterling atteignait environ 1,30 €, 1,40 CHF et 1,90 \$Ca. S'attendre à un séjour onéreux en Grande-Bretagne. Ce cours pourrait avoir changé, faites vos calculs !

– **Les banques** sont ouvertes de 9h30 à 16h30 de manière générale, parfois plus tard. Elles sont habituellement fermées le week-end, sauf certaines grandes banques qui ouvrent le samedi matin. Essayez d'éviter les bureaux de change dont les taux sont médiocres ; préférez les banques, ainsi que les postes. Ces bureaux de change sont nombreux. On les trouve dans les aéroports, les gares ferroviaires, certaines grandes stations de métro et dans quelques grands magasins. Ils sont ouverts plus tard que les banques, c'est là leur seul intérêt.

– **Les bureaux de change Ace-Fx** n'appliquent pas de commission et proposent un bon taux. 2 adresses : à **London Bridge Station** *(plan d'ensemble I4 ; 5 London Bridge Walk, bien indiqué ; lun-ven 7h30-18h30)* et à **Canary Wharf** *(plan Les Docklands B-C1 ; dans le Shopping center ; lun-mer 8h30-19h, jeu-ven 8h30-20h et sam 10h-18h).*

> **Avertissement**
>
> Si vous comptez effectuer des retraits d'argent aux distributeurs, il est très vivement conseillé d'avertir votre banque avant votre départ (pays visité et dates). En effet, votre carte peut être bloquée dès le premier retrait pour suspicion de fraude. C'est de plus en plus fréquent. Bonjour les tracasseries administratives pour faire rentrer les choses dans l'ordre, et on se retrouve vite dans l'embarras !

– **Retraits et paiements avec carte de paiement :** le système le plus simple et le plus pratique, si vous possédez une carte de paiement internationale. Toutefois, gardez en tête qu'à chaque opération, même minime, vient s'ajouter une commission de votre banque, parfois non négligeable.

Quand vous partez à l'étranger, pensez à téléphoner à votre banque pour relever le plafond de retrait aux distributeurs et pour les paiements par carte, quitte à le faire rebaisser à votre retour.

Avant de partir, notez bien le numéro d'opposition propre à votre banque (il figure souvent au dos des tickets de retrait, sur votre contrat, ou à côté des distributeurs de billets), ainsi que le numéro à 16 chiffres de votre carte. Bien entendu, conservez ces informations en lieu sûr et séparément de votre carte.

Par ailleurs, l'assistance médicale se limite aux 90 premiers jours du voyage et l'assistance véhicule aux cartes haut de gamme (renseignez vous auprès de votre banque). Et surtout, n'oubliez pas de VÉRIFIER LA DATE D'EXPIRATION DE VOTRE CARTE BANCAIRE avant votre départ !

En cas de perte, de vol, ou de fraude, quelle que soit la carte que vous possédez, chaque banque gère elle-même le processus d'opposition et le numéro de téléphone correspondant.

– **Carte Visa :** numéro d'urgence (Europ Assistance), ☎ (00-33) 1-41-85-85-85 (24h/24). ● visa.fr ●

– **Carte MasterCard :** numéro d'urgence, ☎ (00-33) 1-45-16-65-65.

● mastercardfrance.com ●

– **Carte American Express :** numéro d'urgence, ☎ (00-33) 1-47-77-72-00.

● americanexpress.fr ●

> Petite mesure de précaution : si vous retirez de l'argent dans un distributeur, utilisez de préférence les distributeurs attenants à une agence bancaire. En cas de pépin (carte avalée, erreurs de code secret...), vous aurez un interlocuteur dans l'agence, pendant les heures ouvrables.

Western Union Money Transfer

En cas de besoin urgent d'argent liquide (perte ou vol de billets, chèques de voyage, carte de paiement), vous pouvez être dépanné en quelques minutes grâce au système **Western Union Money Transfer**. Pour cela, demandez à quelqu'un de vous déposer de l'argent en euros dans l'un des bureaux Western Union ; liste sur ● westernunion.fr ● L'argent vous est transféré en moins d'un quart d'heure. La commission, assez élevée, est payée par l'expéditeur. Possibilité d'effectuer un transfert en ligne 24h/24 par carte de paiement (Visa ou MasterCard émise en France).

À Londres, se présenter à une agence Western Union (☎ 0800-833-833, 7h-22h ; ● westernunion.com ●) avec une pièce d'identité.

Carte prépayée Travelex

La carte prépayée Cash PassportTM (qui remplace les chèques de voyage) fonctionne comme une carte bancaire. Muni d'une pièce d'identité, il suffit de se rendre en agence de change et de charger le budget voyage désiré en dollars sur la carte. Elle peut aussi être commandée en ligne sur ● travelex.fr ● avant d'être collectée en agence sur présentation des documents d'identité. L'utilisateur peut ensuite la recharger à tout moment depuis le site ● travelex.fr ● partout dans le monde. Une fois à l'étranger, elle est utilisable chez 32 millions de commerçants et distributeurs de billets. Pratique pour régler une note de resto ou d'hôtel, sans frais bancaires ni commission. Sûre, la carte n'est pas liée au compte bancaire de l'utilisateur et elle est protégée par une puce et un code PIN personnel. Assistance internationale d'urgence 24h/24 en cas de perte ou de vol. La carte est alors remplacée gratuitement sous 24h avec des fonds d'urgence.

ACHATS

Marchés locaux

C'est un aspect de Londres que les touristes connaissent peu, et pourtant, il constitue une part essentielle de la vie de la capitale depuis que les néobobos ne jurent plus, à raison, que par les produits estampillés « authentiques » ! Levez-vous de bonne heure et allez voir l'un des meilleurs spectacles gratuits de la ville. Vous y entendrez le plus pur accent cockney depuis My Fair Lady ! On indique les marchés dans chaque quartier traité dans ce guide.

Shopping

Voir nos adresses dans chaque quartier. N'hésitez pas non plus à pousser la porte des **charity shops,** un concept *made in Britain* : ce sont les centaines de boutiques associatives qui revendent vêtements, vaisselle, DVD, CD, etc., d'occasion, cédés par les particuliers. De très bonnes affaires parfois, en prenant le temps de fouiner, surtout dans les quartiers chic. Si *Oxfam, Barnardo's* (contre le cancer) ou *The Red Cross* (la Croix

HISTOIRE D

*L'imperméabl
siglé* Burberr
*mode britann
devenu inco
n'a pourtant
mier modèle
lement « m
dessiné en 1914 par Thomas B
et porté par les soldats anglais pendant
la Première Guerre mondiale.*

Rouge) comptent parmi les enseignes les plus répandues, on trouve aussi des organisations caritatives moins connues, par exemple pour la protection des animaux !

Horaires des boutiques

Les boutiques sont en général ouvertes du lundi au samedi de 9h30 à 18h, avec des nocturnes jusqu'à 19h ou 20h. De plus en plus, surtout dans le centre touristique, elles ouvrent également le dimanche de 10h à 18h. Autres exceptions, les épiceries qui font du non-stop de 9h à 22h. Les grands magasins ont, une fois par semaine, une nocturne jusqu'à 20h. Pendant la période des soldes *(sales)* – de fin décembre à fin janvier et début juillet –, les magasins des quartiers commerçants sont ouverts jusqu'à 20h, voire 21h.

Voici, en gros, les différents coins commerciaux : Oxford Street, Regent Street, Carnaby Street et les environs ; Covent Garden, l'un des repaires de la mode de luxe ; Knightsbridge et Brompton Road (plutôt luxueux) ; Spitalfields Market, Brick Lane et Shoreditch, pour les vêtements vintage et quelques petites boutiques de créateurs, King's Road, Fulham Road et les rues avoisinantes ; enfin, Camdem Town, pour le marché aux puces.

Vêtements et chaussures

Le must de la mode anglaise est incarné par quelques créateurs qui, s'ils ont pignon sur rue à Paris, ont leurs boutiques phares et surtout des soldes permanents à Londres (ne rêvez pas trop, les prix restent élitistes). Parmi les incontournables, on citera *Vivienne Westwood* et *Stella McCartney,* pour les femmes, *Paul Smith* pour les hommes.

SMOKING

Dès le XIXe s, après dîner, les Anglais de la bonne société dégustaient leur cigare au fumoir. Pour éviter que leurs vêtements ne soient imprégnés de l'odeur du tabac, ils enfilaient une veste d'intérieur appelée... smoking jacket. *L'appellation est restée pour cette veste noire emblématique, symbole d'un certain chic !*

– Halte quasi obligatoire dans les grands magasins d'*Oxford Street (centre 1, D-E-F3)* et de *Regent Street.* On y trouve d'immenses boutiques pour faire le plein de fringues. Le meilleur marché reste *Primark* (hommes, femmes, enfants), vers Marble Arch et Tottenham Court Rd. *TopShop* (pour femmes et hommes) est aussi un grand classique, tout comme *Next, Miss Selfridge, River Island, Oasis* ou encore

...utfitters, une marque américaine bien implantée à Londres. ...s'apparentent à Zara ou Mango, que l'on trouve aussi à Lon... ...prix plus élevés. On peut aussi faire un tour au rayon lingerie de ...encer, très varié, à l'image du goût des Anglaises pour les dessous ...s !

...ques friperies bien British au fil des pages. Du jeune créateur dégriffé à la ...écossaise pour punkette, on y trouve de tout (ou rien, c'est selon...). Fureter ...u côté de Camden ou de Brick Lane et Spitalfields Market.

– Les jeunes créateurs ont pignon sur rue à Carnaby Street et autour de Shoreditch et Hackney. On peut y dénicher une perle rare à un prix (relativement) raisonnable.

– Tout King's Road (plan d'ensemble A-B-C6-7) est couvert de boutiques, chères mais ô combien attirantes !

– La mode de luxe se trouve dans le coin de Kensington High Street. Vous pouvez aussi aller faire un tour chez Harrods, Liberty ou chez Harvey Nichols. Un classique, Burberry, pas donné non plus. Cela dit, on vous indique plus loin l'adresse du stock (vers Whitechapel).

Correspondance des tailles

Vêtements pour femmes
Pour les collants (*tights,* prononcer « taïts ») : le *small,* ou petit, est notre taille 1, le *medium* est notre 2, le *large,* ou *tall,* est notre 3.

France	38	40	42	44	46
Grande-Bretagne Robes	10	12	14	16	18
Grande-Bretagne Pulls	32	34	36	38	40

Vêtements pour hommes
Pour les pantalons, les tailles sont celles que vous connaissez pour les jeans.

France	39	40	41	42	43
Grande-Bretagne Pulls/chemises	15	15,5	16	16,5	17

Vêtements pour enfants

Stature en centimètres	100	125	155
Âges	3-4	7-8	12
Stature en inches	40	50	60

Chaussures

France	37	38	39	40	41	42	43
Grande-Bretagne	4	5	6	7	8	9	10

Que rapporter ?

– Noter que les alcools forts (comme le whisky) ne présentent pas des tarifs plus avantageux qu'en France, même en duty-free, mais il y a évidemment plus de choix, pour le whisky par exemple.

– Bon à savoir : les produits de base pour enfants (vêtements, chaussures, cosmétique, etc.) sont moins taxés en Grande-Bretagne que les produits adultes et donc nettement moins chers !

– Les fameux *toffees* (caramels) bien moelleux et tout un tas de sucreries multicolores, la marmelade et le *lemon curd,* les sauces à la menthe ou barbecue (mais aussi tous les produits indiens), le thé, *of course,* notamment ceux de la fameuse maison *Fortnum & Mason* (voir « Le centre touristique »).

LE PRINCE ÉPICIER

L'engagement du prince Charles en faveur de l'environnement n'est plus à démontrer. Avec les produits Duchy Originals, *en vente dans les supermarchés* Waitrose, *vous pourrez soutenir une bonne action. Une partie des bénéfices des produits vendus, tous sélectionnés par le prince et issus de l'agriculture bio, est ensuite reversée à des œuvres de charité. Le produit phare de la maison est le biscuit à l'avoine. Et le pire, c'est que c'est bon !*

– Les fromages, méconnus dans l'Hexagone et pourtant intéressants ! Comment résister au goût puissant d'un vieux *stilton* ou à l'onctuosité d'un cheddar à point ? À déguster avec des crackers.

– *Crumpets, muffins, scones...* les rayons alimentaires de *Marks & Spencer, Tesco, Sainsbury's* et *Harrods* (pas si cher au demeurant, vu la qualité des produits) regorgent de produits uniques et que l'on trouve difficilement, voire pas du tout, en France.

– L'imperméable *Barbour,* adopté depuis des lustres par la famille royale. Constitué d'un col de velours côtelé et d'un coton traité avec de la cire et de l'huile, il habille aujourd'hui l'*upper class* et revient en force chez les hipsters.

– Les parapluies, élégants et de belle facture (grande spécialité britannique, mais fallait-il le préciser ?).

Disques et vidéos

Les « galettovores » et autres « compactophiles » adorent Londres ! Normal, on y trouve de tout...

Dans les hypermarchés audio-vidéo, le choix est impressionnant, mais les tarifs similaires à la France. Pour les promos, cherchez les rayons *Best* (ou *Special Price*). Pour les DVD, très peu sont disponibles en v.f., et les sous-titres ne sont généralement qu'en anglais (bien pour progresser dans la langue de Shakespeare !).

Les petites boutiques de disquaires sont à échelle humaine et sont tenues par des passionnés, généralement spécialistes dans un domaine (rock, blues, électro, jazz ou classique). Certaines d'entre elles ne font que de l'occasion *(second hand)* : c'est là que vous trouverez d'authentiques collectors. Pensez à vérifier l'état du disque avant d'acheter... La ville regorge de petits disquaires (nous en indiquons), mais c'est surtout à Soho que vous les trouverez, entre autres dans Berwick Street (Ⓜ *Tottenham Court Road, Oxford Circus ou Piccadilly Circus).*

BUDGET

Londres est définitivement la ville la plus chère d'Europe. Vous vous en apercevrez très rapidement. L'hébergement y est littéralement hors de prix ! La demande dépasse largement l'offre et le niveau des prestations hôtelières est du coup parfois décevant, surtout pour les petits budgets : chambres exiguës, propreté limite, salles de bains d'une autre époque, personnel sous-payé et peu motivé, petit déj riquiqui... Il faudra donc faire une croix sur l'idée d'un séjour londonien cosy et élégant, à moins d'y mettre le prix. Finalement – ce n'est pas vraiment notre *cup of tea* traditionnelle, mais ce sont les ***hôtels affiliés aux chaînes*** *(Trave-lodge, Premier Inn, Best Western, Comfort Inn, Express Inn...)* qui offrent le meilleur rapport qualité-prix en s'y prenant bien à l'avance. Il est vrai qu'ils sont soumis à des critères de qualité assez rigoureux. Le prix d'une chambre double démarre à 50 £ et évolue quotidiennement en fonction de la période et de la demande. Ne négligez pas non plus les « ***apparthôtels*** », qui peuvent s'avérer avantageux en famille, confortables, avec kitchenette, machine à laver, etc.

Si vous voyagez à plusieurs

Sachez que la plupart des hôtels disposent de chambres familiales, pour quatre (appelées ici des *quads*), voire six personnes. Il arrive que cela soit à peine plus cher (voire moins cher) qu'une chambre en AJ où il faudra, de toute façon, compter environ 20-30 £ par personne pour des prestations basiques et un confort plus rudimentaire.

Hébergement

– ***Très bon marché*** *(auberges de jeunesse) :* moins de 35 £ (env 45,50 €) par personne (voire moins de 20 £). Dortoirs d'auberges de jeunesse pas mal, mais guère intimes. Bien étudier la question, il est parfois moins cher de partager une chambre d'hôtel style triple ou quadruple à plusieurs...
Sinon, nos fourchettes de tarifs correspondent à une chambre double, petit déj inclus ou non. La majorité des hôtels proposent un simple petit déj continental. Les petit déj britanniques (bacon, œuf et saucisse), quand ils sont disponibles, sont le plus souvent assujettis à un supplément. En outre, nous mentionnons les hôtels équipés du wifi, mais le réseau se limite parfois à une aire autour de la réception.
– ***Bon marché :*** moins de 50 £ (env 65 €).
– ***Prix moyens :*** de 50 à 90 £ (env 65 à 117 €).
– ***Plus chic :*** de 90 à 120 £ (env 117 à 156 €).
– ***Très chic :*** plus de 120 £ (env 156 €).
– ***Spécial coup de folie :*** là, ça peut monter très haut !

Restaurants

S'il est difficile de trouver un hôtel correct et pas cher à Londres, il est nettement plus simple de manger dans des restaurants sympas et bon marché.
N'hésitez pas, si votre budget est serré, à vous rendre dans les chaînes de restaurants qui garantissent une qualité et des prix identiques aux quatre coins de Londres. Pour le pique-nique, nos préférences vont sans hésiter à *Pret À Manger* ou *Eat,* pour leur grand choix de sandwichs originaux, de salades et de soupes, tout frais du matin.
Nous avons classé les restaurants en quatre catégories : ces prix correspondent à un repas pour une personne, sans la boisson ni le pourboire. Ce qui est loin d'être anodin, quand on sait qu'il est désormais ajouté d'emblée au moment de l'addition. Compter donc autour de 12,5 % de plus. La vente à emporter pour manger « sur le pouce » n'est pas concernée, raison de plus pour privilégier ce mode de restauration à l'heure du déjeuner. Nous l'indiquons sur le plan par le petit logo 🥢 .
– ***Très bon marché (ou sur le pouce) :*** moins de 10 £ (env 13 €).
– ***Bon marché :*** de 10 à 20 £ (env 13 à 26 €).
– ***Prix moyens :*** de 20 à 30 £ (env 26 à 39 €).
– ***Chic :*** 30 à 40 £ (env 39-52 €).
– ***Très chic :*** plus de 40 £ (env 52 €).

Visites

Heureuse nouvelle : les musées nationaux sont gratuits (National Gallery, British Museum, Tate Modern...) ! Seules les expositions temporaires sont payantes. En revanche, les musées et sites du royaume, ainsi que les musées privés sont payants, et généralement à prix très élevés...

Possibilité d'acheter le *London Pass* (à l'office de tourisme), qui sera vite rentabilisé ! Avec les *passes* de transport, quelques coupons de réductions également pour les sites touristiques.

CLIMAT

De tous les pays situés sous la même latitude, c'est la Grande-Bretagne qui a, dans l'ensemble, la température la plus égale. Les chutes de pluie à Londres restent inférieures à 604 mm pour l'année entière (525 mm à Paris). Même si le volume des précipitations est assez faible, il pleut en moyenne 10 jours par mois. Un petit peu mais souvent, quoi ! Un

DUR MÉTIER

En 1677, une loi anglaise condamnait les météorologues, accusés de sorcellerie, à mourir sur le bûcher. Faut dire qu'ici, ils annonçaient souvent de mauvaises nouvelles. Cette loi ne fut suspendue qu'en... 1959.

dicton précise qu'un vrai Londonien ne se fait jamais surprendre par la pluie. Cirés et grandes capes de pluie seront parfois plus appréciés que le K-way. Prévoir également deux paires de chaussures, au cas où. Rien de pire que de remettre une paire de pompes trempées le lendemain !

N'oubliez pas qu'à Londres, les étés (de juin à août) sont frais. La moyenne des températures maximales atteint au mieux 21 °C. L'hiver, les températures descendent rarement en dessous de 0 °C, climat océanique oblige.

DANGERS ET ENQUIQUINEMENTS

– **Drogues :** si vous vous faites prendre avec de la drogue, qu'importe que vous ne soyez pas sujet de Sa Majesté, vous serez soumis aux lois du pays. Vous encourrez une peine de prison allant de 5 à 14 ans !

– Ne pas se trimbaler avec une **bombe lacrymogène** dans sa voiture ou, à plus forte raison, sur soi. Ici, c'est un délit, et vous risquez de gros ennuis pour port d'arme dangereux. À bon entendeur...

– Rappel : si vous transportez un canif ou un couteau suisse, il vous sera confisqué aux contrôles de sécurité de l'Eurostar à Paris ou à l'aéroport.

ÉLECTRICITÉ

240 V. Les prises sont différentes, plus grosses et toutes munies d'interrupteurs (bon à savoir avant d'aller se plaindre à la réception !). Adaptateurs faciles à trouver chez les quincailliers, dans les gares, sur les bateaux et dans les aéroports. Sinon à Londres, dans la plupart des magasins, notamment chez *Boots*.

ENFANTS

Devant la diversité d'activités, on ne va pas énumérer toutes les pistes à suivre, mais on peut suggérer quelques spots intéressants par quartiers et par tranches d'âge, et vous renvoyer vers les pages concernées au cœur du guide. Cela vous permettra de concocter pour vos enfants un programme adapté à leurs centres d'intérêt (vous les connaissez mieux que nous) et à votre budget (Londres est hyper cher).

Avant tout, quelques petits conseils pratiques :

– ne pas trop charger la journée : Londres, c'est très grand ! ; attendre le bus ou le métro, arpenter les parcs, faire du lèche-vitrine ou courir toutes les salles d'un musée, ça fatigue beaucoup ; bref, préparez bien votre itinéraire avant le départ, pas de détours inutiles ;

– chaussures confortables et K-way obligatoires ;

– les taxis peuvent s'avérer économiques à quatre ou à cinq ; les prix sont corrects et les chauffeurs coopératifs ;

– les grands musées sont gratuits et les autres proposent toujours un forfait famille avantageux ; la plupart disposent d'un itinéraire de visite et d'une scénographie spécialement adaptés aux enfants ;

– fréquentez les cafés et les salons de thé, les mômes adoreront les *apple pies,* les *scones* et autres pâtisseries ; sans oublier les cafétérias de musées ;

– tous les grands magasins et musées proposent des toilettes propres et des *baby's change rooms,* très pratiques pour changer bébé.

Suggestions

➢ *Le centre touristique et monumental (centre 1).* Ⓜ *Charing Cross.* Une journée.

Trafalgar Square et les unités de mesure britanniques scellées au bas de la colonne de Nelson ; en face, les trésors de la *National Gallery* (gratuit) s'ils apprécient déjà la peinture (faire une visite express). Non loin de là se trouve *Saint James's Park* avec mise en jambes s'ils ont emporté leurs rollers pour contourner le lac où l'on peut nourrir les écureuils, les canards et les flamants roses (oui !), et, un peu plus loin, le *Buckingham Palace* de Sa Majesté la reine. Venir à l'heure de la relève de la garde ou pousser jusqu'à la caserne des *Horse Guards* pour essayer de dérider les deux impassibles sentinelles qui gardent l'entrée. Rejoindre *Westminster* et le Parlement pour entendre sonner *Big Ben* et, éventuellement (et à condition de ne pas avoir le vertige), rejoindre l'autre rive de la Tamise pour profiter du panorama depuis les nacelles du *London Eye,* la grande roue qui borde le fleuve (renseignez-vous avant d'y aller pour savoir si les réservations ne sont pas complètes). Rejoindre *Piccadilly Circus* et trouver un resto dans Soho (peut-être au *Rainforest Café* ?). Les petits seront aussi ravis d'aller se lover dans les bras de peluches géantes chez *Hamley's.* S'il reste du temps, les abords de *Covent Garden* et ses halles couvertes seront parfaits pour un plan « goûter » qui permet de profiter de l'animation commerciale et des nombreux chanteurs de rue.

➢ *La rive sud (plan d'ensemble G-H4-5).* Ⓜ *Waterloo Station.* Une journée. Pourquoi ne pas faire un petit détour et s'y rendre via la ligne Jubilee (couleur grise) entièrement automatisée ? Cela amusera les gamins.

Un petit tour en *London Eye,* si vous ne l'avez pas fait la veille, puis cap sur le cinéma *IMAX,* le plus grand du monde. Rayon frissons, le *London Dungeon* ravira tout ado amateur de gore et d'hémoglobine dégoulinante. Rejoindre alors *Queen's Walk* et le *Bankside* et entamer la longue promenade qui longe la Tamise jusqu'au *Tower Bridge,* avec autant d'étapes et de curiosités à choisir selon les goûts et les âges. La *Tate Modern* mérite un détour pour son architecture audacieuse et son intérieur spectaculaire, et profitez-en (c'est gratuit) pour les initier à l'art contemporain. Le vieux navire *Golden Hinde* avec son côté bateau de pirates plaira aux petits aventuriers, et le *HMS Belfast* fera l'unanimité, à coup sûr, chez les filles comme chez les garçons, qu'ils rêvent ou non d'une carrière dans la Marine. Stop pour lever la tête vers *The Shard,* l'immeuble le plus haut d'Europe. Le *Tower Bridge* reste un passage obligé de toute visite à Londres. Nous, on trouve cela cher et surfait, mais à vous de juger. Une petite incursion dans *Butler's Wharf* ou **Saint Katharine Dock,** en face, permet de se rendre compte des résultats de l'aménagement des docks. Lieux également propices à un dîner, comme le *Dickens Inn.* Attention, prévoir là un budget adapté. Si vous avez brûlé les étapes en cours de route, vous pourrez peut-être profiter de la dernière visite de la **Tower of London** (16h ou 17h selon la saison) pour admirer les bijoux de la Couronne, la collection d'armes et partir sur les traces de Blake et Mortimer. Vous pouvez aussi programmer une **croisière sur la Tamise** (45 mn) de Westminster Bridge à Greenwich (retour en métro) avec, pourquoi pas, une visite du clipper **Cutty Sark** à Greenwich.

➤ **Autour de Hyde Park** *(plan d'ensemble A-B-C4-5)* **:** parcours de musées et de shopping en sauts de puce en bus ou en métro pour gagner du temps, surtout s'il fait mauvais. Profiter – le vendredi et le week-end uniquement – des puces de Portobello (Ⓜ *Notting Hill Gate*). Des tas de choses à acheter dans le quartier de toute façon.

Puisqu'on parle de ce quartier, les fans de royauté iront visiter **Kensington Palace,** dernière résidence de Lady Diana. Les jardins cachent une belle et grande aire de jeux et une mignonne statue en hommage à Peter Pan. Les fans de sciences naturelles ou de technologie, franchiront **Hyde Park** jusqu'aux **Natural History Museum** (les dinosaures sont véritablement spectaculaires) et **Science Museum** (avions et ciné en 3D, entre autres). Chez **Harrods,** une halte au comptoir des douceurs pour s'offrir les inévitables caramels *(fudges)* et une incursion au rayon jouets raviront les petits.

Au coin nord-est de Hyde Park, le **Speaker's Corner,** l'occasion, si l'on est dimanche, d'un petit cours aux ados sur la sacro-sainte liberté d'expression de la démocratie britannique. Maryle-bone Road héberge le fameux **Madame Tussauds Museum** (très cher !). À côté, le **Sherlock Holmes Museum** fera vibrer les fans du célèbre détective de Conan Doyle. Aux abords de

UN BANDIT CHEZ SHERLOCK HOLMES !

Le célèbre Jules Bonnot, chef d'une célèbre bande anarchiste, fut, en toute discrétion, chauffeur de Sir Arthur Conan Doyle. Malgré son esprit bien affûté, le célèbre écrivain ne se douta jamais de rien !

Regent's Park, oubliez le **London Zoo,** un peu tristounet.

Autres musées et attractions pour petits et grands

En vrac et dispersés géographiquement :
– **British Museum :** momies égyptiennes et antiquités gréco-romaines pour illus-trer les cours d'histoire des ados studieux.
– **National Maritime Museum :** à Greenwich. Les fastes glorieux de la marine à voile.
– **Museum of London :** un superbe panorama de l'histoire de la ville depuis les Romains et des objets rigolos qui amusent les petits.
– **Kew Gardens :** plantations subtropicales et serres d'un autre temps.
– **Bethnal Green Museum of Childhood :** quartier Hackney. Collections de jouets, maisons de poupée, livres et costumes d'enfants depuis le XVIIe s.
– **Legoland :** à l'extérieur de Londres, du côté de Windsor. Le monde reconstruit avec les petites briques danoises. Le hic : c'est très très cher et fermé une partie de l'hiver.
– **Les croisières** sur la Tamise jusqu'aux écluses géantes de Thames Barrier.

FÊTES ET JOURS FÉRIÉS

– **Parade du 1er janvier :** de Parliament Square à Berkeley Square (dans le quartier de Mayfair) en passant par Whitehall, Trafalgar Square et Piccadilly, grand défilé costumé regroupant plus de 100 sociétés.

– **Nouvel an chinois à Chinatown (Soho) :** en janvier ou février, puisqu'on fixe la date en fonction de la lune. Pour plus d'infos : ● *chinatownlondon.org* ● Tout commence sur The Strand normalement en fin de matinée ; Charing Cross Road, Shaftesbury Avenue et Trafalgar Square pour finir en beauté. Feu d'artifice vers 17h à Leicester Square.

– **Saint Patrick's Day :** le 17 mars. La fête du saint patron des Irlandais est particulièrement célébrée à Londres, qui compte la troisième plus grande population d'origine irlandaise du monde. C'est l'occasion d'une grande parade où les participants défilent tout en vert, la couleur de l'Irlande. De grands rassemblements et des concerts ont lieu dans différents endroits, tout particulièrement à Trafalgar Square.

– **Oxford & Cambridge Boat Race :** le 1er samedi d'avril (attention ! parfois aussi le dimanche ou bien encore en mars... vérifier sur le site), sur la Tamise (vers Hammersmith et Mortlake). La fameuse course d'aviron entre les universités mythiques et rivales situées au nord de la capitale. Pas non plus exceptionnel pour les spectateurs, mais ambiance festive. ● *theboatraces.org* ●

– **Floralies de Chelsea :** la dernière semaine de mai, près des jardins du Royal Hospital.

– **Mois des musées et des galeries :** en mai, nombreux événements spéciaux.

– **Trooping the Colour :** parade des *Horse Guards* au grand complet pour l'anniversaire de la reine, le samedi suivant le 6 juin. Elle se déroule entre Buckingham Palace et le quartier des gardes à Whitehall. Tous les fastes de la Couronne et les traditions anglaises sont déballés lors de ce défilé. Bonnets à poils, plastrons brillants et chevaux « bien garnis » sont au rendez-vous de cet événement haut en couleur.

> ## BRITISH PROTOCOL
>
> *Si vous êtes invité à l'anniversaire de la reine, faites gaffe : elle est née un 21 avril, mais on souffle ses bougies le samedi suivant le 6 juin. Pourquoi ? Parce qu'il fait plus beau ! On s'adresse aussi bien à elle en français qu'en anglais. En revanche, évitez « Majesté ». Elle préfère « Madame ». Il ne vous reste plus qu'à recevoir le carton.*

– **Wireless Festival :** 4 jours de musique fin juin avec des artistes rock, pop et variétés à Hyde Park. Programme sur ● *wirelessfestival.co.uk* ●

– **Festival d'été de Victoria Embankment Gardens :** de juin à juillet, une succession de festivals animent les bords de la Tamise. Danse en plein air, festival de mime, festival de poésie, etc. ● *Alternativearts.co.uk* ●

– **The Proms :** en juillet, août et septembre. La musique s'empare du Royal Albert Hall. Populaire et très festif !

– **Carnaval jamaïcain de Notting Hill :** les dimanche et lundi (férié) du dernier week-end d'août. Créé à la suite des émeutes raciales qui ont secoué Londres dans les années 1950, c'est le plus grand carnaval jamaïcain d'Europe. *Steel bands* et DJs envahissent les rues autour de Portobello pendant 2 jours, et on y danse aux rythmes de la *socca*, musique des Caraïbes, de la techno, du reggae, etc. Le carnaval de Notting Hill, c'est aussi et surtout un défilé de toute beauté à ne pas manquer. Le dimanche est généralement considéré comme « le jour des enfants », alors que le lundi, dernier jour de la fête, rassemble environ 1 million de personnes. Ambiance garantie et prix des hébergements à la hausse.

– **Spectacle et défilé du Lord Mayor** (le lord-maire) **:** le 2e samedi de novembre. Tradition qui remonte au XIIe s. Le Lord Mayor traverse la ville de Guidhall aux Royal Courts of Justice, dans un carrosse digne de celui de la reine (qu'on peut admirer au *Museum of London*). Le soir, un feu d'artifice est généralement tiré d'une péniche entre Waterloo Bridge et Blackfriars Bridge.

– **Illumination du sapin de Noël à Trafalgar Square :** 1re semaine de décembre. Le sapin monumental qui orne la place pendant la période des fêtes est illuminé

à l'occasion d'une cérémonie avec cantiques de Noël chantés par le chœur de l'église de Saint-Martin-in-the-Fields.
– **Patinoires :** de novembre à mars, les grands monuments (Tower Bridge, Somerset House, National History Museum, entre autres) se parent d'une jolie patinoire. Payant. Liste complète des sites et tarifs sur ● *viewlondon.co.uk/tickets/ ice-skating-london-feature-roundup-4302.html* ●
– **Jours fériés :** Jour de l'an (le Tout-Londres se donne rendez-vous à Trafalgar Square), *Good Friday* (Vendredi saint), *Easter Monday* (lundi de Pâques), *May Day Holiday* (1er lundi de mai), *Spring Bank Holiday* (lundi de Pentecôte), *Summer Bank Holiday* (dernier lundi d'août), et tout est fermé, même les transports et les musées, de Noël à *Boxing Day* (26 décembre, le jour des étrennes).

HÉBERGEMENT

Il est très difficile de trouver un toit bon marché (voir la rubrique « Budget ») et la réservation à l'avance est quasi obligatoire. L'été, la plupart des AJ ou adresses modestes sont complètes. N'oubliez pas d'exiger un reçu ou une réponse écrite officialisant votre demande pour éviter tout malentendu (comme les pratiques malhonnêtes de surbooking). Évitez d'annuler votre réservation 1 ou 2 jours avant, sous peine de voir le montant de la chambre débité de votre compte.
Les hôtels pratiquent des tarifs souvent prohibitifs pour un niveau de confort – voire de propreté – parfois limite. Les prix variant en fonction de la saison et du taux de remplissage de l'hôtel, plus vous vous y prenez à l'avance, moins vous payez cher. Certains hôtels proposent des discounts sur Internet. Enfin, faites-vous préciser si le petit déjeuner est compris ou non dans le prix.
Une solution consiste à faire réserver un lit ou une chambre par les nombreux organismes dont c'est le métier, moyennant commission. Tous les *Tourist Information Centres (TIC)* ont un service de réservation (voir le chapitre « Infos pratiques sur place », rubrique « Infos touristiques. Centres d'information »).
Enfin, petit détail : une chambre *en suite* dispose d'une salle de bains, une chambre *standard* non.

Hôtels pas chers sur Internet

Voici des sites qui proposent des chambres à partir de 12 £, à certaines conditions. Convient parfaitement aux jeunes routards : ambiance étudiante et festivités assurées !
● *accommodationlondon.net* ●
● *travelstay.com* ●
● *hostelworld.com* ●
● *hostelbookers.com* ●
● *budgetplaces.com/* ●

Résidences hôtelières *(serviced apartments)*

Bien pratiques, ces résidences, quand on veut séjourner à plusieurs quelques jours. C'est standard, on peut se faire à manger et les résidences sont souvent dans le centre-ville. La chaîne *Citadines* (● *citadines.com* ●) en propose quelques-unes à Londres, très bien équipées, à Trafalgar Square, à South Kensington, mais aussi dans le coin du Barbican et de Covent Garden. Petit déj possible. En revanche, attention, le ménage est souvent fait à la demande (payant). On a bien aimé également la chaîne d'appartements *Think Apartments* (● *think-apartments.com* ●) situés à Earl's Court et au sud de London Bridge. Les appartements sont clairs, fonctionnels et joliment décorés. Et réductions pour les lecteurs du *Routard,* en plus ! On a indiqué tout le long du guide les autres offres de résidences hôtelières.

Les auberges de jeunesse indépendantes (*Independent Youth Hostels*)

Contrairement aux AJ officielles, elles ne possèdent pas le triangle vert. On s'en fiche. Elles sont moins chères que les AJ officielles, elles n'exigent pas de carte de membre et l'ambiance y est souvent bien plus festive. Souvent situées dans des coins agréables et installées dans de fort belles maisons bourgeoises. Parfois, il s'agit de petits hôtels déclassés. On loge en dortoirs de 4 à 15 lits. Les draps ne sont pas toujours aussi blancs qu'on pourrait s'y attendre, mais on fait avec. Et elles restent ouvertes toute la journée. Les prix varient entre 12 et 20 £ environ par personne.

Les LHA (*The London Hostels Association*)

☎ 020-3733-1245. ● *lhalondon.com/* ●
C'est une association qui, au sortir de la Seconde Guerre mondiale, s'est investie dans le relogement des personnes ayant perdu leur domicile suite aux bombardements. Aujourd'hui, les résidents sont des jeunes qui viennent travailler ou étudier. On y loge en dortoirs de deux à six personnes non mixtes. Il y a deux types d'hôtels : ceux proposant un petit déj et une petite restauration, et ceux équipés de cuisine commune. Compter environ de 22 à 30 £ pour un lit, bien moins cher à la semaine. Il n'est pas toujours évident d'obtenir un lit en dortoir pour une seule nuit. En revanche, c'est un bon plan pour passer un peu de temps à Londres. D'ailleurs, jeter un œil à la rubrique « Travailler à Londres », plus loin, car les *LHA* proposent de petits arrangements. Ils offrent un toit et le couvert contre un peu de temps et de travail. Le niveau de confort est fonction des hôtels, mais il est dans l'ensemble très convenable. L'ambiance y est bonne et, en plus, ils sont tous équipés du wifi. Un très bon plan pour Londres.

Les auberges de jeunesse (*Official Youth Hostels*)

– Il n'y a pas de limite d'âge pour séjourner en AJ. Il faut simplement être adhérent.
– La FUAJ offre à ses adhérents la possibilité de réserver en ligne grâce à son système de réservation international ● *hihostels.com* ● jusqu'à 12 mois à l'avance, dans plus de 1 600 auberges de jeunesse dans le monde. Et si vous prévoyez un séjour itinérant, vous pouvez réserver plusieurs auberges en une seule fois.
Ce système permet d'obtenir toutes les informations utiles sur les auberges reliées au système, de vérifier les disponibilités, de réserver et de payer en ligne.

■ **Central Booking Office YHA :** Trevelyan House, Dimple Rd, Matlock, | Derbyshire, DE4 3YH. ☎ 01629-592-700. ● *yha.org.uk* ●

Les *student halls*

En principe réservés aux étudiants (avoir sa carte), mais ils acceptent souvent tout le monde. Ce sont des résidences universitaires, sans aucun charme, qui sont vides à Pâques et pendant l'été. Généralement, logement en chambres individuelles, avec douche extérieure. Pas vraiment donné mais bien entretenu. Certaines sont stratégiquement situées dans le centre, d'autres sont excentrées. Compter 25 £ par personne. On les indique au fil du texte.

Les *Bed & Breakfast*

Certains *B & B* ne sont pas plus chers que l'AJ quand on est trois, l'été, et qu'on n'a pas sa carte (des AJ). Et les tarifs peuvent être dégressifs quand on séjourne plusieurs jours. Le petit déj est toujours inclus dans le prix, ce qui n'est pas négligeable, mais pas mal de *B & B* abandonnent l'*English breakfast* au profit du *continental breakfast*... C'est pourtant l'une des principales différences qu'on adorait chez les *British* ! Prix très variables. Les prix des *B & B* « Plus chic » atteignent tout de suite des niveaux incroyables !

■ **The London Bed & Breakfast Agency Limited :** *71 Fellows Rd, NW3 3JY.* ☎ *020-7586-2768.* ● *londonbb.com* ●
■ **Bed & Breakfast GB :** ● *bedandbreakfast.com* ●

■ **Uptown Reservations :** *8 Kelso Pl, Kensington, W8 5QD.* ☎ *020-7937-2001.* ● *uptownres.co.uk* ● Chambres d'hôtes de charme uniquement, dans les beaux quartiers de la capitale. Plus chères que les précédentes.

Location d'appartements, de chambres et colocation pour étudiants

On trouve des locations à la semaine très correctes et à des prix intéressants pour Londres. Téléphonez à la première heure, car il y a beaucoup de demandes. Vous pouvez aussi passer gratuitement votre annonce. Une autre solution consiste à scruter les petites annonces, notamment dans les bureaux de tabac. Bon tuyau, la colocation ! Infos sur ● *flatshare.com* ● *intolondon.com/flatshare* ● *studios92.com* ● *acorn-london.co.uk* ● Attention, pas moins de 7 jours et pas plus de 6 mois. Mais rencontres sympas en perspective, ambiance *L'Auberge espagnole* version anglaise !

■ **Phileas Frog :** *23, rue La Condamine, 75017 Paris.* ☎ *01-45-22-60-00.* ● *travel-solutions.fr* ● Ⓜ *La Fourche.* Propose différents types de logements à louer ou à partager (chambres, studios, appartements) en zones 1 et 2

du métro londonien, ou chez l'habitant en zones 1, 2, 3 et 4. Uniquement pour des séjours de 1 semaine à 1 an. Réserve également des chambres d'hôtel (catégories 1 à 3) à partir de 2 nuits.

Logement chez l'habitant

■ **Airbnb :** *résas sur* ● *airbnb.fr* ● *Réduc de 10 € à Londres avec le code « LONDRES 2016 » au moment de payer.* Des milliers de logements à tous les prix dans tous les quartiers.
■ **Bedycasa.com :** ● *bedycasa.com* ●

BedyCasa offre une manière différente de voyager plus authentique et plus économique. *BedyCasa,* c'est aussi un label communautaire, une assurance et un service client 7 j./7 gratuit.

Les hôtels de chaîne

Ce n'est pas dans notre habitude de vous conseiller ce type d'hébergement. Ces hôtels se ressemblent tous, ou presque, de Londres à Honolulu. Mais ils sont soumis à des règles de confort standard, ce qui n'est pas un luxe à Londres ! Bien sûr, il faut y mettre le prix : rien au-dessous de 80 £ – à part dans les *Travelodge* ou *Premier Inn* en s'y prenant à l'avance – et les tarifs évoluent en fonction de la période et du taux de remplissage. Voici les coordonnées de chaînes qui proposent quelques adresses intéressantes, parfois incroyablement bien situées de surcroît :

■ **Travelodge :** *résas sur Internet.* ● *travelodge.co.uk* ● Notre préféré. Pas cher si on réserve tôt, chambres spacieuses, propres et pimpantes. On en cite quelques-uns dans nos pages. Notre chaîne préférée dans le genre.
■ **Premier Inn :** ☎ *(00-44) 158-256-78-90 ou 0870-242-80-00*

(automate vocal). ● *premierinn.com* ●
■ **Best Western :** ☎ *0800-904-490 (appel gratuit).* ● *bestwestern.fr* ●
■ **Comfort Inn :** ☎ *0800-912-424 (appel gratuit).* ● *comfort-inn.com* ●
■ **Ibis :** ☎ *0892-686-686 (0,34 €/mn).* ● *ibishotel.com* ●
■ **Express by Holiday Inn :** ☎ *0800-918-191.* ● *hiexpress.com* ●

LANGUE

Pour vous aider à communiquer, n'oubliez pas notre *Guide de conversation du routard en anglais.*

Politesse

bonjour (le matin)	*good morning* ou *hello*
bonjour (l'après-midi)	*good afternoon* ou *hello*
bonsoir	*good evening*
bonne nuit	*good night*
au revoir	*goodbye* ou *bye*
s'il vous plaît	*please*
merci	*thank you* ou *thanks*
pardon	*sorry*

Expressions courantes

je ne comprends pas	*I don't understand*
pouvez-vous répéter ?	*can you repeat ?*
pouvez-vous expliquer ?	*can you explain ?*
où ?	*where ?*
quand ?	*at what time ? when ?*

Vie pratique

pouvez-vous m'indiquer comment aller à... ?	*could you tell me the way to... ?*
poste	*post office*
office de tourisme	*tourist office*
banque	*bank*

Transports

navette	*shuttle*
métro	*subway, underground, tube*
gare	*train station*
taxi	*cab, taxi*
aéroport	*airport*

Argent

combien ?	*how much ?* (singulier) *how many ?* (pluriel)
trop cher	*too expensive*
payer	*to pay*

À l'hôtel et au restaurant

auberge de jeunesse	*youth hostel*
lit-bébé	*baby cot*
lits superposés	*bunk beds*
boire	*to drink*
manger	*to eat*
dormir	*to sleep*
plus	*more*
eau plate/du robinet/gazeuse	*still water/tap water/sparkling water*
café/thé	*coffee (black coffee)/tea*
lait	*milk*
pain	*bread*
froid/chaud	*cold/hot*
saignant/à point/bien cuit	*rare/medium/well done*

Nombres

un	*one*
deux	*two*
trois	*three*
quatre	*four*
cinq	*five*
six	*six*
sept	*seven*
huit	*eight*
neuf	*nine*
dix	*ten*
onze	*eleven*
douze	*twelve*

LIVRES DE ROUTE

En voyage, le livre audio, c'est malin. Écoutez un extrait de **L'Appel du coucou** de Robert Galbraith (pseudonyme de J. K. Rowling), lu par Lionel Bourget, et vous serez déjà à Londres. *Extrait offert par Audiolib.* On trouve aussi la version en Livre de poche.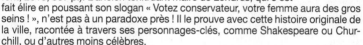
– **Une autre histoire de Londres,** de Boris Johnson (Robert Laffont, 2013, 337 p.). L'ancien tonitruant maire de Londres, qui s'est fait élire en poussant son slogan « Votez conservateur, votre femme aura des gros seins ! », n'est pas à un paradoxe près ! Il le prouve avec cette histoire originale de la ville, racontée à travers ses personnages-clés, comme Shakespeare ou Churchill, ou d'autres moins célèbres.
– **Guignol's Band I et II,** de Louis-Ferdinand Céline (Gallimard, coll. « Folio », n° 2112, 1944 et 1964, 736 p.). Que peut faire Ferdinand à Londres en 1915, alors que la guerre fait rage de l'autre côté du *Channel* ? Il a trouvé refuge auprès de la faune interlope de Leicester Square. Ce livre, qui grouille de trouvailles stylistiques, est un hymne lyrique au grand port que Céline adorait, pour avoir bien connu lui-même ce demi-monde londonien.
– **Sourires de loup,** de Zadie Smith (Gallimard, coll. « Folio », 2003, 738 p.). Un premier roman foisonnant qui mêle les destins croisés de familles londoniennes contemporaines, celle d'Alfred Archibal Jones, marié à une exubérante Jamaïcaine, et de Samad Miah Iqubal, Indien musulman. Récit truculent entre aventures rocambolesques et choc des cultures, jouant sur tous les registres de la langue anglaise. Il a reçu entre autres, le *Guardian First Book Award.*
– **Ces corps vils,** d'Evelyn Waugh (10/18, n° 1538, 1930, 279 p.). Dans le quartier Mayfair des années 1920, un petit groupe d'aristocrates vit dans la frivolité. Intrigues amoureuses, couples qui se cherchent sans se trouver. On s'amuse beaucoup, même si parfois il y a des victimes, des exclus.
– **Sept mers et treize rivières,** de Monica Ali (10/18, n° 3885, 2006, 580 p.). Un Londres bigarré, à travers les yeux de Nazeen, jeune Bangladaise venue rejoindre son époux plus âgé et découvrir la vie occidentale.
– **Londres,** de Peter Ackroyd (Stock, coll. « Mots Étrangers », 2003, 984 p.). Voilà un ouvrage qu'on consultera avant ou après le voyage (près de 1 000 pages !), mais un livre très original : c'est tout bonnement la biographie de Londres, de ses origines à nos jours, avec ses transformations architecturales et ses frasques de la vie quotidienne.
– **Panique à Londres,** de Pétillon (Albin Michel, 2004, 56 p.). Une B.D. où deux *Frenchies* débarquent à Londres pour souligner les légendaires différences franco-anglaises. Truculent, avec la reine *herself* en *guest star* !

– *L'Amant anglais,* de Laura Wilson (Albin Michel, 2005, 371 p. et Livre de Poche Policier, n° 37244, 448 p.). Un roman effrayant ! Quatre meurtres. Des destins qui s'entrecroisent : Renée la prostituée, Lucy la secrétaire et Jim de la *Royal Air Force*. Le tout dans l'atmosphère londonienne de la Seconde Guerre mondiale. Par la nouvelle prêtresse du thriller.

– *Harry Potter,* de J. K. Rowling (Gallimard Jeunesse). Les aventures de ce malicieux apprenti sorcier, aujourd'hui star mondiale, se sont achevées avec le septième volume. De son enfance tristoune chez son méchant oncle dans une banlieue anglaise à sa « scolarité » fantasque au collège Poudlard, on suit avec jubilation les joies et les peines du petit Harry. L'univers fantastique empreint de réalité *so British* décrit par Rowling changera votre regard sur Londres en le teintant d'espièglerie !

– *Journal d'un écrivain,* de Virginia Woolf (10/18, n° 3225, 1953, 576 p.). Le journal de Virginia Woolf est à la fois le témoignage d'un grand écrivain sur la littérature et un document irremplaçable sur l'Angleterre de l'entre-deux-guerres, sur la vie sociale et culturelle de Londres et, en particulier, du quartier de Bloomsbury, haut lieu de l'intelligentsia britannique.

– *Salaam London,* de Tarquin Hall (Gallimard, coll. « Folio », 496 p.). Après quelques années de vadrouille, un journaliste rentre à Londres. Avec son budget, il ne peut s'offrir qu'un petit réduit à Brick Lane, dans l'East End. Là, c'est une foule bigarrée qu'il découvre. Portraits de femmes et d'hommes qui font Londres aujourd'hui, terriblement exquis, avec tout l'humour anglais.

– *La Rose pourpre et le lys,* de Michel Faber (éd. de l'Olivier, 2005, 1 142 p. et Points-Seuil, 2 tomes, 480 p. et 576 p.). Une somme pour plonger au cœur du Londres victorien, où l'on suit Sugar, une jeune prostituée, et son homme, William. Mœurs, gouaille et passions toutes anglaises.

– *Soho à la dérive,* de Colin Wilson (Gallimard, coll. « Folio », n° 1307, 1961, 288 p.). À la fin des années 1950, le jeune Preston s'installe à Londres pour écrire le livre qui lui apportera gloire et fortune : erreur typique et que bien d'autres ont commise ! Ses rêves ne résistent pas longtemps aux filles et aux bistrots, compagnons de la dèche. Il croise une foule de personnages sympathiques et bigarrés.

– *Les Aventures d'Oliver Twist,* de Charles Dickens (Livre de Poche, n° 21003, 740 p.). Dickens est sans doute le plus populaire des écrivains anglais. Au fil de ses 40 livres, il se fit le pourfendeur de l'injustice sociale. Entre espoir et désillusions, ce récit plein d'humour nous invite à suivre le jeune Oliver Twist dans le Londres de la canaille et des fripouilles au XIXe s.

– *La Marque jaune,* d'Edgar Pierre Jacobs (Blake et Mortimer, n° 6, 1994, 70 p.). La terreur s'abat sur la City ! Olrik, le génie du mal, transmué en un pathétique pantin par le maléfique Dr Septimus, signe ses crimes d'une énigmatique « marque jaune », dans un Londres des années 1950 minutieusement reconstitué. À la poursuite de leurs éternels adversaires, Blake et Mortimer, plus *British* que nature, entraînent le lecteur dans une époustouflante aventure fantastico-politique. Ce chef-d'œuvre de la B.D. classique est un monument de précision. De Scotland Yard à Park Lane, de la Tour de Londres aux sinistres docks de la Tamise, pas un détail ne manque pour retracer ces itinéraires. À lire absolument.

LONDRES GRATUIT

Bonne nouvelle ! Si Londres est chère, elle vous fait quand même un beau cadeau : *tous les grands musées nationaux sont gratuits.* À vous la National Gallery et la National Portrait Gallery, le British Museum, la Victoria & Albert Museum, la Tate Britain, la Tate Modern, le Natural History Museum, le Science Museum, la Wallace Collection...
Autres sites gratuits : Theatre Museum, The Photographer's Gallery, Saint Margaret's Church, Westminster Abbey lors de la messe du dimanche à 15h (tenue

correcte exigée), Westminster Cathedral, National Army Museum, Sir John Soane's Museum, Old Curiosity Shop, Hunterian Museum, Saint Bartholomew Church, Museum of London, Whitechapel Art Gallery, Bethnal Green Museum of Childhood, Imperial War Museum, Southwark Cathedral, Saatchi Gallery. À Greenwich : The Queen's House, National Maritime Museum, The Old Royal Naval College.

– Et puis toutes les balades, les marchés, les quartiers ouverts à vos yeux écarquillés, sans débourser un penny !

– Il existe un *pass* très intéressant pour les sites royaux (sinon très chers), voir sur le site de *Historic Royal Palaces* : ● *hrp.org.uk* ● Pratique si vous avez l'intention d'enchaîner les visites. À partir de 48 £ par adulte et 73 £ pour deux ; forfait Famille. Il permet un accès illimité pendant 1 an aux sites suivants : Kensington Palace, Hampton Court Palace, Tower of London, Banqueting House et Kew Palace.

– Réductions en téléphonant avant ou en réservant sur Internet pour de nombreux sites, dont the Tower of London, l'horriblement cher Madame Tussauds, la tour du *Shard* ou le London Eye. Prix « cassés » à partir de 15h chez Madame Tussauds. On trouve aussi des guichets dans les aéroports qui proposent des tickets à prix réduits. Et en plus, ça évite de faire la queue sur place !

– Pour les voyageurs venus avec l'Eurostar, profitez du programme ***Eurostar 2 for 1.*** Voir les modalités dans « Comment y aller ? En train ». Pour plein d'expos, dans de grands musées, vous payez une entrée pour deux. Bien vu !

– Réductions aussi dans certains pubs, bars et sympathiques restos, avec la carte disponible dans le *Time Out London for Visitors* de l'année.

– Ne pas oublier le *London Pass* (voir le chapitre « Infos pratiques sur place », rubrique « Infos touristiques. Centres d'information »), qui octroie quelques réductions sympathiques.

POIDS ET MESURES

Même si la Grande-Bretagne est maintenant *metric,* nos difficultés sont loin d'être résolues. L'ancien système, totalement abscons, continue à nous poser de sérieux problèmes, notamment en ce qui concerne les distances et les superficies.

ET COMBIEN MESURE UNE VERGE ?

La verge (yard en anglais) servait d'unité de longueur dans tout l'Empire britannique. Elle était énorme puisqu'elle correspondait, dit-on, à la distance entre le nez du roi Henry Ier et le bout de sa main, quand elle était bien raide (91 cm quand même !).

Longueur

– 1 pouce = 1 *inch* = 2,54 cm.
– 1 pied = 1 *foot* = 12 *inches* = 30,48 cm.
– 1 *yard* = 3 *feet* = 91,44 cm.
– 1 *mile* = 1 609 m (pour convertir les kilomètres en *miles,* multiplier par 0,62).

Superficie

– 1 *square foot* = 929 cm^2.
– 1 *acre* = 0,404 ha.
– 1 *square mile* = 2,589 km^2.

Poids

– 1 *ounce* = 1 *oz* = 28,35 g.

– 1 *pound* (livre) = 1 *lb* (libra) = 0,454 kg.
– 1 *store* = 6,348 kg.

Températures

Le Fahrenheit n'a pas été terrassé par la réforme. Trop compliqué d'expliquer ici les correspondances. Sachez qu'à 32 °F il gèle, à 77 °F il fait 25 °C et à 100 °F vous pouvez aller vous coucher pour soigner votre fièvre !

POSTE

– **Ouverture des bureaux de poste :** lun-ven 9h-17h et sam 9h-12h30. Fermé dim. Seule la *Trafalgar Square Post Office* (24-28 William IV*th* St, London WC2N 4DL ; ☎ 020-7930-9580) est ouverte du lundi au vendredi de 8h30 à 18h30 et le samedi de 9h à 17h30. ● *royalmail.com* ●
– **Poste restante :** voici ce qu'il faut écrire sur la lettre : le nom du destinataire et la mention « Poste restante » et, en dessous, l'adresse de la *Trafalgar Square Post Office,* mentionnée plus haut. Gratuit. Conserve les lettres pendant 1 mois. Apporter une pièce d'identité pour tout retrait. Cette méthode s'applique à pratiquement toutes les postes du royaume tant que vous en connaissez l'adresse.

> ### L'ORIGINE DES CARTES DE VŒUX
>
> *Albert, l'époux de la reine Victoria, était ignoré par l'aristocratie anglaise : il n'avait pas de quartiers de noblesse. Pour Noël, il pensa à envoyer des cartes de vœux, obligeant les nobles à lui répondre. Tout cela fut possible grâce à l'invention du timbre-poste, qui naquit en 1840, en Grande-Bretagne.*

POURBOIRE

La coutume veut que le client laisse 12,5 % de pourboire dans un restaurant. Ne dérogez pas à cette règle quasi légale. Un oubli vous ferait passer pour un grossier personnage. Bien sûr, si le service est mauvais, vous pouvez réduire cette somme, mais il faut alors faire part de vos remarques au responsable. De toute façon, la plupart des restaurants ont pris l'habitude d'inclure systématiquement le service dans l'addition (12,5 à 15 %). C'est finalement beaucoup plus simple. De même, la règle des 10 % vaut dans les taxis.

SANTÉ

Voir aussi la rubrique « Urgences » plus loin.
Pour un séjour temporaire à Londres, pensez à vous procurer la **carte européenne d'assurance maladie** (voir en début de guide « Les questions qu'on se pose avant le départ »). Mais suite au Brexit, des modifications sont à prévoir, attention !
Avec les transports et l'éducation, la santé publique est le secteur le plus touché par les années de thatchérisme. C'est un des gros chantiers actuels du gouvernement britannique. En termes de qualité, les soins dispensés par les institutions hospitalières sont loin d'égaler ceux que l'on peut recevoir sur le continent. Sans compter les délais extensibles à l'infini avant d'espérer décrocher une place pour une consultation ! C'est pourquoi les Anglais sont de plus en plus nombreux à prendre l'avion ou le train pour venir se faire soigner en temps et en heure sur le continent.

Néanmoins, Europe oblige, la consultation est gratuite si vous venez de l'Union européenne, à condition que vous alliez chez votre *GP* (*general practitioner* : médecin), celui du quartier où vous habitez ou bien étudiez. Demandez à quelqu'un du coin ou à l'opératrice téléphonique.

Les urgences de nuit dans les hôpitaux sont, bien entendu, gratuites. On vous donnera gratuitement les médicaments nécessaires pour tenir jusqu'au lendemain, ainsi qu'une ordonnance pour aller chercher le reste dans une pharmacie.

L'Angleterre est fortement touchée par les oreillons et la rougeole, maladie dont elle détient le record européen ; les épidémies qui apparaissent un peu partout sont liées à un déficit vaccinal : vérifiez que vous avez bien eu les deux injections de vaccin (faites habituellement dans l'enfance) ; si ce n'est pas le cas, mettez-vous impérativement à jour avant de partir.

Enfin, si vous vous faites mordre par un chien, vous n'avez

> ### SANG BLEU
>
> *À cause de mariages consanguins, la reine Victoria, qui régna sur le plus grand empire au monde, propagea l'hémophilie sur une partie des cours européennes... Son 8ᵉ enfant fut atteint par la maladie et deux de ses filles étaient porteuses du gène. L'une épousa le tsar Nicolas II, et leur fils, héritier des Romanov, fut lui aussi hémophile.*

aucun risque de rage, les îles Britanniques étant un des rares pays officiellement indemnes de cette maladie. Autrement, la méningite à méningocoque C est un grave problème de santé publique : de vastes campagnes de vaccination ont eu lieu dans toute la Grande-Bretagne avec grand succès. Si vous devez séjourner longtemps dans ce pays, nous vous recommandons de vous faire vacciner. Attention enfin à la pollution, le fameux smog, certes en diminution mais parfois très mal supporté par les malades respiratoires, asthmatiques en particulier.

SITES INTERNET

Pratique

● **routard.com** ● Rejoignez la plus grande communauté francophone de voyageurs ! Échangez avec les routarnautes : forums, photos, avis d'hôtels. Retrouvez aussi toutes les informations actualisées pour choisir et préparer vos voyages : plus de 200 fiches pays, une centaine de dossiers pratiques et un magazine en ligne pour découvrir tous les secrets de votre destination. Enfin, comparez les offres pour organiser et réserver votre voyage au meilleur prix. Routard.com, le voyage à portée de clics !

● **visitlondon.com** ● Le site officiel du tourisme de Londres, en anglais ou en français. Pas mal d'infos pratiques (les bons plans pas chers, les horaires d'ouverture, etc.), hélas pas toujours mises à jour.

● **news.bbc.co.uk/weather** ● On ne vous y reprendra plus : entre ciré ou chemise à fleurs, toujours vous saurez ! Visibilité à 5 jours.

● **londonpass.com** ● La carte sésame, assez chère, pour pénétrer dans 1 001 lieux à tarif réduit. Possibilité d'achat sur le site. Faites quand même vos calculs avant en fonction de ce que vous désirez voir, car les grands musées sont gratuits.

● **londonmacadam.com** ● En français. Des tuyaux, des infos pour travailler, faire du sport, sortir, vivre à Londres, etc.

● **laboutiquedutrain.com** ● L'idéal pour réserver vos tickets de métro ou encore une comédie musicale. Des réduc pour les routards à la réservation, ne pas hésiter à les demander.

Transports

● **tfl.gov.uk** ● Des plans de métro, de bus, et des points de départ des navettes sur la Tamise. Également les prix des différentes cartes de transport. Et le programme des lignes fermées pour travaux (ça arrive souvent !).

● **megabus.com** ● Le site low cost des bus qui relient Londres au reste de l'Angleterre, à des prix défiant toute concurrence. En anglais.

● **nationalexpress.com** ● Tous les transports par bus, à prix très avantageux, avec les grandes compagnies nationales.

● **rail.co.uk** ● Le site des différentes compagnies de chemins de fer. Même s'ils sont peu fiables et souvent en retard.

Loisirs

● **officiallondontheatre.co.uk** ● Le site officiel pour le théâtre. Incontournable. Achat en ligne possible, en lien avec *TKTS* qui propose à son guichet des places à moitié prix (voir dans la partie « Hommes, culture, environnement » la rubrique « Sports et loisirs »).

● **londontheatre.co.uk** ● Toute l'actualité théâtrale de la capitale, y compris pour les comédies musicales. Horaires, lieux, places à acheter et disponibilités. Tout aussi incontournable.

● **designmynight.com/london** ● Ultra complet, ce site recense un nombre incroyable de bars, pubs, clubs et événements tout au long de l'année. Tarifs réduits pour les concerts et spectacles de dernière minute, infos sur les films, festivals, etc. Possibilité de faire une sélection par dates, quartiers, types de lieux et d'événements. Incontournable !

● **filmlondon.org.uk** ● Où Bridget Jones embrasse-t-elle Mark Darcy ? Où se trouve cet étrange building (le « Cornichon ») de *Basic Instinct 2* ? Tous les lieux de tournage à Londres.

TÉLÉPHONE – TÉLÉCOMS

– Le téléphone est moins cher du vendredi midi au dimanche midi et en semaine de 20h à 6h.

– Les numéros en 0800 et 0808 sont gratuits, ceux en 084, 087, 09 et 118 sont surtaxés.

Vous remarquerez qu'il existe deux types de **cabines publiques.** La plupart appartiennent à *BT (British Telecom)* et acceptent les cartes téléphoniques vendues par *BT*. Certaines prennent les pièces et les cartes de paiement. Pour les appels internationaux et interurbains, préférez les autres cabines, en général de couleur orange, exploitées par *Interphone.* Elles acceptent les

> ### TOUT FOUT LE CAMP !
>
> *Le téléphone portable tue les célèbres cabines téléphoniques rouges. Elles font désormais partie du patrimoine historique. Ainsi, les mairies peuvent les louer à* British Telecom : *500 £ quand elles fonctionnent et... moitié prix si elles ne sont plus en état de marche.*

cartes dont il faut gratter le numéro et les cartes de paiement. Les premières sont en vente dans les kiosques à journaux, les tabacs et les magasins de souvenirs (on voit le sigle dans la vitrine). C'est le moyen le moins cher d'appeler l'étranger.

– **Pour téléphoner en France en PCV** *(reverse-charge call)* de n'importe quelle cabine, mettre 10 p pour la tonalité, puis composer le ☎ *0500-89-00-33* : on obtient directement un opérateur de *France Télécom.* Attention, ce service est très pratique, mais il faut savoir qu'il en coûtera à votre correspondant un minimum de 3 mn de communication, plus un forfait de 7,40 €.

– Pour téléphoner d'un endroit à un autre en Angleterre, il faut avoir l'*area code* (indicatif) précédé du 0. Pour l'obtenir, composer le ☎ *192* (appel gratuit à partir des cabines) afin d'être renseigné par l'opératrice. Le code et le numéro de téléphone sont épelés chiffre par chiffre, et le zéro se prononce « o » comme la lettre. Ainsi 20 se dira « *two o* » et non « *twenty* ».

– *Grande-Bretagne* ➔ *France :* 00 + 33 + numéro du correspondant (à 9 chiffres, sans le 0 initial).

– *France* ➔ *Grande-Bretagne* (de gratuit à environ 0,22 €/mn selon votre opérateur) *:* 00 (tonalité) + 44 + indicatif de la ville (mais sans le 0, qui n'est utilisé que pour les liaisons à l'intérieur de la Grande-Bretagne) + numéro du correspondant.

– *Renseignements internationaux :* ☎ *153.*

Le téléphone portable en voyage

Le routard qui ne veut pas perdre le contact avec sa tribu peut utiliser son propre téléphone portable en Angleterre avec l'option « Europe » ou « Monde ». Outre les « packs séjours » proposés par les opérateurs pour un temps limité de communications téléphoniques, envois de SMS et accès Internet, de plus en plus de fournisseurs de téléphonie mobile offrent des journées incluses dans votre forfait pour communiquer de l'étranger, avec appels téléphoniques, SMS, voire MMS et connexion internet en 3G limitée. Les destinations incluses dans votre forfait évoluant sans cesse, ne manquez pas de consulter le site de votre fournisseur.

Dans le cas contraire, gare à la note salée en rentrant chez vous ! On conseille donc d'acheter à l'arrivée une carte SIM locale prépayée chez l'un des nombreux opérateurs *Vodafone, O2, Orange, Lebara ou T-Mobile,* représentés dans les boutiques de téléphonie mobile des principales villes du pays et, souvent, à l'aéroport. On vous attribue alors un numéro de téléphone local et un petit crédit de communication, et parfois même une connexion 3G ou 4G. Avant de signer le contrat et de payer, essayez donc, si possible, la carte SIM du vendeur dans votre téléphone – préalablement débloqué – afin de vérifier si celui-ci est compatible. Si besoin, vous pouvez communiquer ce numéro provisoire à vos proches par SMS. Ensuite, les cartes permettant de recharger votre crédit de communication s'achètent dans ces mêmes boutiques, ou en supermarché, stations-service, tabacs-maisons de la presse, etc.

Urgence : en cas de perte ou de vol de votre téléphone portable

Suspendre aussitôt sa ligne permet d'éviter de douloureuses surprises au retour du voyage ! Voici les numéros des quatre opérateurs français, accessibles depuis la France et l'étranger :

– *SFR : depuis la France,* ☎ *1023 ; depuis l'étranger,* 📱 *+ 33-6-1000-1023.*

– *Bouygues Télécom : depuis la France comme depuis l'étranger :* ☎ *0-800-29-1000.*

– *Orange : depuis la France comme depuis l'étranger :* 📱 *+ 33-6-07-62-64-64.*

– *Free : depuis la France,* ☎ *3244 ; depuis l'étranger,* ☎ *+ 33-1-78-56-95-60.*

Vous pouvez aussi demander la suspension de votre ligne depuis le site internet de votre opérateur.

Avant de partir, notez (ailleurs que dans votre téléphone portable !) votre numéro IMEI utile pour bloquer à distance l'accès à votre téléphone en cas de perte ou de vol. Comment avoir ce numéro ? Il suffit de taper sur votre clavier *#06# puis de vous reporter au site ● *mobilevole-mobilebloque.fr* ●

Internet, wifi

Les hôtels proposent quasiment tous le wifi, généralement gratuit. Également disponible dans les stations de métro. De plus, avec votre ordinateur portable ou smartphone, vous pouvez vous connecter à différents réseaux wifi gratuits à travers la ville, dans certains grands musées, dans de nombreux cafés, restos et auprès de plusieurs enseignes (on vous laisse découvrir !), notamment l'**Apple Store** : *235 Regent St, W1B 2EL.* ☎ *020-7153-9000.* ● *apple.com/uk* ● Ⓜ *Oxford Circus. Lun-sam 9h-21h, dim 12h-18h.* Ou à Covent Garden : *1-7 The Piazza, WC2E 8HA,* ☎ *020-7447-1400. Lun-sam 9h-21h, dim 12h-18h.* L'idéal pour Skype, Viber ou WhatsApp !

TRAVAILLER À LONDRES

Pour ceux que la capitale anglaise a séduits et qui voudraient rester un peu plus longtemps afin d'améliorer leur accent en gagnant quelques pennies, voici quelques conseils pour bien s'installer. Un bon site à consulter également : ● *study london.ac.uk* ●

Les papiers

Bonne nouvelle : venant d'Europe, vous n'avez pas de restriction particulière pour travailler dans le royaume de Sa Majesté. Étant européen, seule une carte d'identité (ou un passeport) en cours de validité vous sera demandée pour séjourner et travailler en Angleterre.
Les ressortissants vivant hors de l'Union européenne devront, quant à eux, obtenir visa et permis de travail. Se renseigner à l'ambassade de Grande-Bretagne du pays d'origine avant de partir.

Et mes valises, j'en fais quoi ?

Lorsqu'on part pour quelques mois, voire pour plus longtemps, on a forcément besoin d'un peu plus d'affaires. Problème : on a du mal à se séparer de ses chaussures préférées, de la jupe offerte par Tatie ou du pull fétiche de la communion... Comment faire un choix ? Ou ne pas en faire... Du coup, on emporte plein de choses et on fait appel à un groupeur en transport international, qui peut aussi faire fonction d'emballeur. Attention à ne pas oublier de régler les questions d'assurances : pensez à être couvert tous risques, à prendre les coordonnées de l'agent d'assurances local pour les avaries, etc.

■ **AGS Paris :** *61, rue de la Bongarde,   92230   Gennevilliers.* | ☎ *01-40-80-20-20.* ● *ags-demenagement.com* ●

Maintenant, au boulot !

Chaque année, des dizaines de milliers de Français se rendent en Grande-Bretagne pour se lancer à la recherche de jobs ou de stages. Si, là-bas, le pourcentage de chômage est quasi deux fois moins élevé qu'en France, la concurrence est rude ! Vous ne tomberez pas immédiatement sur le super job, mais en revanche, vous trouverez sans problème un petit boulot de serveur dans un bar, un resto ou une sandwicherie. Les **salaires** ne sont pas élevés : 6 £ brut de l'heure. Mais l'impôt est directement prélevé à la source... Tentez votre chance, les parcours atypiques sont bien mieux considérés qu'en France. Très important : n'oubliez pas d'emporter quelques **lettres de recommandation** de vos anciens employeurs. Cela ne donnera qu'un peu plus de relief à votre candidature.
Pour vous aider dans vos recherches :

■ Avant de partir, contacter la **Maison des Français de l'étranger :** *ministère des Affaires étrangères, 48, rue de Javel, 75015 Paris.* ☎ *01-43-17-60-79.* | ● *expatries.org* ● *mfe.org* ● Ⓜ *Charles-Michels. Lun-ven 9h30-12h30 pour les rens par tél, 14h-17h pour les consultations sur place.* Un service du ministère des Affaires étrangères. Des infos sur le pays, des petites annonces, des conseils et des astuces sur les filières liées à votre profil et à vos envies. Très utile.

■ N'oubliez pas non plus l'*Espace Emploi international,* émanant du *Pôle Emploi : 48, bd de la Bastille, 75012 Paris.* ☎ *01-53-02-25-50.* ● *pole-emploi-international.fr* ● Ⓜ *Bastille. Lun-ven 9h-17h sf jeu ap-m.* Pour les annonces et les renseignements d'ordre social.

■ Vous pouvez vous adresser, une fois à Londres, aux *job centres,* équivalents de notre Pôle Emploi, qui sont gérés par le ministère du Travail britannique. Les services sont gratuits. Liste complète sur ● *jobseekers.direct.gov.uk* ●

– Autre possibilité, consulter la *presse* :

le *Loot* (● *loot.com* ●) le mercredi, ou l'*Evening Standard* tous les soirs, par exemple. N'hésitez pas à éplucher également *The Guardian, The Independent, The Daily Telegraph, The Sunday Times, The Observer, The Overseas Job Express, TNT, Ici Londres* (● *ici-londres. com* ●), *Metro* ou encore *Bonjour ! Londres* et ● *londonmacadam.com* ●

– De nombreuses offres sont disponibles sur *Internet.* Voici THE sites : ● *jobs.ac.uk* ● *totaljobs.com* ● *jobsite. co.uk* ●

– Si vous cherchez un stage à Londres, vous pouvez vous adresser au *British Council* (● *britishcouncil.fr* ●) ou au *Centre français Charles-Péguy* : (voir le chapitre « Infos pratiques sur place », rubrique « Infos touristiques. Centres d'information »).

Et la santé dans tout ça ?

Une question qu'on oublie facilement. Votre job en poche, vous devez et pouvez demander une attestation de travail à votre employeur (même avant de décrocher un contrat définitif). Vous devez ensuite vous rendre au *Department of Social Security* ou à la *Benefit Agency* (● *dwp.gov.uk* ●) de votre lieu de résidence pour obtenir un numéro de Sécurité sociale *(National Insurance Number).* Une fois encore, en attendant votre numéro définitif, demandez un numéro temporaire, ce qui vous permettra d'être moins prélevé sur votre salaire et d'avoir aussi accès, en cas de besoin, aux urgences anglaises sans payer. Bien se renseigner avant votre départ, au consulat de France à Londres (voir le chapitre « Infos pratiques sur place », rubrique « Infos touristiques »).

Pour dormir, on fait comment ?

Plusieurs possibilités s'offrent à vous. Tout d'abord, si vous souhaitez louer un appartement, sachez que les loyers sont TRÈS chers et que le délai pour en trouver un est de 2 à 3 semaines. Galère !

Ici, on paie en général son loyer d'avance, très souvent à la semaine (d'où un turn-over plus important qu'en France), un dépôt de garantie est exigé (en moyenne 6 semaines) et les baux ne vont pas plus loin qu'1 an.

La majorité des locations se font en meublé. Pour trouver votre bonheur, et si vous n'avez pas de relations à Londres, vous pouvez consulter les agences immobilières des quartiers qui vous intéressent, ainsi que les petites annonces sur les journaux et sur le Web. Pensez aussi à la colocation *(flat sharing),* beaucoup plus développée à Londres que chez nous, l'idéal étant de trouver des *flatmates* (coloc') anglais, bien sûr ! N'oubliez pas ● *routard.com* ● : des petites annonces, des forums pour échanger vos tuyaux, et tout ça gratuit ! On compte aussi quelques sites spécialisés dans ce domaine : ● *spareroom.co.uk* ● *gumtree.com* ● *ici-londres.com* ● *intolondon.com/flatshare* ●

Enfin, certaines adresses « Bon marché » du guide peuvent aussi vous dépanner en attendant de trouver votre *home, sweet home.*

Et mon compte en banque, alors ?

Ouvrir un compte en banque en Angleterre se révèle assez compliqué. On demande beaucoup de garanties. Il est plus facile d'ouvrir un compte épargne *(savings account)* qu'un compte courant qui donne droit à une carte de paiement. Tout d'abord, vous aurez besoin d'une pièce d'identité – de préférence votre passeport –, mais aussi d'une lettre de votre banque en France et d'une attestation du lieu de résidence à Londres (une facture de téléphone suffit, ou même une lettre de votre hôtel). Enfin, on peut vous demander une attestation de votre employeur, ce qui facilite souvent l'ouverture du compte. En fait, les modalités peuvent différer d'une banque à l'autre ; certaines sont moins exigeantes. Oubliez vite les banques françaises, qui ne s'occupent que des grandes entreprises. Quelques grandes banques anglaises auxquelles vous pouvez vous adresser : *Barclays, Lloyds, Midlands...*

En Angleterre, il existe deux types de cartes de paiement : la carte de débit *(debit card),* avec laquelle le débit est immédiat, et la carte de paiement *(credit card,* logique !), qui permet un débit différé. Petit truc : lorsque vous retirez de l'argent liquide à un distributeur, veillez à utiliser ceux des agences affiliées à votre banque (sinon, on pourrait vous prélever une commission !).

Comment garder le contact *(keep in touch)* ?

Les téléphones portables français proposent la fameuse option « Monde », qui vous permet d'appeler d'où vous voulez. Mais cela coûte très cher. En Grande-Bretagne, les opérateurs proposent l'équivalent de nos portables à carte du type *Pay as you talk* ou des cartes prépayées. Tous les kiosquiers proposent des cartes téléphoniques prépayées assez avantageuses, utilisables partout. Enfin, n'oubliez pas les vertus du Net pour joindre vos proches. Avec des applications comme Skype, Viber, WhatsApp, Facetime, c'est pas cher, et on garde le contact facilement aussi. Maintenant, c'est à vous de jouer...

De toute façon, vous ne serez pas tout(e) seul(e), plus de 300 000 Français vivent au Royaume-Uni, résidant en majorité à Londres et dans ses environs. Ce qui en fait la plus grosse communauté d'expats hors de l'Hexagone. D'ailleurs, vous le remarquerez vite dans le métro ou dans certains quartiers du sud-ouest de Londres. C'est une communauté relativement jeune (la moyenne d'âge est de 30 ans), très hétérogène sur le plan économique et social. Selon leurs moyens, les Français de Londres habitent – pour les plus aisés (souvent des expats de grosses boîtes internationales) – dans le quartier de South Kensington, près du très prestigieux lycée français de Londres Charles-de-Gaulle, ou bien quelques stations de métro plus loin, dans les quartiers plus modestes de Hammersmith et Fulham. Il suffit pour s'en convaincre de voir le nombre de marques ou de boutiques françaises (boulangeries, librairies...) implantées dans ces quartiers. Cette implantation se traduit aussi dans les commerces anglais qui vendent quelques produits français (camembert...). Voilà qui devrait vous rassurer si vous aviez peur d'être isolé !

URGENCES

☎ **112** : voici le numéro d'urgence commun à la France et à tous les pays de l'UE, à composer en cas d'accident, agression ou détresse. Il permet de se faire localiser et aider en français, tout en améliorant les délais d'intervention des services de secours.

■ *Services de secours :* ☎ *999 (appel gratuit).*
■ *NHS :* ☎ *111* ou *0845-46-47 (appel gratuit).* Pour obtenir 24h/24 des infos médicales urgentes, comme connaître l'adresse de l'hôpital ou du service de santé le plus proche de chez soi et le plus adapté au problème.
■ *Dispensaire français (centre 2, K11, 7) :* 184 Hammersmith Rd, W6 7DJ. ☎ 020-8222-8822.
● *dispensairefrancais.org.uk* ●

Ⓜ *Hammersmith. Lun-jeu 9h-17h30, ven 9h-16h Sur rdv. Inscription : 10 £ pour l'année en cours, puis slt 10 £ par consultation.* Pour les premiers soins. Accueil compétent et dévoué. D'ailleurs, en cas de gros pépins financiers, ne pas hésiter à y aller quand même. On essaiera toujours de trouver une solution adaptée. Pas de service de radiologie, donc si nécessaire, il faudra passer par le privé et les frais seront à votre charge.

■ *Charing Cross Hospital (hors centre 2, par K11, 8) :* Fulham Palace Rd, W6. ☎ *020-3311-1234.* Ⓜ *Hammersmith.*

■ *Eastman Dental Hospital :* 256 Gray's Inn Rd, WC1X 8LD. ☎ 020-3456-7899. Ⓜ King's Cross. Lun-ven 9h-17h. Soins dentaires. Pas besoin de rendez-vous. Ou appeler le *Dental*

Emergency Care Service (tlj 24h/24 ; ☎ *020-8748-9365)* qui saura vous indiquer un dentiste.

■ *Bliss Chemist :* 5 Marble Arch, W1. ☎ 020-7723-6116. Pharmacie ouv jusqu'à minuit.

■ *Boots :* 44 Regent St, W1B 5RA. ☎ *020-7734-6126.* ● *boots.com* ● Ⓜ *Piccadilly Circus. Lun-ven 8h-minuit, sam 9h-minuit, dim 12h-18h.* Situé sur Piccadilly Circus, pratique pour ses horaires d'ouverture. De nombreux autres *Boots* dans Londres, notamment sur Oxford Street et à Covent Garden.

– Attention, les services d'urgences sont très engorgés et les pharmacies de garde n'ouvrent que pendant 1h le dimanche et les jours fériés. Donc, bien planifier sa maladie !

HOMMES, CULTURE, ENVIRONNEMENT

ARCHITECTURE

Depuis l'époque romaine, Londres garde les traces de toutes les époques architecturales. Mais comme les Anglais ne font jamais les choses comme les autres (c'est cela qui nous plaît chez eux), la dénomination de ces différents styles échappe parfois à notre compréhension. Alors *let's go* pour un *travelling* sur l'histoire des bâtisseurs britons !

Les **Romains** sont restés 350 ans en Angleterre, mais Londres en a gardé peu de vestiges. Le tracé de la City conserve grossièrement la forme de l'enceinte fortifiée du IIe s. Au départ des légions en 418, *Londinium* est livrée aux Barbares. Il faut attendre Alfred le Grand et ses princes saxons pour voir s'élever des remparts à l'emplacement de l'actuelle *London Tower.*

Le Moyen Âge

Le **style roman** est arrivé dans les bagages des Normands qui utilisaient la pierre à la place du bois et du torchis. Dans le quartier de Smithfield, l'ancien porche de Saint Bartholomew the Great (XIIe s), surmonté d'une maison Tudor, en témoigne.
Le **style gothique** s'impose au Moyen Âge avec la construction de maints édifices religieux de prestige. L'abbaye de Westminster, dont la construction s'inspire de l'abbaye de Jumièges, en Haute-Normandie, en est le symbole le plus spectaculaire. Les Anglais distinguent trois époques gothiques : le **Early English** (vers 1100), style primitif caractérisé par de hautes fenêtres à lancettes se terminant en arc brisé aigu. Le **Decorated Style,** plus exubérant, vient orner les fenêtres de décorations végétales et couvre les voûtes de nervures foisonnantes au dessin complexe. À partir du XIVe s, retour du dépouillement avec le **Perpendicular Style,** qui n'a pas d'équivalent hors d'Angleterre : on pourrait décrire les édifices de ce style comme une cage aux voûtes en éventail et constituée de nervures de pierre pour permettre l'entrée de la lumière. La chapelle Henri VII de l'abbaye de Westminster en constitue le meilleur exemple avec sa voûte dégoulinante de culs-de-lampe ouvragés.
Après la rupture d'Henri VIII avec Rome, la floraison des édifices religieux s'interrompt pour faire place à la construction de demeures civiles. Les manoirs s'ornent d'encorbellements et de colombages. C'est l'émergence des **styles Tudor et élisabéthain** qui s'expriment particulièrement dans les théâtres où Shakespeare créa ses pièces (voir *The Globe,* la reconstitution de l'enceinte théâtrale de 1599).

De la Renaissance au classicisme

La **Renaissance italienne** arrive tardivement en Angleterre via la France et la Hollande, et apporte un souci de symétrie extérieure et l'usage des fenêtres à meneaux. Sous l'influence de Palladio, Inigo Jones *(Covent Garden Piazza)* est l'architecte qui introduit le **classicisme.** À Londres, on peut admirer son sens des proportions harmonieuses dans la salle des banquets de *Whitehall* et à la *Queen's House* de Greenwich.
Après le Grand Incendie de 1666 qui ravagea une bonne partie de Londres, Sir Christopher Wren fut chargé de reconstruire la ville et notamment *Saint Paul's*

Cathedral, Saint James's Church et le *Greenwich Hospital*. C'est le triomphe du **baroque mêlé de classicisme** avec des concepteurs comme John Vanbrugh et Nicholas Hawksmoor à qui l'on doit la *Christ Church* de Spitalfields et *Saint Mary Wollnoth* dans la City. L'église de *Saint Martin-in-the-Fields* et sa magnifique bibliothèque datent aussi de cette époque. On définit alors la largeur des rues ainsi que la hauteur des maisons (trois ou quatre étages maximum), les matériaux utilisés sont également contrôlés.

Le XIXᵉ s et le néoclassicisme

À la **fin du XVIIIᵉ s,** John Nash (plan de Regent Street), John Soane (voir sa maison-musée à Holborn), William Chambers et surtout l'Écossais Robert Adam et ses frères revisitent l'Antiquité et imposent leur approche néoclassique en bâtissant profusion de vastes maisons familiales. À visiter : *Kenwood House* à Hampstead, ou encore *Crescent Park*, dont on peut admirer l'harmonieux arc de cercle formé par ces façades uniformes, conçu par John Nash. Les **maisons georgiennes** avec porches à colonnades blanches et parfois frontons triangulaires datent de cette époque, de même que, en décoration, les **styles Chippendale** et **Regency.**

Avec le XIXᵉ s, la révolution industrielle et le long règne de la reine Victoria, on voit fleurir une nouvelle architecture de fer et de verre qui culmine avec le *Crystal Palace.* Entre-temps, le **Gothic Revival** renouait avec l'architecture médiévale. Le Parlement, le palais de Westminster, le *Tower Bridge* et *Saint Pancras Station* en sont les fleurons emblématiques. Dans le registre néoclassique, on trouve aussi le *Royal Albert Hall.* À la fin du siècle, en réaction contre la misère urbaine générée par la révolution industrielle, naît, sous la houlette de William Morris, le mouvement **Arts & Crafts,** qui allie l'ornementation italianisante, le Moyen Âge français et les matériaux rustiques.

Du début du XXᵉ s datent les maisons qualifiées d'**edwardian.** Il est difficile en Angleterre de distinguer les *Arts and Crafts* de l'Art nouveau, tant les deux mouvements se mêlent et s'alimentent mutuellement, avec, dans leur sillage, les préraphaélites et les symbolistes. C'est une époque particulièrement productive et l'on trouve quelques somptueux exemples de cette synthèse, comme le splendide magasin *Liberty.* Parallèlement, en plein apogée de l'Empire, on assiste à un nouveau retour au classicisme avec les bâtiments de Sir Edwin Luytens, comme le cénotaphe de *Whitehall.* Après les cités-jardins de Hampstead, les **premiers gratte-ciel** apparaissent aux alentours de 1937 avec le Russe Bertold Lubetkin, qui construit à Highgate des immeubles dans le style de Le Corbusier.

Du XXᵉ s à la nouvelle *skyline*

Le **modernisme** fait suite aux destructions de la Seconde Guerre mondiale. Le *Royal Festival Hall,* assez brut de décoffrage dans le genre, voit le jour en 1951. Pour pallier l'afflux démographique, les cités-dortoirs sortent de terre dans les banlieues du Grand Londres ; **15 villes nouvelles** sont édifiées dans un rayon de 30 à 50 km autour de la City. Les années 1960 et 1970 se caractérisent par l'émergence du **brutalisme,** voué au culte du béton tous azimuts. Pour exemple, le *Barbican Centre,* que George Orwell n'aurait pas renié.

En réaction à cette tendance et soutenu par un personnage public – et non des moindres, à savoir le prince Charles –, un groupe d'architectes (avec à sa tête l'inépuisable Norman Foster) privilégie la fantaisie des structures en maîtrisant le **style high-tech.** Le *London Eye,* en 2000, et le *Gherkin,* incroyable immeuble qui symbolise la City, en sont quelques exemples. Fascinants, spectaculaires et, bien évidemment, sujets à controverse. Les docks de South Bank sont réhabilités et de nouvelles tours assez réussies sortent de terre dans les quartiers de Canary Wharf et des Docklands : on peut en juger en contemplant celle des télécoms britanniques et, surtout, la pyramide postmoderne de *Canada Tower,* conçue par Cesar Pelli. Admirons le bâtiment de la *Lloyd's* ou l'œuvre de Jean Nouvel, dans la City, surnommée « Stealth Bomber », le « Bombardier incisif », juste en face de Saint Paul's Cathedral : un projet que le prince Charles, toujours lui, avait à l'origine interdit ! Les lignes gris acier du bâtiment qui abrite, entre autres, un centre commercial (une première dans la City !) offrent pourtant des perspectives étranges et stupéfiantes, notamment depuis la terrasse du 8e étage.

En 2015, ce sont une vingtaine de **nouveaux buildings** qui sont sortis de terre, tous aux formes plus ou moins incongrues et dans une anarchie de styles assez surprenante. On trouve la « Râpe à fromage » (*Cheese Gratter*, par Richard Rogers, l'autre papa du Centre Pompidou), le *Walkye Talkye* de l'Uruguayen Rafael Vinaly ou encore le *Toboggan* ! D'autres projets architecturaux ont déjà vu le jour avec les Jeux olympiques de 2012, notamment l'*Orbit* (une « œuvre d'art » de 115 m de haut financée par l'homme d'affaires indien Mittal) ou encore le centre aquatique en forme de vague, conçu par Zaha Hadid, la « starchictecte » anglo-irakienne. Mais le plus gros chantier architectural dans la capitale reste **The Shard,** un « éclat » de verre près du London Bridge, construit par Renzo Piano, un gratte-ciel inauguré en 2013, flirtant avec les 310 m. Cette construction accueillant des bureaux, un hôtel de luxe *(Shangri-La),* un resto et des habitations, est actuellement le plus grand immeuble d'Europe de l'Ouest. Juste à côté, la Tate Modern continue de surprendre avec une pyramide déstructurée imaginée et réalisée par le même tandem à l'origine de la transformation de cette ancienne usine, Herzog et de Meuron.

– Pour plus d'infos sur le développement architectural de Londres et les plus de 400 nouveaux gratte-ciel dans les cartons : ● *newlondonarchitecture.org* ● (voir aussi le *New London Architecture* à Bloomsbury).

BOISSONS

– Si l'on en croit la légende, toute l'Angleterre s'arrête vers 17h pour le **teatime.** Les Anglais en boivent en fait toute la journée ! Rien de tel qu'une bonne *cup of tea* pour arroser n'importe quelle occasion ou redonner le sourire à son interlocuteur. Demandez-le *white* (avec un nuage de lait que l'on verse AVANT le thé) ou *black* (sans), avec ou sans sucre. Autre rituel, à essayer au moins une fois dans sa vie, dans les hôtels chic ou les salons de thé londoniens : les fameux **afternoon teas** et **high teas** (prévoir tout de même une grosse poignée de livres) avec un grand choix de thés aux arômes différents, des sandwichs et toute une cohorte de gâteaux. Parmi les plus connus, ceux des hôtels prestigieux tels que le *Ritz,* le *Savoy,* le *Hyde Park Hotel,* le *Dorchester* ou le salon de thé *Fortnum & Mason...* Tous proposent un rituel souvent aussi drôle que leurs gâteaux sont bons, à grand renfort de vaisselle délicate, d'ustensiles compliqués et de règles à respecter.

MILK IN FIRST

Traduction : « le lait en premier », ou le surnom donné par les aristocrates aux arrivistes. Les nouveaux riches avaient pour habitude de verser le lait avant le thé, de peur que leur tasse, sous l'effet de la chaleur, ne casse. Un test révélateur de personnalité et de rang social ! Eh oui, un aristocrate n'a jamais eu ce problème, tant sa porcelaine est de bonne qualité et tant il possède de tasses !

– Les Anglais ne boivent pas que du thé ! Ils se passionnent également pour le **café.** Vous trouverez pour preuve des centaines de **coffee shops** et autres où l'on sert des *espressos,* bien sûr, mais également des cafés spéciaux assez originaux. Rien à voir avec le jus de chaussette servi dans les grandes enseignes si l'on opte pour un *regular.*

– Côté boissons alcoolisées, vous pourrez goûter aux délicieux **ciders** qu'on commande *dry, medium* ou *sweet,* tout comme le **sherry** (xérès), très apprécié des vieilles dames. Délicieux et pas très cher. N'oubliez pas le **port** (porto), très bien représenté par de prestigieuses maisons comme *Taylor's,* et évidemment le **whisky.** Du scotch tourbé d'Écosse au pur malt irlandais en passant par le bourbon américain, il y en a pléthore.

– Si vous aimez les **liqueurs** douces, goûtez le *Drambuie,* au whisky, ou l'*Irish cream,* au café. Au rayon **cocktails,** essayez un *dry martini* ou une *vodka and lime* (prononcez « laïme »).

– Goûtez au **Pimm's,** boisson à base de plantes et de quinine. Typiquement anglais, servi avec du concombre. Il aurait des vertus digestives. Très bon aussi avec de la limonade. Avec modération ! Très frais en été et, l'hiver, chaud avec du jus de pomme, ça passe pas mal non plus... Vendu aussi en canette dans les supermarchés.

– Les amateurs de **vin** seront surpris : l'Angleterre produit à nouveau du vin (et même des effervescents), du Kent au nord du pays de Galles... La production reste confidentielle, et sa consommation encore plus. Quant à sa réputation, elle reste à faire ! Certains bars et restos londoniens l'ont inscrit à leur carte. Les **wine bars** sont à la mode mais restent assez chers. En revanche, les cartes sont souvent bien montées, mêlant sans vergogne les crus classiques du Vieux Continent (France, Italie, Espagne...) aux domaines du Nouveau Monde. On trouve aussi dans tous les pubs branchés et les restaurants une sérieuse sélection de vins au verre.

Conseils du même tonneau (de bière)

L'autre boisson « mythique », c'est évidemment la **bière.** Les non-amateurs goûteront à la *ginger ale,* plus douce. Parmi les bières les plus populaires, la goûteuse *London Pride,* ou la toute simple mais désaltérante *Carling.* Pour un demi, commander *half a pint* (prononcer « haffepaïnte ») mais, proportionnellement, une *pint* (demi-litre) coûte moins cher. Dans tous les cas, mieux vaut avoir repéré l'emplacement des w-c avant de se lancer !

Voici un petit topo sur les bières anglaises :

– **Bière au tonneau :** *draught* ou *on tap* (au robinet), tirée à la pompe traditionnelle, servie à température ambiante, est sans conteste la meilleure. La *bitter,* blonde amère, est la plus populaire, mais la *lager,* blonde traditionnelle, est aussi très bonne. Seul problème, les bières *on tap* se font de plus en plus rares. Tout fout le camp !

– **Bière en bouteille :** *pale ale* (bière blonde) et *brown ale* (bière brune mais douce), et surtout la *stout,* dont le meilleur exemple est la Guinness, noire et crémeuse. C'est même obligatoire !

– **Bière à la pression** : on en trouve beaucoup, elle est servie froide ou glacée, très gazeuse comme en France ou en Allemagne, où elle n'a cependant rien à voir avec la vraie bière anglaise, comme la *real ale.*

Les bières américaines et mexicaines ont aussi envahi le marché anglais. On en trouve de plus en plus dans les pubs.

Les pubs

De tradition typiquement britannique, le pub est le lieu de rencontre par excellence. On y vient avec ses collègues, ses amis ou tout simplement en famille (mais, sauf exceptions, sans jeunes enfants) pour y passer un joyeux moment de détente et de discussion. Le pub, en général, offre plusieurs salons dont les différences sont de moins en moins sensibles : public bar, *lounge bar,* saloon bar, private bar (ce dernier est réservé à un club). On pratique une activité tellement peu française dans les pubs que le mot n'existe même pas dans notre langue : on « socialise ». On y parle de tout et de rien. Vous ressentirez cette extraordinaire atmosphère de fusion des classes ; ici, on laisse son origine sociale au vestiaire et on se côtoie allègrement. Au coude à coude, vous trouverez le cockney (titi londonien), le jeune cadre gominé, la mamie en tenue lavande, les groupes de minettes déchaînées à l'occasion d'une *hen night* (enterrement de vie de jeune fille), l'ouvrier lisant *Tribune* (journal de gauche du Labour Party), le vieux marginal plein de malice et... le touriste français, les yeux ronds comme des billes devant ce spectacle.

UN PEU DE PUB POUR LES PUBS

Les neuf indices qui vous permettent de reconnaître un bon pub traditionnel : la pompe à eau sur le comptoir, qui servait à couper les alcools ; le porte-journaux ; les chromos et vieilles gravures ; le salon cosy à l'écart, autour de la cheminée ; la cloche et l'horloge qui servaient à annoncer la fin du service ; les différentes pompes à bière avec médaillon ; le pub grub, ou nourriture de pub ; les repose-pieds aux tabourets du comptoir et enfin les tabourets miniatures, qui se rangent facilement sous les tables.

Un peu d'histoire

Cercles paroissiaux durant le Moyen Âge, plus opportunément situés sur les routes des pèlerinages, enfin lieux de réunion des ouvriers qui, au XIXe s, commencent à se syndiquer, les pubs ont souvent conservé leur vitrine en verre dépoli, de vieilles boiseries noircies et patinées, des lumières faiblardes, comme au temps de la bougie, et de beaux cuivres.

Les amateurs perspicaces remarqueront que certains noms de pubs reviennent souvent. Parmi ceux-ci, *King's Head,* en souvenir de Charles Ier que Cromwell fit décapiter, *Red Lion* qui rappelle les guerres coloniales, *Royal Oak* qui commémore la victoire de Cromwell sur Charles II qui se réfugia sur un chêne (!). Fin de l'intermède culturel.

La vague de modernisme a frappé durement et les chaînes de pubs standardisés ou les *posh pubs* (littéralement : « pubs chicos ») se sont multipliés. Des propriétaires peu respectueux du passé ont remplacé la patine du temps, la sciure, les vieilles pompes à bière avec manche de porcelaine par du clinquant, faux acajou, velours rouge, cuivre et barmen impec'. Évidemment, les comportements ne sont plus les mêmes dans un environnement aussi propre, aussi hygiénique, et l'âme du pub populaire a, dans ce cas, bel et bien trépassé.

Pubs et mœurs

Outre le fait que l'on boive souvent sa bière sur le trottoir quel que soit le temps, les Anglais pratiquent beaucoup le *pub crawling*. Lorsqu'ils sortent à plusieurs, le premier paie une tournée dans un premier pub, le deuxième en paie une autre dans un pub différent et ainsi de suite. Le tout, c'est de se rapprocher de chez soi pour être sûr de pouvoir rentrer, surtout si l'on est 15 à payer une tournée !

Pas de service alambiqué : on va directement chercher sa consommation au comptoir et on paie de suite. Pas de contestation de fin de beuverie sur le nombre de tournées à payer : sitôt reçu, sitôt payé... et sitôt bu ! Quand le gosier est de nouveau à sec, il faut retourner au bar pour commander. Bref, ne restez pas assis, vous pourriez attendre longtemps votre verre !

Par tradition, et sûrement par goût, les hommes commandent toujours une *pint* (environ un demi-litre) et les femmes, le plus souvent, une *half a pint* (la moitié) ou un verre de vin parce que « *it's more socially acceptable* », mais on se doit de préciser qu'elles en boivent deux fois plus ! Et le spectacle dans les rues, tard dans la nuit, n'est pas toujours bien flatteur. S'il y a bien un sujet tabou et inattendu de ce côté de la Manche, c'est l'alcoolisme latent, en particulier chez les jeunes...

Entre 14 et 18 ans, admission à la discrétion du patron (ils arrivent à faire la différence), mais interdiction cependant de consommer des boissons alcoolisées. En dessous, *sorry,* pas d'admission, même en compagnie des parents. Il existe cependant pas mal de pubs qui acceptent les enfants pour le lunch ou en début de soirée, avec une *family room* dévolue aux sorties... en famille. Enfin n'oubliez pas, ici non plus, on n'a plus le droit de fumer dans les lieux publics !

À Londres

On recense plusieurs milliers de pubs dans la capitale. Il y a les grands classiques et ceux de tous les jours où se retrouvent les habitués. Ne pas oublier que nombre d'entre eux proposent quelques plats bon marché le midi. La distinction entre pubs, bars, clubs de musique live et boîtes n'est pas toujours nette. Certains pubs accueillent des groupes ou des DJs plusieurs soirs par semaine pour animer la soirée. S'il y a de la place, on peut même y danser. L'ambiance peut donc énormément varier d'un soir à l'autre. Certaines de nos adresses pourraient fort bien figurer dans nos rubriques « Où manger ? », « Où écouter de la musique ? » et même « Où danser ? », mais c'est tout de même leur aspect pub ou bar qui domine. L'après-midi, c'est le grand calme, malgré la présence de quelques éternels piliers de comptoir. Vous trouverez donc des adresses traditionnelles aussi bien que des endroits plus mode. Les pubs historiques sont la plupart du temps signalés par un écriteau bleu : « *This is an heritage pub* ».

CUISINE

Sujet de moquerie pendant de très longues années, la cuisine ne devrait plus être un point sensible pour tout Français se rendant en Grande-Bretagne et particulièrement à Londres. Pas de chauvinisme, la cuisine anglaise traditionnelle peut se révéler délicieuse, mais comme partout, tout dépend des talents de votre hôte aux fourneaux ! En tout cas, le renouveau gastronomique amorcé il y a quelques années par les *gastropubs* et les chefs de renom oblige les critiques à revoir sérieusement leur copie. La variété culinaire est très vaste à Londres et reflète bien le succès de l'intégration ethnique amorcée par le pays.

– La vraie cuisine traditionnelle et quasi mythique, vous la connaîtrez **en famille.** Un repas se compose, par exemple, d'une viande préparée à la cocotte et de deux légumes, bouillis, avec une prédilection pour les pois vert fluo et le *cabbage* (chou), arrosés avec la sauce de la viande ou *gravy*. Il est parfois précédé d'un hors-d'œuvre (*pie*, soupe) et invariablement suivi d'un dessert cuisiné. On recommande le *trifle*, sorte de diplomate (délicieux quand il est bien cuisiné), ou les délicieux *apple pie, carrot cake...* Une constante : le dessert se déguste le plus souvent avec une *custard* bien chaude (sorte de crème... anglaise !), de la glace ou une *cream* fouettée. Depuis l'épidémie de la vache folle, la fameuse *jelly* multicolore (réservée aux enfants) a du plomb dans l'aile. Ah ! nous allions oublier le *cheesecake* dont la base est du biscuit sur lequel on ajoute une sorte de mousse au fromage blanc et à la crème ainsi qu'un coulis de fruits. Hmm !

– Mais tout le monde ne peut pas s'inviter dans une famille londonienne pour dîner. Il reste donc les **restaurants,** dans lesquels on mange bien mais certes pour cher. Mieux vaut tenter sa chance dans les fameux **gastropubs,** établissements hybrides nés du désir de conserver l'atmosphère si riche et conviviale des pubs en proposant une cuisine plus élaborée qu'une saucisse-purée ! En quelques années, Londres a vu fleurir un peu partout ces néopubs souvent plus chers et toujours plus branchés que leurs grands frères. Par ailleurs, la grande tendance des nouveaux restaurants a des influences méditerranéennes ou asiatiques. Quelques bonnes surprises en perspective. À commencer par la viande de bœuf ! L'élevage est aujourd'hui considéré par les spécialistes comme l'un des meilleurs au monde. Des races de petits gabarits, sélectionnées pour la qualité de leur viande, et élevées selon les règles de l'art dans la belle campagne anglaise ; des viandes persillées, maturées 30 à 60 jours, et cuites à la perfection, « *bleu* » ou « *rare* » (bleu ou saignant), voilà qu'ils pourraient nous donner des leçons !

– Le midi, pour manger une nourriture saine dans une ambiance typique, une solution : les **pubs** et leur **pub grub** traditionnelle (littéralement « boustifaille »), pas mauvaise du tout ! Pratiquement tous servent, entre 12h et 14h30, ces plats uniques, très bons et abordables, parmi lesquels le *ploughman's lunch* (fromage servi avec des oignons ou du chutney et du bon pain frais), le *shepherd's pie* (hachis Parmentier) ou tout simplement le **scotch egg,** un œuf dur, pané et frit avec de la chair à saucisse. Essayez sinon le *carvery lunch* (traditionnel repas du dimanche), avec du *roast beef,* des *roast potatoes* et du *Yorkshire pudding.* Parfois économique (ils proposent souvent des formules pour deux) et archicopieux. On ne vous les indique pas tous, on insiste plutôt sur les snacks et les restos « classiques », mais ne négligez pas cette formule le midi. Sinon, de nombreux **cafés** ont essaimé un peu partout, surfant sur la vague bio en proposant de bonnes soupes du jour, des sandwichs préparés avec des ingrédients frais et originaux, et des suggestions plus soignées annoncées sur l'ardoise. Impeccable pour un déjeuner de qualité à prix maîtrisé.

– Pensez aussi aux célèbres **fish & chips,** qui permettent de manger sur le pouce pour vraiment pas cher, même si parfois, ça sent un peu le graillon. Le pire côtoie le meilleur en la matière !

– Du point de vue culinaire, Londres vous offrira une palette de choix comme nulle part ailleurs en Europe. Ce n'est pas pour rien qu'elle a été désignée capitale mondiale de la gastronomie (pour sa diversité) ! Il serait dommage de repartir sans avoir mangé **chinois, japonais, pakistanais, jamaïcain** ou **indien.**

LES PREMIERS FAST-FOODS DU MONDE

Les fish & chips ont envahi les quartiers londoniens dès le XVIIe s. La recette du poisson frit fut apportée par les juifs sépharades du Portugal, et la morue était pêchée au large de l'Islande. Cette nourriture bon marché, assaisonnée de vinaigre, devint vite extrêmement populaire.

Ces restaurants offrent une cuisine de qualité inégale, comme partout, mais les meilleurs d'entre eux sont dignes d'éloges. Les meilleurs restos chinois ou indiens d'Europe sont à Londres et offrent un véritable dépaysement. C'est une cuisine épicée – au sens riche et non arrache-gueule. Elle mélange le sucré et le salé, et se permet des associations surprenantes. Mais vous pourrez aussi manger grec, hongrois, espagnol, italien... À noter : dans ce domaine, les adresses sont souvent imprévisibles. Tel resto indien ou chinois s'avère génial à son ouverture puis, un an après, fort de son succès, se permet des pratiques peu commerçantes. C'est un des effets du libéralisme à outrance : rotation du personnel, concurrence, valse des étiquettes. On a un peu de mal à suivre d'une année sur l'autre, surtout parmi les adresses pas chères.

– Il ne faut pas négliger non plus les **restaurants végétariens.** Dans un pays qui place les animaux en haute estime, il est légitime de recenser 10 % de la population végétarienne. Force est d'admettre, qu'en matière de légumes et d'épices (héritage des colonies ?), les gourmets français auraient beaucoup à apprendre. Il y a donc nombre de restos végétariens où l'on mange bien à des prix plus que raisonnables... pour Londres. En outre, pratiquement tous les restaurants ont un menu végétarien toujours moins cher que les autres (normal, il n'y a pas de viande !). Au choix : pâtes, lasagnes, quiches, gratins, salades et sandwichs. Contrairement à une idée reçue, la cuisine « veggie » est diversifiée et souvent pleine d'inventivité.

– Sinon, il reste des **petites adresses** pas chères du tout, qui nourrissent leur homme, qui laissent le porte-monnaie quasi intact mais qui s'avèrent un peu frustrantes pour les papilles. Elles servent en général un peu de tout (spaghettis à la bolognaise, steak bouilli-frites, soupe aqueuse, poisson pané, *beans*...). Faites quand même attention où vous mettez les pieds : vous avez déjà mangé du bacon qui ressemble à de la semelle ? Nous, il nous est arrivé de regretter que ça n'en fût pas ! Et puis il y a les **grandes chaînes** de qualité honnête et pas trop chères, comme les restaurants des grands magasins et des musées, souvent de bons plans, pratiques et rapides.

Quant à la cuisine française, vu le prix, mieux vaut vous payer un aller-retour chez maman, ça vous reviendra moins cher.

CURIEUX, NON ?

Les Français, dit-on, cultivent l'art de vivre, la table, les bons vins, la haute couture. Les Britanniques aiment à cultiver l'absurde et une certaine excentricité ! On peut ainsi croiser un(e) vendeur(se) avec piercings et tatouages dans une boutique de luxe, ça ne choquera personne !

LA REINE, MODE D'EMPLOI

Si vous étiez amené à rencontrer la reine, sachez qu'elle n'accorde jamais aucune interview. Elle n'a aucun pouvoir, c'est ce qui fait sa force. Et puis Elizabeth II mérite d'être inscrite au Guinness *des records,* puisqu'elle est la reine de 16 pays.

– Le fromage se prend généralement à la fin du repas, après le dessert (on ne rigole pas !)...

– Très souvent, au restaurant ou au pub, c'est vous-même qui décidez de l'endroit où vous désirez être assis. Ne vous sentez donc pas agressé lorsqu'on vous demande où vous allez manger, et indiquez la table sur laquelle votre choix s'est arrêté. D'ailleurs, on prend généralement sa commande au comptoir.

– On ne serre jamais la main d'un Anglais, sauf quand on le voit pour la première fois. Quant à la bise, n'y songez même pas ! En revanche, un inconnu peut vous appeler *darling, honey* ou même *love* sans problème ! Et entre amis ou en famille, c'est le *hug* qui est de mise, une franche accolade.

– Esprit civique oblige, ici, on respecte strictement les passages piétons. Même s'ils sont simplement signalés au sol ou par un poteau lumineux.

– Les toilettes publiques, gratuites, sont une institution qui provoque la jalousie du reste du monde civilisé ! On en trouve dans tous les lieux publics, à proximité des gares, des marchés, des hôpitaux, des rues commerçantes, etc. Elles datent de l'époque victorienne, où les principes de l'hygiène étaient érigés au rang des vertus civiques.

– Personnes handicapées : les Anglais ont pensé à elles bien avant nous et sont exemplairement équipés... Pour preuve, l'excellent site qui leur est consacré : ● tourismforall.org.uk ●

HANDICAP ?

La « main dans le chapeau » (hand in cap) *est évidemment une locution anglaise. Cela remonte à l'époque où l'on troquait encore ses biens. Pour rétablir l'égalité des valeurs entre le bien donné et le bien reçu, on compensait la personne désavantagée* (handicapped) *en mettant de l'argent dans un chapeau.*

– Souriez, vous êtes filmé ! Sachez que pas un centimètre carré de la ville ne semble échapper à la vigilance des caméras. La vidéosurveillance est omniprésente, y compris dans le bus.

ÉCONOMIE

Les traces de la crise financière du début des années 2000 ne sont pas encore effacées. Plus grosse place financière du monde, Londres devait être nécessairement en première ligne des conséquences du scandale des *subprimes* et de l'explosion de la bulle. Depuis, les Anglais se serrent la ceinture. David

Cameron, précédent Premier ministre, a mis en place une politique libérale, tendant à supprimer un grand nombre de postes de fonctionnaires, en diminuant par ailleurs de nombreux services publics, et en bloquant les salaires. Les

UNE MONNAIE DE POIDS !

Le symbole £ est une extension de la lettre L pour le mot « Libra », qui signifiait en latin une livre de monnaie.

premiers signes d'une reprise de l'économie britannique apparaissent, des postes se créent, le chômage baisse. Mais il faut surtout noter les prévisions de croissance de l'Angleterre, au-dessus de 2 % ! Bien plus que ses partenaires européens, notamment outre-Manche... Des résultats qui ont pesé dans la réélection haut la main de Cameron en mai 2015. Mais ce triomphe fut de courte durée, le premier Ministre s'étant engagé à organiser un référendum sur la sortie ou non du pays de l'Union Européenne. Après avoir tenu en haleine l'Europe entière en 2016, ce débat divisa plus que jamais la société anglaise autour de la question des migrants, entre menaces diverses en fonction du vote final et peurs plus ou moins justifiées. Le 24 juin 2016 le résultat était sans appel : 51,9 % des électeurs avaient voté « Out », en faveur du Brexit, autrement dit de la sortie de l'Union Européenne. Une victoire avant tout pour l'UKIP, le parti émergent d'extrême droite, le seul parti qui s'était positionné unanimement et officiellement en faveur du « Out », et un sévère retour de boomerang pour Cameron, poussé à la démission. Les plus grandes incertitudes se dessinaient pour l'économie et la société britanniques, sans parler du devenir de l'Union Européenne.

ENVIRONNEMENT

Depuis quelques décennies, fini le temps du légendaire *fog* qui accablait les Londoniens de maladies pulmonaires. On ne chauffe plus guère au charbon et la Tamise est redevenue une rivière remontée par des espèces de poissons presque oubliées. On a même aperçu des dauphins dans l'estuaire. Si, si !

De plus, le centre de Londres est l'un des plus verts d'Europe (deux tiers de sa superficie !), et les Londoniens entretiennent chaque arpent de gazon avec amour et petites cisailles. Avec les mesures prises ou initiées par l'ancien maire Ken Livingstone, au cours de ses deux mandats, Londres revendique désormais une certaine **green attitude** : péage pour les voitures

UN IMMEUBLE TOUT EN BOIS

À Hackney, au nord-est de Londres, à l'angle de Provost St et Murray Grove, se dresse un immeuble de huit étages entièrement construit en contreplaqué (lamellé-croisé), des panneaux aussi résistants que le béton et très peu... inflammables.

parcourant le centre-ville, arrivée de milliers de vélos sur le modèle des Vélib' parisiens avec des stations tous les 300 m, création d'un secteur piéton au nord de Trafalgar Square, etc. D'un point de vue touristique, quelques professionnels emblématiques – souvent mis en avant – sont sensibles au respect de l'environnement, comme l'hôtel *Andaz* dans la City, qui recycle l'eau des toilettes, la boîte *Cllub4Climate,* qui recycle l'énergie des danseurs, ou le restaurant bio *Acorn House.* Le règne du tout *organic* (bio) fait d'ailleurs fureur parmi les Londoniens, tandis que l'office de tourisme propose des tours de la ville à vélo avec le *London Bicycle Tour.* Les déplacements à vélo augmenteraient d'ailleurs de 17 % par an depuis 2003. Quant aux *Green Tomato Cars,* ce sont des taxis hybrides qui fixent le prix en fonction de la distance parcourue et non du temps passé.

La dynamique de vitrine est déjà bien rodée, mais elle ne pourra guère infléchir – à moins de politiques radicalement volontaristes – l'inéluctable accroissement démographique de cette cité tentaculaire. Du coup, Londres n'a d'autre échappatoire que d'urbaniser certains sites protégés des berges de la Tamise... au grand dam des écologistes ! Et pour des Français, cette vision de Londoniens affairés avec un verre de café en polystyrène à la main dans la rue laisse quelque peu perplexe. Londres, une capitale verte, certes, mais encore loin d'être *green*.

Parcs

En été, frémissants de feuilles ; en automne, curieux avec leurs tas de feuilles mortes ; en hiver, fantomatiques et inquiétants ; au printemps, ornés des premiers signes de la nature renaissante... Ne soyons pas trop lyriques, même s'il y a bien souvent de quoi l'être.

L'une des grandes fiertés de Londres réside dans ses parcs. Ils portent presque tous l'appellation de *Royal Parks,* car ils appartiennent à la Couronne. Le plus célèbre est *Hyde Park,* en plein centre, le plus grand (136 ha) et le plus populaire, prolongé par *Kensington Gardens* (110 ha). On peut s'y baigner et louer des barques en été. *Regent's Park,* au nord, *Green Park* et *Saint James's*

> ### À EN PERDRE LA TÊTE !
>
> *Le lac de Saint James's Park est, paraît-il, habité par le fantôme d'une dame sans tête : elle était mariée à un sergent de la garde, mais tomba amoureuse d'un collègue de son mari. Celui-ci, furieux, lui coupa la tête (carrément) et jeta le corps de sa femme dans le lac du parc. Non mais !*

Park, aux abords de Buckingham, sont les plus agréables. Ce dernier rappelle les jardins français dessinés par Le Nôtre, qui avait influencé Charles II lors de son exil en France. Petit détail : les beaux transats qui vous tendent les bras sont payants ! En revanche, les pelouses (et quelles pelouses !) sont libres d'accès dans tous les parcs londoniens. N'oublions pas non plus les nombreux petits parcs dépendant des *terraced houses,* ces alignements de maisons de style georgien construites à partir du XVIIIe s pour répondre à la poussée démographique de la capitale, et qui participent eux aussi au charme et à l'aspect vert de Londres, l'appellation *street* se changeant en *garden*.

Dans la proche banlieue, vous pourrez vous rendre au jardin botanique de *Kew Gardens,* au parc de *Richmond* (pour y gambader avec des daims en liberté !) ou à *Hampstead Heath,* un superbe bois complètement préservé des promoteurs immobiliers. Très agréable pour un pique-nique lorsque le temps s'y prête (voir le chapitre « Les autres quartiers de Londres »). À conseiller aux routards écologiques et romantiques qui aiment respirer une bouffée d'air frais. Des espaces verts magnifiques.

HISTOIRE

Quelques dates importantes

– **55 av. J.-C. :** Jules César débarque en Angleterre et apporte la bonne parole romaine dans la Perfide Albion.
– **61 apr. J.-C. :** l'armée des Icènes, conduite par la reine Boadicée, pille et incendie la première cité romaine. Les Romains reconstruisent la ville et édifient le temple de Mithra (vestiges visibles près de Guidhall).
– **IIIe et IVe siècles :** les Romains ont toutes les difficultés à faire de ce coin paumé au nord de l'Empire un endroit habitable et agréable à vivre pour eux.
– **796 :** après les Romains, les Anglo-Saxons occupent le pays. Londres devient pour la première fois résidence royale.

– *XIe siècle :* Londres acquiert le statut de capitale politique.

– *1066 :* Guillaume le Conquérant gagne la bataille d'Hastings et achève la conquête de l'Angleterre. Les Normands restent seuls maîtres à bord.

– *1215 :* par la *Magna Carta,* le roi Jean sans Terre reconnaît aux corporations londoniennes le droit de procéder à l'élection d'un lord-maire. Ce qui permet aujourd'hui à celui-ci de défiler une fois par an dans un joli carrosse.

– *XVIe siècle :* création de l'Église anglicane par Henri VIII, histoire de pouvoir changer de femme. Il faisait bon être roi à l'époque.

– *1649 :* les Londoniens font leur révolution et décapitent Charles Ier à Whitehall. Cromwell lui succède.

– *1665 :* plus de 100 000 Londoniens meurent de la peste. Et comme un malheur n'arrive jamais seul...

– *1666 :* durant 4 jours, le Grand Incendie détruit les quatre cinquièmes de la ville : 13 000 maisons et 90 églises, dont la cathédrale Saint-Paul, sont réduites en cendres. À la suite de cela, Christopher Wren lance la reconstruction de la ville dans un style qui lui est très propre.

ENGLISH FIRST !

L'idée de couper la tête du roi n'est pas une invention française. Les Anglais y ont pensé avant, 144 ans plus tôt, en étêtant Charles Ier, à la suite d'une guerre civile sanglante. Plus incompréhensible, leur décision d'installer sur le trône son fils Charles II, particulièrement corrompu. Amazing British !

– *1688 :* seconde révolution anglaise et avènement l'année suivante de Marie II Stuart.

– *1876 :* Victoria est proclamée impératrice des Indes. L'« ère victorienne » correspond au zénith de la puissance et de l'impérialisme britanniques.

– *1888 :* Jack l'Éventreur sème la terreur dans les rues de Whitechapel.

– *1897 :* la reine Victoria décide de déménager pour s'installer à Buckingham Palace.

– *1939-1945 :* les raids aériens allemands sur la ville tuent plus de 30 000 personnes et endommagent la City. En 1940, un certain Charles de Gaulle parle à la BBC... le 18 juin, en commémoration d'un certain 18 juin 1815 (Waterloo). Belle revanche sur l'histoire !

ET LA FAMILLE ROYALE CHANGEA DE NOM

Avec son mariage en 1840, la reine Victoria rentra dans la lignée allemande des Saxe-Cobourg-Gotha. En 1917, le sentiment antigermanique était si fort que la famille royale britannique dut changer de nom. Elle choisit comme nouveau patronyme Windsor, du nom de son château le plus célèbre... et le plus vaste du monde.

– *1952 :* Elizabeth II devient reine d'Angleterre et souveraine de l'Empire britannique. À l'époque, elle vivait encore dans le bonheur.

– *1968 :* grève des ouvriers et des dockers qui paralysent le commerce et le trafic pendant plusieurs mois. Même sans grève, le trafic est toujours bloqué aujourd'hui.

– *1979 :* Margaret Thatcher est nommée Premier ministre. Sale temps pour les Anglais !

– *1987 :* incendie à la station King's Cross. Il aura fallu 30 morts pour qu'on interdise de fumer dans le métro.

– *1990 :* 300 000 personnes se retrouvent à Trafalgar Square pour protester contre la *poll tax* (impôt sur la communauté). Résultat : Maggie démissionne et l'impôt est réformé. John Major lui succède.

– *1992 :* élection surprise des conservateurs ; John Major est reconduit dans ses fonctions. Quatrième victoire d'affilée pour les conservateurs. Deux bombes de l'IRA explosent dans le centre de Londres. Incendie au château de Windsor.

– *1994 :* James Miller, un Américain de 30 ans, atterrit en ULM et à moitié nu sur le toit du palais de Buckingham. *Shocking !*

– *1997 :* l'élection de Tony Blair, leader du Parti travailliste (Labour), met fin à 18 ans de pouvoir conservateur. Mort de Lady Diana dans un accident de voiture sous le tunnel du pont de l'Alma à Paris, donnant lieu à une grande émotion populaire.

– *1999 :* mariage du dernier fils d'Elizabeth, Édouard, avec Sophie Rhys-Jones.

– *2000 :* élection du travailliste très à gauche Ken Livingstone comme maire de Londres et centenaire de la *Queen Mum.*

> ## TRADITION ROYALE
>
> *La reine Victoria était fière de descendre (soi-disant) de David, roi d'Israël. Voilà pourquoi ses fils furent circoncis. Cette coutume perdura 150 ans, jusqu'à ce que la princesse Lady Diana refuse que ses deux fils subissent la circoncision. Chez les membres de la famille royale, ça n'a pas plu !*

– *Juin 2001 :* Tony Blair et le Parti travailliste sont réélus les doigts dans le nez !

– *2002 :* en février, Margaret, la sœur de la reine Elizabeth, décède. En avril, c'est au tour de la *Queen Mum* de tirer sa révérence. En mai, la reine entame son jubilé (50 ans de règne). Le cœur n'est pas vraiment à la fête.

– *2003 :* l'Angleterre est sacrée championne du monde de rugby.

– *2005-2006 :* Charles et Camilla se marient, enfin, en avril 2005. Tony Blair est réélu pour la troisième fois à Downing Street, du jamais vu pour un travailliste. Des bombes explosent dans le métro et les bus de la capitale britannique, en juillet 2005.

– *2007 :* Tony Blair quitte Downing Street après 10 ans aux manettes. Gordon Brown prend la suite. Le *Cutty Sark,* clipper des mers, brûle.

– *2008 :* un incendie dévaste une partie de Camden Market. Ken Livingstone, le maire de Londres, est battu par le conservateur Boris Johnson, le « bouffon » excentrique, ancien journaliste, aux positions iconoclastes, voire racistes.

– *2009-2010 :* arrivée dans la capitale des « Boris » Bikes, sur le modèle des Vélib' parisiens, demandés par le maire. David Cameron devient Premier ministre et partage la tâche avec Nick Clegg, nommé vice-Premier ministre. Soit l'alliance de la « carpe » et du « lapin », tant les divergences sont nombreuses entre les deux camps.

– *2011 :* le mariage du prince William et de Kate Middleton a lieu à l'abbaye de Westminster. Coût : 105 millions d'euros pour 1 900 invités. Dans le même temps, David Cameron lance son projet de *Big Society,* ou le transfert des actions de l'État au profit des collectivités et autres initiatives locales. Résultat : grosses manifestations dans Londres.

– *2012 :* le 27 juillet, les Jeux olympiques de Londres (les 3e en un siècle !) débutent avec une spectaculaire cérémonie d'ouverture, concoctée par Danny Boyle, le génial metteur en scène de *Slumdog Millionnaire.* Au programme, notamment, un saut en parachute de la reine Elizabeth II... ou presque. Visiblement en forme, celle-ci a déjà inauguré le clipper *Cutty Sark,* refait à neuf, à Greenwich et fêté son jubilé de diamant (60 ans de règne).

– *2013 :* inauguration du *Shard,* le gratte-ciel habité le plus haut d'Europe de l'Ouest. Elizabeth II et le prince Philippe fêtent leurs 65 ans de mariage et la naissance de leur arrière-petit-héritier, George de Cambridge. Margaret Thatcher tire sa révérence.

– *2014-2015 :* échec du référendum du 18 septembre 2014 sur l'indépendance de l'Écosse (55,3 % de non)... Carnet rose : Kate et William accueillent la princesse Charlotte de Cambridge en mai 2015. David Cameron remporte haut la main les législatives.

– *2016 :* on fête les 400 ans de Shakespeare et les 90 ans de la Reine. Élection du travailliste Sadiq Kahn à la mairie de Londres. Vous avez dit « Brexit » *(British Exit)* ? Référendum et vaste débat qui animent tout le pays quant à la sortie de l'Angleterre de l'Union européenne. Le « Out » l'emporte avec 51,9 % des voix, David Cameron est poussé à la démission. La conservatrice Theresa May prend sa succession en juillet.

LONDRES GAY

Même s'il n'en fut pas toujours ainsi (loin s'en faut !), il n'est pas très difficile d'être homosexuel à Londres. Dans la ville qui a su accepter toutes les excentricités, tant vestimentaires qu'idéologiques, les gays et les lesbiennes sont fondus dans la masse. Cela tient au fait qu'il y a autant de manières de vivre son homosexualité à Londres que d'homosexuels. Certes, les quartiers de Soho et de Covent Garden sont les centres de la communauté gay de la capitale, mais n'est-ce pas tout simplement le cœur de la ville ?

Un esprit de tolérance mesurée règne ici. La vie nocturne est bien sûr très active et, comme il est impossible de tout recenser, ceux qui sont intéressés pourront trouver des *flyers* (invitations) dans les bars, dans les pubs et chez les disquaires. Indispensable aussi, l'hebdomadaire ou le site internet *Time Out* (● timeout. co.uk ●), avec toutes les sorties possibles. Vous saurez tout sur les programmes des boîtes. La plupart des boîtes *straight* (hétéros) réservent une ou deux soirées par semaine à leurs clients gays.

À noter que la manifestation annuelle des homosexuels, la *Gay Pride,* est l'occasion d'un grand concert à Hyde Park, le dernier dimanche de juin.

MÉDIAS

Votre TV en français : TV5MONDE, la première chaîne culturelle francophone mondiale

Avec ses 11 chaînes et ses 14 langues de sous-titrage, TV5MONDE est distribuée dans plus de 190 pays du monde par câble, satellite et sur IPTV. Vous y retrouverez de l'information, du cinéma, du divertissement, du sport, du documentaire...

Grâce aux services pratiques de son site voyage ● voyage.tv5monde.com ●, vous pouvez préparer votre séjour et, une fois sur place, rester connecté avec les applications et le site ● tv5monde.com ● Demandez à votre hôtel le canal de diffusion de TV5MONDE et contactez ● tv5monde.com/contact ● pour toutes remarques.

Presse

Tous les patrons de presse français restent pantois quand ils regardent les tirages des journaux anglais. Les Anglais lisent énormément, vous en aurez la preuve dans le métro. Dès le matin, les lecteurs se précipitent sur *Metro* (● metro.co.uk/ ●), sans grand intérêt culturel mais idéal pour apprendre les gros titres. Le soir, c'est la ruée sur l'*Evening Standard* (● standard.co.uk ●), désormais gratuit. Côté payants, il faut reconnaître que les Anglais ont le choix. Le quotidien le plus célèbre, et peut-être le plus sérieux, est le *Times* (● thetimes.co.uk ●). Si vous avez l'occasion, jetez un coup d'œil sur le courrier des lecteurs, ça vaut le coup. La presse dite « sérieuse », avec *The Daily Telegraph* (● telegraph.co.uk ●) pour les expos et l'art, *The Independent* (● independent.co.uk ●), très sérieux, qui a sorti « i », moins dense mais tout aussi rigoureux, *The Daily Express* (pas terrible), *The Daily Mail* (● dailymail.co.uk ●) et *The Guardian* (● guardian.co.uk ●) offrent un large panorama des différentes tendances politiques du pays. Le *Financial Times* (● ft.com ●), imprimé sur papier saumon, est l'outil indispensable des businessmen et -women de la City. À côté, il y a les tabloïds ; le *Mirror* et le *Sun* en sont les têtes d'affiche. Ils disent rarement du bien de qui que ce soit et sont anti-européens. Traditionnellement antitravaillistes, le *Sun* et le *Daily Mirror* mélangent ragots, scandales tournant souvent autour de la famille royale, de mannequins seins nus, avec des tirages impressionnants.

– Pour tout savoir sur les événements qui ont lieu dans la capitale, vous devez acheter **Time Out,** un hebdo génial pour connaître les programmes des spectacles et les expos, mais aussi pour trouver des centaines de bonnes adresses de restos,

de pubs, de boîtes... C'est l'outil indispensable du Londonien. Sort le mardi.
● *timeout.com/london* ● Existe aussi sous forme de guide en version brochée.

Radio

Il y a bien évidemment la *BBC* (la *Beeb* ; ● *bbc.co.uk* ●), avec ses six programmes différents, dont un destiné aux enfants (Radio 5 sur 693 et 909 AM), et le World Service qui lance toutes les heures le fameux *This is London...* En tout, 120 millions d'auditeurs dans le monde écoutent des émissions diffusées en 35 langues. Sur Londres, *Capital Radio* (95,8 FM) est la plus écoutée des radios locales.

Télévision

Sans conteste la TV européenne qui s'exporte le mieux dans le monde, capable de produire le *Monty Python Flying Circus* comme les documentaires les plus sérieux. Côté chaînes gratuites, deux chaînes pour la *BBC* (et quatre chaînes supplémentaires sur le câble, dont *BBC News*). La première chaîne programme des séries, des variétés et du sport ; la seconde est plus « culturelle ». *ITV 1* (shows et docs sensationnalistes), *Channel 4* (idem) et *FIVE* (intello) sont des chaînes hertziennes privées. Il y a également le satellite avec *MTV, BskyB...*

MONARCHIE : DIEU VA-T-IL SAUVER LA REINE ?

Elizabeth II cumule les mandats : elle est à la tête de l'Église anglicane, du Commonwealth et du système monarchique le plus puissant du monde. La Constitution peu codifiée lui laisse encore le pouvoir, symbolique, de nommer le Premier ministre. Elle lui concède également la propriété des... cygnes qui peuplent les parcs, relativement à une loi datant du XIVe s ! Mais combien de temps encore l'édifice tiendra-t-il?
Alors que la mainmise ancestrale de l'aristocratie, dont la famille

LA REINE DOIT ÉTEINDRE LA LUMIÈRE EN SORTANT

Toujours bien classée, sa fortune a toutefois fondu comme un glaçon dans une tasse de thé. Son portefeuille d'actions n'a cessé de perdre de la valeur. Ses collections d'art et son patrimoine immobilier restent considérables, mais elle ne peut rien vendre. En effet, tout appartient à la fonction et non à sa personne. Bref, elle manque de cash ! Help !

Windsor, sur 70 % des terres britanniques est la cause directe de la flambée de l'immobilier, la révolution est encore loin en Grande-Bretagne. Si les dépenses royales s'élevaient en 2009 à 41,5 millions d'euros (à la charge du contribuable), la reine ne paie des impôts que depuis quelques années. Et pourtant, les Anglais entretiennent infailliblement avec leur monarchie aux frasques de people une relation pour le moins ambiguë, frisant l'irrationnel.
Mais le brillant film *The Queen* de Stephen Frears, qui valut à Helen Mirren un oscar en 2007, a montré comment cette fidélité aveugle a vacillé quelque peu dans la semaine qui suivit la mort de Diana en 1997. La reine, présentée dans son intimité, apparaît distante, voire cynique, mais surtout désemparée face à la réaction de tout un peuple. Comme si elle découvrait que celui-ci pouvait se rebeller. Gardienne d'un temple millénaire, elle doit faire face aux médias, à l'émotion de ses sujets et aux pressions de son tout nouveau Premier ministre travailliste, Tony Blair. Avec la mort de Diana, une aile du palais a brûlé et la reine semble touchée, comme tous les Anglais (ou presque) par la crise : ses actions ont perdu 30 % en 2008 et elle a dû réduire de moitié ses dépenses entre 1990 et 2002, alors qu'en 2010, les négociations sur sa pension annuelle accordée par le

gouvernement pendant les 10 années à venir étaient âprement menées par ses conseillers. La reine doit se serrer la ceinture et ne mène plus le train de vie fulgurant d'avant. La plus grande part de son patrimoine (elle reste tout de même l'une des grosses fortunes du pays !) est liée à sa fonction et n'est donc pas vendable. Bref, en ces temps de crise économique profonde et de grande désaffection vis-à-vis des politiques, Elizabeth II, avec ses cheveux gris de grand-mère proprette, incarne pour le peuple une institution rassurante, le dernier pilier indéboulonnable du pays en quelque sorte. Mais après Elizabeth II, qu'adviendra-t-il ?

Charles, éternel aspirant, programmé pour régner mais privé du trône, semble certes plus à la page, mais est loin d'incarner cette stature sécuritaire de gardien du temple. Il divorce, s'affiche écolo mais voyage à grands frais. Ses frères, sa sœur ou ses fils font la une permanente de la presse bas de gamme. Mais, le prince William, fils de Lady Di et du prince Charles, convole en noces avec Kate Middleton, jeune roturière rencontrée lors de ses études. Tout le monde s'est

LE JOB DE CHARLES ? PRINCE

Il est ennuyeux d'avoir comme devise « Je sers », pour lui qui n'a pas fait grand-chose depuis plus de 60 ans. Faut dire qu'en Angleterre, la démocratie n'est pas un vain mot. Les Royals ne peuvent jamais émettre d'avis sur les problèmes politiques ou autres. Ils doivent suivre les directives du gouvernement, sans broncher. Ici, le Premier ministre est le vrai (et seul) patron.

pâmé devant les robes Alexander McQueen de Catherine et de sa sœur Pippa. Les tourtereaux ont permis également de relancer la production de tasses et assiettes kitsch à souhait en vente dans les boutiques de souvenirs. Un must ! George et Charlotte, les enfants de Kate et William, redonnent une image glamour de la famille royale. En 2015, la reine assoit sa puissance mondiale : avec la mort du roi Abdallah d'Arabie Saoudite, elle devient la monarque la plus âgée du monde !

PATRIMOINE CULTUREL

Avant de partir à la conquête du patrimoine londonien, sachez que tous les musées nationaux sont gratuits, contrairement à ceux de Sa Majesté et aux attractions privées, souvent hors de prix. Le **London Pass** (voir le chapitre « Infos pratiques sur place », rubrique « Infos touristiques. Centres d'information ») assez cher tout de même, est avantageux sur plusieurs jours, car non seulement il vous fait faire des économies mais, en plus, il vous permet de couper les files d'attente !

Musées

Londres possède un nombre de musées considérable (près de 170 !) et parmi les plus riches du monde. Ils convaincront, sans doute, les plus réfractaires au tourisme culturel. Du British Museum à la Wallace Collection, de la Tate Modern à la Tour de Londres, tout le monde y trouvera son compte. Les enfants prendront également du plaisir, le maître mot étant souvent didactisme. Cela ravira petits et grands !

Les grands musées bénéficient de la manne céleste des recettes récoltées par l'État sur la *National Lottery Game*. Les espaces d'exposition ont été repensés, offrant aux visiteurs une meilleure lisibilité des œuvres et des objets présentés, et de nombreux outils audiovisuels étoffent désormais les anciens textes académiques. La plupart des grandes collections publiques sont gratuites. D'autres musées sont très chers, voire hors de prix, comme Madame Tussauds ou Tower Hill. Tous les monuments gérés par la Couronne (Tour de Londres, Kensington Palace, Hampton Court Palace) sont chers. Il faut bien que la reine paie ses impôts!

Les vestiaires des musées sont gratuits (sauf au British Museum), mais une petite donation est encouragée et les valises ou sacs de voyage sont rarement acceptés.

Petite ombre au tableau, les horaires ! Ouverts vers 9h30, les musées ferment presque tous vers 17h30, 18h. Quelques nocturnes seulement. À Londres, il ne s'agit pas tant d'essayer de voir tous les musées (c'est possible mais en 6 mois !) que de réussir votre sélection en fonction de vos goûts. Même en patins à roulettes, il faudrait une bonne semaine pour tous les voir. Petit conseil : dans les grands musées, choisissez donc une ou deux sections qui vous branchent et tenez-vous-en là. Pour cela, demandez le plan en arrivant. Et puisqu'ils sont gratuits, mieux vaut y revenir à plusieurs reprises si la durée de votre séjour le permet.

Monuments et balades

Voir également la rubrique « Visites guidées » dans le chapitre « Infos pratiques sur place ».

Comme New York et Paris mais peut-être plus encore, Londres est un assemblage de quartiers distincts et d'anciens villages. Si un Londonien vous dit habiter South Kensington, dites-vous qu'à Paris ce serait le 16e arrondissement. S'il vient de l'East End, il y a fort à parier qu'il ait du sang pakistanais. On schématise, bien sûr, mais il est important de comprendre les décalages d'un quartier à l'autre pour réussir à mieux cerner cette métropole aux ramifications complexes.

Chaque quartier du centre *(centre 1)* a quelque chose d'historique : les monuments, les musées, les bâtiments intéressants sur le plan architectural sont donc disséminés sur plusieurs kilomètres. À vous de choisir tel ou tel quartier à explorer en priorité, en fonction de vos goûts. Vous ne serez pas totalement perdu : les pubs vous serviront d'oasis en cas de fatigue, de soif ou de petit creux.

Si vous maîtrisez l'anglais passablement, il n'est pas inintéressant de choisir une promenade thématique d'une des nombreuses associations qui proposent des balades guidées. C'est souvent très amusant et très bien préparé. Il y en a pour tous les goûts : « Jack l'Éventreur » dans Whitechapel (en français le 1er vendredi du mois à 19h45 avec London Walks) ; « Le quartier juif » ; « Les Beatles » ; « Shakespeare et Dickens » ; « Diana, princesse de Galles » ; « Sherlock Holmes » ; « Les pubs de la Tamise » ; « Les fantômes de la City » ; « Little Venice »... Demandez le programme et le point de rendez-vous. Grosso modo, 2h de promenade et 9 à 16 £ par personne.

■ **The Originals London Walks :** *PO Box 1708, London NW6 4LW.* ☎ *020-7624-3978 et 7624-9255 (infos par téléphone).* ● *walks.com* ● *Compter 9 £/pers.* Beaucoup de choix de balades : les classiques, le Londres « illégal », sur les traces d'Amy Winehouse, les lieux de tournage de Harry Potter, les Beatles et des dizaines d'autres.

■ Plusieurs compagnies proposent ce genre de prestations, dont : ***Mysterywalk*** *(*☎ *020-8526-7755 ;* ▯ *079-5738-8280 ;* ● *tourguides.org.uk* ●*)* et ***City Secret Walks*** *(*☎ *020-7625-5155).* Les fans de l'Éventreur se rueront sur les balades qui lui sont consacrées : voir le chapitre « Brick Lane, Whitechapel et Spitalfields ».

■ ***À nous deux Londres :*** ☎ *079-1025-3508.* ● *anousdeuxlondres.*

co.uk ● *Visites dim slt, sinon sur résa slt selon programme. Compter 12 £/pers pour 2h de visite ; réduc.* En général à 10h30 (18h30 pour *Jack the Ripper).* Au choix, découverte des quartiers de la capitale (« Westminster », « Covent Garden », « Palais et traditions », etc.) en français !

– **Culture and Adventure :** ● *cultureandadventure.com* ● *À partir de 20 £/pers.* Visites guidées en français sur différents thèmes, tels les trésors cachés de la ville et les classiques *Harry Potter* ou *Jack l'Éventreur.*

– **London Greeters :** si vous voulez visiter l'Est londonien avec ceux qui l'habitent, n'hésitez pas à les contacter via le site ● *visiteastlondon.com/ london-greeters* ●

Punks

Le punk n'est pas une invention du diable, mais bel et bien un phénomène social. Il ne serait pas né sans la crise qui frappa l'Angleterre après le premier choc pétrolier. À la différence de la plupart des hippies, les « keupons » étaient avant tout des fils de « prolos ». L'un d'eux, lucide, déclarait à la presse musicale : « Je n'avais que trois possibilités pour m'en tirer : braquer une banque, devenir footballeur ou chanter. Et comme je n'étais ni courageux ni sportif... »

Vers 1975, un nouveau genre musical apparaît à Londres, en réaction à la musique planante de l'époque : le *pub rock,* qui renoue avec l'esprit originel du rock'n roll. Parmi ses piliers (de bar) : Elvis Costello, Doctor Feelgood et le troubadour Ian Dury, inventeur de la maxime « *Sex, Drugs And Rock'n Roll* ». Devant le succès (surtout scénique) de la formule, des centaines de jeunes révoltés fourbissent leurs guitares en attendant de pouvoir, eux aussi, monter sur scène...

Au même moment, à New York, le public rock découvre les jeans déchirés des Ramones, la poétesse Patti Smith et les provocants New York Dolls. Le manager des Dolls, Malcolm McLaren, dégoûté par le showbiz américain, revient à Londres, bien décidé à se venger. Il ouvre une boutique de fringues sur King's Road, sobrement baptisée *Sex.* Un jour, il surprend de petites frappes en train de chaparder ses T-shirts. Impressionné par leur

DRÔLES DE PISTOLETS !

En 1976, les Sex Pistols sont invités à une émission de la BBC, en direct. Très vite, les téléspectateurs assistent à une profusion d'injures, jamais entendues à une heure de grande écoute. Résultat : le présentateur est débarqué illico, et les ventes du 45-tours « Anarchy in the UK » font un carton, propulsant définitivement le groupe !

look, McLaren a une intuition proche du génie : les manager pour révolutionner l'histoire du rock... les Sex Pistols sont nés. Ils jouent comme des patates, mais leur allure, leurs slogans, leur énergie, la voix frénétique de leur chanteur (Johnny Rotten – « pourri » en français) et le charisme de leur bassiste (Sid Vicious) les propulsent immédiatement. Dans la foulée, les maisons de disques signent avec tous les groupes punks qui leur tombent sous la main. Quelques-uns entrent aussitôt dans la légende : The Clash, The Stranglers, Buzzcocks, Damned...

Tous les musiciens amateurs du moment s'engouffrent dans la brèche. Le public imite l'attitude et le look de ces nouvelles idoles. Les conservateurs s'étranglent devant une subversion aussi populaire.

Musicalement, la vague punk aura eu le mérite de réinjecter une rébellion et une vitalité propres au rock des pionniers et que l'on croyait avoir perdues depuis longtemps... Autosabordée en 1978 (après le suicide de Sid Vicious), la scène punk anglaise généra aussitôt un autre genre, aussi créatif et excitant, quoique moins spectaculaire : la *new wave,* dont sont issus les groupes les plus intéressants des années 1980. Preuve que le slogan « *No future* » était lui aussi dérisoire.

Enfin, en ce début de XXIe s, le mouvement électroclash (mélange de punk-rock et de techno, mâtiné de *revival eighties*) fait les beaux jours des... boîtes de nuit !

PÈLERINAGE ROCK

● Plan *p. 351*

➤ *Denmark Street (centre 1, E3, A)* : Ⓜ *Tottenham Court Rd.* Boutiques vendant des guitares. Dans un *studio d'enregistrement* de cette rue, Elton John écrivit son 1er single, *My Song.* Au n° 4, dans le *Regent Sound Studios,* les Rolling

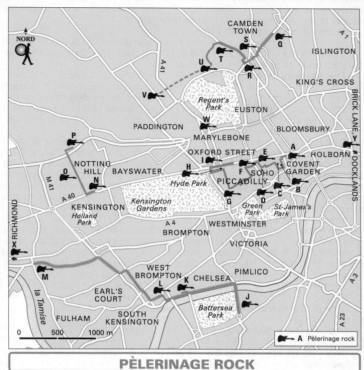

PÈLERINAGE ROCK

A Denmark Street *(centre 1, E3)*
B Ronnie Scott's Jazz Club *(centre 1, E3)*
C The Marquee Club *(centre 1, E3)*
D Carnaby Street *(centre 1, E3)*
E London Palladium *(plan d'ensemble, D-E3)*
F 23 Brook Street *(plan d'ensemble, D3)*
G Punch Bowl *(plan d'ensemble, D4)*
H Green Street *(plan d'ensemble, C3)*
I Cumberland Hotel *(plan d'ensemble, C3)*
J Battersea power station *(plan d'ensemble, D7)*
K 48 Cheyne Walk *(plan d'ensemble, B7)*
L Let it Rock *(plan d'ensemble, A7)*
M Hammersmith Odeon *(centre 2, K11)*

N Virgin Records *(centre 2, L9)*
O Samarkand Hotel *(centre 2, L9)*
P I Was Lord Kitchener's Valet *(centre 2, L9)*
Q 30 Camden Square *(hors plan Camden Town par B2)*
R Jazz Café *(plan Camden Town, B2-3)*
S Hawley Arms *(plan Camden Town, B2)*
T Roundhouse *(plan Camden Town, A2)*
U Primrose Hill Park *(plan Camden Town, A3)*
V Abbey Road *(plan d'ensemble, A1)*
W London Beatles Store *(plan d'ensemble, C2)*
X Crawdaddy Club *(hors plan d'ensemble par A5)*
Y Rough Trade East *(plan d'ensemble J2)*

Stones enregistrèrent leur 1er album. Au n° 21, jetez un œil sur la façade de **Rhodes Music,** le plus vieux magasin de guitares d'Angleterre.

➢ **Ronnie Scott's Jazz Club** (centre 1, E3, **B**) : 47 Frith St, à Soho. Ⓜ Leicester Sq ou Tottenham Court Rd. Jimi Hendrix y fit son dernier concert en 1970, trois jours avant sa mort. À deux pas, au 9 Greek Street, **Jazz After Dark,** pour manger l'assiette préférée de feue Amy Winehouse.

➢ **The Marquee Club** (centre 1, E3, **C**) : 90 Wardour St. Ⓜ Piccadilly Circus ou Tottenham Court Rd. En 1962, les Rolling Stones y donnèrent leur 1er concert public (ils ne jouèrent qu'une demi-heure). The Who et Muse vinrent de nombreuses fois à partir de 1964. Pete Townshend y fut le premier à casser sa guitare sur scène. Il sera largement imité par la suite. En 1965, David Bowie y fit ses premiers concerts. Le club est fermé depuis 2008.

➢ **Carnaby Street** (centre 1, E3, **D**) : Ⓜ Oxford Circus. Dans cette rue déjantée se baladaient régulièrement les Pink Floyd, The Who et les Rolling Stones. C'est ici que Paul McCartney a rencontré sa femme Linda. Nous, on n'a trouvé que des boutiques de fringues. Sur Regent St, trouvez la Heddon St. Les fans de Bowie se rappelleront que c'est là, dans cette ruelle, qu'il posa pour la pochette de Ziggy Stardust ! Une plaque rappelle l'événement. Et direction le Café Royal, où il enterra son personnage...

➢ **London Palladium** (plan d'ensemble, D-E3, **E**) : Ⓜ Oxford Circus. C'est au London Palladium, dans une émission de la BBC, que les Beatles se produisent pour la première fois, devant un parterre de groupies hystériques, en octobre 1963. Juste à côté, au **Northern England Music Stores** (fermé), Lennon déclarait « We are more popular than Jesus now ». Dans les jours qui suivirent, aux États-Unis notamment, des croyants mirent le feu aux albums des Fab Four.

➢ Jimi Hendrix vécut avec sa copine Kathy au **23 Brook Street** (plan d'ensemble, D3, **F** ; Ⓜ Oxford Circus). L'appartement se visite depuis 2016. Il passa sa dernière semaine au **Cumberland Hotel,** dans la suite n° 507 (plan d'ensemble, C3, **I** ; Ⓜ Marble Arch).

➢ Madonna a acheté le **Punch Bowl** (plan d'ensemble, D4, **G** ; Ⓜ Green Park). C'est le 2e plus ancien pub de Londres.

➢ **Green Street** (plan d'ensemble, C3, **H**) : Ⓜ Marble Arch. Au n° 57 se situe le seul appartement que les Beatles aient partagé. Ils l'achetèrent en 1963, après avoir quitté Liverpool. C'est ici qu'ils composèrent notamment « I want to hold your hand ».

De là, prendre la ligne de métro Victoria jusqu'à la station Vauxhall.

➢ **Battersea power station** (plan d'ensemble, D7, **J**) : Battersea Park Rd, à Vauxhall. Ⓜ Battersea Park ou Vauxhall. Cette usine électrique servit de pochette aux Pink Floyd pour leur disque « Animals » en 1976, où figure un ballon en forme de cochon. Les Who et Muse les imitèrent en le faisant figurer sur leurs albums « Quadrophenia » et « The Resistance ».

➢ Mick Jagger vécut au **48 Cheyne Walk** (plan d'ensemble, B7, **K** ; Ⓜ South Kensington) avec Marianne Faithfull, puis avec sa femme, Bianca Jagger. Il installa un studio au fond du jardin. Keith Richards habita dans la même rue au n° 3 avec Anita, l'ex de Brian Jones.

➢ **Let it Rock** (plan d'ensemble, A7, **L**) : 430 King's Rd. Ⓜ Imperial Wharf. La pétulante Vivienne Westwood ouvrit cette boutique en 1971. Elle y habillera les Sex Pistols et contribuera à promouvoir la musique punk. L'échoppe s'appellera ensuite Sex... un nom certainement plus accrocheur.

➢ **Hammersmith Odeon** (centre 2, K11, **M**) : 2 Queen Caroline St, à Hammersmith. Ⓜ Hammersmith. David Bowie y fera mourir Ziggy Stardust en 1973, la rock star extraterrestre venant de Mars qu'il créa un an plus tôt. Les Beatles y donnèrent 38 concerts mémorables, le tout réparti sur seulement 21 nuits. Johnny Cash, David Bowie, Queen et même Bob Marley y jouèrent.

Puis embarquez jusqu'à la station Ladbroke Grove avec la ligne Hammersmith & City.

➢ *Virgin Records* (centre 2, L9, *N*) : 130 Notting Hill Gate. Ⓜ Notting Hill Gate. En 1972, Richard Branson ouvrit cette boutique de disques importés. Très vite, il édita des disques de groupes punk, notamment les Sex Pistols. Puis il acheta des avions !

➢ *Samarkand Hotel* (centre 2, L9, *O*) : 22 Lansdowne Rd. Ⓜ Holland. Jimi Hendrix mourut dans cet hôtel, en compagnie d'une jeune Allemande, Monika.

➢ *I Was Lord Kitchener's Valet* (centre 2, L9, *P*) : 293 Portobello Rd, à Notting Hill. Ⓜ Ladbroke Grove. Ouvert en 1966, les vêtements de la célébrissime pochette de « Sgt Pepper Lonely Hearts Club Band » des Beatles furent achetés là. Ses premiers clients furent Mick Jagger, John Lennon et Jimi Hendrix.

➢ *Quartier de Camden* (plan Camden Town) : Ⓜ Camden Road, Camden Town et Chalk Farm. La maison avec jardin d'Amy Winehouse se trouve au **30 Camden Square** (hors plan par B2, *Q*). Elle donna ses premiers concerts en 2004 au *Jazz Café* (B2-3, *R*), puis fit ses premières apparitions sur scène au *Roundhouse* (A2, *T*). *Hawley Arms* (B2, *S*) était son pub préféré et elle y retrouvait souvent Pete Doherty. Les Clash et Madness y ont aussi fait leurs gammes. Le chanteur d'AC/DC, Bon Scott, a été retrouvé mort dans une R5 sur la rue principale, Camden High Street.

➢ *Primrose Hill Park* (plan Camden Town, A3, *U*) : c'est dans ce square que Paul McCartney promenait son chien Martha, d'où le célèbre titre « Martha my Dear ».

Et aussi...

➢ *Abbey Road* (plan d'ensemble, A1, *V*) : Ⓜ St John's Wood. Les fameux studios, où les Beatles, mais aussi les Pink Floyd, Oasis ou encore Radiohead enregistrèrent, sont classés Monument historique depuis 2010... Le passage clouté (crosswalk) qui illustre le dernier disque des Beatles est le seul classé au Patrimoine national !

> **CONFUSING !**
>
> Beaucoup de fans se plantent en descendant à la station de métro Abbey Road qui est située à 9 miles du célèbre passage piéton. La bonne station : St John's Wood. Certains tentent aussi de retrouver les lieux de jeunesse des Beatles en arpentant... Liverpool Road.

■ *London Beatles Store* (plan d'ensemble, C2, *W*) : 231 Baker St. ☎ 020-7935-4464. Tlj 10h-18h30. Tous les gadgets, T-shirts, casquettes, mugs... qui évoquent les Beatles avec plus ou moins de bonheur.

➢ *Crawdaddy Club* (hors plan d'ensemble par A5, *X*) : au Station Hotel (aujourd'hui Edwards Hotel), 1 Kew Rd, à Richmond, face à la gare. Ⓜ Richmond Station. Les Rolling Stones y connurent leurs premiers succès en 1963. D'ailleurs, les Beatles vinrent même les voir et ils sont restés amis. Ensuite, Eric Clapton, Jimmy Page et les Yardbirds y jouèrent régulièrement, entre autres.

➢ *Rough Trade East* (plan d'ensemble J2, *Y*) : Dray Walk, 91 Brick Lane ; à Brick Lane. Ⓜ Shoreditch High St. Petite escale chez ce disquaire mythique pour tous les aficionados de musique. En outre, le quartier a un esprit très rock qui colle bien à ce « pèlerinage » ! Se reporter à la rubrique « Shopping » dans le chapitre sur Brick Lane.

POPULATION

Être ou ne pas être anglais, ou généralités sur quelques différences... Mais qui sont-ils ? L'ennemi héréditaire, la Perfide Albion, surnommée ainsi en raison de ses falaises blanches (albus signifie « blanc » en latin), a toujours eu le don d'irriter les Continentaux. Son flegme dédaigneux a engendré chez les autres peuples à travers les âges des sentiments négatifs, parfois même agressifs. Pour leur part, les Britanniques penseraient presque que le monde civilisé s'arrête à Douvres !

Le Français est cartésien, tout doit s'expliquer, et deux et deux font toujours quatre... Les Britanniques pensent plutôt que

INIMITIÉS FRANCO-ANGLAISES

Même le vocabulaire a gardé trace de ces guerres qui ont marqué les siècles. Ainsi, en français, prendre la fuite discrètement se dit « filer à l'anglaise » ; les Britanniques se sont vengés en traduisant « to take French leave ». Idem pour « capote anglaise » qui se dit « French letter ».

les chiffres sont l'affaire d'un comptable et qu'il est de toute façon extrêmement vulgaire d'étaler son érudition. Un Anglais d'une éducation irréprochable répondra toujours à une affirmation par : « Vous croyez ? » Feindre de ne pas savoir que la Terre est ronde ou affirmer ne pas avoir tout à fait maîtrisé la table de multiplication par quatre a toujours été du meilleur ton.

Une nuit, à la fin des années 1950, il y avait un brouillard tellement dense que l'aéroport de Londres fut fermé et que même les ferry-boats n'osaient pas s'aventurer sur la Manche. Le lendemain matin, un grand quotidien populaire britannique titrait à la une : « Le continent est isolé... » ! Ce trait d'esprit illustre bien le fait que si la Lune gravite peut-être autour de la Terre, le monde, selon les Anglais, tourne quant à lui autour des îles Britanniques...

L'Anglais aime à cultiver l'absurde, l'humour à froid et l'irrationnel. C'est tout de même dans l'un des pays les plus pluvieux d'Europe qu'on a non seulement produit le plus de voitures décapotables mais aussi commercialisé la voiture « découverte », c'est-à-dire sans capote du tout !

Il fallait être anglais pour déclarer la guerre à l'Argentine et partir bille en tête défendre un bout de terre à plus de 10 000 km de l'Europe, sur lequel les moutons étaient la seule et unique richesse. Mais ils partirent aux îles Falkland derrière le fils de la reine *himself,* parce qu'on ne touche pas au sol royal.

Ignorer la réalité pour imposer sa propre vision du monde est un pilier de la philosophie anglaise. Durant la Seconde Guerre mondiale, le toit d'une épicerie londonienne fut touché par un V1 allemand. Le lendemain, l'épicier accrocha un panneau sur lequel était écrit : « Plus ouvert que d'habitude »...

On retrouve l'origine de ces comportements jusque dans les légendes arthuriennes. La sublimation, la quête du Saint Graal, le roi Arthur et ses chevaliers de la Table ronde, tout ça représente encore aujourd'hui les aspirations profondes de la noblesse anglaise et, par ricochet, celles de l'homme de la rue. Être mieux que ce qu'on est, le fair-play, lutter contre ses sentiments, bref, les Anglais pensent qu'à force de faire semblant d'être plus généreux et plus chevaleresque, on finit bien par le devenir ! Du conflit entre les petites mesquineries quotidiennes et les grandes envolées lyriques est né le goût de la dérision, et ce n'est pas sans raison que les Monty Python se sont attaqués au mythe arthurien dans l'un de leurs premiers films.

Si, dans d'autres pays, il faut se montrer extrêmement circonspect et prendre garde à la manière de formuler une critique individuelle ou nationale, les Anglais, eux, adorent être « vannés ». La seule vraie insulte que vous pouvez leur faire est de leur dire qu'ils n'ont pas le sens de l'humour. Un des plus grands succès de librairie britannique (30 éditions !) fut, en 1946, un livre extrêmement drôle et méchant sur le comportement anglais : *How to be an Alien* (Penguin), écrit par George Mikes, un Hongrois. Il commence son livre ainsi : « Les Continentaux pensent que la vie est un jeu ; les Anglais, eux, pensent que le cricket est un jeu ! » Et le reste à l'avenant...

La France aux Français ? Mais de quel droit ?

Si les Anglais éprouvent une véritable passion pour la France (ce sont eux qui ont découvert et « colonisé » la Côte d'Azur ; quant aux vins de Bordeaux, on peut dire qu'ils font partie intégrante de la culture anglaise depuis le Moyen Âge), le peuple français, en revanche, leur inspire plutôt des sentiments de méfiance. Les discussions politiques de comptoir en France remplissent d'effroi le cœur du touriste anglais. Comment faire confiance à cette nation où chacun croit savoir

> ### HUMOUR ANGLAIS
>
> *Durant la Seconde Guerre mondiale, Churchill pénètre dans le bureau de De Gaulle dans un costume excentrique : nœud papillon à pois, chemise rayée et costume à carreaux. Le général, en uniforme, lève la tête, sourit et dit à son hôte : « Tiens, c'est le carnaval à Londres aujourd'hui ? ». « Que voulez-vous, répond le Premier ministre de Sa Majesté, tout le monde ne peut pas se déguiser en Soldat inconnu ! »*

tout sur tous les sujets ? Les Français apparaissent, à leurs yeux, comme un peuple frivole, gonflés de leur propre importance – comme Napoléon ! – et, pire encore : des révolutionnaires ! En gros, certains Britanniques pensent que Dieu, dans un moment lyrique, a créé le plus beau pays du monde : la France ; puis que, pour rétablir un juste équilibre vis-à-vis des autres, il y a mis... le peuple français ! N'empêche, l'engouement pour la France ne se limite pas à la cuisine et aux grands vins : les comédies musicales londoniennes comme *Les Misérables* affichent complet.

Le sens civique

Les Britanniques sont réputés pour leur flegme, mais il ne faut pas trop gratter le vernis pour réveiller la fougue qui sommeille dessous. Aussi ne prenez pas leur place. Faire la queue est une institution sacrée. Il faut en Angleterre la respecter, bien qu'il soit parfois difficile de savoir où cette pratique convient. On fait la queue pour prendre le bus ou le

> ### EXCLUSION
>
> *Jusqu'en 1828, tous les fonctionnaires britanniques étaient obligés de prêter serment pour obtenir un poste. Ils devaient notamment déclarer par écrit qu'ils ne reconnaissaient pas l'autorité du pape. Ce qui excluait tous les catholiques.*

train, aux guichets des cinémas et des théâtres, mais pas au bar à l'entracte ou au pub. Somme toute, il faut bien observer la situation, puis décider s'il y a lieu d'être patient ou de défendre âprement sa place.

Si vous avez l'occasion de converser avec des Britanniques, vous pourrez vous rendre compte que beaucoup croient en l'Europe, même si le tunnel sous la Manche représente un peu le viol de leur intégrité insulaire. Mais il y a plus grave. Depuis quelques années, ils doivent changer de passeport, comme les autres ressortissants de l'Union européenne. Le renoncement au passeport bleu britannique est très mal perçu !

Y a-t-il un avenir au droit à la différence ?

Aujourd'hui, au XXIe s, la Grande-Bretagne s'apprête psychologiquement à mettre un pied timide dans le XXe s ! Les colonels à la retraite – qui cultivent les roses en rêvant avec nostalgie à leurs chasses au tigre passées –, les fils de famille – dont personne n'attendait un autre comportement que d'avoir de l'esprit et de conduire des décapotables rouges afin d'épater les filles – ainsi que les vieilles dames à ombrelle – qui sirotent le thé dans des fauteuils en osier sur des pelouses millénaires –, tout cela s'estompe peu à peu pour rejoindre le grand album des images d'Épinal d'une Angleterre historique. D'ailleurs, la très chic *Manorial Society of Great Britain* met en vente les titres de noblesse des aristocrates fauchés. Tout fout le camp !

Avec « Ma'am Thatcher », l'Angleterre a appris qu'elle était au bord de la faillite. Avec l'arrivée massive d'immigrés en provenance des anciennes colonies et des pays de l'Est, elle doit apprendre aussi à gérer, avec pas mal de difficultés, une société multiculturelle. Bref, la Grande-Bretagne est en pleine mutation.

Mais, aussi radicaux que pourront être les changements, l'excentricité restera une caractéristique nationale. Car c'est bien dans ce pays encombré de petites maisons alignées que le droit à la différence demeure

ET POURQUOI LES IMMIGRÉS VEULENT-ILS ALLER EN ANGLETERRE ?

Chez les Anglais, une règle préserve le droit de tous les citoyens, depuis des siècles : l'habeas corpus. Cette loi garantit à une personne arrêtée d'être présentée très rapidement à un juge qui décidera de la validité de son arrestation. S'il n'y a pas de délit, elle sera libérée aussitôt. En Angleterre, on peut donc se promener sans avoir de carte d'identité. Ce n'est pas le cas en France !

une réalité. Que ce soit les modes extravagantes de la jeunesse britannique – qui se diffusent dans le reste du monde – ou les allures de ces vieux aristocrates qui siègent à la Chambre des lords avec leurs cheveux coiffés en queue-de-cheval et qui prônent la polygamie, le fait est là : l'Angleterre cultive le paradoxe et aime l'excentricité. Le droit d'être différent, que ce soit à titre individuel ou en tant que nation, fait partie de l'héritage culturel de cette petite poignée d'îles...

SITES INSCRITS AU PATRIMOINE MONDIAL DE L'UNESCO

Organisation
des Nations Unies
pour l'éducation,
la science et la culture

En coopération avec
le centre du patrimoine mondial de l'UNESCO

Pour figurer sur la liste du Patrimoine mondial, les sites doivent avoir une valeur universelle exceptionnelle et satisfaire à au moins un des 10 critères de sélection. La protection, la gestion, l'authenticité et l'intégrité des biens sont également des considérations importantes.

Le patrimoine est l'héritage du passé dont nous profitons aujourd'hui et que nous transmettons aux générations à venir. Nos patrimoines culturel et naturel sont deux sources irremplaçables de vie et d'inspiration. Ces sites appartiennent à tous les peuples du monde, sans tenir compte du territoire sur lequel ils sont situés. Pour plus d'informations : ● *whc.unesco.org* ●

À Londres, les sites inscrits sont les suivants :

– *Westminster Palace :* le Parlement britannique.

– *Westminster Abbey and Saint Margaret's Church :* abbaye où se marient les grands hommes, où sont couronnés les grands hommes et où sont enterrés les grands hommes.

– *Tower of London* (Tour de Londres) *:* ancienne prison royale où sont conservés les bijoux de la Couronne.

– *Le quartier de Greenwich :* où se situe le fameux méridien.

– *Kew Gardens :* les jardins botaniques royaux.